KB125752

신역

주역전의

신역
新譯

주역전의

성백효 역

한국인문고전연구소

차례

• 周易傳義 (下) •

• 總目 •

일러두기

1. 본서(本書)는 내각본(內閣本) 《주역전의대전(周易傳義大全)》(언해본 포함)을 국역대본(國譯臺本)으로 하고 청대(淸代)에 이광지(李光地) 등이 칙명(勅命)을 받들어 편찬한 《주역절중(周易折中)》 및 퇴계(退溪) 이황(李滉)의 《경서석의(經書釋義)》와 사계(沙溪) 김장생(金長生)의 《경서변의(經書辨疑)》, 호산(壺山) 박문호(朴文鎬)의 《주역본의상설(周易本義詳說)》, 일본(日本)의 한문대계본(漢文大系本)과 성균관대학교 대동문화연구원(大東文化硏究院)의 경학자료집성(經學資料集成:역경(易經)), 《주역전의역해(周易傳義譯解:대유학당(大有學堂))》 등을 참고하여 상·중·하 3책으로 번역하였다.
2. 원문(原文) 이해의 도움을 위하여 현토(懸吐)하였다.
   경문(經文)의 토는 관본(官本) 언해(諺解)의 토를 위주로 하되 필요에 따라 조정하였고, 전의(傳義)의 토는 역주자(譯註者)가 현토하였다.
3. 번역은 원의(原義)에 충실하여 원전강독(原典講讀)에 도움이 되도록 하였다.
4. 역주(譯註)는 중요한 출전(出典)이나 난해한 문맥과 타당성이 있다고 여겨지는 이설(異說) 및 오탈자(誤脫字)를 대상으로 하였고, 원문의 난해자(難解字)는 자의(字義)를 하단(下段)에 실었다.
5. 《정전(程傳)》에 이동(異同)이 있는 것은 《대전본(大全本)》을 따라 소자(小字)로 병기하였다.
6. 원문 중 경문(經文)과 전의(傳義)는 활자(活字)의 대소(大小)를 구분하고 번역문도 이에 따랐으며, 각 괘별(卦別)로 일련번호를 붙여 구분하였다.
7. 원문의 오자(誤字), 가차자(假借字) 등은 다음 부호를 사용하였다.

   (오자) (정자)
   - 오자(誤字)의 예(例) : 所(進)〔逢〕之時
   - 가차자(假借字)의 예(例) : 文羨(衍)吉字

   (수정) (언해)
   - 현토(懸吐)의 예(例) : 元하고(코)
8. 독자들의 참고를 위하여 부록으로 설시구괘법(揲蓍求卦法:시초를 세어 괘를 찾는 법, 오호영(吳虎泳) 선생의 《역상강의(易象講義)》에서 발췌)을 번역하여 원문과 함께 붙이고, 주역괘가(周易卦歌)를 함께 덧붙였다.
9. 본서의 사용 부호는 다음과 같다.

   〈 〉: 보충역 및 편명　　( ) : 간주(間註) 및 보충역, 참고사항
   《 》: 서명(書名)　　〔 〕: 참고 원어(原語) 및 한자(漢字)
   、 : 원문에서는 동격나열(同格羅列)
   ※ : 역자의 부연 설명
10. 목차는 옛 차례를 바꾸고 경문(經文)을 위주하여, 1권(상)에는 상경(上經) 24괘를, 2권(중)에는 상경 6괘와 하경 22괘를, 3권(하)에는 하경 12괘와 〈계사전(繫辭傳)〉 상·하, 〈설괘전(說卦傳)〉·〈서괘전(序卦傳)〉·〈잡괘전(雜卦傳)〉을 실었으며, 맨 앞에 있던 총목(總目) 역시 뒤에 실었다.

新譯

周易傳義

53 풍산 風山 점(漸) ䷴ 간하손상 艮下巽上

傳 | 漸은 序卦에 艮者는 止也니 物不可以終止라 故受之以漸하니 漸者는 進也라 하니라 止必有進하니 屈伸消息之理也[1]라 止之所生도 亦進也요 所反도 亦進也니 漸所以次艮也니 進以序爲漸이라 今人이 以緩進爲漸하니 進以序하여 不越次하니 所以緩也라 爲卦 上巽下艮하여 山上有木하니 木之高而因山은 其高〔一有而字〕有因也니 其高有因이면 乃其進有序也니 所以爲漸也라

점괘(漸卦)는 〈서괘전〉에 "간(艮)은 그침이니, 사물은 끝내 그칠 수만은 없다. 그러므로 점괘로 받았으니, 점(漸)은 나아감이다." 하였다. 그치면 반드시 나아감이 있으니, 굴신(屈伸)과 소식(消息)의 이치이다. 그침이 낳는 것 또한 나아감이요, 그침과 반대되는 것 또한 나아감이니, 점괘가 이 때문에 간괘(艮卦 ☶)의 다음이 된 것이다. 나아감을 순서대로 하는 것을 점(漸)이라 한다. 지금 사람들이 느리게 나아감을 점진이라 하니, 나아감을 순서대로 하여 차례를 넘지 않으니, 이 때문에 느린 것이다. 괘됨이 위는 손(巽 ☴)이고 아래는 간(艮 ☶)이어서 산 위에 나무가 있으니, 나무가 높으나 산을 따름은 그 높음이 인함이 있는 것이니, 높음이 인함이 있으면 바로 나아감에 차례가 있는 것이니, 이 때문에 점(漸)이라 한 것이다.

漸은 女歸吉하니 利貞이니라

점(漸)은 여자의 시집감〔女歸〕이 길하니, 이로움은 정(貞)하기 때문이다.

본의 | 정(貞)함이 이롭다.

傳 | 以卦才로 兼漸義而言也라 乾坤之變이 爲巽、艮이요 巽、艮重而爲漸이라 在漸體而言하면 中二爻交也니 由二爻之交然後에 男女各得正位라 初、終二爻

1 屈伸消息之理也 : 굽히면 펴고 펴면 굽히며 사라지면 불어나고 불어나면 사라지는 이치이다.

··· 漸 : 나아갈 점 歸 : 시집갈 귀

는 雖不當位나 亦陽上陰下하니 得尊卑之正이요 男女各得其正은 亦得位也니 與歸妹正相對라 女之歸 能如是之正이면 則吉也라 天下之事에 進必以〔一作有〕漸者는 莫如女歸라 臣之進於朝와 人之進於事에 固當有序하니 不以其序〔一作漸〕하면 則陵節犯義하여 凶咎隨之라 然以義之輕重과 廉恥之道로 女之從人이 最爲大也라 故以女歸爲義요 且男女는 萬事之先也〔一有利貞字〕일새라

괘재(卦才)로 점(漸)의 뜻을 겸하여 말하였다. 건(乾 ☰)·곤(坤 ☷)의 변함이 손(巽 ☴)과 간(艮 ☶)이 되고, 손과 간이 겹쳐서 점(漸)이 되었다. 점(漸)의 체(體)에 있어 말하면 가운데의 두 효(爻;구삼(九三)과 육사(六四))가 사귀었으니, 두 효가 사귐으로 말미암은 뒤에 남·녀가 각기 정위(正位;바른 자리)를 얻었다. 초(初)와 종(終) 두 효는 비록 자리에 합당하지 않으나 또한 양이 위에 있고 음이 아래에 있으니 존비(尊卑)의 바름을 얻은 것이요, 남·녀가 각각 바름을 얻음은 또한 자리를 얻은 것이니, 귀매괘(歸妹卦 ䷵)와 정반대이다.

여자의 시집감이 이와 같이 바르면 길하다. 천하의 일에 있어 나아가기를 반드시 점진으로써 함은 여자가 시집가는 것보다 더함이 없다. 신하가 조정에 나아감과 사람이 일에 나아감도 진실로 마땅히 순서가 있어야 하니, 순서를 따르지 않으면 절차를 능멸하고 의(義)를 범하여 흉구(凶咎)가 따르게 된다. 그러나 의(義)의 경중(輕重)과 염치(廉恥)의 도리로는 여자가 사람(남편)을 따름이 가장 큰 것이 된다. 그러므로 여귀(女歸;여자의 시집감)로 뜻을 삼았으며, 또 남·녀는 만사의 첫 번째가 되기 때문이다.

諸卦多有利貞이로되 而所施或不同하니 有涉不正之疑而爲之戒者하며 有其事必貞이라야 乃得其宜者하며 有言所以利者 以其有貞也라 所謂涉不正之疑而爲之戒者는 損之九二是也니 處陰居說이라 故戒以宜貞也요 有其事必貞이라야 乃得宜者는 大畜是也니 言所畜利於貞也요 有言所以利者 以其有貞者는 漸是也니 言女歸之所以吉은 利於如此貞正也니 蓋其固有요 非設戒也라 漸之義 宜能亨이로되 而不云亨者는 蓋亨者는 通達之義요 非漸進之義也일새라

여러 괘에 '이정(利貞)'이 많이 있는데 베푼 것이 혹 똑같지 않으니, 부정(不正)한 의심에 해당되어 경계한 경우가 있으며, 일이 반드시 정(貞)하여야 비로소 마땅함을 얻는 경우가 있으며, 이로운 까닭은 정(貞)이 있기 때문임을 말한 경우가

있다. 이른바 '부정한 의심에 걸려 경계했다.'는 것은 손괘(損卦 ☶☱)의 구이효(九二爻)가 이것이니 음위(陰位)에 처하고 열(說)에 있으므로 마땅히 정(貞)하라고 경계한 것이요, '일이 반드시 정(貞)하여야 비로소 마땅함을 얻는다.'는 것은 대축괘(大畜卦 ☶☰)가 이것이니 쌓는 바가 정함이 이로움을 말한 것이요, '이로운 까닭은 정(貞)이 있기 때문임을 말했다.'는 것은 점괘(漸卦)가 이것이니, 여자가 시집감〔女歸〕이 길한 이유는 이와 같이 정정(貞正)함이 이로움을 말한 것이니, 이는 고유한 것이요 경계를 베푼 것이 아니다. 점(漸)의 뜻은 마땅히 형통할 것이나 형통하다고 말하지 않은 것은 형통함은 통달의 뜻이요, 점진의 뜻이 아니기 때문이다.

本義 | 漸은 漸進也라 爲卦止於下而巽於上하니 爲不遽進之義요 有女歸之象焉하며 又自二至五에 位皆得正이라 故其占이 爲女歸吉이요 而又戒以利貞也라

점(漸)은 점진함이다 괘됨이 아래에 그치고 위에 공손하니 갑자기 나아가지 않는 뜻이 되고, 여자가 시집가는 상이 있으며, 또 이효(二爻)로부터 오효(五爻)에 이르기까지 자리가 모두 정(正)을 얻었다. 그러므로 그 점(占)이 여귀(女歸)의 길함이 되고 또 이정(利貞)하라고 경계한 것이다.

彖曰 漸之進也는 女歸의 吉也라

〈단전〉에 말하였다. "점(漸)의 나아감은 여자가 시집감에 길한 것이다.

傳 | 如漸之義而進은 乃女歸之吉也니 謂正而有漸也라 女歸爲大耳요 他進亦然이니라

점(漸)의 뜻과 같이 하여 나아감은 바로 여귀(女歸)의 길함이니, 바르고 점점함이 있음을 말한 것이다. 여자의 시집감이 가장 큰 것이 될 뿐이요, 다른 나아감도 그러하다.

本義 | 之字는 疑衍이어나 或是漸字라

지(之) 자는 의심컨대 연문(衍文)이거나 혹 점(漸) 자인 듯하다.

進得位하니 **往有功也**요
나아가 자리를 얻으니 가면 공(功)이 있을 것이요,

傳 | 漸進之時에 而陰陽各得正位하니 進而有功也라 四復由上進而得正位하고 三離下而爲上하여 遂得正位[2]하니 亦爲進得位之義라

점진의 때에 음과 양이 각각 정위(正位)를 얻었으니, 나아가면 공(功)이 있을 것이다. 사(四)가 다시 위로 말미암아 나아가서 정위를 얻고, 삼(三)이 아래를 떠나 위가 되어서 마침내 정위를 얻었으니, 이 또한 나아가 자리를 얻은 뜻이 된다.

進以正하니 **可以正邦也**니
나아가기를 정도(正道)로써 하니 나라를 바로잡을 수 있으니,

傳 | 以正道而進이면 可以正邦國하여 至於天下也라 凡進於事, 進於德, 進於位를 莫不皆當以正也니라

정도(正道)로써 나아가면 방국(邦國)을 바로잡아 천하에까지 이를 수 있다. 무릇 일에 나아가고 덕(德)에 나아가고 지위에 나아감을 모두 정도로써 하지 않음이 없어야 한다.

本義 | 以卦變으로 釋利貞之意라 蓋此卦之變이 自渙而來하여 九進居三하고 自旅而來하여 九進居五하니 皆爲得位之正이라

괘변(卦變)으로써 이정(利貞)의 뜻을 해석하였다. 이 괘의 괘변(卦變)이 환괘(渙卦 ䷺)로부터 와서 구(九)가 나아가 삼(三)에 거하고, 또 려괘(旅卦 ䷷)로부터 와서 구(九)가 나아가 오(五)에 거했으니, 모두 자리의 바름을 얻음이 된다.

2 四復由上進而得正位 三離下而爲上 遂得正位 : 상체(上體)의 육사(六四)는 원래 건(乾 ☰)이었는데 손(巽 ☴)으로 변하여 이루어졌고, 하체(下體)의 구삼(九三)은 원래 곤(坤 ☷)이었는데 간(艮 ☶)으로 변하여, 구삼과 육사가 모두 정위(正位)를 얻게 되었음을 말한 것이다.

其位는 剛得中也라

그 자리는 강(剛)이 중(中)을 얻은 것이다.

傳 | 上云進得位 往有功也는 統言陰陽得位라 是以進而有功이요 復云其位剛得中也는 所謂位者는 五以剛陽中正으로 得尊位也라 諸爻之得正도 亦可謂之得位矣나 然未若五之得尊位라 故特言之하니라

위에 '진득위 왕유공(進得位往有功)'이라고 말한 것은 음과 양이 자리를 얻었기 때문에 나아가 공이 있음을 총괄하여 말한 것이요, 다시 '기위강득중야(其位剛得中也)'라고 말한 것은 이른바 위(位)는 오(五)가 강양 중정(剛陽中正)으로 존위(尊位)를 얻은 것이다. 여러 효(爻)가 정위(正位)를 얻은 것도 득위(得位)라고 할 수 있으나 오(五)가 존위를 얻은 것만 못하다. 그러므로 특별히 말한 것이다.

本義 | 以卦體言이니 謂九五也라

괘체(卦體)로써 말하였으니, 구오(九五)를 이른다.

止而巽할새 動不窮也라

그치고 공손하므로 동함이 곤궁하지 않은 것이다."

傳 | 內艮止하고 外巽順하니 止爲安靜之象이요 巽爲和順之義라 人之進也를 若以欲心之動이면 則躁而不得其漸이라 故有困窮이어니와 在漸之義엔 內止靜而外巽順이라 故其進動이 不有〔一作至〕困窮也라

안은 간(艮)이어서 그치고 밖은 손(巽)이어서 순하니, 지(止)는 안정(安靜)한 상이 되고 손(巽)은 화순(和順)한 뜻이 된다. 사람이 나아가기를 만일 욕심의 동함으로써 하면 조급하여 점점함을 얻지 못하므로 곤궁함이 있지만, 점(漸)의 뜻에 있어서는 안은 멈추어 고요하고 밖은 손순(巽順)하다. 그러므로 그 나아가 동함이 곤궁함이 없는 것이다.

本義 | 以卦德으로 言漸進之義라

괘덕(卦德)으로써 점진의 뜻을 말하였다.

象曰 山上有木이 漸이니 君子以하여 居賢德하여 善俗하나니라

〈상전〉에 말하였다. "산(山) 위에 나무가 있음이 점(漸)이니, 군자가 보고서 현덕(賢德)에 머물러 풍속을 선(善)하게 한다."

本義 | 居賢德하며

현덕(賢德)에 머물며

傳 | 山上有木하여 其高有因이 漸之義也라 君子觀漸之象하여 以居賢善之德하여 化美於風俗하나니라 人之進於賢德에 必有其漸하여 習而後能安이요 非可陵節而遽至也라 在己且然이어든 敎化之於人에 不以漸이면 其能入乎아 移風易俗은 非一朝一夕所能成이라 故善俗을 必以漸也니라

산 위에 나무가 있어 그 높음이 따름이 있는 것이 점(漸)의 뜻이다. 군자가 점(漸)의 상(象)을 보고서 현선(賢善)의 덕(德)에 머물러 풍속을 교화해서 아름답게 한다. 사람이 현덕(賢德)에 나아감에 반드시 점점함이 있어 익힌 뒤에 능히 편안한 것이요, 절차를 능멸하여 대번에 이르는 것이 아니다. 자신에게 있어서도 그러한데 남을 교화시킴에 있어 점진으로써 하지 않으면 어찌 들어갈 수 있겠는가. 풍속을 바꿈은 하루아침 하루저녁에 이룰 수 있는 것이 아니다. 그러므로 풍속을 선(善)하게 함은 반드시 점진으로써 하여야 하는 것이다.

本義 | 二者를 皆當以漸而進이라 疑賢字衍이어나 或善下有脫字라

〈거현덕(居賢德)과 선속(善俗)〉 두 가지를 모두 마땅히 점점하여 나아가야 한다. 의심컨대 현(賢) 자가 연문(衍文)이거나 혹 선(善) 자 아래에 탈자(脫字)가 있는 듯하다.

初六은 鴻漸于干이니 小子厲하여 有言이나 无咎니라

초육(初六)은 기러기가 물가에 점진함이니, 소자(小子)는 위태롭게 여겨 허물하는 말이 있으나 허물이 없다.

傳 | 漸諸爻皆取鴻象하니 鴻之爲物이 至有時而羣有序하니 不失其時序는 乃爲漸也라 干은 水湄라 水鳥止於水之湄하니 水至近也니 其進이 可謂漸矣라 行而以

… 鴻 : 기러기 홍 干 : 물가 간 湄 : 물가 미

時는 乃所謂漸이니 漸〔一无漸字〕進不失이면 漸得其宜矣라 六居初는 至下也요 陰之才는 至弱也어늘 而上無應援하니 以此而進은 常情之所憂也라 君子則深識遠照하여 知義理之所安과 時事之所宜하여 處之不疑어니와 小人、幼子는 唯能見已然之事하고 從衆人之〔一有所字〕知(智)하여 非能燭理也라 故危懼而有言하니 蓋不知在下所以有進也요 用柔所以不躁也요 无應所以能漸也니 於義에 自无咎也라 若漸之初에 而用剛急進이면 則失漸之義하니 不能進而有咎 必矣니라

점(漸)의 여러 효(爻)가 모두 기러기의 상(象)을 취했으니, 기러기란 물건은 날아오는 것이 때가 있고 무리에 질서가 있으니, 때와 질서를 잃지 않는 것은 바로 점(漸)이 된다. '간(干)'은 물가이다. 수조(水鳥:물새)가 물가에 멈추니, 물가는 물에서 지극히 가까우니, 그 나아감이 점점한다고 이를 만하다. 날아가기를 때에 따라 함이 이른바 점이란 것이니, 점진하여 잃지 않으면 점점함이 그 마땅함을 얻게 된다. 육(六)이 초(初)에 거함은 지극히 낮은 것이요, 음(陰)의 재질은 지극히 약한데 위에 응원(應援)이 없으니, 이러한 처지로 나아감은 상정(常情)에 근심하는 바이다.

군자는 깊이 알고 멀리 비추어 의리(義理)에 편안한 바와 시사(時事)에 마땅한 바를 알아서 대처하여 의심하지 않지만, 소인과 유자(幼子)는 오직 이연(已然)의 일만 보고 중인(衆人)의 지혜를 따를 뿐이어서 능히 이치를 밝게 살필 수 있는 것이 아니다. 그러므로 위태롭게 여기고 두려워하여 허물하는 말이 있는 것이니, 아랫자리에 있음은 나아감이 있는 것이요 유(柔)를 씀은 조급하지 않은 것이요 응(應)이 없음은 능히 점진하는 것이어서 의(義)에 본래 허물이 없음을 알지 못한다. 만일 점(漸)의 초기에 강(剛)을 쓰고 급진하면 점의 뜻을 잃으니, 능히 나아가지 못하고 허물이 있음이 틀림없다.

本義 | 鴻之行有序而進有漸이라 干은 水涯也니 始進於下하여 未得所安하고 而上復无應이라 故其象如此요 而其占則爲小子厲하여 雖有言이나 而於義則无咎也라

기러기의 날아가는 항렬은 질서가 있고 나아감은 점진함이 있다. '간(干)'은 물가이니, 처음 아래에서 나아가 편안한 바를 얻지 못하였고 위에 다시 응(應)이 없다. 그러므로 그 상(象)이 이와 같고, 그 점(占)은 소자(小子)가 위태롭게 여겨 비록 허물하는 말이 있으나 의리에는 허물이 없는 것이다.

••• 燭 : 밝힐 촉 涯 : 물가 애

象曰 小子之厲나 **義无咎也**니라

〈상전〉에 말하였다. "소자는 위태롭게 여기나 의리에는 허물이 없는 것이다."

傳 | **雖小子以爲危厲**나 **在義理**에 **實无咎也**라

비록 소자는 위태롭게 여기나 의리에 있어서는 실제로 허물이 없는 것이다.

六二는 **鴻漸于磐**이라 **飮食**이 **衎**(간)**衎**하니 **吉**하니라

육이(六二)는 기러기가 반석(磐石)에 점진한다. 음식(飮食)을 먹음이 즐겁고 즐거우니, 길(吉)하다.

傳 | **二居中得正**하여 **上應於五**하니 **進之安裕者也**로되 **但居漸故**로 **進不速**이라 **磐**은 **石之安平者**니 **江河之濱所有**니 **象進之安**이요 **自干之磐**은 **又漸進也**라 **二與九五之君**으로 **以中正之道相應**하여 **其進之安固平易 莫加焉**이라 **故其飮食和樂衎衎然**하니 **吉可知也**라

이(二)가 중(中)에 거하고 정(正)을 얻어서 위로 오(五)와 응하니, 나아가기를 편안하고 여유롭게 하는 자이나 다만 점(漸)의 때에 처했으므로 나아가기를 빨리하지 않는 것이다. '반(磐)'은 돌이 편안하고 평평한 것으로 강하(江河)의 물가에 있으니, 나아가기를 편안히 함을 형상한 것이요, 물가로부터 반석(磐石)에 감은 또 점진하는 것이다. 이(二)가 구오(九五)의 군주와 더불어 중정(中正)한 도로 서로 응하여 그 나아감이 안고(安固)하고 평이(平易)함이 더할 수 없다. 그러므로 음식을 먹음이 화락하여 즐거운 것이니, 길함을 알 수 있다.

本義 | **磐**은 **大石也**니 **漸遠於水**하여 **進於干而益安矣**라 **衎衎**은 **和樂意**라 **六二柔順中正**하여 **進以其漸**하고 **而上有九五之應**이라 **故其象如此**요 **而占則吉也**라

'반(磐)'은 큰 돌이니, 점점 물에서 멀어져 물가로 나아가 더욱 편안한 것이다. '간간(衎衎)'은 화락(和樂)한 뜻이다. 육이(六二)가 유순(柔順)하고 중정(中正)하여 나아가기를 점점하고 위에 구오(九五)의 응이 있으므로 그 상(象)이 이와 같고 점(占)이 길한 것이다.

··· 磐 : 너럭바위 반 衎 : 즐길 간 濱 : 물가 빈

象曰 飮食衎衎은 不素飽也라

〈상전〉에 말하였다. "'음식간간(飮食衎衎)'은 헛되이 배부르지 않은 것이다."

傳 | 爻辭는 以其進之安平故로 取飮食和樂爲言하니 夫子恐後人之未喩하사 又釋之云 中正君子 遇中正之主하여 漸進于上하여 將行其道以及天下하니 所謂飮食衎衎은 謂其得志和樂이요 不謂空飽飮〔一无飮字〕食而已라하시니라 素는 空也라

효사(爻辭)는 나아감이 평안하기 때문에 음식을 먹음이 화락함을 취하여 말하였는데, 부자(夫子)는 후인(後人)들이 깨닫지 못할까 두려워하여 다시 해석하시기를 "중정(中正)한 군자가 중정한 군주를 만나서 위로 점진하여 장차 그 도를 행해서 천하에 미치게 되었으니, 이른바 '음식간간(飮食衎衎)'은 그 뜻을 얻어 화락함을 이른 것이요, 공연히 음식을 배불리 먹을 뿐임을 말한 것이 아니다." 하셨다. '소(素)'는 공(空)이다.

本義 | 素飽는 如詩言素飡(餐)[3]이니 得之以道면 則不爲徒飽而處之安矣리라

'소포(素飽)'는 《시경》의 소찬(素飡)이란 말과 같으니, 얻기를 도(道)에 맞게 하면 헛되이 배부름이 되지 아니하여 대처함이 편안할 것이다.

九三은 鴻漸于陸이니 夫征이면 不復하고 婦孕이라도 不育하여 凶하니 利禦寇하니라

구삼(九三)은 기러기가 육지(평원)로 점진함이니, 남자는 가면 돌아오지 못하고 부인은 잉태(孕胎)하더라도 생육(生育)하지 못하여 흉하니, 적을 막음이 이롭다.

本義 | 婦孕이면

부인은 잉태하면

······

3 詩言素飡 : 소찬(素飡)은 하는 일 없이 공밥만 먹는 것으로, 《시경》 〈위풍(魏風) 벌단(伐檀)〉에 "공밥을 먹지 않는다.〔不素飡兮.〕"라고 보인다.

··· 飡 : 밥 찬 孕 : 아이밸 잉

傳 | 平高曰陸이니 平原也라 三在下卦之上하니 進至於陸也라 陽은 上進者也니 居漸之時하여 志將漸進이로되 而上无應援하니 當守正以俟時하고 安處平地하면 則〔一无則字〕得漸之道어니와 若或不能自守하여 欲有所牽하고 志有所就하면 則失漸之道라 四陰이 在上而密比하니 陽所說也요 三陽이 在下而相親하니 陰所從也라 二爻相比而无應하니 相比則相親而易合이요 无應則无適而相求라 故爲之戒라 夫는 陽也니 夫는 謂三이라 三若不守正하고 而與四合이면 是知征而不知復이라 征은 行也요 復은 反也니 不復은 謂不反顧義理라 婦는 謂四니 若以不正而合이면 則雖孕而不育이니 蓋非其道也니 如是則凶也라 三之所利는 在於禦寇하니 非理〔一作禮〕而至者寇也라 守正以閑邪는 所謂禦寇也니 不能禦寇면 則自失而凶矣리라

평평하고 높음을 '육(陸)'이라 하니, 평원(平原)이다. 삼(三)이 하괘(下卦)의 위에 있으니, 나아가 육지에 이른 것이다. 양(陽)은 위로 나아가는 자이니, 점(漸)의 때에 거하여 뜻이 장차 점진하려 하지만 위에 응원(應援)이 없으니, 마땅히 정도(正道)를 지켜 때를 기다리고 평지에 편안히 처하면 점(漸)의 도를 얻지만, 만일 혹 스스로 지키지 못하여 욕심에 끌리는 바가 있고 뜻에 나아가는 바가 있으면 점의 도를 잃는다. 사(四)인 음(陰)이 위에 있어 매우 가까우니 양이 좋아하는 바이며, 삼(三)인 양(陽)이 아래에 있어 서로 친하니 음이 따르는 바이다. 구삼과 육사 두 효(爻)가 서로 가깝고 응이 없으니, 서로 가까우면 서로 친하여 합하기 쉽고, 응이 없으면 갈 곳이 없어 서로 구한다. 그러므로 경계한 것이다.

'부(夫)'는 양이니, 부(夫)는 구삼(九三)을 이른다. 삼(三)이 만약 정도를 지키지 않고 육사(六四)와 합하면 이는 갈 줄만 알고 돌아올 줄을 모르는 것이다. '정(征)'은 감이요 '복(復)'은 돌아옴이니, 돌아오지 못한다는 것은 의리(義理)를 돌아보지 못함을 이른다. '부(婦)'는 육사(六四)를 이르니, 만일 부정한 방도로 합하면 비록 잉태하더라도 생육(生育)하지 못하니, 그 도(道)가 아니기 때문이니 이와 같으면 흉하다. 삼(三)의 이로운 바는 적을 막음에 있으니, 도리가 아니면서 오는 자가 적〔寇〕이다. 정도(正道)를 지켜 사(邪)를 막음은 이른바 적을 막는다는 것이니, 적을 막지 못하면 스스로 잃어 흉할 것이다.

本義 | 鴻은 水鳥니 陸은 非所安也라 九三이 過剛不中而无應이라 故其象如此요

••• 閑 : 막을 한

而其占은 夫征則不復하고 婦孕則不育하니 凶莫甚焉이라 然以其過剛也라 故利禦寇하니라

기러기는 수조(水鳥)이니, 육지는 편안한 곳이 아니다. 구삼(九三)이 지나치게 강(剛)하고 중(中)하지 못하며 응(應)이 없으므로 그 상(象)이 이와 같고, 점(占)은 남자는 가면 돌아오지 못하고 부인은 잉태하면 생육(生育)하지 못하니, 흉함이 이보다 심함이 없다. 그러나 지나치게 강(剛)하기 때문에 적을 막음은 이로운 것이다.

象曰 夫征不復은 離羣하여 醜也요 婦孕不育은 失其道也요 利用禦寇는 順相保也라

〈상전〉에 말하였다. "남자는 가면 돌아오지 못함은 무리를 떠나 추한 것이요, 부인은 잉태(孕胎)하더라도 생육하지 못함은 그 도를 잃었기 때문이요, 적을 막음에 씀이 이로움은 순함으로 서로 보존하는 것이다."

傳 | 夫征不復은 則失漸之正이니 從欲而失正하여 離叛其羣類는 爲可醜也라 卦之諸爻 皆无不善이어늘 若獨失正이면 是離其羣類라 婦孕이 不由其道하니 所以不育也라 所利在禦寇는 謂以順道相保라 君子之與小人比也에 自守以正이니 豈唯君子自完其己而已乎아 亦使小人으로 得不陷於非義하니 是는 以順道相保하여 禦止其惡이라 故曰禦寇라하니라

남자가 가면 돌아오지 못함은 점(漸)의 바름을 잃어서이니, 욕심을 따라 정도(正道)를 잃어서 그 무리를 이반함은 추함이 되는 것이다. 괘의 여러 효(爻)가 모두 선(善)하지 않음이 없는데, 구삼(九三)이 만일 홀로 정도를 잃으면 이는 그 무리를 이반하는 것이다. 부인의 잉태가 도를 따르지 않았으니, 이 때문에 생육하지 못하는 것이다. 이로운 바가 적을 막음에 있음은 순한 방도로써 서로 보존함을 이른다. 군자가 소인과 가까이 있을 때에 스스로 정도로써 지키니, 어찌 다만 군자가 스스로 자기 몸만 온전히 할 뿐이겠는가. 또한 소인으로 하여금 불의(不義)에 빠지지 않게 하니, 이는 순한 도로써 서로 보존하여 그 악(惡)을 막고 저지하는 것이다. 그러므로 적을 막는다고 말한 것이다.

六四는 鴻漸于木이니 或得其桷이면 无咎리라

육사(六四)는 기러기가 나무로 점진함이니, 혹 그 평평한 가지를 얻으면 허물이 없으리라.

傳 | 當漸之時하여 四以陰柔로 進據剛陽之上하니 陽은 剛而上進하나니 豈能安處陰柔之下리오 故四之處非安地니 如鴻之進〔一作漸〕于木也라 木은 漸高矣〔一无矣字〕하여 而有不安之象이요 鴻趾連하여 不能握枝라 故不木棲라 桷은 橫平之柯니 唯平柯之上이라야 乃能安處라 謂四之處本危로되 或能自得安寧之道면 則无咎也니 如鴻之於木에 本不安이로되 或得平柯而處之면 則安也라 四居正而巽順하니 宜无咎者也로되 必以得失言者는 因得失以明其義也니라

점(漸)의 때를 당하여 사(四)가 음유(陰柔)로 강양(剛陽)의 위에 나아가 점거하고 있으니, 양(陽)은 강하여 위로 나아간다. 어찌 음유의 아래에 편안히 처하겠는가. 그러므로 사(四)의 처함은 편안한 곳이 아니니, 마치 기러기가 나무에 나아간 것과 같은 것이다. 나무는 점점 높아 불안한 상(象)이 있고, 기러기는 발가락이 연결되어 나뭇가지를 잡지 못하므로 나뭇가지에 깃들지 못한다. '각(桷)'은 가로로 된 평평한 가지이니, 오직 평평한 가지의 위라야 비로소 편안히 처할 수 있다.

사(四)의 처지가 본래 위태로우나 혹 스스로 안녕(安寧)한 방도를 얻으면 허물이 없을 것이니, 기러기가 나무에 있어 본래 편안하지 않으나 혹 평평한 가지를 얻어 처하면 편안한 것과 같다. 사(四)가 정위(正位)에 거하고 손순(巽順)하니, 마땅히 허물이 없을 자이나 반드시 득실(得失:평평한 가지를 얻음)을 말한 것은 득실을 인하여 그 의(義)를 밝히려고 한 것이다.

本義 | 鴻不木棲하나니 桷은 平柯也니 或得平柯면 則可以安矣라 六四乘剛而順巽이라 故其象如此하니 占者如之면 則无咎也라

기러기는 나무에 깃들지 않으니, '각(桷)'은 평평한 가지인바, 혹 평평한 가지를 얻으면 편안할 수 있다. 육사(六四)가 강(剛)을 탔으나 순하고 공손하므로 그 상(象)이 이와 같으니, 점치는 자가 이와 같이 하면 허물이 없을 것이다.

••• 桷 : 가지 각 握 : 잡을 악 柯 : 가지 가

象曰 或得其桷은 順以巽也일새라
〈상전〉에 말하였다. "혹 평평한 가지를 얻음은 순하고 공손하기 때문이다."

傳 | 桷者는 平安之處니 求安之道는 唯順與巽이라 若其義順正하고 其處卑巽이면 何處而不安이리오 如四之順正而巽이라야 乃得桷也라

'각(桷)'은 평안(平安)한 곳이니, 편안함을 구하는 방도는 오직 순함과 공손함뿐이다. 만일 의(義)가 순하고 바르며, 처함이 비손(卑巽)하다면 어디에 처한들 편안하지 않겠는가. 사(四)와 같이 순하고 바르고 공손하여야 비로소 평평한 가지를 얻는 것이다.

九五는 鴻漸于陵이니 婦三歲를 不孕하나 終莫之勝이라 吉하리라
구오(九五)는 기러기가 높은 구릉으로 점진함이니, 부인이 삼 년 동안 잉태(孕胎)하지 못하나 끝내는 바름을 이기지 못한다. 길하리라.

傳 | 陵은 高阜也니 鴻之所止 最高處也니 象君之位라 雖得尊位나 然漸之時엔 其道之行이 固亦非遽라 與二爲正應하여 而中正之德同이어늘 乃隔於三、四하니 三比二하고 四比五하여 皆隔其交者也라 未能卽合故로 三歲不孕이나 然中正之道 有必亨之理하니 不正이 豈能隔害之리오 故終莫之能勝이요 但其合有漸耳니 終得其吉也라 以不正而敵中正은 一時之爲耳니 久면 其能勝乎아

'릉(陵)'은 높은 언덕이니 기러기가 앉는 곳으로서 가장 높은 곳이니, 군주의 자리(지위)를 형상한 것이다. 비록 존위(尊位)를 얻었으나 점(漸)의 때에는 그 도(道)를 행함이 진실로 또한 대번에 할 수 있는 것이 아니다. 〈오(五)는〉 이(二)와 정응(正應)이 되어 중정(中正)의 덕이 같으나 마침내 삼효(三爻)와 사효(四爻)에게 막혀 있으니, 삼(三)은 이(二)와 가깝고 사(四)는 오(五)와 가까워 모두 그 사귐을 막는 자이다. 능히 즉시 합하지 못하기 때문에 3년 동안 잉태하지 못하나 중정의 도는 반드시 형통할 이치가 있으니, 부정(不正)한 자가 어찌 막고 해치겠는가. 그러므로 끝내는 이기지 못하는 것이요 다만 그 합함에 점점함이 있을 뿐이니, 끝내는 길함을 얻는 것이다. 부정한 자로서 중정한 자를 대적함은 한때에 하는 것일 뿐이니, 오래되면 어찌 능히 이길 수 있겠는가.

本義 | 陵은 高阜也라 九五居尊하고 六二正應在下로되 而爲三、四所隔이라 然終不能奪其正也라 故其象如此하니 而占者如是則吉也라

'릉(陵)'은 높은 언덕이다. 구오(九五)가 존위(尊位)에 거하고 육이(六二)가 정응으로 아래에 있으나 삼효(三爻)와 사효(四爻)에게 막혔다. 그러나 끝내 그 바름(정응)을 빼앗지 못하므로 그 상(象)이 이와 같으니, 점치는 자가 이와 같이 하면 길하다.

象曰 終莫之勝吉은 得所願也라

〈상전〉에 말하였다. "끝내 바름을 이기지 못하여 길함은 소원을 얻는 것이다."

傳 | 君臣以中正相交하면 其道當行이니 雖有間其間者나 終豈能勝哉리오 徐必得其所願하리니 乃漸之吉也라

군주와 신하가 중정(中正)으로 서로 사귀면 그 도가 마땅히 행해질 것이니, 비록 그 사이를 이간(離間)하는 자가 있으나 끝내 어찌 이기겠는가. 천천히 반드시 소원을 얻을 것이니, 점(漸)의 길함이다.

上九는 鴻漸于(陸)[逵]니 其羽可用爲儀니 吉하니라

상구(上九)는 기러기가 공중에 점진함이니, 그 깃이 의법(儀法)이 될 만하니, 길하다.

본의 | 그 깃이 의식(儀飾)이 될 만하니

傳 | 安定胡公이 以陸爲逵하니 逵는 雲路也니 謂虛空之中이라 爾雅에 九達을 謂之逵라하니 逵는 通達无阻蔽之義也라 上九在至高之位하니 又益上進이면 是出乎位之外니 在他時則爲過矣로되 於漸之時에 居巽之極하여 必有其序하니 如鴻之離所止하여 而飛于雲空이요 在人則超逸乎常事之外者也라 進至於是而不失其漸은 賢達之高致也라 故可用爲儀法而吉也라 羽는 鴻之所用進也니 以其進之用으로 況上九進之道也라

안정 호공(安定胡公;호원(胡瑗))이 '육(陸)'을 규(逵)라 하였으니, 규는 구름길이니

··· 逵 : 큰길 규 阻 : 막을 조 超 : 뛰어날 초 逸 : 뛰어날 일

허공의 가운데를 이른다. 《이아(爾雅)》에 "아홉 군데로 통달함을 규라 한다." 하였으니, 규는 통달하여 막히고 가리움이 없는 뜻이다. 상구(上九)가 지극히 높은 자리(지위)에 있으니, 또 더욱 위로 나아가면 이는 지위의 밖으로 벗어난 것이니, 다른 때에 있으면 과(過)함이 되나 점(漸)의 때에는 손(巽)의 극에 거하여 반드시 그 차례가 있을 것이니, 기러기가 앉는 곳을 떠나 구름이 떠있는 공중을 나는 것과 같고, 사람에게 있어서는 상사(常事)의 밖으로 초일(超逸)하는 자이다. 나아가 이곳에 이르러 점진함을 잃지 않음은 어진이와 이치를 통달한 자의 높은 행위(고상한 운치)이다. 그러므로 의법(儀法)으로 삼을 수 있어 길한 것이다. 깃은 기러기가 사용하여 나아가는 것이니, 나아갈 때에 깃털을 사용함으로써 상구(上九)의 나아가는 방도를 비유한 것이다.

本義 | 胡氏、程氏皆云 陸當作逵하니 謂雲路也라하니 今以韻讀之에 良是[4]라 儀는 羽旄旌纛(독)之飾也라 上九至高하여 出乎人位之外나 而其羽毛可用以爲儀飾하니 位雖極高나 而不爲无用之象이라 故其占이 爲如是則吉也라

호씨(胡氏)와 정씨(程氏)가 모두 "육(陸)은 마땅히 규(逵)가 되어야 하니 구름길이다." 하였으니, 이제 운(韻)을 맞추어 읽어봄에 진실로 옳다. '의(儀)'는 우모(羽旄)와 정독(旌纛)의 꾸밈이다. 상구(上九)가 지극히 높아 사람의 지위 밖으로 나오나 그 깃털을 사용하여 의식(儀飾)으로 삼을 수 있으니, 지위가 비록 지극히 높으나 무용(无用)함이 되지 않는 상(象)이다. 그러므로 그 점(占)이 이와 같이 하면 길한 것이다.

象曰 其羽可用爲儀吉은 不可亂[5]也일새라

〈상전〉에 말하였다. "'기우가용위의길(其羽可用爲儀吉)'은 어지럽힐 수 없기 때문이다."

······

4 今以韻讀之 良是 : '홍점우규(鴻漸于逵)'의 규(逵)와 '가용위의(可用爲儀)'의 의(儀)가 모두 평성(平聲)의 지(支) 자 운이므로 말한 것이다. 육(陸)은 입성(入聲)이어서 맞지 않는다. 효사(爻辭) 역시 운을 맞추었다.

5 不可亂 : 사계(沙溪)는 난(亂)을, 《정전》은 '차례가 있어 어지럽힐 수 없다.' 하였고, 《본의》는 '그 뜻이 탁연(卓然)하니 어찌 어지럽힐 수 있겠는가' 하여, 각기 다름을 밝혔다. 《經書辨疑》

··· 旄 : 들소꼬리 모 旌 : 기 정 纛 : 기 독

傳 | 君子之進이 自下而上하고 由微而著하여 跬(규)步造次라도 莫不有序하니 不失其序면 則无所不得其吉이라 故九雖窮高나 而不失其吉이라 可用爲儀法者는 以其有序而不可亂也일새라

군자의 나아감은 아래로부터 올라가고 은미함으로부터 드러나서 반걸음과 조차(造次;급한 때)라도 차례가 있지 않음이 없으니, 차례를 잃지 않으면 그 길함을 얻지 못함이 없을 것이다. 그러므로 구(九)가 비록 궁극히 높으나 그 길함을 잃지 않는 것이다. 의법(儀法)으로 삼을 수 있는 것은 차례가 있어 어지럽힐 수 없기 때문이다.

本義 | 漸進愈高나 而不爲无用이요 其志卓然하니 豈可得而亂哉리오

점점 나아가 더욱 높으나 무용(无用)함이 되지 않고 그 뜻이 탁연(卓然)하니, 어찌 어지럽힐 수 있겠는가.

••• 跬 : 반걸음 규

54 뢰택 雷澤 귀매(歸妹) ䷵ 태하진상 兌下震上

傳｜ 歸妹는 序卦에 漸者는 進也니 進必有所歸라 故로 受之以歸妹라하니라 進則必有所至라 故漸有歸義하니 歸妹所以繼漸也라 歸妹者는 女之歸也니 妹는 少女之稱이라 爲卦 震上兌下하니 以少女從長男也라 男動而女說하고 又以說而動하니 皆男說女, 女從男之義라 卦有男女配合之義者四니 咸、恒、漸、歸妹也라 咸은 男女之相感也니 男下女하여 二氣感應하고 止而說하니 男女之情相感之象이요 恒은 常也니 男上女下하고 巽順而動하며 陰陽皆相應하니 是男女居室에 夫婦唱隨之常道요 漸은 女歸之得其正也니 男下女而各得正位하고 止靜而巽順하여 其進有漸하니 男女配合이 得其道也요 歸妹는 女之嫁歸也니 男上女下하여 女〔一无女字〕從男也요 而有說少之義라 以說而動하니 動以說이면 則不得其正矣라 故位皆不當이라 初與上은 雖當陰陽之位하나 而陽在下하고 陰在上하니 亦不當位也니 與漸正相對라

귀매괘(歸妹卦)는 〈서괘전〉에 "점(漸)은 나아감이니, 나아가면 반드시 돌아가는 바가 있다. 그러므로 귀매괘로 받았다." 하였다. 나아가면 반드시 이르는 바가 있다. 그러므로 점(漸)에 돌아가는 뜻이 있으니, 귀매괘가 이 때문에 점괘(漸卦 ䷴)를 이은 것이다. 귀매(歸妹)는 여자가 시집감이니, 매(妹)는 소녀(少女)의 칭호이다. 괘됨이 진(震 ☳)이 위에 있고 태(兌 ☱)가 아래에 있으니, 소녀(태)로서 장남(長男 : 진)을 따르는 것이다. 남자는 동하고 여자는 기뻐하며 또 기뻐함으로써 동하니, 이는 모두 남자가 여자를 기뻐하고 여자가 남자를 따르는 뜻이다.

괘에 남녀 배합(男女配合)의 뜻이 있는 것이 넷이니, 함(咸 ䷞)・항(恒 ䷟)・점(漸 ䷴)・귀매(歸妹)이다. 함(咸)은 남녀가 서로 감동함이니, 남자가 여자에게 낮추어 음・양 두 기운이 감응(感應)하며 그치고 기뻐하니, 남녀의 정(情)이 서로 감동되는 상(象)이다. 항(恒)은 떳떳함이니, 남자가 위에 있고 여자가 아래에 있으며 손순(巽順)하고 동하며 음・양이 다 서로 응하니, 이는 남녀가 집에 거처함에 남편이 선창하면 아내가 따르는 떳떳한 도(道)이다. 점(漸)은 여자가 시집감에 그 바

름을 얻은 것이니, 남자가 여자에게 낮추고 각각 정위(正位)를 얻었으며 그쳐 고요하고 손순하여 그 나아감이 점점함이 있으니, 남녀의 배합이 도를 얻은 것이다.

귀매(歸妹)는 여자가 시집가는 것이니, 남자가 위에 있고 여자가 아래에 있어 여자가 남자를 따르고 남자가 소녀를 기뻐하는 뜻이 있다. 기뻐함으로써 동하니, 동하기를 기뻐함으로써 하면 바름을 얻지 못한다. 그러므로 자리가 모두 마땅하지 않은 것이다. 초(初)와 상(上)은 비록 음·양의 자리에 합당하나 양이 아래에 있고 음이 위에 있으니, 이 또한 자리가 합당하지 않은 것이니, 점괘(漸卦)와 정반대이다.

咸、恒은 夫婦之道요 漸、歸妹는 女歸之義라 咸與歸妹는 男女之情也니 咸은 止而說하고 歸妹는 動於說하니 皆以說也요 恒與漸은 夫婦之義也니 恒은 巽而動하고 漸은 止而巽하니 皆以巽順也니 男女之道와 夫婦之義가 備於是矣라 歸妹는 爲卦澤上有雷하니 雷震而澤動은 從之象也니 物之隨動이 莫如水라 男動於上而女從之는 嫁歸從男之象이며 震은 長男이요 兌는 少女니 少女從長男은 以說而動이니 動而相說也라 人之所說者少女라 故云妹하니 爲女歸之象이요 又有長男說少女之義라 故爲歸妹也라

함(咸)과 항(恒)은 부부의 도이고, 점(漸)과 귀매는 여자가 시집가는 뜻이다. 함과 귀매는 남녀의 정(情)이니, 함은 그치고 기뻐하며 귀매는 기뻐함에 동하니, 이는 모두 기뻐함으로써 하는 것이다. 항과 점은 부부의 의(義)이니, 항은 공손하고 동하며 점은 그치고 공손하니, 이는 모두 손순(巽順)함으로써 하는 것이니, 남·녀의 도(道)와 부·부의 의(義)가 여기에 구비되었다.

귀매는 괘됨이 못 위에 우레가 있으니, 우레가 진동함에 못물이 따라 움직임은 따르는 상(象)이니, 물건 중에 따라 움직임은 물보다 더한 것이 없다. 남자가 위에서 동함에 여자가 따름은 여자가 시집가 남자를 따르는 상(象)이며, 진(震)은 장남이고 태(兌)는 소녀이니, 소녀가 장남을 따름은 기뻐함으로써 동함이니, 동하여 서로 기뻐하는 것이다. 사람(남자)이 기뻐하는 것은 소녀이므로 매(妹)라고 말했으니 여자가 시집가는 상이 되고, 또 장남이 소녀를 좋아하는 뜻이 된다. 그러므로 귀매라 한 것이다.

歸妹는 征하면 凶하니 无攸利하니라

귀매(歸妹)는 가면 흉하니, 이로운 바가 없다.

傳 | 以說而動이면 動而不當이라 故凶이니 不當은 位不當也라 征凶은 動則凶也라 如卦之義면 不獨女歸요 无所往而利也라

기뻐함으로써 동하면 동함에 합당하지 않다. 그러므로 흉하니, 합당하지 않음은 자리가 합당하지 않은 것이다. '정흉(征凶)'은 동하면 흉한 것이다. 괘의 뜻과 같으면 다만 여자가 시집가는 것뿐만이 아니요, 가는 곳마다 이로움이 없는 것이다.

本義 | 婦人謂嫁曰歸요 妹는 少女也라 兌以少女로 而從震之長男하고 而其情이 又爲以說而動하니 皆非正也라 故卦爲歸妹요 而卦之諸爻 自二至五에 皆不得正하고 三、五又皆以柔乘剛이라 故其占이 征凶而无所利也니라

부인이 시집감을 귀(歸)라 하고 매(妹)는 소녀이다. 태(兌)가 소녀로서 진(震)의 장남을 따르고 그 정(情)이 또 기뻐함으로써 동함이 되니, 모두 정도(正道)가 아니다. 그러므로 괘를 귀매라 하였고, 괘의 여러 효(爻)가 이효(二爻)로부터 오효(五爻)에 이르기까지 다 바름을 얻지 못하였으며, 삼효(三爻)와 오효(五爻)가 또 모두 유(柔)로서 강(剛)을 타고 있다. 그러므로 그 점(占)이 가면 흉하여 이로운 바가 없는 것이다.

彖曰 歸妹는 天地之大義也니

〈단전(彖傳)〉에 말하였다. "귀매는 하늘과 땅의 대의(大義)이니,

傳 | 一陰一陽之謂道니 陰陽交感하고 男女配合은 天地之常理也라 歸妹는 女歸於男也라 故云天地之大義也라 男在女上하고 陰從陽動이라 故爲女歸之象이라

한 번 음(陰)하고 한 번 양(陽)하게 함을 도(道)라 이르니, 음 · 양이 서로 감동하고 남 · 녀가 배합함은 천지의 떳떳한 이치이다. 귀매는 여자가 남자에게 시집감이다. 그러므로 하늘과 땅의 대의라고 말한 것이다. 남자가 여자의 위에 있고 음이 양을 따라 동한다. 그러므로 여귀(女歸)의 상(象)이 된 것이다.

天地不交而萬物不興하나니 歸妹는 人之終始也라

하늘과 땅이 사귀지 않으면 만물이 일어나지(생겨나지) 못하니, 귀매(歸妹)는 사람의 종(終)과 시(始)이다.

傳 | 天地不交면 則萬物何從而生이리오 女之歸男은 乃生生相續之道라 男女交而後에 有生息이요 有生息而後에 其終不窮이라 前者有終而後者有始하여 相續不窮은 是人之終始也라

하늘과 땅이 사귀지 않으면 만물이 어디로부터 생기겠는가. 여자가 남자에게 시집감은 바로 낳고 낳아 서로 잇는 방도이다. 남·녀가 사귄(교접한) 뒤에 생식(生息)이 있고 생식이 있은 뒤에 그 끝이 무궁한 것이다. 앞에 있는 자가 끝남에 뒤에 있는 자가 시작하여 서로 이어서 다하지 않음은 이는 사람의 종(終)과 시(始)이다.

本義 | 釋卦名義也라 歸者는 女之終이요 生育者는 人之始라

괘명(卦名)의 뜻을 해석하였다. 시집감은 여자(女子;처녀)의 끝이요, 생육(生育)은 사람의 시작이다.

說以動하여 所歸妹也니

기뻐함으로써 동하여 시집가는 것이 소녀이니,

本義 | 又以卦德言之라

또다시 괘덕(卦德)으로써 말하였다.

征凶은 位不當也요

가면 흉함은 자리가 합당하지 않기 때문이요,

傳 | 以二體로 釋歸妹之義라 男女相感하여 說而動者는 少女之事라 故以說而動하여 所歸者妹也라 所以征則凶者는 以諸爻皆不當位也니 所處皆不正이면 何動而不凶이리오 大率以說而動이면 安有不失正者리오

두 체(體)로 귀매의 뜻을 해석하였다. 남 · 녀가 서로 감동해서 기뻐하여 동함은 소녀의 일이다. 그러므로 기뻐함으로써 동하여 시집가는 것이 소녀인 것이다. 가면 흉한 까닭은 여러 효(爻)가 모두 자리가 합당하지 않기 때문이니, 처한 바가 다 바르지 않으면 어떠한 동(動)인들 흉하지 않겠는가. 대체로 기뻐함으로써 동한다면 어찌 바름을 잃지 않는 자가 있겠는가.

无攸利는 柔乘剛也일새라
이로운 바가 없음은 유(柔)가 강(剛)을 탔기 때문이다."

傳 | 不唯位不當也라 又有乘剛之過하니 三、五皆乘剛이라 男女有尊卑之序하고 夫婦有唱隨之禮하니 此〔一无此字〕常理也니 如恒이 是也라 苟不由常正之道하고 徇情肆欲하여 唯說是動이면 則夫婦瀆亂하여 男牽欲而失其剛하고 婦狃(뉴)說而忘其順하리니 如歸妹之乘剛이 是也라 所以凶이니 无所往而利也라 夫陰陽之配合과 男女之交媾는 理之常也나 然從欲而流放하여 不由義理면 則淫邪無所不至하여 傷身敗德하리니 豈人理哉리오 歸妹之所以〔一有征字〕凶也라

다만 자리가 합당하지 않을 뿐만 아니라 또 강(剛)을 탄 잘못이 있으니, 삼효(三爻)와 오효(五爻)가 모두 강(剛)을 타고 있다. 남 · 녀는 존비(尊卑)의 차례가 있고 부 · 부는 창수(唱隨:남편이 선창하면 부인이 따름)의 예(禮)가 있으니, 이것이 떳떳한 도리이니, 항괘(恒卦)와 같음이 이것이다. 만일 떳떳하고 바른 도(道)를 따르지 않고서 정(情)을 따르고 욕심에 방자하여 오직 기뻐함에 동한다면, 부부간이 독란(瀆亂:문란)해져서 남자는 욕심에 끌려 강함을 잃고 여자는 기쁨에 빠져 순함을 잊을 것이니, 귀매(歸妹)가 강(剛)을 탄 것과 같음이 이것이다. 이 때문에 흉(凶)한 것이니, 가는 곳마다 이로움이 없다. 음 · 양의 배합과 남 · 녀의 교구(交媾:교접)는 떳떳한 이치이나 욕심을 따라 방탕한 데로 흘러서 의리(義理)를 따르지 않으면 음사(淫邪)가 이르지 않음이 없어 몸을 상(傷)하고 덕(德)을 해칠 것이니, 어찌 사람의 도리이겠는가. 귀매가 이 때문에 흉한 것이다.

本義 | 又以卦體로 釋卦辭라 男女之交는 本皆正理로되 唯若此卦면 則不得其正也라

··· 攸 : 바 유 徇 : 따를 순 瀆 : 어지러울 독 狃 : 익숙할 뉴 媾 : 교접할 구

또 괘체(卦體)로써 괘사(卦辭)를 해석하였다. 남·녀의 사귐은 본래 모두 정리(正理)이나 오직 이 괘와 같이하면 그 바름을 얻지 못한다.

象曰 澤上有雷歸妹니 **君子以**하여 **永終**하여 **知敝**[6] 하나니라

〈상전〉에 말하였다. "못 위에 우레가 있음이 귀매(歸妹)이니, 군자가 보고서 종(終)을 영구하게 하여 폐괴(弊壞)됨을 안다."

傳| 雷震於上에 澤隨而動하고 陽動於上에 陰說而從은 女從男之象也라 故爲歸妹라 君子觀男女配合하여 生息相續之象하여 而以永其終하여 知有敝也하나니라 永終은 謂生息嗣續하여 永久其傳也요 知敝는 謂知物有敝壞하고 而爲相繼之道也라 女歸則有生息이라 故有永終之義요 又夫婦之道는 當常永有終이니 必知其有敝壞之理而戒愼之니 敝壞는 謂離隙이라 歸妹는 說以動者也니 異乎恒之巽而動과 漸之止而巽也라 少女之說은 情之感動이니 動則失正이라 非夫婦正而可常之道니 久必敝壞리니 知其必敝면 則當思永其終也라 天下之反目者는 皆不能永終者也니 不獨夫婦之道라 天下之事 莫不有終有敝요 莫不有可繼可久之道하니 觀歸妹면 則當思永終之戒也니라

우레가 위에서 진동함에 못물이 따라 움직이고, 양이 위에서 움직임에 음이 기뻐하여 따름은 여자가 남자를 따르는 상(象)이다. 그러므로 귀매(歸妹)라 하였다. 군자는 남·녀가 배합해서 생식(生息)하여 서로 이어가는 상(象)을 보고서 그 종(終)을 영구하게 하여 폐괴(弊壞:해지고 파괴됨)가 있음을 안다. '영종(永終)'은 생식하여 이어가서 그 전함을 영구히 하는 것이요, '지폐(知敝)'는 물건에 폐괴가 있음을 알고 서로 이어갈 방도를 만드는 것이다. 여자가 시집가면 생식(生息)이 있으므로 영종(永終)의 뜻이 있고, 또 부부의 도는 마땅히 항상하고 영구하게 하여 종(終)이 있어야 하니, 반드시 폐괴하는 이치가 있음을 알아 경계하고 삼가야 하니, 폐괴는 정(情)이 떨어지고 틈이 벌어짐을 이른다.

귀매는 기뻐함으로써 동하는 자이니, 항괘(恒卦)의 손순(巽順)하고 동함과 점괘

6 永終知敝 : 사계(沙溪)는 "《본의》의 뜻은 마땅히 '영구하게 종말에 폐괴(弊壞)할 줄을 안다.[永於終知弊也]'라고 해석하여야 한다." 하였다. 《經書辨疑》

··· 敝 : 해질 폐 嗣 : 이을 사 隙 : 틈 극

(漸卦)의 그치고 겸손함과는 다르다. 소녀가 기뻐함은 정에 감동된 것이니, 동하면 바름을 잃는다. 이는 부부가 바르게 하여 항상할 수 있는 방도가 아니니, 오래면 반드시 폐괴될 것이니, 그 반드시 폐괴될 줄을 알면 마땅히 종(終)을 영구하게 할 것을 생각하여야 한다. 천하에 반목(反目)하는 자들은 모두 영종(永終)하지 못하는 자이니, 이는 다만 부부의 도만이 아니다. 천하의 일은 종(終)이 있고 폐괴가 있지 않음이 없고, 계속하여 오래할 수 있는 방도가 있지 않음이 없으니, 귀매괘를 보면 마땅히 영종의 경계를 생각하여야 한다.

本義 | 雷動澤隨는 歸妹之象이라 君子觀其合之不正하여 知其終之有敝也하나니 推之事物에 莫不皆然이니라

　우레가 움직임에 못물이 따름은 귀매(歸妹)의 상(象)이다. 군자가 그 합함이 바르지 않음을 보고서 종말에 폐괴(弊壞)가 있을 줄을 아니, 사물에 미루어 봄에 모두 그러하지 않음이 없다.

初九는 歸妹以娣니 跛能履라 征이면 吉하리라

　초구(初九)는 매(妹)를 시집보내되 제(娣;잉첩(媵妾))로 함이니, 절름발이가 걸어가는 격이다. 그대로 나아가면 길하리라.

傳 | 女之歸에 居下而无正應하니 娣之象也라 剛陽은 在婦人엔 爲賢〔一作堅〕貞之德이로되 而處卑順하니 娣之賢正者也라 處說居下는 爲順義라 娣之卑下로 雖賢이나 何所能爲리오 不過自善其身以承助其君[7]而已라 如跛之能履하니 言不能及遠也라 然在其分에 爲善이라 故以是而行則吉也라

••••••

7　承助其君 : 옛날에 첩은 남자를 부(夫;남편)라고 칭하지 못하고 군(君)이라고 칭하였으며, 정실(正室)부인 또한 군이라고 칭하였다. 이 군(君)에 대하여 《정전》과 《본의》에 분명한 해석이 없으나 이 아래 《대전본》의 소주에 란씨(蘭氏) 정서(廷瑞)는 "절름발이인 자는 자기 마음대로 갈 수가 없어서 남에게 의지하여야 비로소 갈 수 있으니, 제첩(娣妾)의 도가 정실부인을 받들어 가면 길한 것이다.〔跛者不能以專行, 依人乃可, 娣妾之道, 承正室以行則吉.〕" 하였으며, 뒤의 육오 효사(六五爻辭)에 "그 군(정실부인)의 소매가 그 제첩(娣妾)의 소매가 좋은 것만 못하다.〔其君之袂, 不如其娣之袂良.〕"라고 하여 여기의 군(君)이 분명히 정실부인을 가리켰으므로 《정전》과 《본의》에 군이 해석하지 않은 것으로 보인다.

••• 娣 : 여동생 제, 잉첩 제　跛 : 절름발이 파(피)　媵 : 잉첩 잉

여자가 시집감에 아래에 거하고 정응이 없으니, 잉첩(媵妾)의 상(象)이다. 강양(剛陽)은 부인에게 있어서는 어질고 바른〔賢正〕 덕이 되는데 비순(卑順)함에 처했으니, 잉첩의 어질고 바른 자이다. 기쁨에 처하고 아래에 거함은 순한 뜻이 된다. 잉첩의 낮은 신분으로 비록 어지나 무엇을 하겠는가. 스스로 자기 몸을 선(善)하게 하여 군(君:정실부인)을 받들어 도움에 불과할 뿐이다. 이는 마치 절름발이가 걸어가는 것과 같으니, 먼 곳에 미칠 수 없음을 말한 것이다. 그러나 분수에는 선함이 된다. 그러므로 이러한 방도로 나아가면 길한 것이다.

本義 | 初九居下而无正應이라 故爲娣象이라 然陽剛은 在女子엔 爲賢正之德이로되 但爲娣之賤하여 僅能承助其君而已라 故又爲跛能履之象이요 而其占則征吉也라

초구(初九)가 아래에 거하였고 정응(正應)이 없다. 그러므로 잉첩의 상(象)이 된 것이다. 그러나 양강(陽剛)은 여자에게 있어서는 현정(賢正)한 덕이 되는데, 다만 잉첩의 천한 신분이어서 겨우 군(君)을 받들어 도울 뿐이다. 그러므로 또 절름발이가 걸어가는 상이 되며, 그 점(占)은 그대로 나아가면 길한 것이다.

象曰 歸妹以娣나 以恒也요 跛能履吉은 相承也일새라

〈상전〉에 말하였다. "귀매(歸妹)를 천한 잉첩으로 하였으나 떳떳한 덕을 간직하였고, 절름발이가 걸어가는 것이나 길함은 서로 받들기 때문이다."

傳 | 歸妹之義는 以說而動하니 非夫婦能常之道로되 九乃剛陽이라 有賢〔一作堅〕貞之德하니 雖娣之微나 乃能以常者也라 雖在下하여 不能有所爲하여 如跛者之能履나 然征而吉者는 以其能相承助也일새라 能助其君은 娣之吉也라

귀매의 뜻은 기쁨으로써 동하니, 부부의 항상할 수 있는 도가 아니나 구(九)는 바로 강양(剛陽)이라서 현정(賢貞)한 덕이 있으니, 비록 잉첩의 미천한 신분이나 바로 떳떳함으로써 하는 자이다. 비록 아랫자리에 있어서 능히 하는 바가 있지 못하여 절름발이가 걸어가는 것과 같으나 나아가 길함은 서로 받들어 도와주기 때문이다. 군(君)을 돕는 것은 잉첩의 길함이다.

本義｜ 恒은 謂有常久之德이라

'항(恒)'은 항상하고 오래하는〔常久〕 덕이 있음을 이른다.

九二는 眇能視니 利幽人之貞하니라

구이(九二)는 애꾸눈이 보는 것이니, 유인(幽人)의 정(貞)함이 이롭다.

傳｜ 九二陽剛而得中하니 女之賢正者也로되 上有正應이나 而反陰柔之質이라 動於說者也니 乃女賢而配不良이라 故二雖〔一作之〕賢이나 不能自遂以成其內助之功이요 適可以善其身而小施之하여 如眇者之能視而已니 言不能及遠也라 男女之際는 當以正禮니 五雖不正이나 二自守其幽靜貞正이면 乃所利也라 二有剛正之德하니 幽靜之人也라 二之才如是로되 而言利貞者〔一无此五字〕는 利는 言宜於如是之貞〔一无之貞字〕이요 非不足而爲之戒也니라

구이(九二)가 양강(陽剛)으로 중(中)을 얻었으니 여자의 현정(賢正)한 자인데, 위에 정응이 있으나 도리어 음유(陰柔)의 자질이라서 기쁨에 동하는 자이니, 이는 바로 여자는 어지나 배필이 어질지 못한 것이다. 그러므로 이(二)가 비록 어지나 스스로 이루어 내조(內助)의 공(功)을 이루지 못하고, 다만 자기 몸을 선(善)하게 하여 조금 베풀 수 있을 뿐이어서 마치 애꾸눈이 보는 것과 같을 뿐이니, 먼 곳에 미칠 수 없음을 말한 것이다. 남·녀의 교제는 마땅히 정례(正禮)로써 하여야 하니, 오(五)가 비록 바르지 않으나 이(二)가 스스로 유정(幽靜)과 정정(貞正)을 지키면 이는 이로운 것이다. 이(二)가 강정(剛正)의 덕이 있으니, 유정한 사람이다. 이(二)의 재질이 이와 같으나 이정(利貞)이라고 말한 것은, 이로움이 이와 같이 바름이 마땅함을 말한 것이요, 부족하여 경계한 것은 아니다.

本義｜ 眇能視는 承上爻而言이라 九二陽剛得中하니 女之賢也로되 上有正應이나 而反陰柔不正하니 乃女賢而配不良이니 不能大成內助之功이라 故爲眇能視之象이요 而其占則利幽人之貞也라 幽人은 亦抱道守正而不偶者也라

'묘능시(眇能視)'는 위의 효(爻)를 이어 말한 것이다. 구이(九二)가 양강(陽剛)으로 중(中)을 얻었으니, 여자의 어진 자이지만 위에 정응이 있으나 도리어 음유(陰柔)로 바르지 못하니, 이는 여자는 어지나 배필이 어질지 못한 것이니, 내조의 공

••• 眇 : 애꾸눈 묘 適 : 다만 적

을 크게 이루지 못한다. 그러므로 '묘능시(眇能視)'의 상(象)이 되고, 그 점(占)은 유인(幽人)의 정(貞)함이 이로운 것이다. 유인은 또한 도를 간직하고 정도를 지키나 불우(不偶)한 자이다.

象曰 利幽人之貞은 未變常也라

〈상전〉에 말하였다. "유인(幽人)의 정(貞)함이 이로움은 부부의 상도(常道)를 변치 않은 것이다."

傳 | 守其幽貞하니 未失夫婦常正之道也라 世人은 以褻狎爲常이라 故以貞靜爲變常하나니 不知乃常久之道也라

유정(幽貞)함을 지키니, 부부의 떳떳하고 바른 도(道)를 잃지 않는 것이다. 세상 사람들은 설압(褻狎;친압)함을 떳떳하다고 여긴다. 이 때문에 정정(貞靜)함을 떳떳함을 변한 것이라고 여기니, 이것이 바로 항상하고 오래하는 방도임을 알지 못하는 것이다.

六三은 歸妹以須니 反歸以娣니라

육삼(六三)은 매(妹)를 시집보냄에 기다리는 것이니, 다시 돌아와 제(娣;잉첩)가 되어야 한다.

傳 | 三居下之上하니 本非賤者로되 以失德而无正應이라 故爲欲有歸而未得其歸라 須는 待也니 待者는 未有所適也라 六居三하여 不當位는 德不正也요 柔而尙〔一作上〕剛은 行不順也요 爲說之主하여 以說求歸는 動非禮也요 上无應은 无受之者也니 无所適이라 故須也라 女子之處如是면 人誰取之리오 不可以爲人配矣라 當反歸而求爲娣媵이면 則可也니 以不正而失其所也일새라

삼(三)은 하괘(下卦)의 위에 거하였으니, 본래 천한 자가 아니나 덕을 잃고 정응이 없기 때문에 시집가고자 하여도 시집갈 수 없는 것이다. '수(須)'는 기다림이니, 기다림은 시집갈 곳이 없어서이다. 육(六)이 삼(三)에 거하여 자리가 합당하지 않음은 덕이 바르지 않은 것이요, 유(柔)로서 강(剛)을 숭상함은 행실이 순하지 않은 것이요, 열(說)의 주체가 되어 기뻐함으로써 시집감을 구함은 동함이 예(禮)가

••• 褻 : 친압할 설 狎 : 친압할 압 須 : 기다릴 수

아닌 것이요, 위에 응이 없음은 받아주는 자가 없는 것이니, 갈 곳이 없기 때문에 기다리는 것이다. 여자의 처지가 이와 같으면 사람이 누가 취하겠는가. 남의 배필이 될 수 없다. 마땅히 돌아와 잉첩이 되기를 구하면 가할 것이니, 부정하여 제자리를 잃었기 때문이다.

本義 | 六三이 陰柔而不中正하고 又爲說之主하니 女之不正은 人莫之取者也라 故爲未得所適하여 而反歸爲娣之象이라 或日 須는 女之賤者라

육삼(六三)이 음유(陰柔)로서 중정(中正)하지 못하고 또 열(說)의 주체가 되었으니, 여자가 바르지 않으면 사람(남자)이 그녀를 취하는 자가 없다. 그러므로 갈 곳을 얻지 못하여 돌아와 잉첩이 되는 상이 된 것이다. 혹자는 말하기를 "수(須)는 천한 여자이다."라고 한다.

象曰 歸妹以須는 未當也일새라

〈상전〉에 말하였다. "'귀매이수(歸妹以須)'는 합당하지 않기 때문이다."

傳 | 未當者는 其處, 其德, 其求歸之道 皆不當이라 故无取之者하니 所以須也라

합당하지 않다는 것은 처지(자리)와 덕(德)과 시집감을 구하는 방법이 모두 합당하지 않은 것이다. 그러므로 취하는 자가 없으니, 이 때문에 기다리는 것이다.

九四는 歸妹愆期니 遲歸有時니라

구사(九四)는 귀매(歸妹)에 혼기(婚期)가 지남이니, 지체하여 돌아감이 때가 있어서이다.

본의 | 돌아갈 곳을 지체함이

傳 | 九以陽居四하니 四는 上體니 地之高也요 陽剛은 在女子엔 爲正德賢明者也로되 无正應하여 未得其歸也라 過時未歸라 故云愆期라 女子居貴高之地하고 有賢明之資하면 人情所願娶라 故其愆期는 乃爲有時니 蓋自有待요 非不售也니 待得佳配而後行也라 九居四는 雖不當位나 而處柔는 乃婦人之道〔一有也字〕라 以无應故로 爲愆期之義어늘 而聖人推理하사 以女賢而愆期는 蓋有待也라하시니라

••• 愆 : 지나칠 건 遲 : 더딜 지 售 : 팔릴 수

구(九)가 양효(陽爻)로서 사(四)에 거하였으니, 사는 상체(上體)이니 지위가 높고 양강(陽剛)은 여자에 있어 정덕(正德)이 있어 현명한 자가 되나 정응이 없어 시집갈 곳을 얻지 못하였다. 때가 지났으나 시집가지 못하므로 '건기(愆期)'라 하였다. 여자가 고귀(高貴)한 지위에 거하고 현명한 자질이 있으면 인정에 장가들기를 원하는 바이다. 그러므로 혼기가 지난 것은 바로 때가 있어서이니, 이는 본래 기다림이 있어서요 팔리지 않은 것이 아니니, 아름다운 배필을 얻기를 기다린 뒤에 시집가려는 것이다.

구(九)가 사(四)에 거함은 비록 자리가 합당하지 않으나 유(柔)에 처함은 부인의 도이다. 응이 없기 때문에 건기(愆期)의 뜻이 되었는데, 성인이 이치를 미루어 '여자가 어진데도 혼기가 지난 것은 기다림이 있기 때문이다.' 라고 하신 것이다.

本義 | 九四以陽居上體而无正應하니 賢女不輕從人하여 而愆期以待所歸之象이니 正與六三相反이라

구사(九四)가 양(陽)으로서 상체(上體)에 거하고 정응이 없으니, 현녀(賢女)가 가벼이 사람(남자)을 따르지 아니하여 혼기가 지나 시집가기를 기다리는 상이니, 육삼효(六三爻)와 정반대이다.

象曰 愆期之志는 有待而行也라

〈상전〉에 말하였다. "건기(愆期)의 뜻은 기다렸다가 가려고 해서이다."

傳 | 所以愆期者는 由己而不由彼라 賢女는 人所願娶니 所以愆期는 乃其志欲有所待하여 待得佳配而後行也라

혼기가 지난 까닭은 자기에게 말미암고 저에게 말미암은 것이 아니다. 현녀(賢女)는 사람들이 장가들기를 원하는 바이니, 혼기가 지난 까닭은 바로 그 뜻에 기다리는 바가 있어서 아름다운 배필을 얻기를 기다린 뒤에 시집가고자 해서이다.

六五는 帝乙歸妹니 其君之袂(메)가 不如其娣之袂良하니 月幾望이면 吉하리라

육오(六五)는 제을(帝乙)이 귀매(歸妹)한 것이니, 군(君;정실부인)의 소매

··· 袂 : 소매 메 望 : 보름 망

가 제(娣)의 소매의 아름다움만 못하니, 달이 거의 보름이 된 듯이 하면 길하리라.

本義 | **帝乙歸妹**에 **其君之袂**가 **不如其娣之袂良**이요 **月幾望**이니

제을(帝乙)이 매(妹)를 시집보냄에 군(君)의 소매가 제(娣)의 소매가 좋음(아름다움)만 못하고 달이 거의 보름이 되었으니,

傳 | 六五居尊位하니 妹之貴高者也요 下應於二하니 爲下嫁之象이라 王姬下嫁[8]는 自古而然이로되 至帝乙而後에 正婚姻之禮하고 明男女之分하여 雖至貴之女라도 不得失柔巽之道하여 有貴驕之志라 故易中에 陰尊而謙降者는 則曰帝乙歸妹라하니 泰六五是也[9]라 貴女之歸는 唯謙降以從禮가 乃尊高之德也니 不事容飾以說於人也라 娣媵者는 以容飾爲事者也니 衣袂는 所以爲容飾也라 六五는 尊貴之女니 尙禮而不尙飾이라 故其袂不及其娣之袂良也니 良은 美好也라 月望은 陰之盈也니 盈則敵陽矣로되 幾望은 未至於盈也라 五之貴高로 常不至於盈極이면 則不亢其夫하니 乃爲吉也니 女之處尊貴之道也라

육오(六五)가 존위(尊位)에 거하였으니 소녀 중에 귀하고 높은 자이고, 아래로 이(二)와 응하니 하가(下嫁)의 상(象)이 된다. 왕희(王姬)를 하가함은 예로부터 그러하였으나 제을(帝乙)에 이른 뒤에 혼인의 예(禮)를 바로잡고 남·녀의 분별을 밝혀서 비록 지극히 귀한 여자라도 유순하고 공손한 도리를 잃어 귀하고 교만한 뜻이 있지 않게 하였다. 이 때문에 역(易) 가운데 음이 높으면서 겸손하고 낮추는 것은 '제을귀매(帝乙歸妹)'라고 말하였으니, 태괘(泰卦 ䷊)의 육오(六五)가 이것이다.

귀녀(貴女)의 시집감은 오직 겸손하고 낮추어 예를 따르는 것이 바로 존고(尊高)한 덕이니, 용식(容飾:몸치장)을 하여 남(남자)에게 기쁘게 함을 일삼지 않는다. 잉첩은 용식을 일삼는 자이니, '옷의 소매〔衣袂〕'는 용식을 하는 것이다. 육오

8 王姬下嫁 : 왕희(王姬)는 왕의 따님으로 희(姬)는 주(周)나라의 국성(國姓)인바, 주나라 때에 왕희에 대한 글이 자주 보이므로 모든 제왕의 따님을 왕희라 칭하게 되었다. 하가(下嫁)는 높은 제왕의 딸을 제후나 대부에게 낮추어 시집보냄을 이른다. 이와 반대로 낮은 신분의 남자가 제왕의 딸에게 장가듦을 높은 분에게 장가든다 하여 상(尙)이라 한다.

9 泰六五是也 : 태괘(泰卦) 육오 효사(六五爻辭)에도 "帝乙歸妹, 以祉, 元吉."이라고 하였으므로 말한 것이다.

(六五)는 존귀한 여자이니, 예를 숭상하고 꾸밈을 숭상하지 않으므로 그의 소매가 잉첩의 아름다운 소매에 미치지 못하는 것이니, '양(良)'은 아름다움이다.

보름달은 음이 가득찬 것이니, 가득차면 양을 대적하나 '기망(幾望)'은 아직 가득참에 이르지 않았다. 오(五)의 귀하고 높음으로 항상 가득차고 지극함에 이르지 않으면 남편에게 대항하지 않을 것이니, 이것이 바로 길함이 되니, 여자가 존귀함에 처하는 도리이다.

本義 | 六五柔中居尊하고 下應九二하여 尙德而不貴飾이라 故爲帝女下嫁而服不盛之象이라 然女德之盛이 无以加此라 故又爲月幾望之象이요 而占者如之則吉也라

육오(六五)가 유중(柔中)으로 존위에 거하고 아래로 구이(九二)에 응하여 덕을 숭상하고 꾸밈을 귀하게 여기지 않는다. 그러므로 제녀(帝女)를 하가(下嫁)하는데 의복이 성대하지 않은 상이 된 것이다. 그러나 여덕(女德)의 성함이 이보다 더할 수 없으므로 또 달이 거의 보름이 된 상이 되니, 점치는 자가 이와 같이 하면 길할 것이다.

象曰 帝乙歸妹 不如其娣之袂良也는 其位在中하여 以貴行也라

〈상전〉에 말하였다. "'제을귀매 불여기제지메량야(帝乙歸妹不如其娣之袂良也)'는 그 자리가 중(中)에 있어 귀함으로 행하는 것이다."

傳 | 以帝乙歸妹之道言이라 其袂不如其娣之袂良은 尙禮而不尙飾也라 五以柔中으로 在尊高之位하니 以尊貴而行中道也라 柔順降屈하여 尙禮而不尙飾은 乃中道也라

'제을귀매(帝乙歸妹)'의 도리로써 말하였다. 군(君)의 소매가 잉첩의 소매의 아름다움만 못한 것은 예를 숭상하고 꾸밈을 숭상하지 않는 것이다. 오(五)가 유중(柔中)으로 존고(尊高)한 자리에 있으니, 존귀함으로 중도(中道)를 행하는 것이다. 유순하고 몸을 굽혀 예를 숭상하고 꾸밈을 숭상하지 않음이 바로 중도이다.

本義 | 以其有中德之貴而行이라 故不尙飾이라

그 중덕(中德)의 귀함을 가지고 행하기 때문에 꾸밈을 숭상하지 않는 것이다.

上六은 **女承筐无實**이라 **士刲**(규)**羊无血**이니 **无攸利**하니라

상육(上六)은 여자가 광주리를 받드나 담겨진 것이 없다. 남자가 양(羊)을 베나 피가 없으니, 이로운 바가 없다.

本義 | **女承筐无實**하며 **士刲羊无血**이니 **无攸利**리라

여자는 광주리를 받드나 담겨진 것이 없으며 남자는 양(羊)을 벰에 피가 없음이니, 이로운 바가 없으리라.

傳 | 上六은 女歸之終而无應하니 女歸之无終者也라 婦者는 所以承先祖, 奉祭祀니 不能奉祭祀면 則不可以爲婦矣니 筐篚之實은 婦職所供也라 古者에 房中之俎、葅歜(저잠)〔一作醢〕之類를 后夫人職之하니라 諸侯之祭에 親割牲하고 卿大夫皆然하여 割取血以祭하니 禮云 血祭는 盛氣也[10]라하니라 女當承事筐篚而无實하니 无實則无以祭하니 謂不能奉祭祀也라 夫婦共承宗廟하나니 婦不能奉祭祀하면 乃夫不能承祭祀也라 故刲羊而无血하여 亦无以祭也니 謂不可以承祭祀也라 婦不能奉祭祀하면 則當離絕矣〔一无矣字〕니 是夫婦之无終者也니 何所往而利哉리오

상육(上六)은 여귀(女歸)의 끝〔終〕인데 응(應)이 없으니, 여자가 시집감에 종(終; 끝미침)이 없는 자이다. 부인은 선조(先祖)를 받들고 제사를 받드는 것이니, 제사를 받들지 못하면 부인이 될 수 없는바, 광주리에 물건을 담음은 부인의 직분에 하는 것이다. 옛날에 방안의 도마와 김치 따위를 후부인(后夫人)이 맡았다. 제후의 제사에 제후가 직접 희생(犧牲)을 베며 경대부(卿大夫)도 모두 그러하여, 베어 피를 취해서 제사하였으니, 예(禮)에 이르기를 "피로 제(祭)함은 기(氣)의 성(盛)함을 표시하는 것이다." 하였다.

여자는 마땅히 광주리를 받들어 일삼아야 하는데 담겨진 것이 없으니, 담겨진 것이 없으면 제사할 수 없으니, 제사를 받들지 못함을 말한 것이다. 부부가 함께

10 禮云 血祭盛氣也 : 이 내용은 《예기》〈교특생(郊特牲)〉에 "피로 제향함은 기(氣)가 성함을 표하는 것이요, 폐와 간과 심(염통)으로 제향함은 기의 성함을 귀하게 여기는 것이다.〔血祭, 盛氣也. 祭肺肝心, 貴氣也.〕라고 보인다.

··· 筐 : 대소쿠리 광 刲 : 벨 규 篚 : 대소쿠리 비 葅 : 김치 저 歜 : 창포김치 잠

종묘의 제사를 받드니, 부인이 제사를 받들지 못하면 이는 바로 남편이 제사를 받들지 못하는 것이다. 그러므로 양(羊)을 베나 피가 없어 또한 제사할 수 없는 것이니, 제사를 받들 수 없음을 말한 것이다. 부인이 제사를 받들지 못하면 마땅히 헤어지고 끊어야 하니, 이는 부부간에 좋은 끝마침이 없는 것이니, 어느 곳에 간들 이롭겠는가.

本義｜ 上六이 以陰柔로 居歸妹之終而无應하니 約婚而不終者也라 故其象如此요 而於占에 爲无所利也라

상육(上六)이 음유(陰柔)로서 귀매(歸妹)의 종(終)에 거하여 응(應)이 없으니, 약혼(約婚)을 하였으나 끝이 없는 자이다. 그러므로 그 상(象)이 이와 같고, 그 점(占)은 이로운 바가 없는 것이다.

象曰 上六无實은 承虛筐也라

〈상전〉에 말하였다. "상육(上六)이 광주리에 담겨진 것이 없음은 빈 광주리를 받든 것이다."

傳｜ 筐无實이면 是空筐也니 空筐可以祭乎아 言不可以奉祭祀也라 女不可以承祭祀면 則離絶而已니 是女歸之无終者也라

광주리에 담겨진 것이 없다면 이는 빈 광주리이니, 빈 광주리로 제사할 수 있겠는가. 이는 제사를 받들 수 없음을 말한 것이다. 여자가 제사를 받들 수 없다면 헤어지고 끊어야 할 뿐이니, 이는 여자가 시집감에 종(終)이 없는 것이다.

55 뢰화 雷火 풍(豐) ䷶ 리하진상 離下震上

傳 | 豐은 序卦에 得其所歸者는 必大라 故受之以豐이라하니라 物所歸聚면 必成其大라 故歸妹之後에 受之以豐也니 豐은 盛大之義라 爲卦 震上離下하니 震은 動也요 離는 明也라 以明而動하고 動而能〔一无能字〕明은 皆致豐之道니 明足以照하고 動足以亨然後에 能致豐大也라

풍괘(豐卦)는 〈서괘전〉에 "돌아갈 곳을 얻은 자는 반드시 커진다. 그러므로 풍괘로 받았다." 하였다. 물건이 돌아가 모이면 반드시 그 큼을 이룬다. 그러므로 귀매괘(歸妹卦 ䷵)의 뒤에 풍괘로써 받은 것이니, 풍(豐)은 성대한 뜻이다. 괘됨이 진(震 ☳)이 위에 있고 리(離 ☲)가 아래에 있으니, 진(震)은 동(動)함이요 리(離)는 밝음이다. 밝음으로써 동하고 동하되 능히 밝음은 모두 풍성함을 이루는 방도이니, 밝음이 비출 수 있고 동함이 형통할 수 있은 뒤에 풍대(豐大)함을 이룬다.

豐은 亨하니 王이라야 假(격)之하나니 勿憂인댄(홀전) 宜日中[11]이니라

풍(豐)은 형통하니, 왕(王)이어야 성대함을 이룰 수 있으니, 근심하지 않으려 할진댄 해가 중천(中天)에 있어 비추듯이 하여야 한다.

本義 | 王이 假之하여 勿憂요

왕자(王者)가 이에 이르러 근심하지 말고, 〈해가 중천에 있어 기울지 말게 하여야 한다.〉

傳 | 豐爲盛大하니 其義自亨이라 極天下之光大者는 唯王者能至之니 假은 至也라 天位之尊하고 四海之富하고 羣生之衆하고 王道之大하여 極豐之道는 其唯王

••••••

11 宜日中 : 사계(沙溪)는 "일중(日中)을 《정전》에는 '해가 중천(中天)에 있어 성하고 밝고 널리 비추듯이 하여야 한다.' 하였고, 《본의》에는 '해가 중천에 있어 기울지 말게 하여야 한다.' 하였는바, 《정전》의 해석이 옳은 듯하다." 하였다. 《經書辨疑》

••• 假 : 이를 격

者乎인저 豐之時엔 人民之繁庶하고 事物之殷盛하니 治之豈易周리오 爲可憂〔一作患〕慮라 宜如日中之盛明廣照하여 无所不及然後에 无憂也니라

풍(豐)은 성대함이 되니, 그 뜻이 본래 형통하다. 천하의 광대(光大)함을 지극히 하는 자는 오직 왕자(王者)만이 이를 수 있으니, '격(假)'은 이름이다. 천위(天位)가 높고 사해(四海)가 부유하고 군생(羣生)이 많고 왕도(王道)가 커서 풍성한 도(道)를 지극히 함은 오직 왕자일 것이다. 풍성의 때에는 인민(人民)이 많고 사물이 번성하니, 다스림에 어찌 두루하기가 쉽겠는가. 우려할 만하다. 마땅히 해가 중천(中天)에 있어 성하게 밝고 널리 비추어 미치지 않는 곳이 없듯이 한 뒤에야 근심이 없을 것이다.

本義 | 豐은 大也니 以明而動은 盛大之勢也라 故其占有亨道焉이라 然王者至此면 盛極當衰하니 則又有憂道焉이라 聖人이 以爲徒憂无益이니 但能守常하여 不至於過盛則可矣라 故戒以勿憂요 宜日中也니라

풍(豐)은 큼이니, 밝음으로써 동함은 성대한 세(勢)이다. 그러므로 그 점(占)에 형통할 방도가 있는 것이다. 그러나 왕자가 이에 이르면 성함이 지극하여 마땅히 쇠할 것이니, 또 근심할 방도가 있는 것이다. 성인이 '한갓 근심함은 유익함이 없으니, 다만 상도(常道)를 지켜 지나치게 성함에 이르지 않으면 가(可)하다.'고 생각하였다. 그러므로 근심하지 말고 해가 중천에 있어 비추는 것과 같이 하라고 경계한 것이다.

彖曰 豐은 大也니 明以動이라 故로 豐이니

〈단전〉에 말하였다. "풍(豐)은 큼이니, 밝고 동한다. 그러므로 풍성한 것이니,

傳 | 豐者는 盛大之義라 離明而震動하니 明動相資하여 而成豐大也라

풍(豐)은 성대한 뜻이다. 리(離)는 밝고 진(震)은 동(動)하니, 명(明)과 동(動)이 서로 자뢰(資賴:의뢰)하여 풍대(豐大)함을 이룬 것이다.

本義 | 以卦德으로 釋卦名義라

괘덕(卦德)으로써 괘명(卦名)의 뜻을 해석하였다.

王假之는 尙大也요

'왕격지(王假之)'는 숭상함이 큰 것이요,

傳 | 王者는 有四海之廣과 兆民之衆하여 極天下之大也라 故豐大之道는 唯王者能致之라 所有旣大면 其保之治之之道 亦當大也라 故王者之所尙이 至大也라

왕자(王者)는 사해의 넓음과 조민(兆民)의 많음을 소유하여 천하의 큼을 지극히 한다. 그러므로 풍대(豐大)한 도(道)는 오직 왕자만이 이룰 수 있는 것이다. 소유한 바가 이미 크면 그 보존하고 다스리는 방도도 마땅히 커야 한다. 그러므로 왕자의 숭상하는 바가 지극히 큰 것이다.

勿憂宜日中은 宜照天下也라

'물우의일중(勿憂宜日中)'은 천하에 비춤이 마땅하다.

傳 | 所有旣廣하고 所治旣衆이면 當憂慮其不能周及이니 宜如日中之盛明이 普照天下하여 无所不至하면 則可勿憂矣라 如是然後에 能保其豐大하리니 保有豐大는 豈小才小知(智)之所能也리오

소유함이 이미 넓고 다스리는 바가 이미 많으면 마땅히 두루 미치지 못함을 우려해야 할 것이니, 해가 중천에 있어 성하게 밝음이 널리 천하를 비추어서 이르지 않는 곳이 없는 것과 같이 한다면 근심이 없을 것이다. 이와 같이 한 뒤에야 풍대(豐大)함을 보유할 것이니, 풍대함을 보유함은 어찌 작은 재주와 작은 지혜로 할 수 있겠는가.

本義 | 釋卦辭라

괘사(卦辭)를 해석하였다.

··· 普 : 두루 보

日中則昃(측)하며 月盈則食하나니 天地盈虛도 與時消息이온 而況於人乎며 況於鬼神乎여

해가 중천에 있으면 기울고 달이 차면 먹히니(이지러지니), 천지의 영허(盈虛;성쇠(盛衰))도 때에 따라 소식(消息;사라지고 불어남)하는데 하물며 사람에 있어서이며 하물며 귀신에 있어서랴."

傳 | 旣言豐盛之至하고 復言其難常하여 以爲誡也라 日中盛極이면 則當昃昳(측질)이요 月旣盈滿이면 則有虧缺하나니 天地之盈虛도 尙與時消息이어든 況人與鬼神乎아 盈虛는 謂盛衰요 消息은 謂進退니 天地之運도 亦隨時進退也라 鬼神은 謂造化之迹이니 於萬物盛衰에 可見其消息也라 於豐盛之時에 而爲此誡는 欲其守中하여 不至過盛이니 處豐之道 豈易也哉리오

이미 풍성의 지극함을 말하고 다시 그 항상하기 어려움을 말하여 경계한 것이다. 해가 중천에 있어 성함이 지극하면 마땅히 기울 것이요 달이 차면 이지러짐이 있으니, 천지의 영허(盈虛)도 오히려 때에 따라 소식(消息)하는데 하물며 사람과 귀신에게 있어서랴. '영허'는 성쇠(盛衰)를 이르고 '소식'은 진퇴(進退)를 이르니, 천지의 운행도 때에 따라 진퇴한다. '귀신(鬼神)'은 조화(造化)의 자취를 이르니, 만물의 성쇠에서 사라지고 불어남을 볼 수 있다. 풍성한 때에 이러한 경계를 한 것은 중(中)을 지켜서 지나치게 성함에 이르지 않고자 함이니, 풍(豐)에 대처하는 방도가 어찌 쉽겠는가.

本義 | 此又發明卦辭外意하니 言不可過中也라

이는 또 괘사(卦辭) 밖에 있는 뜻을 발명한 것이니, 중(中)을 넘어서는 안 됨을 말한 것이다.

象曰 雷電皆至 豐이니 君子以하여 折獄致刑하나니라

〈상전〉에 말하였다. "우레와 번개가 모두 이름이 풍(豐)이니, 군자가 보고서 옥사(獄事)를 결단하고 형벌을 가(加)한다."

… 昃 : 해 기울 측 盈 : 찰 영 昳 : 해기울 일 誡 : 경계할 계 折 : 결단할 절

傳 | 雷電皆至는 明震竝行也니 二體相合이라 故云皆至라 明動相資하여 成豐之象하니 離는 明也니 照察之象이요 震은 動也니 威斷之象이라 折獄者는 必照其情實이니 唯明克允이요 致刑者는 以威於〔一作其〕姦惡이니 唯斷乃成이라 故君子觀雷電明動之象하여 以折獄致刑也라 噬嗑에 言先王飭法하고 豐에 言君子折獄[12]하니 以明在上而麗(리)於威震은 王者之事라 故爲制刑立法이요 以明在下而麗於威震은 君子之用이라 故爲折獄致刑이라 旅는 明在上而云君子者는 旅取愼用刑與不留獄이니 君子皆當然也라

우레와 번개가 모두 이름은 밝음과 진동함이 함께 행해지는 것이니, 두 체가 서로 합했으므로 '개지(皆至)'라고 말한 것이다. 명(明)과 동(動)이 서로 자뢰하여 풍(豐)의 상(象)을 이루었으니, 리(離)는 밝음이니 비추어 살피는 상이요, 진(震)은 동함이니 위엄으로 결단하는 상이다. 옥사를 결단하는 자는 반드시 그 실정을 비추어야 하니, 오직 밝아야 믿을 수 있고, 형(刑)을 가하는 자는 간악한 자에게 위엄을 보이는 것이니 오직 결단하여야 이룰 수 있다. 그러므로 군자가 우레와 번개가 밝고 동하는 상(象)을 보아 옥사를 결단하고 형을 가하는 것이다.

서합괘(噬嗑卦 ䷔)에는 선왕이 법을 삼감을 말하였고 풍괘에는 군자가 옥사를 결단함을 말하였으니, 밝음으로 위에 있으면서 위진(威震)에 걸려 있음(서합괘)은 왕자의 일이므로 형벌을 만들고 법을 세움이 되고, 밝음으로 아래에 있으면서 위진에 걸려 있음(풍괘)은 군자의 쓰임이므로 옥사를 결단하고 형을 가(加)함이 된 것이다. 려괘(旅卦 ䷷)는 밝음이 위에 있는데도 군자라고 말한 것은 려(旅)는 형을 쓰기를 신중히 함과 옥사를 지체하지 않음을 취한 것이니, 군자가 모두 당연히 이렇게 해야 하는 것이다.

本義 | 取其威照竝行之象이라

그 위엄과 비춤이 함께 행해지는 상을 취한 것이다.

••••••

12 噬嗑言先王飭(勅)法 豐言君子折獄 : 서합괘(噬嗑卦) 〈상전(象傳)〉에는 "우레와 번개가 서합이니, 선왕이 이를 보고서 형벌을 밝히고 법을 신칙한다.〔雷電噬嗑, 先王以, 明罰勅法.〕" 하였고, 풍괘(豐卦) 〈상전〉에는 "우레와 번개가 함께 이름이 풍이니, 군자가 보고서 옥사를 결단하고 형벌을 내린다.〔雷電皆至豐, 君子以, 折獄致刑.〕" 하였으므로 말한 것이다.

••• 麗 : 걸릴 리

初九는 **遇其配主**호되 **雖旬**이나 **无咎**하니 **往**하면 **有尙**이리라

초구(初九)는 배주(配主)를 만나되 비록 똑같은 양(陽)이나 허물이 없으니, 그대로 가면 가상한 일이 있으리라.

傳｜ 雷電皆至는 成豐之象이요 明動相資는 致豐之道라 非明이면 无以照요 非動이면 无以行〔一作亨〕이니 相須猶形影하고 相資猶表裏라 初〔一无初字〕九는 明之初요 九〔一无九字〕四는 動之初니 宜相須以成其用이라 故雖旬而相應이라 位則相應하고 用則相資라 故初謂四爲配主하니 己所配也라 配雖匹稱이나 然就之者也니 如配天以配君子라 故로 初於四云配요 四於初云夷也라 雖旬无咎는 旬은 均也니 天下之相應者는 常非均敵이니 如陰之應陽, 柔之從剛, 下之附上이니 敵則安肯相從이리오 唯豐之初、四는 其用則相資하고 其應則相成이라 故雖均是陽剛이나 相從而无過咎也라 蓋非〔一有剛字〕明則動无所之요 非動則明无所用이니 相資而成用이라 同舟則胡越一心이요 共難則仇怨協力은 事勢使然也라 往而相從이면 則能成其豐이라 故云有尙하니 有可嘉尙也라 在他卦면 則不相下而離隙矣리라

우레와 번개가 모두 이름은 풍(豐)을 이룬 상(象)이요, 명(明)과 동(動)이 서로 자뢰함은 풍을 이루는 방도이다. 밝음이 아니면 비출 수 없고 동함이 아니면 행할 수 없으니, 서로 필요로 함이 형체와 그림자와 같고 서로 의뢰함이 겉과 속과 같다. 초구(初九)는 밝음의 처음이고 구사(九四)는 동함의 처음이니, 마땅히 서로 필요로 하여 그 쓰임을 이루어야 한다. 그러므로 비록 대등하나(똑같이 양효이나) 서로 응하는 것이다. 자리가 서로 응하고 쓰임이 서로 의뢰한다. 그러므로 초(初)가 사(四)를 일러 배주(配主)라 하였으니, 자기가 짝하는 바(대상)이다. '배(配)'는 비록 짝을 칭하나 〈높은 분에게〉 나아가는 자이니, 하늘에 짝하고 군자(남편)를 짝한다는 것과 같다. 그러므로 초(初)가 사(四)에 대하여 배(配)라 이르고, 사(四)가 초(初)에 대하여 이(夷:대등함)라 이른 것이다.

'수순무구(雖旬无咎)'는 '순(旬)'은 균등함이니, 천하에 서로 응하는 자는 항상 균적(均敵:대등함)이 아니다. 예컨대 음이 양에 응하고 유(柔)가 강(剛)을 따르고 아래가 위에 붙는 것과 같으니, 균적(均敵)하다면 어찌 즐겨 서로 따르겠는가. 오직 풍괘(豐卦)의 초구(初九)와 구사(九四)는 그 쓰임이 서로 의뢰하고 그 응함이 서로

… 旬 : 고를 순(균) 夷 : 평할 이 仇 : 원수 구

이루어준다. 그러므로 비록 똑같이 양강(陽剛)이나 서로 따라 허물이 없는 것이다. 밝음이 아니면 동함이 갈 곳이 없고 동함이 아니면 밝음이 소용이 없으니, 서로 의뢰하여 씀을 이룬다. 배를 함께 타면 북쪽에 있는 오랑캐와 남쪽에 있는 월(越)나라 사람이 한 마음이 되고, 난리를 함께 하면 원수가 협력함은 사세가 그렇게 만드는 것이다. 가서 서로 따르면 풍성함을 이룰 수 있다. 그러므로 가상한 일이 있다고 말하였으니, 가상할 만한 일이 있는 것이다. 다른 괘에 있다면 서로 낮추지 못하여 헤어지고 틈이 있을 것이다.

本義 | 配主는 謂四요 旬은 均也니 謂皆陽也라 當豐之時하여 明動相資라 故初九之遇九四에 雖皆陽剛이나 而其占如此也라

배주(配主)는 사(四)를 이르고 '순(旬)'은 균등함이니, 모두 양(陽)임을 이른다. 풍(豐)의 때를 당하여 명(明)과 동(動)이 서로 자뢰하므로 초구(初九)가 구사(九四)를 만남에 비록 모두 양강(陽剛)이나 그 점(占)이 이와 같은 것이다.

象曰 雖旬无咎니 過旬이면 災也리라

〈상전〉에 말하였다. "비록 똑같은 양(陽)이나 허물이 없으니, 대등함을 지나면 재앙이 있으리라."

傳 | 聖人은 因時而處宜하고 隨事而順理하나니 夫勢均則不相下者는 常理也나 然有雖敵而相資者는 則相求也일새니 初、四是也니 所以雖旬而无咎也라 與人同而力均者는 在乎降己以相求하고 協力〔一作心〕以從事하니 若懷先〔一作先懷〕己之私하여 有加上之意하면 則患當至矣라 故曰過旬災也라하니라 均而先己면 是過旬也니 一求勝이면 則不能同矣리라

성인은 때에 따라 마땅하게 대처하고 일에 따라 이치를 따르니, 세(勢)가 대등하면 서로 낮추지 못하는 것이 떳떳한 이치이나 비록 대등하더라도 서로 의뢰하는 것은 서로 구하기 때문이니, 초구(初九)와 구사(九四)가 이것이다. 이 때문에 비록 대등하더라도 허물이 없는 것이다. 남과 함께 일하면서 힘이 균등한 경우에는 자기 몸을 낮추어 서로 구하고 협력하여 종사(從事)함에 있으니, 만약 자신을 먼저 하려는 사사로운 마음을 품어서 상대방을 올라타려는 뜻이 있으면 환난(患難)

이 마땅히 이를 것이다. 그러므로 대등함을 지나면 재앙이 있다고 말한 것이다. 대등하면서 자신을 먼저 하면 이는 과순(過旬)이니, 한번이라도 이기기를 구하면 함께 하지 못할 것이다.

本義 | 戒占者不可求勝其配하니 亦爻辭外意라

점치는 자에게 그 짝을 이기기를 구해서는 안 된다고 경계한 것이니, 이 또한 효사(爻辭) 밖에 있는 뜻이다.

六二는 豐其蔀라 日中見斗니 往하면 得疑疾하리니 有孚發若하면 吉하리라

육이(六二)는 부(蔀;떼우적, 차양(遮陽))를 많이 하였다. 대낮에도 북두성을 보니, 가면 의심과 미움을 얻으리니, 정성을 두어 감발(感發)하면 길하리라.

傳 | 明動相資라야 乃能成豐이라 二爲明之主요 又得中正하니 可謂明者也로되 而五在正應之地하여 陰柔不正하니 非能動者라 二、五雖皆陰이나 而在明動相資之時하고 居相應之地하여 五〔一作乃〕才不足〔一有耳字〕하니 旣其應之才〔一无才字〕不足資면 則獨明不能成豐이요 旣不能成豐이면 則喪其明功이라 故로 爲豐其蔀라 日中見斗는 二는 至明之才로되 以所應이 不足與하여 而不能成其豐하여 喪其明功하니 无明功이면 則爲昏暗이라 故云見斗라하니 斗는 昏見(현)者也라 蔀는 周匝(잡)之義니 用障蔽之物하여 掩晦於明者也라 斗는 屬陰而主運平[13]하니 象五以陰柔而當君位라 日中盛明之時에 乃見斗는 猶豐大之時에 乃〔一作而〕遇柔弱之主라 斗以昏見(현)하니 言見(견)斗면 則是明喪〔一作喪明〕而暗矣라

명(明)과 동(動)이 서로 자뢰하여야 풍(豐)을 이룰 수 있다. 이(二)는 밝음의 주체이고 또 중정(中正)을 얻었으니 밝은 자라고 이를 만하나, 오(五)가 정응(正應)의

••••••

13 斗屬陰而主運平 : 북두성은 밤중에 나타나기 때문에 음에 속한다 하였고, 북두성의 자루는 하루에 천체(天體)를 한 바퀴 이상 도는바, 이는 하늘이 조화의 기운을 말〔斗〕에 담아서 여러 지방에 골고루 나누어 준다 하여 말한 것이다.

••• 蔀 : 차양 부, 덮을 부 疾 : 미워할 질 匝 : 두루 잡 掩 : 가릴 엄

자리에 있으면서 음유(陰柔)로 바르지 못하니, 동할 수 있는 자가 아니다. 이효(二爻)와 오효(五爻)가 비록 모두 음이나 명과 동이 서로 자뢰하는 때에 있고 서로 응하는 처지에 있는데 오(五)의 재주가 부족하니, 이미 응의 재주가 의뢰할 만하지 못하다면 홀로 밝음은 풍(豐)을 이루지 못하고, 이미 풍을 이루지 못하면 밝은 공(功)을 상실하게 된다. 그러므로 그 떼우적을 많이 함이 되는 것이다.

대낮에 북두성을 본다는 것은 이(二)가 지극히 밝은 재주이나 응하는 바가 더불어 함께 할 수 없어서 풍을 이루지 못하여 밝은 공(功)을 상실하였으니, 밝은 공이 없으면 혼암(昏暗)이 된다. 그러므로 북두성을 본다고 말하였으니, '북두성〔斗〕'은 어두울 때에 나타나는 것이다. '부(蔀)'는 두루 가리는 뜻이니, 장폐(障蔽)하는 물건을 사용하여 밝음을 가리워 어둡게 하는 것이다.

두(斗)는 음에 속하고 운행하여 사시(四時)를 고르게 함을 주장하니, 오(五)가 음유(陰柔)로 군주의 지위에 당함을 형상하였다. 해가 중천에 있어 성하게 밝은 때에 북두성을 봄은 마치 풍대(豐大)한 때에 유약한 군주를 만남과 같은 것이다. 북두성은 어두울 때에 나타나니, 북두성을 본다고 말했으면 밝음을 상실하여 어두워진 것이다.

二雖至明中正之才나 所遇乃柔暗不正之君이라 旣不能下求於己하니 若往求之면 則反得疑猜忌疾하리니 暗主如是也라 然則如之何而可오 夫君子之事上也에 不得其心이면 則盡其至誠하여 以感發其志意而已라 苟誠意能動이면 則雖昏蒙可開也요 雖柔弱可輔也요 雖不正可正也라 古人之事庸君常主하여 而克行其道者는 己之誠意〔一无意字〕上達하여 而君見信之篤耳니 管仲之相桓公과 孔明之輔後主是也[14]라 若能以誠信으로 發其志意하면 則得行其道하리니 乃爲吉也라

이(二)가 비록 지극히 밝고 중정(中正)한 재질이나 만난 바가 바로 유암(柔暗)하고 바르지 못한 군주라서 이미 아래로 자기를 구하지 못하니, 이(二)가 만일 가서 등용해 주기를 구하면 도리어 의심과 시기와 미움을 얻으리니, 혼암(昏暗)한 군주

14 管仲之相桓公 孔明之輔後主是也 : 환공(桓公)은 춘추시대 제(齊)나라의 군주로 명재상인 관중(管仲)을 만나 천하에 패자가 되었고, 공명(孔明)은 삼국시대 제갈량(諸葛亮)의 자(字)인바, 선주(先主)인 유비(劉備)의 간청으로 세상에 나와 천하를 삼분(三分)하고 유비가 죽자, 후주(後主)인 유선(劉禪)을 보필하였다.

猜 : 시기할 시, 의심할 시

는 이와 같은 것이다. 그렇다면 어찌 하여야 하는가? 군자가 윗사람을 섬길 적에 그(군주의) 마음을 얻지 못하면 자기의 지성(至誠)을 다하여 윗사람의 의지(意志)를 감발(感發)시킬 뿐이다. 진실로 성의(誠意)로 감동시킨다면 비록 혼몽(昏蒙)하더라도 깨우칠 수 있고, 비록 유약하더라도 보필할 수 있고, 비록 바르지 않더라도 바로잡을 수 있다.

고인(古人) 중에 용렬한 군주와 보통의 군주를 섬기면서도 능히 그 도를 행한 자는 자신의 성의가 위에 도달되어 군주가 신임하기를 돈독히 했기 때문이니, 관중(管仲)이 환공(桓公)을 도운 것과 공명(孔明;제갈량)이 후주(後主)를 보필함이 이것이다. 만일 성신(誠信)으로써 군주의 의지(意志)를 감발시킨다면 도(道)를 행할 수 있을 것이니, 바로 길함이 되는 것이다.

本義 | 六二居豐之時하여 爲離之主하니 至明者也로되 而上應六五之柔暗이라 故爲豐蔀見斗之象이라 蔀는 障蔽也니 大其障蔽라 故日中而昏也라 往而從之하면 則昏暗之主必反見疑하리니 唯在積其誠意하여 以感發之則吉이니 戒占者宜如是也라 虛中은 有孚之象이라

육이(六二)가 풍(豐)의 때에 거하여 리(離)의 주체가 되었으니, 지극히 밝은 자이나 위로 육오(六五)의 유암(柔暗)한 군주와 응한다. 그러므로 떼우적을 많이 하여 대낮에 북두성을 보는 상(象)이 된 것이다. '부(蔀)는' 막고 가리움이니, 막고 가리움을 크게 하기 때문에 대낮에도 어두운 것이다. 〈육이가〉 가서 육오를 따르면 혼암(昏暗)한 군주가 반드시 도리어 의심할 것이니, 오직 성의를 쌓아 감발(感發)시키면 길하니, 점치는 자에게 마땅히 이와 같이 하라고 경계한 것이다. 허중(虛中)은 유부(有孚;정성과 믿음)의 상이다.

象曰 有孚發若은 信以發志也라

〈상전〉에 말하였다. "부신(孚信)을 두어 감발(感發)함은 부신(성의)으로 윗사람의 뜻을 감발시키는 것이다."

傳 | 有孚發若은 謂以己之孚信으로 感發上之心志也라 苟能發이면 則其吉可知니 雖柔〔一作昏〕暗이나 有可發之道也라

'유부발약(有孚發若)'은 자신의 부신(孚信)으로 윗사람의 심지(心志)를 감발시킴을 이른다. 만일 감발시킬 수 있으면 그 길함을 알 수 있으니, 비록 군주가 유암(柔暗)하나 감발할 수 있는 방도가 있는 것이다.

九三은 豐其沛(旆)라 日中見沬(매)요 折其右肱이니 无咎[15]니라

구삼(九三)은 휘장을 많이 하였다. 대낮에도 작은 별을 보고 오른팔이 부러졌으니, 허물할 데가 없다.

本義 | **折其右肱**이나

그 오른팔이 부러졌으나 허물이 아니다.

傳 | 沛字는 古本에 有作旆字者하며 王弼以爲幡幔(번만)이라하니 則是旆也라 幡幔은 圍蔽於內者니 豐其沛면 其暗이 更甚於蔀也라 三은 明體로되 而反暗於四者는 所應이 陰暗故也라 三이 居明體之上하고 陽剛得正하니 本能明者也로되 豐之道 必明動相資而成이어늘 三應於上하니 上은 陰柔요 又无位而處震之終하니 旣終則止矣니 不能動者也라 他卦는 至終則極이나 震은 至終則止矣라 三이 无上之應이면 則不能成豐이라 沬는 星之微小无名數者니〔一有是字〕見沬는 暗之甚也라 豐之時而遇上六은 日中而見沬者也라 右肱은 人之所用이어늘 乃折矣면 其无能爲를 可知라 賢智之才 遇明君이면 則能有爲於天下어늘 上无可賴之主하면 則不能有爲하니 如人之折其右肱也라 人之爲 有所失이면 則有所歸咎하여 日 由是故로 致是라하나니 若欲動而無右肱하고 欲爲而上无所賴면 則不能而已니 更復何言이리오 无所歸咎也라

패(沛) 자는 고본(古本)에 패(旆)로 쓴 것이 있으며, 왕필(王弼)은 번만(幡幔:휘장)이라고 하였으니, 이는 패(旆)인 것이다. 번만은 안을 에워싸 가리는 것이니, 휘장을 많이 한다면 그 어두움이 떼우적보다도 더 심한 것이다. 삼(三)은 밝은 체(體)인데 도리어 사(四)보다 어두운 것은 응한 바가 음암(陰暗)이기 때문이다. 삼은 명체

15 无咎:《정전》에는 "허물할 데가 없는 것"으로 보았으나 《본의》에는 "허물이 아닌 것"으로 해석하였다. 이와 같은 예가 자주 보이는데, 아래 절괘(節卦 ䷻) 육삼 효사(六三爻辭)에서는 주자 역시 '허물할 데가 없는 것'으로 보았다.

旆 : 기 패 沬 : 별이름 매 肱 : 팔뚝 굉 幡 : 깃발 번 幔 : 장막 만

(明體)의 위에 거하고 양강(陽剛)으로 정(正)을 얻었으니 본래는 능히 밝힐 수 있는 자이나, 풍(豐)의 도(道)는 반드시 명(明)과 동(動)이 서로 자뢰하여 이루어지는데, 삼이 상육(上六)과 응하니, 상육은 음유(陰柔)이고 또 지위가 없으면서 진(震)의 종(終)에 처했으니, 이미 종이 되면 진동이 멈추니 동할 수 없는 자이다. 다른 괘는 종에 이르면 극이 되나 진(震)은 종에 이르면 멈춘다. 삼은 상(上)의 응이 없으면 풍을 이루지 못한다.

'매(沬)'는 별이 작아 이름과 숫자에 들지 않는 것이니, 매를 봄은 어둠이 심한 것이다. 풍의 때에 상육을 만남은 대낮〔日中〕에 작은 별을 보는 것과 같은 것이다. 오른팔은 사람이 사용하는 것인데 이것이 부러졌다면 능히 할 수 없음을 알 수 있다. 어질고 지혜로운 재주가 명군(明君)을 만나면 천하에 훌륭한 일을 할 수 있는데 위에 의뢰할 만한 군주가 없으면 훌륭한 일을 할 수 없으니, 이는 마치 사람이 오른팔이 부러짐과 같은 것이다.

사람의 행위가 잘못이 있으면 허물을 돌릴 곳이 있어 말하기를 "이 때문에 이렇게 되었다."고 하는데, 만일 동(動)하고자 하나 오른팔이 없고 하고자 하나 위에 의뢰할 바가 없다면 능하지 못할 뿐이니, 다시 무슨 말을 하겠는가. 허물을 돌릴 곳이 없는 것이다.

本義 | 沛는 一作旆하니 謂幡幔也니 其蔽甚於蔀矣라 沬는 小星也라 三處明極而應上六하여 雖不可用이나 而非咎也라 故其象占如此하니라

'패(沛)'는 일본(一本)에는 패(旆)로 되어 있으니, 번만(幡幔)을 이르니, 그 가림이 떼우적보다도 심하다. '매(沬)'는 작은 별이다. 삼(三)은 밝음의 극에 처했는데 상육(上六)과 응하여 비록 쓸 수 없으나 그의 허물이 아니다. 그러므로 그 상(象)과 점(占)이 이와 같은 것이다.

象曰 豐其沛라 不可大事也요 折其右肱이라 終不可用也라

〈상전〉에 말하였다. "휘장을 많이 하였으니 큰일을 할 수 없고, 오른팔이 부러졌으니 끝내 쓸 수 없는 것이다."

傳 | 三應於上이어늘 上陰而无位라 陰柔无勢力而處旣終하니 其可共濟大事乎

아 既无所賴하니 如右肱之折하여 終不可用矣라

삼(三)이 상(上)에 응하는데 상이 음(陰)으로 지위가 없다. 음유(陰柔)로 세력이 없고 이미 종(終)에 처했으니, 어찌 함께 대사(大事)를 이룰 수 있겠는가. 이미 의뢰할 바가 없으니, 오른팔이 부러진 것과 같아 끝내 쓸 수 없는 것이다.

九四는 豐其蔀라 日中見斗니 遇其夷主하면 吉하리라

구사(九四)는 떼우적을 많이 하여 대낮에도 북두성을 보니, 이주(夷主; 대등한 상대)를 만나면 길하리라.

傳 | 四雖陽剛으로 爲動之主하고 又得大臣之位나 然以不中正으로 遇陰暗柔弱之主하니 豈能致豐大也리오 故爲豐其蔀라 蔀는 周圍掩蔽之物이니 周圍則不大요 掩蔽則不明이라 日中見斗는 當盛明之時하여 反昏暗也라 夷主는 其等夷也니 相應故로 謂之主라 初、四皆陽而居初[16]하니 是其德同이요 又居相應之地라 故爲夷主라 居大臣之位하여 而得〔一作德 又有同字〕在下之賢하여 同德相輔하면 其助豈小也哉리오 故吉也라 如四之才로 得在下之賢하여 爲之助면 則能致豐大乎아 曰 在下者上有當位爲之與하고 在上者下有賢才爲之助면 豈无益乎아 故吉也라 然而致天下之豐은 有君而後能也니 五는 陰柔居尊而震體라 无虛中巽順下賢之象하니 下雖多賢이나 亦將何爲리오 蓋非陽剛中正이면 不能致天下之豐也라

사(四)가 비록 양강(陽剛)으로 동(動)의 주체가 되고 또 대신의 지위를 얻었으나 중정(中正)하지 못한 자로서 음암(陰暗)하고 유약한 군주를 만났으니, 어찌 풍대(豐大)를 이루겠는가. 그러므로 그 떼우적을 많이 함이 된 것이다. '부(蔀)'는 두루 싸매어 엄폐(掩蔽)하는 물건이니, 두루 싸매면 크지 못하고 엄폐하면 밝지 못하다. 대낮에 북두성을 본다는 것은 성(盛)하게 밝은 때를 당하여 도리어 어두운 것이다. '이주(夷主)'는 등이(等夷:대등한 상대로 초구를 가리킴)이니, 서로 응하기 때문에 '주(主)'라고 이른 것이다. 초(初)와 사(四)는 모두 양(陽)으로 초(初)에 거했으니 이는 그 덕이 같은 것이요, 또 서로 응하는 자리에 처했으므로 '이주(夷主)'라 한 것

16 初四皆陽而居初 : 위의 초(初)는 육획괘(六畫卦)를 가리키고 아래의 초(初)는 삼획괘(三畫卦; 구사)를 가리키는바, 육획괘의 상·하 두 체로 보면 구사 역시 초의 자리에 해당한다.

이다.

대신의 지위에 거하여 아래에 있는 현자(賢者)를 얻어서 덕을 함께 하여 서로 돕는다면 그 도움이 어찌 작겠는가. 그러므로 길한 것이다.

"사(四)와 같은 재질로 아래에 있는 현자(賢者)를 얻어서 도움이 된다면 능히 풍대함을 이룰 수 있겠는가?" "아래에 있는 자는 위에서 지위를 담당한 이가 위하여 더붊(응여(應與)함)이 있고, 위에 있는 자는 아래에서 현재(賢才)가 도와줌이 있다면 어찌 유익함이 없겠는가. 그러므로 길한 것이다. 그러나 천하의 풍성함을 이룸은 훌륭한 군주가 있은 뒤에야 가능하니, 오(五)는 음유(陰柔)로 존위(尊位)에 거하고 진(震)의 체(體)라서 마음을 비우고 손순(巽順)하여 현자에게 낮추는 상(象)이 없으니, 아래에 비록 현자가 많으나 또한 장차 무슨 일을 하겠는가. 양강 중정(陽剛中正)한 군주가 아니면 천하의 풍성함을 이루지 못하는 것이다."

本義 | 象與六二同이라 夷는 等夷也니 謂初九也라 其占은 爲當豐而遇暗主하니 下就同德則吉也라

상(象)이 육이(六二)와 같다. '이(夷)'는 등이(等夷)이니, 초구(初九)를 이른다. 그 점(占)은 풍(豐)의 때를 당하여 혼암(昏暗)한 군주를 만났으니, 아래로 덕(德)이 같은 자에게 나아가면 길하다.

象曰 豐其蔀는 位不當也일새요

〈상전〉에 말하였다. "떼우적을 많이 함은 자리가 합당하지 않기 때문이요,

傳 | 位不當은 謂以不中正居高位니 所〔一作非〕以闇而不能致豐〔一有乎字〕이라

자리가 합당하지 않음은 중정(中正)하지 못함으로 고위(高位)에 거함을 이르니, 이 때문에 어두워 풍성함을 이루지 못하는 것이다.

日中見斗는 幽不明也일새요

대낮에 북두성을 봄은 어두워 밝지 못하기 때문이요,

傳 | 謂幽暗不能光明하니 君陰柔而臣不中正故也라

··· 闇 : 어둘 암

어두워서 광명(光明)하지 못함을 이르니, 군주는 음유(陰柔)이고 신하는 중정(中正)하지 못하기 때문이다.

遇其夷主는 吉行也라
이주(夷主)를 만남은 길한 데로 나아가는 것이다."

傳 | 陽剛相遇는 吉之行也라 下就於初라 故云行하니 下求則爲吉也라

양강(陽剛)이 서로 만남은 길한 데로 나아가는 것이다. 아래로 초(初)에게 나아가기 때문에 행(行)이라고 말했으니, 아래로 현자(賢者)를 구하면 길하다.

六五는 來章이면 有慶譽하여 吉하리라
육오(六五)는 아름다움을 오게 하면 복경(福慶)과 명예가 있어 길하리라.

傳 | 五以陰柔之才로 爲豐之主하니 固不能成其豐大나 若能來致在下章美之才而用之면 則有福慶이요 復(부)得美譽리니 所謂吉也라 六二文明中正하니 章美之才也라 爲五者誠能致之在位而委任之면 可以致豐大之慶, 名譽之美라 故吉也라 章美之才는 主二而言이나 然初與三、四皆陽剛之才니 五能用賢則彙征矣리라 二雖陰이나 有文明中正之德하니 大賢之在下者也라 五與二 雖非陰陽正應이나 在明動相資之時하여 有相爲用之義하니 五若能來章이면 則有慶譽而吉也라 然六五无虛己下賢之義하니 聖人이 設此義以爲教耳시니라

오(五)가 음유(陰柔)의 재질로 풍(豐)의 주체가 되었으니 진실로 그 풍대(豐大)함을 이루지 못하나, 만일 아래에 있는 아름다운 재주를 오게 하여 등용하면 복경(福慶)이 있고 또 아름다운 명예를 얻을 것이니, 이른바 길하다는 것이다. 육이(六二)가 문명(文明)하고 중정(中正)하니, 아름다운 재주이다. 오(五)가 된 자가 진실로 〈어진이를〉 초치하여 지위에 있게 하고 위임하면 풍대한 복경과 명예의 아름다움을 이룰 수 있다. 그러므로 길한 것이다. 장미(章美)의 재주는 이(二)를 주장하여 말했으나 초효(初爻)와 삼효(三爻)·사효(四爻)가 모두 양강(陽剛)의 재주이니, 오(五)가 어진 이를 등용하면 이들이 떼지어 나올 것이다.

이(二)가 비록 음이나 문명 중정(文明中正)의 덕이 있으니, 대현(大賢)으로 아래

에 있는 자이다. 오(五)와 이(二)가 비록 음·양의 정응(正應)이 아니나 명(明)과 동(動)이 서로 자뢰하는 때에 있어 서로 쓰임이 되는 뜻이 있으니, 오(五)가 만약 아름다운 재주를 오게 하면 복경과 명예가 있어 길할 것이다. 그러나 육오(六五)가 자신을 겸허하게 하여 어진이에 낮추는 뜻이 없으니, 성인이 이 뜻을 가설하여 가르침을 삼으셨을 뿐이다.

本義 | 質雖柔暗이나 若能來致天下之明이면 則有慶譽而吉矣라 蓋因其柔暗하여 而設此以開之하니 占者能如是면 則如其占矣리라

질(質)이 비록 유암(柔暗)이나 만일 능히 천하의 밝은이를 오게 하면 복경과 명예가 있어 길할 것이다. 유암으로 인하여 이것을 가설해서 열어 놓으셨으니, 점치는 자가 이와 같이 하면 이 점(占)과 같으리라.

象曰 六五之吉은 有慶也라

〈상전〉에 말하였다. "육오(六五)의 길함은 복경(福慶)이 있는 것이다."

傳 | 其所謂吉者는 可以有慶福及于天下也라 人君雖柔暗이나 若能用賢才면 則可以爲天下之福이니 唯患不能耳라

이른바 길하다는 것은 복경이 천하에 미칠 수 있는 것이다. 인군이 비록 유약하고 어두우나 만일 현재(賢才)를 등용하면 천하의 복경이 될 수 있으니, 오직 능하지 못함을 걱정할 뿐이다.

上六은 豐其屋하고 蔀其家라 闚(규)其戶하니 闃(격)其无人하여 三歲라도 不覿(적)이로소니 凶하니라

상육(上六)은 집을 크게 짓고 집에 떼우적을 쳐놓았다. 그 문을 엿보니, 조용하여 사람이 없어서 삼 년이 지나도록 사람을 만나지 못하니, 흉하다.

傳 | 六以陰柔之質로 而居豐之極하고 處動之終하니 其滿假躁動이 甚矣라 處豐大之時하여는 宜乎謙屈이어늘 而處極高하고 致豐大之功은 在乎剛健이어늘 而體陰柔하고 當豐大之任은 在乎得時어늘 而不當位하니 如上〔一无上字〕六者는 處无一

··· 闚 : 엿볼 규 闃 : 고요할 격 覿 : 볼 적 假 : 클 가

當하니 其凶可知라 豐其屋은 處太高也요 蔀其家는 居不明也라 以陰柔로 居豐大而在无位之地하니 乃高亢昏暗하여 自絕於人이니 人誰與之리오 故로 闚其戶 闃其无人也라 至於三歲之久로되 而不知變하니 其凶宜矣라 不覿은 謂尙不見人이니 蓋不變也라 六居卦終하여 有變之義어늘 而不能遷하니 是其才不能也라

육(六)이 음유(陰柔)의 재질로 풍(豐)의 극(極)에 거하고 동(動)의 종(終)에 처했으니, 그 자만하고 큰 체하며 조급히 동함이 심하다. 풍대(豐大)한 때에 처해서는 마땅히 겸손하고 굽혀야 하는데 처함이 지극히 높고, 풍대한 공을 이룸은 강건(剛健)함에 달려 있는데 체가 음유(陰柔)이고, 풍대한 임무를 감당함은 때를 얻음에 달려 있는데 자리가 합당하지 않으니, 상육(上六)과 같은 자는 처지가 하나도 합당함이 없는 것이니, 그 흉함을 알 수 있다. 집을 크게 지었다는 것은 너무 높음에 처한 것이요, 집에 떼우적을 쳤다는 것은 밝지 못함에 거한 것이다.

음유로서 풍대에 거하고 지위가 없는 자리에 있으니, 이는 바로 고항(高亢:높은 체함)하고 혼암(昏暗)하여 스스로 남과 끊는 것이니, 사람이 누가 그와 친하겠는가. 그러므로 그 문을 엿봄에 조용하여 사람이 없는 것이다. 3년의 오램에 이르도록 변할 줄을 모르니, 그 흉함이 당연하다. 만나보지 못한다는 것은 아직도 사람을 만나지 못함을 이르니, 변하지 않은 것이다. 육(六)이 괘의 끝(마지막)에 거하여 변할 뜻이 있으나 능히 옮기지 못하니, 이는 재질이 능하지 못한 것이다.

本義 | 以陰柔로 居豐極하고 處動終하니 明極而反暗者也라 故爲豐大其屋하여 而反以自蔽之象이라 无人不覿은 亦言障蔽之深이니 其凶이 甚矣라

음유(陰柔)로서 풍(豐)의 극에 거하고 동(動)의 종(終)에 처했으니, 밝음이 지극하여 도리어 어두운 자이다. 그러므로 집을 풍대하게 하여 도리어 스스로 가리우는 상(象)이 된 것이다. 사람이 없어 만나보지 못한다는 것은 또한 장폐(障蔽)가 깊음을(심함을) 말한 것이니, 그 흉함이 심하다.

象曰 豐其屋은 天際翔也요 闚其戶 闃其无人은 自藏也라

〈상전〉에 말하였다. "집을 크게 지음은 하늘 가에서 비상(飛翔)함이요, 그 문을 엿봄에 조용하여 사람이 없음은 스스로 감추는 것이다."

··· 翔 : 날 상

傳 | 六이 處豐大之極하여 在上而自高하여 若飛翔於天際하니 謂其高大之甚이라 闃其戶而无人者는 雖居豐大之極이나 而實无位之地니 人以其昏暗自高大故로 皆棄絶之하여 自藏避而弗與親也라

육(六)이 풍대의 극에 처하여 위에 있으면서 스스로 높은 체하여 마치 하늘 가에서 비상(飛翔)하는 듯하니, 고대(高大)함이 심함을 이른다. 그 문을 엿봄에 사람이 없다는 것은 비록 풍대의 극에 거했으나 실제는 지위가 없는 자리이니, 사람이 혼암(昏暗)하면서 스스로 높은 체하고 큰 체(잘난체)하기 때문에 사람들이 모두 버리고 끊어서 스스로 감추고 피하여 더불어 친하지 않은 것이다.

本義 | 藏은 謂障蔽라

'장(藏)'은 장폐(障蔽;가리움)를 이른다.

56 화산 火山 려(旅) ䷷ 감하리상 坎下離上

傳 | 旅는 序卦에 豐은 大也니 窮大者는 必失其居라 故受之以旅라하니라 豐盛이 至於窮極이면 則必失其所安이니 旅所以次豐也라 爲卦 離上艮下하니 山은 止而不遷하고 火는 行而不居하니 違去(爲)[而]不處之象이라 故爲旅也요 又麗(리)乎外는 亦旅之象이라

려괘(旅卦)는 〈서괘전〉에 "풍(豐)은 큼이니, 큼을 궁극히 하는 자는 반드시 거처를 잃는다. 그러므로 려괘로써 받았다." 하였다. 풍성함이 궁극에 이르면 반드시 편안한 바를 잃으니, 려괘가 이 때문에 풍괘(豐卦 ䷶)의 다음이 된 것이다. 괘됨이 리(離 ☲)가 위에 있고 간(艮 ☶)이 아래에 있으니, 산(山)은 멈추어 움직이지 않고 화(火)는 번져서 머물지 않으니, 떠나가서 거처하지 않는 상(象)이다. 그러므로 려(旅)라 하였고, 또 밖에 걸려 있음은 또한 려(旅:나그네)의 상(象)이다.

旅는 小亨하고 旅貞하여 吉하니라

려(旅)는 조금 형통하고 려(旅)의 도(道)가 정정(貞正)하여 길하다.

本義 | 小亨하니 旅貞하면

조금 형통하니, 려(旅)가 바르면

傳 | 以卦才言也니 如卦之才면 可以小亨이요 得旅之貞正而吉也라

괘재(卦才)로써 말하였으니, 괘의 재질과 같으면 조금 형통할 수 있고 려(旅)의 정정(貞正)함을 얻어 길하다.

本義 | 旅는 羈(기)旅也라 山止於下하고 火炎於上하여 爲去其所止而不處之象이라 故爲旅라 以六五得中於外하여 而順乎上下之二陽하고 艮止而離麗(리)於明이라 故其占이 可以小亨이요 而能守其旅之貞則吉이라 旅非常居니 若可苟者나 然道无不在라 故自有其正하니 不可須臾離也라

••• 違 : 떠날 위 羈 : 더부살이 기 臾 : 잠시 유

려(旅)는 나그네로 붙여있는 것이다. 산이 아래에서 멈추고 화(火)가 위에서 타오르니, 머물던 곳을 떠나 거처하지 않는 상(象)이 된다. 그러므로 려(旅)라 한 것이다. 육오(六五)가 밖에서 중(中)을 얻고 상 · 하의 두 양에게 순하며, 간(艮)은 멈추고 리(離)는 밝음에 걸려 있다. 그러므로 점(占)이 조금 형통할 수 있고 려(旅)의 정도(貞道)를 지키면 길한 것이다. 나그네〔旅〕는 일정한 거처가 있는 것이 아니니 구차할 듯하나, 도(道)는 있지 않은 곳이 없으므로 본래 정도(正道)가 있는 것이니, 도는 잠시라도 떠나서는 안 된다.

彖曰 旅小亨은 柔得中乎外而順乎剛하고 止而麗(리)乎明이라 是以小亨 旅貞吉也니

〈단전〉에 말하였다. "려(旅)가 조금 형통함은 유(柔)가 밖에서 중(中)을 얻었고 강(剛)에게 순하며, 멈추고 밝음에 걸려 있다. 이 때문에 조금 형통하고 려(旅)의 도(道)가 바루어 길한 것이니,

傳 | 六이 上居五는 柔得中乎外也요 麗乎上下之剛은 順乎剛也요 下艮止, 上離麗는 止而麗於明也라 柔順而得在外之中하고 所止能麗於明하니 是以小亨이요 得旅之貞正而吉也라 旅困之時에 非陽剛中正이 有助於下면 不能致大亨也라 所謂得在外之中은 中非一揆니 旅有旅之中也라 止麗於明이면 則不失時宜하리니 然後에 得〔一作能〕處旅之道라

육(六)이 위로 오(五)에 거함은 유(柔)가 밖에서 중(中)을 얻은 것이요, 상 · 하의 강(剛)에 붙어 있음은 강에게 순함이요, 아래의 간(艮)은 멈추고 위의 리(離)는 걸림(붙음)은 멈추어 밝음에 붙어 있는 것이다. 유순하면서 밖에 있는 중을 얻고 멈춘 바가 밝음에 걸려 있으니, 이 때문에 조금 형통하고 려(旅)의 정정(貞正)함을 얻어 길한 것이다. 나그네로 곤궁할 때에 양강 중정(陽剛中正)이 아래에서 도와줌이 있지 않으면 크게 형통함을 이룰 수 없다. 이른바 밖에 있는 중(中)을 얻었다는 것은 중은 한 가지 법식이 아니니, 나그네에게는 나그네의 중이 있는 것이다. 멈춤이 밝음에 붙어 있으면 때의 마땅함을 잃지 않을 것이니, 그런 뒤에야 나그네에 처하는 도(道)를 얻게 된다.

··· 揆 : 법 규

本義 | 以卦體卦德으로 釋卦辭라

괘체(卦體)와 괘덕(卦德)으로써 괘사(卦辭)를 해석하였다.

旅之時義 大矣哉라

려(旅)의 때와 의(義)가 크다."

傳 | 天下之事 當隨時各適其宜로되 而旅爲難處라 故로 稱其時義之大하니라

천하의 일이 때에 따라 각각 그 마땅함에 맞게 하여야 하는데, 려(旅)는 대처하기가 어려우므로 그 때와 의(義)가 크다고 말한 것이다.

本義 | 旅之時爲難處라

려(旅)의 때는 대처하기 어려움이 된다.

象曰 山上有火旅니 君子以하여 明愼用刑하며 而不留獄하나니라

〈상전〉에 말하였다. "산 위에 불이 있음이 려(旅)이니, 군자가 보고서 형(刑)을 씀을 밝게 하고 삼가며 옥사(獄事)를 지체하지 않는다."

傳 | 火之在高에 明无不照하니 君子·觀明照之象하여 則以明愼用刑하나니 明不可恃라 故戒於愼이요 明而止亦愼象이라 觀火行不處之象하면 則不留獄하나니 獄者는 不得已而設이니 民有罪而入이면 豈可留滯淹久也리오

불이 높은 곳에 있음에 밝음이 비추지 않음이 없으니, 군자가 밝게 비추는 상(象)을 보고서 형(刑)을 씀을 밝게 하고 삼가니, 밝음을 믿을 수 없기 때문에 삼가라고 경계한 것이요, 밝고 멈춤은 또한 삼가는 상이다. 불이 번져가고 머물지 않는 상을 관찰하면 옥사를 지체하지 않으니, 옥(獄)은 부득이하여 만든 것이니, 백성들이 죄(罪)가 있어 옥에 들어가면 어찌 지체하여 오랫동안 머물게 하겠는가.

本義 | 愼刑如山이요 不留如火라

형을 삼가기를 산과 같이 하고 옥사를 지체하지 않기를 불과 같이 하는 것이다.

··· 滯 : 막힐 체 淹 : 오랠 엄

初六은 旅瑣瑣니 斯其所取災[17]니라

초육(初六)은 나그네가 쇄쇄(瑣瑣;자질구레함)하니, 이 때문에 재앙을 취하게 된다.

傳 | 六以陰柔로 在旅之時하여 處於卑下하니 是柔弱之人이 處旅困而在卑賤이니 所存汚下者也라 志卑之人이 旣處旅困이면 鄙猥瑣細하여 无所不至하리니 乃其所以致悔辱, 取災咎也라 瑣瑣는 猥細之狀이라 當旅困之時하여 才質如是하니 上雖有援이나 无能爲也라 四는 陽性而離體니 亦非就下者也요 又在旅하니 與他卦爲大臣之位者異矣니라

육(六)이 음유(陰柔)로서 려(旅)의 때에 있으면서 비하(卑下)한 곳에 처했으니, 이는 유약한 사람이 나그네의 곤궁함에 처하고 비천(卑賤)한 자리에 있는 것이니, 간직한 바가 더럽고 낮은 것이다. 뜻이 낮은 사람이 이미 나그네의 곤궁함에 처하면 비루하고 추잡스러우며 자질구레하여 이르지 못하는 바가 없으리니, 이는 뉘우침과 모욕을 부르고 재앙과 허물을 취하는 소이(所以)이다. '쇄쇄(瑣瑣)'는 비루하고 자질구레한 모양이다. 나그네의 곤궁할 때를 당하여 재질이 이와 같으니, 위에 비록 응원이 있으나 큰 일을 할 수가 없다. 사(四)는 양성(陽性)이고 이체(離體)이니 또한 아래로 내려오는 자가 아니며, 또 려(旅)의 때에 있으니, 사(四)가 다른 괘에서 대신의 지위가 된 자와는 다르다.

本義 | 當旅之時하여 以陰柔居下位라 故其象占如此하니라

초(初)가 려(旅)의 때를 당하여 음유로서 낮은 지위에 거하였으므로 그 상(象)과 점(占)이 이와 같은 것이다.

象曰 旅瑣瑣는 志窮하여 災也라

〈상전〉에 말하였다. "나그네가 쇄쇄(瑣瑣)함은 뜻이 곤궁하여 재앙이 있는 것이다."

······

17 斯其所取災 : 왕필은 사(斯)를 '시천지역(斯賤之役)'으로 풀이하였는바, '斯'는 시(廝)와 통하여 노복(奴僕)의 천한 일을 가리킨다.

··· 瑣 : 자잘할 쇄 猥 : 비루할 외

傳| 志意窮迫하여 益自取災也라 災、眚은 對言則有分이요 獨言則謂災患耳라

의지(意志)가 궁박(窮迫)하여 더욱 스스로 재앙을 취하는 것이다. '재(災;천재)와 생(眚;모르고 지은 잘못)'은 상대하여 말하면 분별이 있고 홀로(한가지로) 말하면 재환(災患)을 이른다.

六二는 旅卽次하여 懷其資하고 得童僕貞이로다

육이(六二)는 나그네가 머무는 곳에 나아가 물자(物資)를 간직하고 동(童;어린 종)·복(僕;큰 종)의 정(貞;충직함)을 얻었도다.

傳| 二有柔順中正之德하니 柔順則衆與之요 中正則處不失當이라 故能保其所有하고 童僕亦盡其忠信이라 雖不若五有文明之德、上下之助나 亦處旅之善者也라 次舍는 旅所安也요 財貨는 旅所資也요 童僕은 旅所賴也라 得就次舍하여 懷畜其資財하고 又得童僕之貞良은 旅之善也라 柔弱在下者는 童也요 强壯處外者는 僕也니 二柔順中正이라 故得內外之心이라 在旅에 所親比者는 童僕也라 不云吉者는 旅寓之際에 得免於災厲면 則已善矣일새라

이(二)가 유순하고 중정(中正)한 덕이 있으니, 유순하면 사람들이 도와주고 중정하면 처함이 마땅함을 잃지 않는다. 그러므로 그 소유함을 보존하고 동(童)·복(僕)들 또한 충신(忠信)을 다하는 것이다. 비록 문명(文明)의 덕(德)과 상·하의 도움이 있는 오(五)만은 못하나 또한 려(旅)에 대처하기를 잘하는 자이다. '차사(次舍)'는 나그네가 편안히 쉴 수 있는 곳이요, '재화(財貨)'는 나그네가 이용하는 것이요, '동'·'복'은 나그네가 의뢰하는 바이다. 머무는 집에 나아가 물자와 재물을 간직하고 동·복의 정량(貞良)을 얻음은 나그네의 좋음이다.

유약하면서 아래에 있는 자는 동(童)이요, 강장(强壯)하면서 밖에 있는 자는 복(僕)이니, 이(二)가 유순하고 중정하므로 내외의 인심을 얻은 것이다. 나그네에게 있어 친하고 가까운 자는 동·복이다. 길하다고 말하지 않은 것은 나그네로 부쳐 있을 때에는 재앙과 위태로움만 면할 수 있으면 이미 좋기 때문이다.

本義| 卽次則安하고 懷資則裕하고 得其童僕之貞信이면 則无欺而有賴하니 旅之最吉者也라 二有柔順中正之德이라 故其象占如此하니라

··· 眚 : 재앙 생 懷 : 품을 회 次 : 머무를 차 童 : 어린종 동 僕 : 종 복, 마부 복

머무는 곳에 나아가면 편안하고, 물자를 간직하면 여유가 있고, 동(童)·복(僕)의 정신(貞信)을 얻으면 속이지 않아 의뢰함이 있으니, 나그네로서 가장 길한 것이다. 이(二)는 유순하고 중정한 덕이 있으므로 그 상(象)과 점(占)이 이와 같은 것이다.

象曰 得童僕貞은 終无尤也리라

〈상전〉에 말하였다. "동·복의 정(貞)을 얻음은 끝내 허물이 없으리라."

傳｜ 羇旅之人은 所賴者童僕也어늘 既得童僕之忠貞하니 終无尤悔矣라

나그네로 부쳐있는 사람은 의뢰하는 자가 동·복인데 이미 동·복의 충정(忠貞)함을 얻었으니, 끝내 허물과 뉘우침이 없으리라.

九三은 旅焚其次하고 喪其童僕貞[18]이니 厲하니라

구삼(九三)은 나그네가 머무는 곳을 불태우고 동·복의 정신(貞信)을 잃었으니, 위태롭다.

本義｜ 喪其童僕이니 貞이라도 厲하니라

동·복을 잃었으니, 정(貞)하더라도 위태롭다

傳｜ 處旅之道는 以柔順謙下爲先이어늘 三이 剛而不中하고 又居下體之上, 與艮之上하여 有自高之象하니 在旅而過剛自高는 致困災之道也라 自高則不順於上이라 故上不與而焚其次하니 失所安也니 上離爲焚象이라 過剛則暴下라 故下離而喪其童僕之貞信하니 謂失其心也니 如此則〔一作者〕危厲之道也라

나그네로 처하는 방도는 유순함과 겸손함을 우선으로 삼는데, 삼(三)은 강(剛)하고 중(中)하지 못하며 또 하체의 위와 간(艮)의 위에 거하여 스스로 높은 체하는 상(象)이 있으니, 나그네로 있으면서 지나치게 강하고 스스로 높은 체함은 곤궁과

······

18 喪其童僕貞 :《정전》에는 위와 마찬가지로 "동·복의 정(충신)을 잃는 것"으로 보았으나,《본의》에는 이렇게 되면 동·복의 충신한 마음을 잃을 뿐 아니라 그 몸까지도 잃는 것으로 보아 "동·복을 잃으니, 정(貞)하더라도 위태로운 것"으로 해석하였다.

재앙을 부르는 방도이다. 스스로 높은 체하면 위에 순하지 못하므로 위가 더불지 아니하여 머무는 곳을 불태우니, 편안한 바를 잃은 것이니, 위의 리(離)는 불타는 상이 된다. 지나치게 강하면 아랫사람들에게 포악하게 하므로 아랫사람들이 이반하여 동 · 복의 정신(貞信)을 잃는 것이니, 이는 마음을 잃음을 이르니, 이와 같으면 위태로운 방도이다.

本義 | 過剛不中하여 居下之上이라 故其象占如此라 喪其童僕이면 則不止於失其心矣라 故貞字連下句爲義니라

지나치게 강(剛)하고 중(中)하지 못하면서 하괘의 위에 거하였으므로 그 상(象)과 점(占)이 이와 같은 것이다. 동 · 복을 잃으면 그의 마음을 잃는 데에만 그치지 않는다. 그러므로 정(貞) 자를 아래 구(句)에 연결하여 뜻을 삼은 것이다.

象曰 旅焚其次하니 亦以傷矣요 以旅與下하니 其義喪也라

〈상전〉에 말하였다. "나그네가 머무는 곳을 불태우니 또한 해롭고, 나그네로서 아랫사람을 대하는 도(道)가 이와 같으니, 의리상 잃는 것이다."

傳 | 旅焚失其次舍하니 亦以困傷矣요 以旅之時而與下之道如此하니 義當喪也라 在旅而以過剛自高待下면 必喪其忠貞이니 謂失其心也라 在旅而失其童僕之心이면 爲可危也라

나그네가 머무는 집을 불태워 잃었으니 또한 곤궁하고 해로우며, 나그네의 때에 아래를 대하는 방도가 이와 같으니 의리상 마땅히 잃을 것이다. 나그네로 있으면서 지나치게 강하고 스스로 높은 체함으로 아랫사람들을 대하면 반드시 충정(忠貞)을 잃을 것이니, 그 마음을 잃음을 이른다. 나그네로 있으면서 동 · 복의 마음을 잃는다면 위태로울 만함이 된다.

本義 | 以旅之時而與下之道如此하니 義當喪也라

나그네의 때에 아래를 대하는 방도가 이와 같으니, 의리상 마땅히 잃게 된다.

九四는 **旅于處**하고 **得其資斧**하나 **我心**은 **不快**로다

구사(九四)는 나그네로 거처하고 물자(노자)와 도끼를 얻으나 자신의 마음은 불쾌하도다.

傳 | 四는 陽剛이니 雖不居中이나 而處柔하고 在上體之下하여 有用柔能下之象하니 得旅之宜也라 以剛明之才로 爲五所與하고 爲初所應하니 在旅之善者也라 然四非正位라 故雖得其處止나 不若二之就次舍也라 有剛明之才하여 爲上下所與하니 乃旅而得貨財之資、器用之利也니 雖在旅爲善이나 然上无剛陽之與하고 下唯陰柔之應이라 故不能伸其才, 行其志하여 其心不快也라 云我者는 據四而言이라

사(四)는 양강(陽剛)이니, 비록 중(中)에 거하지는 못했으나 유(柔)에 처하고 상체의 아래에 있어 유(柔)를 쓰고 몸을 낮추는 상(象)이 있으니, 나그네의 마땅함을 얻은 것이다. 강명(剛明)한 재질로 오(五)의 더부는(친한) 바가 되고 초(初)의 응하는 바가 되었으니, 나그네로 있으면서 잘 처신하는 자이다. 그러나 사(四)가 바른 자리〔正位〕가 아니기 때문에 비록 거처할 곳을 얻었으나 머무는 집으로 나아간 육이(六二)만은 못한 것이다. 강명한 재질이 있어 상・하의 더부는 바가 되었으니, 나그네로서 재화의 물자와 기용(器用)의 이로움을 얻은 것이니, 비록 나그네에 있어서는 좋음이 되나 위에 강양(剛陽)의 친함이 없고 아래에 오직 음유(陰柔)가 응하기 때문에 그 재주를 펴지 못하고 그 뜻을 행하지 못하여 그 마음이 불쾌한 것이다. '아(我)'라고 말한 것은 사(四)를 근거하여 말한 것이다.

本義 | 以陽居陰하고 處上之下하여 用柔能下라 故其象占如此라 然非其正位요 又上无剛陽之與하고 下唯陰柔之應이라 故其心이 有所不快也라

양효(陽爻)로서 음위(陰位)에 거하고 상괘의 아래에 처하여 유(柔)를 쓰고 몸을 낮추기 때문에 그 상(象)과 점(占)이 이와 같은 것이다. 그러나 바른 자리가 아니고 또 위에 강양(剛陽)의 친함이 없고 아래에 오직 음유(陰柔)가 응하므로 그 마음이 불쾌한 바가 있는 것이다.

象曰 旅于處는 **未得位也**니 **得其資斧**하나 **心未快也**라

〈상전〉에 말하였다. "나그네로 거처함은 지위를 얻지 못함이니, 그 물자와 도끼를 얻으나 마음이 쾌(快)하지 못하다."

傳 | 四以近君爲當位로되 在旅엔 五不取君義라 故四爲未得位也라 曰 然則以九居四는 不正이니 爲有咎矣라하니 曰 以剛居柔는 旅之宜也라 九以剛明之才로 欲得時而行其志라 故雖得資斧하여 於旅爲善이나 其心志未快也라

사(四)는 군주를 가까이 하였으므로 당위(當位;대신의 지위를 담당함)가 되나 려(旅)에 있어서는 오(五)가 군주의 뜻을 취하지 않으므로 사(四)가 지위를 얻지 못함이 된 것이다.

"그렇다면 구(九)로서 사(四)에 거함은 정(正)이 아니니, 허물이 있을 것이다."라고 하기에, 다음과 같이 대답하였다. "강(剛)으로서 유(柔)에 거함은 나그네의 마땅함이다. 구(九)가 강명(剛明)한 재질로 때를 얻어 뜻을 행하고자 하기 때문에 비록 물자와 도끼를 얻어 나그네의 입장에는 좋음이 되나 그 심지(心志)는 쾌하지 못한 것이다."

六五는 **射**(석)**雉一矢亡**이라 **終以譽命**이리라

육오(六五)는 꿩을 쏘아 맞추어 한 화살에 잡는다. 끝내 예(譽;명예)와 명(命;복록)을 얻으리라.

本義 | **射雉**니 **一矢亡**이라도

꿩을 쏘아 맞힘이니, 한 화살을 잃으나

傳 | 六五有文明柔順之德하고 處得中道而上下與之하니 處旅之至善者也라 人之處旅에 能合文明之道면 可謂善矣라 羇旅之人은 動而或失이면 則困辱隨之하나니 動而无失然後에 爲善이라 離爲雉하여 文明之物이니 射雉는 謂取則於文明之道而必合이라 如射雉에 一矢而亡之하여 發无不中이면 則終能致譽命也니 譽는 令聞也요 命은 福祿也라 五居文明之位하여 有文明之德이라 故動必中文明之道也라 五는 君位나 人君은 无旅하니 旅則失位라 故不取君義하니라

육오(六五)가 문명하고 유순한 덕이 있으며 처함이 중도(中道)를 얻어 상·하가

••• 射 : 쏘아맞힐 석 雉 : 꿩 치 令 : 좋을 령, 훌륭할 령

더부니, 나그네에 대처하기를 지극히 잘하는 자이다. 사람이 나그네에 처함에 문명의 도에 합하면 선(善)하다고 이를 만하다. 나그네로 붙여있는 사람은 동(動)하여 혹 잘못하면 곤욕이 뒤따르니, 동하여 잘못이 없는 뒤에야 선함이 된다.

리(離)는 꿩이 되어 문명한 물건이니, 꿩을 쏘아 맞춘다는 것은 문명한 도에서 법(法)을 취하여 반드시 합함을 이른다. 마치 꿩을 쏘아 맞추어 한 화살에 죽게 하여 발사함에 맞추지 못함이 없듯이 한다면 끝내 예(譽)·명(命)을 이룰 것이니, '예(譽)'는 훌륭한 명성이고 '명(命)'은 복록(福祿)이다. 오(五)가 문명한 자리에 거하여 문명한 덕이 있으므로 동함에 반드시 문명한 도에 맞는 것이다. 오(五)는 군주의 자리이나, 군주는 나그네가 되는 법이 없으니, 나그네가 되면 자리(지위)를 잃는다. 그러므로 군주의 뜻을 취하지 않은 것이다.

本義 | 雉는 文明之物이니 離之象也라 六五柔順文明이요 又得中道하여 爲離之主라 故得此爻者 爲射雉之象이니 雖不无亡矢之費나 而所喪不多하여 終有譽命也라

꿩은 문명한 물건이니, 리(離)의 상(象)이다. 육오(六五)가 유순하고 문명하며 또 중도(中道)를 얻어 리(離)의 주체가 되었다. 그러므로 이 효(爻)를 얻은 자는 꿩을 쏘아 맞히는 상이 되니, 비록 화살을 잃는 허비가 없지 않으나 잃는 바가 많지 않아 끝내 예(譽)·명(命)이 있는 것이다.

象曰 終以譽命은 上逮也일새라

〈상전〉에 말하였다. "끝내 예·명을 얻음은 위로 미치기(위와 더불기) 때문이다."

본의 | 위에 미치기 때문이다.

傳 | 有文明柔順之德이면 則上下與之라 逮는 與也니 能順承於上而上與之는 爲上所逮也요 在上而得乎下는 爲下所上〔一无上字〕逮也니 在旅而上下與之는 所以致譽命也라 旅者는 困而未得所安之時也어늘 終以譽命은 終當致譽命也니 已譽命則非旅也라 困而親寡則爲旅니 不必在外也라

문명하고 유순한 덕이 있으면 상·하가 더분다.(친애한다.) '체(逮)'는 더붊이니, 능히 윗사람을 순히 받들어 윗사람이 더붊은 윗사람에게 더부는 바가 되는 것이

··· 逮 : 미칠 체

요, 위에 있으면서 아랫사람에게 얻음은 아랫사람에게 위로 더부는 바가 되는 것이니, 나그네로 있으면서 상·하가 더불음은 이 때문에 예·명을 이룬 것이다. 나그네는 곤궁하여 편안함을 얻지 못하는 때인데, '종이예명(終以譽命)'은 끝내 예·명을 이루는 것이니, 이미 예·명이 있으면 나그네가 아니다. 곤궁하면서 친한 사람이 적으면 나그네가 되니, 나그네가 반드시 밖에 있는 것만은 아니다.

本義 | 上逮는 言其譽命聞於上也라

상체(上逮)는 예·명이 위에 알려짐을 말한다.

上九는 鳥焚其巢니 旅人이 先笑後號咷(조)라 喪牛于易니 凶하니라

상구(上九)는 새가 그 둥지를 불태우니, 여인(旅人;나그네)이 먼저는 웃고 뒤에는 울부짖는다. 소를 함부로 하여 잃으니, 흉하다.

傳 | 鳥는 飛騰處高者也라 上九剛不中而處最高하고 又離體니 其亢可知라 故取鳥象하니라 在旅之時에 謙降柔和라야 乃可自保어늘 而過剛自高하니 失其所宜安矣라 巢는 鳥所安止니 焚其巢는 失其所安하여 无所止也니 在離上은 爲焚象이라 陽剛이 自處於至高하여 始快其意라 故先笑요 旣而失安莫與라 故號咷하니 輕易以喪其順德은 所以凶也라 牛는 順物이니 喪牛于易는 謂忽易以失其順也라 離火性上하니 爲躁易之象이라 上承鳥焚其巢라 故更加旅人字하니 不云旅人이면 則是鳥笑哭也라

새는 날아서 높은 곳에 처하는 자이다. 상구(上九)가 강하고 중(中)하지 못하면서 가장 높은 자리에 처하고 또 리(離)의 체(體)이니, 그 높음을 알 수 있다. 그러므로 새의 상(象)을 취하였다. 나그네의 때에 있어서는 겸손하고 낮추고 유순하고 온화하여야 스스로 보존할 수 있는데, 지나치게 강하고 스스로 높은 체하니, 그 마땅하고 편안한 곳을 잃을 것이다. 둥지는 새가 편안히 머무는 곳이니, 그 둥지를 불태움은 편안한 곳을 잃어서 머물 곳이 없는 것이니, 리(離)의 위에 있음은 불타는 상이 된다.

양강(陽剛)이 지극히 높은 곳에 자처하여 처음에는 그 뜻에 쾌(快)하므로 먼저는 웃는 것이요, 이윽고는 편안함을 잃고 더부는 이가 없으므로 울부짖는 것이니,

··· 巢 : 둥지 소 咷 : 울 조(도) 騰 : 오를 등

가벼이 하고 함부로 하여 순한 덕을 잃음은 흉하게 되는 소이(所以)이다. 소는 순한 물건이니, 소를 함부로 하여 잃는다는 것은 소홀히 하고 함부로 하여 순함을 잃음을 말한다. 리(離)의 화(火)는 성질이 올라가니, 조급하고 함부로 하는 상이 된다. 위로 새가 둥지를 불태운다는 말을 이었으므로 다시 여인(旅人)이라는 글자를 더했으니, 여인이라고 말하지 않으면 이는 새가 웃고 우는 것이 된다.

本義 | 上九過剛하여 處旅之上, 離之極하여 驕而不順하니 凶之道也라 故其象占如此하니라

상구(上九)가 지나치게 강(剛)하여 려(旅)의 위와 리(離)의 극(極)에 처해서 교만하고 순하지 못하니, 흉한 방도이다. 그러므로 그 상(象)과 점(占)이 이와 같은 것이다.

象曰 以旅在上하니 **其義焚也**요 **喪牛于易**하니 **終莫之聞也**로다

〈상전〉에 말하였다. "나그네로서 위에 있으니 의리상 불타는 것이요, 소를 함부로 하여 잃으니 끝내 들어 알지 못하리로다."

傳 | 以旅在上而以尊高自處하니 豈能保其居리오 其義當有焚巢之事라 方以極剛自高하여 爲得志而笑하고 不知喪其順德於躁易하니 是終莫之聞이니 謂終不自聞知也라 使自覺知면 則不至於極而號咷矣리라 陽剛不中而處極하니 固有高亢躁動之象이요 而火復炎上하니 則又甚焉이라

나그네가 위에 있으면서 존고(尊高)함으로 자처하니, 어찌 그 거처를 보존할 수 있겠는가. 의리상 마땅히 둥지를 불태우는 일이 있는 것이다. 막 지나치게 강(剛)함으로 스스로 높은 체해서 뜻을 얻었다 하여 웃고, 순한 덕(德)을 조급하고 함부로 함에서 잃는 줄을 모르니, 이는 끝내 듣지 못하는 것이니, 끝내 스스로 들어 알지 못함을 이른다. 가령 스스로 깨달아 안다면 극에 처하여 울부짖는 데에 이르지 않으리라. 양강(陽剛)으로 중(中)하지 못하면서 극에 처하였으니 진실로 높은 체하고 조급하게 동하는 상(象)이 있으며, 불이 다시 불타오르니 또 더욱 심한 것이다.

57 중풍 重風 손(巽) ䷸ 손하손상 巽下巽上

傳 | 巽은 序卦에 旅而无所容이라 故受之以巽하니 巽者는 入也라하니라 羇旅親寡에 非巽順이면 何所取容이리오 苟能巽順이면 雖旅困之中이라도 何往而不能入이리오 巽所以次旅也라 爲卦 一陰이 在二陽之下하여 巽順於陽하니 所以爲巽也라

손괘(巽卦)는 〈서괘전〉에 "나그네가 되어 용납될 곳이 없으므로 손괘로 받았으니, 손(巽)은 들어감이다." 하였다. 나그네가 되어 친한 사람이 적을 때에 손순(巽順)이 아니면 어찌 용납될 수 있겠는가. 만일 손순하면 비록 나그네로 곤궁한 가운데라도 어디를 간들 들어가지 못하겠는가. 손괘가 이 때문에 려괘(旅卦 ䷷)의 다음이 된 것이다. 괘됨이 한 음(陰)이 두 양(陽)의 아래에 있어 양에게 손순하니, 괘 이름을 손(巽)이라 한 것이다.

巽은 小亨하니 利有攸往하며 利見大人하니라

손(巽)은 조금 형통하니, 가는 바를 둠이 이로우며 대인을 만나봄이 이롭다.

傳 | 卦之才可以小亨하니 利有攸往이요 利見大人也라 巽與兌는 皆剛中正이요 巽說〔一作兌〕이 義亦相類로되 而兌則亨이어늘 巽乃小亨者는 兌는 陽之爲也요 巽은 陰之爲也며 兌는 柔在外하니 用柔也요 巽은 柔在內하니 性柔也니 巽之亨이 所以小也라

괘의 재질이 조금 형통할 수 있으니, 가는 바를 둠이 이롭고 대인을 만나봄이 이로운 것이다. 손(巽 ䷸)과 태(兌 ䷹)는 모두 강이 중정(中正)하고 공손함과 기뻐함은 뜻이 또한 서로 유사하나, 태(兌)는 형통한데 손은 도리어 조금 형통한 것은 태(兌 ☱)는 양(陽)이 하고 손(巽 ☴)은 음(陰)이 하며, 태(兌)는 유(柔)가 밖에 있으니 유순함을 쓰는 것이고 손은 유(柔)가 안에 있으니 성질이 유약함이니, 손의 형통함이 이 때문에 작은 것이다.

本義 | 巽은 入也라 一陰이 伏於二陽之下하니 其性이 能巽以入也요 其象이 爲風하니 亦取入義라 陰爲主라 故其占爲小亨이요 以陰從陽이라 故又利有所往이라 然必知所從이라야 乃得其正이라 故又曰 利見大人也라하니라

손(巽)은 들어감이다. 한 음(陰)이 두 양(陽)의 아래에 엎드려 있으니 성질이 공손하여 들어감이요, 상(象)은 바람이 되니 또한 들어가는 뜻을 취한 것이다. 음이 주체가 되기 때문에 그 점(占)이 조금 형통함이 되고, 음으로 양을 따르기 때문에 또 가는 바를 둠이 이로운 것이다. 그러나 반드시 따를 바를 알아야 바름을 얻는다. 그러므로 또 '대인을 만나봄이 이롭다.'고 한 것이다.

彖曰 重巽으로 以申命하나니

〈단전〉에 말하였다. "거듭된 손(巽)으로 명령을 거듭(중복)하니,

傳 | 重巽者는 上下皆巽也라 上順道以出命하고 下奉命而順從하여 上下皆順하니 重巽之象也요 又重爲重複之義라 君子體重巽之義하여 以申復其命令하나니 申은 重復也니 丁寧之謂也라

'중손(重巽)'은 위아래가 모두 손(巽)인 것이다. 위는 도를 순히 하여 명령을 내고 아래는 명령을 받들어 순종하여 상 · 하가 모두 순하니, 이는 거듭 손순(巽順)인 상(象)이요 또 중(重)은 중복의 뜻이 된다. 군자가 중손의 뜻을 체행하여 그 명령을 거듭하고 반복하니, '신(申)'은 중복함이니, 정녕(丁寧)함을 이른다.

本義 | 釋卦義也라 巽順而入하여 必究乎下는 命令之象이라 重巽故로 爲申命也라

괘의 뜻을 해석하였다. 손순(巽順)하게 들어가서 반드시 아래에 이름은 명령의 상이다. 거듭된 손(巽)이므로 명령을 거듭함이 되는 것이다.

剛이 巽乎中正而志行하며 柔皆順乎剛이라 是以小亨하니

강(剛)이 중정(中正)에 손순하고 뜻이 행해지며, 유(柔)가 모두 강에게 순종한다. 이 때문에 조금 형통하니,

••• 申 : 거듭할 신

傳｜ 以卦才言也라 陽剛居巽而得中正하니 巽順於中正之道也요 陽性上하니 其志在以中正之道上行也라 又上下之柔가 皆巽順於剛하니 其才如是라 雖內柔나 可以小亨也라

괘의 재질로써 말하였다. 양강(陽剛)이 손(巽)의 때에 거하고 중정(中正)을 얻었으니 중정의 도에 손순(巽順)한 것이요, 양(陽)의 성질은 위로 올라가니 그 뜻이 중정한 도로써 위로 행함에 있는 것이다. 또 상 · 하의 유(柔)가 다 강에게 손순하니, 그 재질이 이와 같으므로, 비록 안이 유약하나 조금 형통할 수 있는 것이다.

利有攸往하며 利見大人하니라

가는 바를 둠이 이로우며 대인을 만나봄이 이롭다."

傳｜ 巽順之道는 无往不能入이라 故利有攸往이라 巽順이 雖善道나 必知所從이니 能巽順於陽剛中正之大人이면 則爲利라 故利見大人也라 如五、二之陽剛中正은 大人也니 巽順을 不於大人이면 未必不爲過也라

손순(巽順)의 도(道)는 가는 곳마다 들어가지 못함이 없으므로 가는 바를 둠이 이로운 것이다. 손순함이 비록 좋은 방도이나 반드시 따를 바를 알아야 하니, 양강중정(陽剛中正)한 대인에게 손순하면 이롭다. 그러므로 대인을 만나봄이 이로운 것이다. 오(五)와 이(二)와 같은 양강 중정은 대인이니, 손순함을 대인에게 하지 않으면 반드시 허물(지나침)이 되지 않지 않을 것이다.

本義｜ 以卦體로 釋卦辭라 剛巽乎中正而志行은 指九五요 柔는 謂初、四라

괘체(卦體)로써 괘사를 해석하였다. 강(剛)이 중정에게 손순하여 뜻이 행해짐은 구오(九五)를 가리킨 것이요, 유(柔)는 초(初)와 사(四)를 이른다.

象曰 隨風이 巽이니 君子以하여 申命行事하나니라

〈상전〉에 말하였다. "따르는 바람이 손(巽)이니, 군자가 보고서 명령을 거듭하고 정사를 행한다."

傳｜ 兩風相重〔一作從〕은 隨風也니 隨는 相繼之義라 君子觀重巽相繼以順之象하

여 而以申命令하고 行政事하나니라 隨與重은 上下皆順也라 上順下而出之하고 下順上而從之하여 上下皆順은 重巽之義也라 命令政事順理면 則合民心而民順從矣리라

두 바람이 서로 거듭함은 따르는 바람이니, '수(隨)'는 서로 잇는 뜻이다. 군자가 중손(重巽)이 서로 이어 순종하는 상(象)을 보고서 명령을 거듭하고 정사를 행한다. 따름과 거듭함은 상 · 하가 모두 순한 것이다. 위는 아래를 순히 하여 명령을 내고 아래는 위를 순히 하여 따라서 상 · 하가 모두 순함은 중손의 뜻이다. 명령과 정사가 이치에 순하면 민심에 합(合)하여 백성들이 순종할 것이다.

本義 | 隨는 相繼之義라

'수(隨)'는 서로 잇는 뜻이다.

初六은 進退니 利武人之貞이니라

초육(初六)은 혹 나아가고 혹 물러감이니, 무인(武人)의 정(貞)함이 이롭다.

傳 | 六以陰柔로 居卑巽而不中하고 處最下而承剛하니 過於卑巽者也라 陰柔之人이 卑巽太過하면 則志意恐畏而不安하여 或進或退하여 不知所從하나니 其所利在武人之貞이라 若能用武人剛貞之志하면 則爲宜也니 勉爲剛貞이면 則无過卑恐畏之失矣리라

육(六)이 음유(陰柔)로 비손(卑巽)에 거하고 중(中)하지 못하며 가장 낮은 곳에 처하고 강(剛)을 받들고 있으니, 지나치게 비손한 자이다. 음유의 사람이 비손함이 너무 지나치면 마음에 두려워하여 편안하지 못해서 혹 나아가고 혹 물러가 따를 바를 모르니, 이로운 바가 무인(武人)의 정(貞)함에 있는 것이다. 만일 능히 무인의 강함과 정고(貞固)한 뜻을 쓴다면 마땅함이 되니, 힘써서 강함과 정고함을 행하면 지나치게 낮추어 두려워하는 잘못이 없을 것이다.

本義 | 初以陰居下하여 爲巽之主하니 卑巽之過라 故爲進退不果之象이라 若以武人之貞處之면 則有以濟其所不及하여 而得所宜矣리라

초(初)가 음효로서 아래에 거하여 손(巽)의 주체가 되었으니, 비손함이 지나치

다. 그러므로 진퇴(進退)를 과감히 하지 못하는 상(象)이 되는 것이다. 만약 무인(武人)의 정고(貞固)함으로 이에 처하면 미치지 못하는 바를 구제함이 있어 마땅한 바를 얻을 것이다.

象曰 進退는 志疑也요 利武人之貞은 志治也라

〈상전〉에 말하였다. "혹 나아가고 혹 물러감은 마음에 의심하기 때문이요, 무인(武人)의 정(貞)함이 이로움은 뜻이 다스려진 것이다."

傳 | 進退不知所安者는 其志疑懼也니 利用武人之剛貞以立其志하면 則其志治也라 治는 謂修立也라

혹 나아가고 혹 물러가서 편안함을 알지 못하는 것은 마음에 의심하고 두려워하기 때문이니, 무인(武人)의 강함과 정고함을 써서 그 뜻을 세운다면 뜻이 다스려질 것이다. 치(治)는 닦고 세움을 이른다.

九二는 巽在牀下니 用史巫[19]紛若하면 吉하고 无咎리라

구이(九二)는 공손(恭巽)함이 침상(寢牀)의 아래에 있으니, 사관(史官)과 무당을 쓰기를 많이 하면 길하고 허물이 없으리라.

傳 | 二居巽時하여 以陽處陰而在下하니 過於巽者也라 牀은 人之所安이니 巽在牀下하면 是過於巽이니 過所安矣라 人之過於卑巽은 非恐怯則諂說(열)이니 皆非正也라 二實剛中이니 雖巽體而居柔하여 爲過於巽이나 非有邪心也라 恭巽之過는 雖非正禮나 可以遠恥辱, 絕怨咎니 亦吉道也라 史、巫者는 通誠意於神明者也요 紛若은 多也라 苟至誠安於謙巽하여 能使通其誠意者多하면 則吉而无咎하리니 謂其誠足以動人也라 人不察其誠意면 則以過巽爲諂矣리라

이(二)가 손(巽)의 때에 거하여 양효(陽爻)로서 음위(陰位)에 처하고 아래에 있으

••••••

19 用史巫 : 사(史)는 사관(史官)이고 무(巫)는 무당이다. 사계(沙溪)는 이에 대하여 기사(記事)하는 사관과 복서(卜筮)를 맡은 사관이 있음을 밝히고, "사(史)는 복서를 맡고 무(巫)는 제액(除厄)과 기복(祈福)을 맡는다." 하였다. 《經書辨疑》

••• 牀 : 평상 상 巫 : 무당 무 紛 : 많을 분 諂 : 아첨할 첨 已 : 너무 이

니, 손순(巽順)함을 지나치게 하는 자이다. 침상은 사람이 편안히 여기는 곳이니, 공손함이 침상의 아래에 있다면 이는 공손함이 지나친 것이니, 편안한 바를 넘은 것이다. 사람이 비손(卑巽)함을 지나치게 하는 것은 두려워하고 겁냄이 아니면 아첨하여 기쁘게 하는 것이니, 모두 정도(正道)가 아니다.

이(二)는 실로 강중(剛中)이니, 비록 손체(巽體)로서 유(柔)에 거하여 비손함을 지나치게 함이 되나 사심(邪心)이 있는 것이 아니다. 지나치게 공손함은 비록 정례(正禮)가 아니나 치욕을 멀리하고 원망과 허물을 끊을 수 있으니, 또한 길한 방도이다. 사(史)·무(巫)는 성의를 신명(神明)에게 통하는 자이며, '분약(紛若)'은 많음이다. 만일 지성(至誠)으로 겸손함을 편안히 여겨 성의를 통하는 자로 하여금 많게 한다면 길하고 허물이 없으리니, 그 정성이 남을 감동시킬 수 있음을 말한 것이다. 사람들이 그 성의를 살피지 못하면 지나치게 겸손함을 아첨한다고 여길 것이다.

本義 | 二以陽處陰而居下하여 有不安之意나 然當巽之時하여 不厭其卑하고 而二又居中하여 不至已甚이라 故其占이 爲能過於巽하여 而丁寧煩悉其辭하여 以自道達이면 則可以吉而无咎요 亦竭誠意以祭祀之吉占也라

이(二)가 양효로서 음위(陰位)에 처하고 아래에 거하여 불안한 뜻이 있으나 손(巽)의 때를 당하여 그 낮춤을 싫어하지 않고, 이(二)가 또 중(中)에 거하여 너무 심함에 이르지 않는다. 그러므로 그 점(占)이 능히 공손함을 지나치게 하여 그 말을 정녕(丁寧)히 하고 번거롭게 다하여 스스로 자신의 성의를 도달(道達;말함)하면 길하고 허물이 없을 것이요, 또한 성의를 다하여 제사하는 길점(吉占)이 된다.

象曰 紛若之吉은 得中也일새라

〈상전〉에 말하였다. "분약(紛若)의 길함은 중(中)을 얻었기 때문이다."

傳 | 二以居柔在下하여 爲過巽之象이로되 而能使通其誠意者 衆多紛然은 由得中也라 陽居中은 爲中實之象이니 中旣誠實이면 則〔一无則字〕人自當信之라 以誠意則非諂畏也니 所以吉而无咎니라

이(二)가 유위(柔位)에 거하고 아래에 있어 지나치게 공손한 상(象)이 되나, 능

히 성의를 통하는 자가 많아 분분함은 중(中)을 얻었기 때문이다. 양이 중(中)에 거함은 중실(中實)의 상이 되니, 중심이 이미 성실하면 사람들이 스스로 믿을 것이다. 성의로써 하면 아첨함과 두려워함이 아니니, 이 때문에 길하고 허물이 없는 것이다.

九三은 頻巽이니 吝하니라

구삼(九三)은 자주 공손하니, 부끄럽다.

傳 | 三以陽處剛하여 不得其中하고 又在下體之上하니 以剛亢之質로 而居巽順之時하여 非能巽者요 勉而爲之라 故屢失也라 居巽之時하여 處下而上臨之以巽[20]하고 又四以柔巽相親하며 所乘者剛이요 而上復有重剛하니 雖欲不巽이나 得乎아 故頻失而頻巽하니 是可吝也라

삼(三)이 양효(陽爻)로서 강에 처하여 그 중(中)을 얻지 못하고 또 하체의 위에 있으니, 강하고 높은 체하는 재질로 손순(巽順)의 때에 거하여 능히 공손할 수 있는 자가 아니요 억지로 하는 것이다. 이 때문에 여러 번 잃는 것이다. 손(巽)의 때에 거하여 아래에 처하였는데, 위(상괘)에서 겸손함으로써 임하고 또 사(四)가 유손(柔巽)함으로써 서로 친하며, 타고 있는 것이 강이고 위에 다시 중강(重剛;구오와 상구)이 있으니, 비록 공손하지 않고자 하나 될 수 있겠는가. 그러므로 자주 잃고 자주 공손하니, 이것이 부끄러울 만한 것이다.

本義 | 過剛不中하여 居下之上하니 非能巽者요 勉爲屢失하니 吝之道也라 故其象占如此하니라

지나치게 강하고 중(中)하지 못하면서 하체의 위에 거하였으니, 능히 공손할 수 있는 자가 아니요 억지로 공손하여 여러 번(자주) 잃으니, 부끄러운 방도이다. 그러므로 그 상(象)과 점(占)이 이와 같은 것이다.

······

20 上臨之以巽 : 사계(沙溪)는 "상(上)은 상효(上爻)가 아니고 상괘(上卦)를 이른 것이니, 손(巽)이 거듭하였으므로 '위에서 겸손함으로써 임했다.' 한 것이다." 하였다. 《經書辨疑》

··· 頻 : 자주 빈 屢 : 여러 루

象曰 頻巽之吝은 志窮也라

〈상전〉에 말하였다. "자주 공손함의 부끄러움은 뜻이 곤궁한 것이다."

傳 | 三之才質이 本非能巽이로되 而上臨之以巽하고 承重剛而履剛하여 勢不得行其志라 故頻失而頻巽하니 是其志窮困이니 可吝之甚也라

삼(三)의 재질은 본래 공손할 수 있는 것이 아닌데, 위에서 임하기를 손순함으로써 하고 중강(重剛)을 받들고 강을 밟고 있어 세(勢)가 그 뜻을 행할 수 없다. 그러므로 자주 잃고 자주 공손하니, 이는 그 뜻이 곤궁한 것이니, 부끄러워할만함이 심하다.

六四는 悔亡하니 田獲三品이로다

육사(六四)는 뉘우침이 없어지니, 사냥하여 삼품(三品;세 등급)의 짐승을 얻도다.

傳 | 陰柔无援하고 而承乘皆剛하니 宜有悔也로되 而四以陰居陰하여 得巽之正하고 在上體之下하니 居上而能下也라 居上之下는 巽於上也요 以巽臨下는 巽於下也니 善處如此라 故得悔亡이라 所以得悔亡은 以如田之獲三品也니 田獲三品이면 及於上下也라 田獵之獲을 分三品하여 一爲乾豆하고 一供賓客與充庖하고 一頒徒御[21]하나니 四能巽於上下之陽하여 如田之獲三品이니 謂遍及上下也라 四之地本有悔로되 以處之至善故로 悔亡而復有功이라 天下之事苟善處면 則悔或可

••••••

21 分三品……一頒徒御 : 삼품(三品)은 상살(上殺)과 중살(中殺)·하살(下殺) 및 기타를 이르고 건두(乾豆)는 말려서 포(脯)를 만들어 제기(祭器)에 올리는 것이며, 도어(徒御)는 보졸(步卒)과 수레를 어거하는 자를 이른다. 《시경》〈소아(小雅) 거공(車攻)〉의 《집전(集傳)》에 "옛날에 전렵(田獵)하여 짐승을 잡을 적에 얼굴을 맞혀 부상당한 것을 바치지 않고, 옆에서 쏘아 털이 벗겨진 것을 바치지 않고, 짐승이 다 성장하지 못한 것(어린 짐승)을 바치지 아니하며, 세 등급을 골라 취하여 왼쪽 옆구리로부터 쏘아 오른쪽 어깨뼈를 관통한 것을 상살(上殺)이라 하여 간두(乾豆)를 만들어 종묘(宗廟)에 올리고, 오른쪽 귀밑을 관통한 것을 다음(중살(中殺))이라 하여 빈객(賓客)에게 대접하고, 왼쪽 넓적다리를 쏘아 오른쪽 어깨뼈를 관통한 것을 하살(下殺)이라 하여 군주의 푸줏간에 채운다. 매양 짐승마다 30마리를 취하여 등급마다 열 마리씩을 얻고, 나머지는 사대부(士大夫)에게 주어 택궁(澤宮)에서 활쏘기를 익히게 하여 맞힌 자가 취한다." 하였다. 다만 기타를 여기서는 사냥에 동원된 도어(徒御)에게 주는 것으로 본 것이다.

••• 田 : 사냥할 전 獲 : 얻을 획, 잡을 획 庖 : 푸줏간 포 頒 : 나눌 반 御 : 마부 어

以爲功也니라

음유(陰柔)로서 응원(應援)이 없고 승(承)과 승(乘)이 모두 강(剛)이니, 마땅히 뉘우침이 있을 것이나 사(四)가 음효(陰爻)로서 음위(陰位)에 거하여 손(巽)의 바름을 얻고 상체의 아래에 있으니, 위에 있으면서 능히 몸을 낮춘다. 상체의 아래에 거함은 위에 공손함이요, 손으로써 아래에 임함은 아래에 겸손함이니, 잘 처신하기를 이와 같이 하기 때문에 뉘우침이 없어진 것이다.

뉘우침이 없어진 까닭은 사냥하여 삼품(三品)을 얻은 것과 같기 때문이니, 사냥하여 삼품을 얻으면 상·하에 두루 미친다. 전렵(田獵)하여 잡은 것을 세 등급으로 나누어 하나는 간두(乾豆)를 만들고, 하나는 빈객(賓客)에게 공급하거나 군주의 푸줏간에 채우며, 하나는 도어(徒御)에게 나누어준다. 사(四)가 상·하의 양(陽)에게 공손하여, 전렵에 삼품을 얻은 것과 같이 하니, 두루 상·하에 미침을 이른다. 사(四)의 처지는 본래 뉘우침이 있을 것이나 대처하기를 지극히 잘하기 때문에 뉘우침이 없어지고 다시 공(功)이 있는 것이다. 천하의 일을 만일 잘 대처한다면 뉘우침이 혹 공(功)이 될 수 있는 것이다.

本義 | 陰柔无應하고 承乘皆剛하니 宜有悔也로되 而以陰居陰하고 處上之下라 故得悔亡이요 而又爲卜田之吉占也라 三品者는 一爲乾豆하고 一爲賓客하고 一以充庖라

음유(陰柔)로 응이 없고 승(承)과 승(乘)이 모두 강이니, 마땅히 뉘우침이 있을 것이나 음효(陰爻)로서 음위(陰位)에 거하고 상체의 아래에 처하였다. 그러므로 뉘우침이 없어지고 또 사냥을 점치는 길점(吉占)이 되는 것이다. 삼품은 하나는 건두(乾豆)를 만들고, 하나는 빈객의 찬을 만들고, 하나는 군주의 푸줏간에 채우는 것이다.

象曰 田獲三品은 有功也라

〈상전〉에 말하였다. "사냥하여 삼품을 얻음은 공이 있는 것이다."

傳 | 巽於上下하여 如田之獲三品而遍及上下하면 成巽之功也라

상·하에 공손해서 마치 사냥하여 삼품을 얻어 상·하에 두루 미치듯이 하면

손(巽)의 공(功)을 이룬 것이다.

九五는 **貞**이면 **吉**하여 **悔亡**하여 **无不利**니 **无初有終**이라 **先庚三日**하며 **後庚三日**이면 **吉**하리라

구오(九五)는 정(貞)하면 길하여 뉘우침이 없어져서 이롭지 않음이 없으니, 초(初)는 없고 종(終)은 있다. 경(庚)으로 (보다) 삼 일을 먼저 하고 경(庚)으로 (보다) 삼 일을 뒤에 하면 길하리라.

本義 | **貞**하여 **吉**하니

정(貞)하여 길하니,

傳 | 五居尊位하여 爲巽之主하니 命令之所出也라 處得中正하여 盡巽之善이나 然巽者는 柔順之道니 所利在貞하니 非五之不足이요 在巽에 當戒也라 旣貞則吉而悔亡하여 无所不利하리니 貞은 正中也니 處巽出令이 皆以中正爲吉이라 柔巽而不貞이면 則有悔니 安能无所不利也리오 命令之出은 有所變更也라 无初는 始未善也요 有終은 更之使善也니 若已善이면 則何用命也며 何用更也리오 先庚三日, 後庚三日吉은 出命更改〔一作故〕之道 當如是也라 甲者는 事之端也요 庚者는 變更之始也라 十干에 戊己爲中하니 過中則變이라 故謂之庚이라 事之改更을 當原始要終하여 如先甲後甲之義[22]니 如是則吉也라 解在蠱卦하니라

오(五)가 존위(尊位)에 거하여 손(巽)의 주체가 되었으니, 명령이 나오는 곳이다. 처함이 중정(中正)을 얻어 손의 선(善)을 다하였으나 손은 유순한 도이니, 이로운 바가 정(貞)에 있으니, 오(五)가 정이 부족한 것이 아니요 손에 있기 때문에 마땅히 경계해야 하는 것이다. 이미 정(貞)하면 길하여 뉘우침이 없어져서 이롭지 않은 바가 없을 것이니, 정(貞)은 바로 중도(中道)에 맞는 것이니, 손에 처하고 명

······

22 如先甲後甲之義 : 선갑후갑(先甲後甲)은 고괘(蠱卦) 괘사(卦辭)의 '선갑삼일 후갑삼일(先甲三日 後甲三日)'을 가리키는 바, 정이천(程伊川)은 "갑(甲)은 일의 시작이니, 선갑삼일, 후갑삼일은 일을 시작하기 전후에 미리 잘 생각하여 살피는 것이다." 하였다. 한편 《본의》에는 '갑보다 3일 먼저 함은 신(辛:신(新))과 통하여 새롭게 함'이요, '갑보다 3일 뒤에 함은 정(丁:정령(丁寧))하게 함'으로 해석하였다. 여기의 선경삼일 후경삼일(先庚三日 後庚三日) 역시 주자는 '경보다 3일을 먼저 함은 정(丁)이고 경보가 3일을 뒤에 함은 계(癸)로 보아, 정(丁)은 정녕(丁寧), 계(癸)는 규탁(揆度:헤아림)으로 해석하였다.

··· 更 : 고칠 경 蠱 : 어지러울 고

령을 냄이 모두 중정함을 길함으로 삼는다. 유손(柔巽)하기만 하고 정하지 못하면 뉘우침이 있으니, 어찌 이롭지 않은 바가 없겠는가. 명령을 냄은 변경하는 바가 있는 것이다.

'무초(无初)'는 처음에는 선(善)하지 못한 것이요, '유종(有終)'은 변경하여 선하게 하는 것이니, 만약 이미 선하다면 어찌 명령할 것이 있으며, 어찌 변경할 것이 있겠는가. '선경삼일, 후경삼일 길(先庚三日 後庚三日吉)'은 명령을 내어 변경하는 방도가 마땅히 이와 같아야 하는 것이다. '갑(甲)'은 일의 시작이고 '경(庚)'은 변경의 시작이다. 십간(十干)에 무기(戊己)가 중간이니, 중(中)을 넘으면 변한다. 그러므로 '경(庚)'이라 이른 것이다. 일의 변경은 마땅히 시초를 근원하고 종(終)을 맞추어 선갑 후갑(先甲後甲)의 뜻과 같이 하여야 하니, 이와 같이 하면 길하다. 해설이 고괘(蠱卦)에 나와 있다.

本義 | 九五剛健中正而居巽體라 故有悔나 以有貞而吉也라 故得亡其悔而无不利하니 有悔는 是无初也요 亡之는 是有終也라 庚은 更也니 事之變也라 先庚三日은 丁也요 後庚三日은 癸也니 丁은 所以丁寧於其變之前이요 癸는 所以揆度(규탁)於其變之後니 有所變更而得此占者는 如是則吉也라

구오(九五)가 강건 중정(剛健中正)한데 손체(巽體)에 있기 때문에 뉘우침이 있으나 정(貞)이 있어 길한 것이다. 그러므로 뉘우침이 없어져서 이롭지 않음이 없는 것이니, 뉘우침이 있음은 이는 시초가 없는 것이고, 뉘우침이 없어짐은 이는 종(終)이 있는 것이다. '경(庚)'은 변경함이니, 일을 변경하는 것이다. 경(庚)보다 3일을 먼저 한다는 것은 정(丁)이요, 경(庚)보다 3일을 뒤에 한다는 것은 계(癸)이니, 정(丁)은 변경하기 전에 정녕(丁寧)히 하는 것이요 계(癸)는 변경한 뒤에 헤아리는〔揆〕 것이니, 변경하는 바가 있으면서 이 점(占)을 얻은 자는 이와 같이 하면 길하다.

象曰 九五之吉은 位正中也일새라

〈상전〉에 말하였다. "구오(九五)의 길함은 자리가 바로 중(中)하기 때문이다."

傳 | 九五之吉은 以處正中也니 得正中之道면 則吉而其悔亡也라 正中은 謂不

••• 揆 : 헤아릴 규

過, 无不及〔一作无過不及〕하여 正得其中也라 處柔巽與出命令은 唯得中爲善이니 失中則悔也라

구오(九五)가 길한 것은 처함이 바로 중도에 맞기 때문이니, 바로 중도에 맞으면 길하여 뉘우침이 없어진다. 정중(正中)은 과(過)하지 않고 불급(不及)함이 없어서 바로 그 중도를 얻음을 이른다. 유손(柔巽)에 처함과 명령을 냄은 오직 중도를 얻음이 선(善)하니, 중도를 잃으면 뉘우치게 된다.

上九는 巽在牀下하여 喪其資斧[23]니 貞에 凶하니라

구오(九五)는 공손(恭巽)함이 침상 아래에 있어 소유한 도끼를 잃으니, 정도(正道)에 흉하다.

本義 | 貞이라도 凶하니라

바르더라도 흉하다

傳 | 牀은 人所安也니 在牀下는 過所安之義也라 九居巽之極하니 過於巽者〔一无者字〕也라 資는 所有也요 斧는 以斷也라 陽剛은 本有斷이로되 以過巽而失其剛斷하여 失其所有하니 喪資斧也라 居上而過巽하여 至於自失이면 在正道에 爲凶也라

침상은 사람이 편안히 여기는 곳이니, 침상 아래에 있음은 편안한 곳을 지나친 뜻이다. 구(九)가 손(巽)의 극에 거하였으니, 공손함을 지나치게 하는 자이다. '자(資)'는 가지고 있는 물자이고, '부(斧)'는 결단하는 것이다. 양강(陽剛)은 본래 결단함이 있으나 지나치게 공손하여 강하게 결단함을 잃어서 그 가지고 있는 것을 잃으니, 이는 소유한 도끼를 잃은 것이다. 상(上)에 거하고 지나치게 공손하여 스스로 지조를 잃음에 이르면 정도(正道)에 있어 흉함이 된다.

本義 | 巽在牀下는 過於巽者也요 喪其資斧는 失所以斷也니 如是則雖貞亦凶矣라 居巽之極하여 失其陽剛之德이라 故其象占如此하니라

······

23 喪其資斧 : 고본(古本)에는 '상기제부(喪其齊斧)'로 되어있는바, 이광지(李光地)는 《주역절중(周易折中)》에서 '제부(齊斧)'가 옳은 것으로 보고 "이는 려괘(旅卦)의 자부(資斧)와 음(音)이 비슷하기 때문에 잘못된 것이다. 〈설괘전〉에 '손(巽)에서 깨끗하다〔齊乎巽〕' 하였으니, 제부(齊斧)는 물건을 깨끗이 하는 도끼이다." 하였다.

공손함이 침상의 아래에 있음은 공손함을 지나치게 하는 것이요, 그 소유한 도끼를 잃음은 결단함을 잃은 것이니, 이와 같으면 비록 바르더라도 흉하다. 손(巽)의 극에 처하여 양강(陽剛)의 덕(德)을 잃었기 때문에 그 상(象)과 점(占)이 이와 같은 것이다.

象曰 巽在牀下는 **上窮也**요 **喪其資斧**는 **正乎**아 **凶也**라

〈상전〉에 말하였다. "공손함이 침상의 아래에 있음은 올라가 궁극하기 때문이요, 소유한 도끼를 잃음은 정도(正道)라 할 수 있겠는가? 흉하다."

本義 | **正乎凶也**라

바로 흉한 것이다.

傳 | 巽在牀下는 過於巽也요 處卦之上은 巽至於窮極也라 居上而過極於巽하여 至於自失이면 得爲正乎아 乃凶道也라 巽은 本善行이라 故疑之曰得爲正乎아하고 復斷之曰乃凶也라하니라

공손함이 침상 아래에 있음은 공손함이 지나친 것이요, 괘의 위에 처함은 공손함이 궁극함에 이른 것이다. 상(上)에 거하여 공손함에 지나치게 지극해서 스스로 지조를 잃음에 이르면 정도(正道)라 할 수 있겠는가. 이는 흉한 방도이다. 손(巽)은 본래 선(善)한 행실이기 때문에 의심하기를 '정도라 할 수 있겠는가?' 하였고, 다시 결단하기를 '흉하다.' 한 것이다.

本義 | 正乎凶은 言必凶이라

'정호흉(正乎凶)'은 반드시 흉함을 말한 것이다.

58 중택 重澤 태(兌) ䷹ 태하태상 兌下兌上

傳 | 兌는 序卦에 巽者는 入也니 入而後說之라 故受之以兌하니 兌者는 說也라하니라 物相入則相說이요 相說則相入이니 兌所以次巽也라

태괘(兌卦)는 〈서괘전〉에 "손(巽)은 들어감이니, 들어간 뒤에 기뻐하므로 태괘로 받았으니, 태(兌)는 기뻐함이다." 하였다. 물건이 서로 들어가면 서로 기뻐하고 서로 기뻐하면 서로 들어가니, 태괘가 이 때문에 손괘(巽卦 ䷸)의 다음이 된 것이다.

兌는 亨하니 利貞하니라

태(兌)는 형통하니, 정(貞)함이 이롭다.

傳 | 兌는 說也니 說은 致亨之道也라 能說於物하여 物莫不說而與之면 足以致亨이라 然爲說之道는 利於貞正이니 非道求說이면 則爲邪諂而有悔咎〔一作吝〕라 故戒利貞也라

태는 기뻐함이니, 기뻐함은 형통함을 이루는 방도이다. 능히 남을 기쁘게 하여 남이 기뻐하여 더불지 않는 이가 없으면 충분히 형통함을 이룰 수 있다. 그러나 기뻐하는 도는 정정(貞正)함이 이로우니, 도가 아닌 것으로 기뻐하기를 구하면 간사함과 아첨함이 되어 뉘우침과 허물이 있다. 그러므로 정(貞)함이 이롭다고 경계한 것이다.

本義 | 兌는 說也니 一陰이 進乎二陽之上하니 喜之見(현)乎外也라 其象이 爲澤이니 取其說萬物이요 又取坎水而塞其下流之象이라 卦體剛中而柔外하니 剛中故로 說而亨이요 柔外故로 利於貞이라 蓋說有亨道로되 而其妄說을 不可以不戒故로 其占如此라 又柔外故로 爲說亨이요 剛中故로 利於貞이니 亦一義也라

태(兌)는 기뻐함이니, 한 음이 두 양의 위로 나아가니, 기쁨이 외면에 나타나는 것이다. 그 상(象)은 택(澤:못, 윤택함)이 되니 만물을 기쁘게 함을 취하였고, 또 감

••• 兌 : 기쁠 태 諂 : 아첨할 첨

수(坎水)가 아래로 흐르는 것을 막은 상을 취하였다. 괘의 체(體)가 강(剛)이 중(中)에 있고 유(柔)가 밖에 있으니, 강이 중에 있기 때문에 기뻐하면서도 형통하고, 유가 밖에 있기 때문에 정(貞)함이 이로운 것이다. 기뻐함은 형통할 방도가 있으나 망령되이 기뻐함을 경계하지 않을 수 없으므로 그 점(占)이 이와 같은 것이다. 또 유(柔)가 밖에 있기 때문에 기뻐하면서도 형통함이 되고, 강이 중(中)에 있기 때문에 정(貞)함이 이로우니, 또한 한 가지(별도의) 뜻이다.

彖曰 兌는 說也니

〈단전〉에 말하였다. "태(兌)는 기뻐함이니,

本義 | 釋卦名義라

괘명(卦名)의 뜻을 해석하였다.

剛中而柔外하여 說以利貞이라 是以順乎天而應乎人하여 說以先民하면 民忘其勞하고 說以犯難하면 民忘其死하나니 說之大 民勸矣哉라

강(剛)이 중(中)에 있고 유(柔)가 밖에 있어 기뻐하되 정(貞)함이 이롭다. 이 때문에 하늘에 순하고 사람에 응하여 기뻐함으로써 백성에게 솔선하면 백성들이 자신의 수고로움을 잊고, 기뻐함으로써 난(難)을 범하면 백성들이 자신의 죽음을 잊으니, 기뻐함이 커서 백성들이 권면되는 것이다."

傳 | 兌之義는 說也라 一陰이 居二陽之上하니 陰說於陽而爲陽所說也라 陽剛居中하니 中心誠實之象이요 柔爻在外하니 接物和柔之象이라 故爲說而能貞也라 利貞은 說之道宜正也라 卦有剛中之德하니 能貞者也라 說而能貞하니 是以로 上順天理하고 下應人心하니 說道之至正至善者也라 若夫違道以干百姓之譽者는 苟說之道라 違道는 不順天이요 干譽는 非應人이니 苟取一時之說耳니 非君子之正道라 君子之道는 其說於民이 如天地之施하여 感於其心而說服无斁(역)이라 故以之先民이면 則民心說隨而忘其勞하고 率之以犯難이면 則民心〔一无心字〕說服於義

••• 干 : 구할 간 斁 : 싫어할 역

而不恤其死라 說道之大하여 民莫不知勸하니 勸은 謂信之而勉力順從이라 人君〔一作君人〕之道는 以人心說服爲本이라 故聖人이 贊其大하시니라

태(兌)의 뜻은 기뻐함이다. 한 음이 두 양의 위에 있으니, 음은 양을 좋아하고 양에게 좋아하는 바가 된다. 양강(陽剛)이 중(中)에 거하였으니 중심이 성실한 상(象)이요, 유효(柔爻)가 밖에 있으니 남을 대하기를 화유(和柔)하게 하는 상이다. 그러므로 기뻐하면서도 능히 정(貞)함이 되는 것이다. '이정(利貞)'은 기뻐하는 방도는 마땅히 정도(正道)여야 하는 것이다. 괘에 강중(剛中)의 덕이 있으니, 능히 정(貞)할 수 있는 자이다.

기뻐하면서도 정(貞)하니, 이 때문에 위로 천리(天理)에 순하고 아래로 인심(人心)에 응하는 것이니, 기뻐하는 방도에 지극히 바르고 지극히 선(善)한 자이다. 만약 도를 어겨 백성의 칭찬을 구하는 자는 구차히 기뻐하는 방도이다. 도를 어김은 천리에 순하지 않는 것이요, 칭찬을 구함은 인심에 응함이 아니니, 구차히 한 때의 기뻐함을 취할 뿐이니, 군자의 정도가 아니다.

군자의 도는 그 백성들을 기쁘게 함이 천지(天地)의 베풂과 같아서 그 마음을 감동시켜 기뻐하여 복종해서 싫어함이 없다. 그러므로 이로써 백성들에게 솔선하면 민심이 기뻐하고 따라서 자신의 수고로움을 잊고, 백성들을 거느려 난(難)을 범하면 민심이 의(義)를 기뻐하고 복종하여 자신의 죽음을 걱정하지 않는다. 기뻐하는 도가 커서 백성들이 권면할 줄 모르는 이가 없으니, 권(勸)은 믿고서 힘써 순종함을 이른다. 인군의 도는 인심이 기뻐하여 복종함을 근본으로 삼기 때문에 성인이 그 큼을 찬미하신 것이다.

本義｜ 以卦體로 釋卦辭而極言之라

괘체(卦體)로써 괘사(卦辭)를 해석하면서 극언(極言)한 것이다.

象曰 麗(리)澤이 兌니 君子以하여 朋友講習하나니라

〈상전〉에 말하였다. "붙어 있는 택(澤)이 태(兌)이니, 군자가 보고서 붕우(朋友)들과 강습(講習)한다."

傳｜ 麗澤은 二澤이 相附麗也라 兩澤相麗하여 交相浸潤하니 互有滋益之象이라

故君子觀其象而以朋友講習하나니 朋友講習은 互相益也라 先儒謂天下之可說이 莫若朋友講習이라하니 朋友講習은 固可說之大者나 然當明相益之象이니라

'리택(麗澤)'은 두 못이 서로 붙어 있는 것이다. 두 못이 서로 붙어 있어 서로 적셔주니, 서로 자익(滋益)함이 있는 상(象)이다. 그러므로 군자가 그 상을 보고서 붕우(朋友)들과 강습하니, 붕우들과 강습함은 서로 유익하게 하는 것이다. 선유(先儒)가 이르기를 "천하에 기뻐할 만함이 붕우들과 강습하는 것보다 더한 것이 없다." 하였으니, 붕우들과 강습함은 진실로 기뻐할 만함이 큰 것이나 마땅히 서로 유익하게 하는 상(象)을 밝혀야 한다.

本義 | 兩澤相麗하여 互相滋益하니 朋友講習이 其象如此하니라

두 못이 서로 붙어 있어 서로 자익(滋益)하니, 붕우(朋友)들과 강습함이 그 상(象)이 이와 같다.

初九는 和兌니 吉하니라

초구(初九)는 화(和)하여 기뻐함(좋아함)이니, 길하다.

傳 | 初雖陽爻나 居說體而在最下하고 无所係應하니 是能卑下和順以爲說하여而无所偏私者也라 以和爲說而无所偏〔一无偏字〕私는 說之正也라 陽剛則不卑요 居下則能巽이며 處說則能和요 无應則不偏이니 處說如是하니 所以吉也라

초(初)가 비록 양효(陽爻)이나 열(說)의 체에 거하고 가장 낮은 자리에 있으며 계응(係應)하는 바가 없으니, 이는 몸을 낮추고 화순(和順)함으로써 기뻐하여 편벽되고 사사로운 바가 없는 자이다. 화(和)함으로써 기뻐하여 편벽되고 사사로운 바가 없다면 이는 기뻐함의 정도(正道)이다. 양강(陽剛)은 낮지 않고 아래에 거함은 공손함이며, 기뻐함에 처함은 화(和)함이고 응이 없음은 편벽되지 않음이니, 열(說)에 대처하기를 이와 같이 하기 때문에 길한 것이다.

本義 | 以陽爻로 居說體而處最下하고 又无係應이라 故로 其象占如此하니라

양효로서 열(說)의 체에 거하고 가장 낮은 자리에 처했으며 또 계응(係應)이 없기 때문에 그 상(象)과 점(占)이 이와 같은 것이다.

象曰 和兌之吉은 行未疑也일새라

〈상전〉에 말하였다. "화태(和兌)의 길함은 행함에 의심할 것이 없기 때문이다."

傳 | 有求而和면 則涉於邪諂이어늘 初隨時順處〔一作處順〕하여 心无所係하니 无所爲也요 以和而已라 是以吉也라 象에 又以其處說在下而非中正이라 故云行未疑也라하니 其行未有可疑는 謂未見其有失也니 若得中正이면 則无是言也리라 說은 以中正爲本이니 爻는 直陳其義하고 象則推而盡之하니라

구하는 것이 있어서 화(和)하면 간사함과 아첨함에 관계되는데, 초효(初爻)는 때에 따라 순히 처하여 마음에 매인 바가 없으니, 위하는 바가 없고 화함으로써 할 뿐이다. 이 때문에 길한 것이다. 〈상전〉에 또 기뻐함에 처하고 아랫자리에 있으며 중정(中正)이 아니기 때문에 '행함에 의심스러울 것이 없다.'고 말하였으니, 행함에 의심스러울 것이 없음은 잘못이 있음을 발견하지 못함을 말한 것이니, 만일 중정을 얻었다면 이러한 말이 없을 것이다. 기뻐함은 중정을 근본으로 삼으니, 효(爻)에는 다만 그 뜻만을 말하였고, 〈상전〉은 이것을 미루어 극진히 말한 것이다.

本義 | 居卦之初하여 其說也正하니 未有所疑也라

괘의 초(初)에 거하여 그 기뻐함이 바르니, 의심스러운 바가 없는 것이다.

九二는 孚兌니 吉하고 悔亡하니라

구이(九二)는 믿어 기뻐함이니, 길하고 뉘우침이 없어진다.

傳 | 二承比陰柔하니 陰柔는 小人也니 說之則當有悔라 二는 剛中之德으로 孚信內充하니 雖比小人이나 自守不失이라 君子和而不同하여 說而不失剛中이라 故吉而悔亡이라 非二之剛中이면 則有悔矣나 以自守而亡也라

이(二)가 음유(陰柔)를 받들고 가까이 하니, 음유는 소인이니, 소인을 좋아하면 마땅히 뉘우침이 있을 것이다. 이(二)는 강중(剛中)의 덕(德)으로 부신(孚信)이 안에 충만하니, 비록 소인을 가까이 하나 스스로 지조를 지키고 잃지 않는다. 군자는 화(和)하고 부화뇌동(附和雷同)하지 아니하여 기뻐하면서도 강중을 잃지 않는다.

··· 涉 : 들어갈 섭, 관섭할 섭 直 : 다만 직

그러므로 길하고 뉘우침이 없어지는 것이다. 이(二)의 강중이 아니면 뉘우침이 있을 것이나, 스스로 지키기 때문에 없어진 것이다.

本義 | 剛中爲孚요 居陰爲悔라 占者以孚而說이면 則吉而悔亡矣리라

강중(剛中)은 성실함이 되고 음위(陰位)에 거함은 뉘우침이 된다. 점치는 자가 성실함으로써 기뻐하면 길하고 뉘우침이 없어질 것이다.

象曰 孚兌之吉은 信志也일새라

〈상전〉에 말하였다. "부태(孚兌)의 길함은 뜻이 성실하기 때문이다."

傳 | 心之所存이 爲志라 二는 剛實居中하니 孚信이 存於中也라 志存誠信하니 豈至說小人而自失乎아 是以吉也라

마음에 두고 있는 것을 '지(志)'라 한다. 이(二)는 강실(剛實)로 중(中)에 거하였으니, 부신이 중심에 보존된 것이다. 마음에 성신(誠信)을 보존하니, 어찌 소인을 기뻐하여 스스로 잃음에 이르겠는가. 이 때문에 길한 것이다.

六三은 來兌니 凶하니라

육삼(六三)은 와서 기뻐하니, 흉하다.

傳 | 六三은 陰柔不中正之人이니 說不以道者也라 來兌는 就之以求說也라 比於在下之陽하니 枉己非道하여 就以求說이니 所以凶也라 之內爲來라 上下俱陽이로되 而獨之內者는 以同體而陰性〔一作性陰〕下也[24]일새니 失道下行也라

육삼(六三)은 음유(陰柔)로 중정(中正)하지 못한 사람이니, 기뻐하기를 도리로 하지 않는 자이다. '내태(來兌)'는 찾아와서 기뻐함을 구하는 것이다. 아래에 있는 양과 가까우니, 자기 몸을 굽히고 도리가 아닌 짓을 하여 찾아와서 기뻐함을 구

••••••

24 以同體而陰性下也 : 사계(沙溪)는 "동체(同體)는 음·양이 체(體)가 같다는 말이 아니고 음의 성질은 아래로 내려오는데 육삼(六三) 또한 음효(陰爻)이기 때문에 체가 같다고 말한 것이니, 육삼이 구이(九二)와 함께 하체(下體)에 있음을 말한 것이다." 하였다.《經書辨疑》

하니, 이 때문에 흉한 것이다. 안으로 옴을 '내(來)'라 한다. 상·하가 모두 양인데 홀로 안으로 오는 것은 체(體)가 같고 음의 성질은 아래로 내려오기 때문이니, 도를 잃고 아래로 내려오는 것이다.

本義 | 陰柔不中正으로 爲兌之主하여 上无所應하여 而反來就二陽하여 以求說하니 凶之道也라

음유(陰柔)로 중정(中正)하지 못하면서 태(兌)의 주체(主體)가 되어 위에 응하는 바가 없고 도리어 두 양에게 찾아와서 기뻐함을 구하니, 흉한 방도이다.

象曰 來兌之凶은 位不當也일새라

〈상전〉에 말하였다. "내태(來兌)의 흉함은 자리가 합당하지 않기 때문이다."

傳 | 自處不中正하고 无與而妄求說하니 所以凶也라

자처함이 중정하지 못하고 응여(應與)가 없는데도 망령되이 기뻐함을 구하니, 이 때문에 흉한 것이다.

九四는 商兌未寧이니 介疾이면 有喜리라

구사(九四)는 기뻐함을 헤아려 편안하지 못하니, 지조를 지켜 사악(邪惡)함을 미워하면 기쁜 일이 있으리라.

本義 | 商兌라 未寧이나 介疾이니

기뻐함을 헤아리느라 편안하지 못하나 지조를 지켜 사악함을 미워하니,

傳 | 四上承中正之五하고 而下比柔邪之三하며 雖剛陽而處非正이라 三은 陰柔니 陽所說也라 故不能決而商度(탁)未寧이니 謂擬議所從而未決하여 未能有定也라 兩間을 謂之介니 分限也라 地之界則加田[25]하니 義乃同也라 故人有節守를 謂

25 地之界則加田 : 개(介) 자의 위에 전(田)을 가(加)하면 계(界) 자가 됨을 말한 것이다.

… 商 : 헤아릴 상 介 : 절개 개, 지조 개 疾 : 미워할 질 擬 : 비길 의

之介하니 若介然守正而疾遠邪惡이면 則有喜也라 從五는 正也요 說三은 邪也라 四는 近君之位니 若剛介守正하여 疾遠邪惡이면 將得君以行道하여 福慶及物하리니 爲有喜也라 若四者는 得失이 未有定이요 繫所從耳니라

사(四)가 위로 중정(中正)의 오(五)를 받들고 아래로 유사(柔邪)의 삼(三)을 가까이 하였으며, 비록 강양(剛陽)이나 처함이 바른 자리가 아니다. 삼(三)은 음유(陰柔)이니, 양이 좋아하므로 결단하지 못하고 헤아려서 편안하지 못하니, 따를 바를 의의(擬議;헤아리고 상의함)하여 결단하지 못해서 정함이 있지 못한 것이다. 두 사이를 '개(介)'라 이르니, 나뉘는 한계〔分限〕이다. 땅의 경계일 경우에는 전(田) 자를 가하였으니, 뜻이 바로 이와 같다. 그러므로 사람이 절개와 지킴이 있는 것을 개(介)라 이르니, 만약 개연(介然)히 정도(正道)를 지켜서 사악한 자를 미워하고 멀리하면 기쁜 일이 있을 것이다. 오(五)를 따름은 정(正)이요, 삼(三)을 좋아함은 사(邪)이다.

사(四)는 군주와 가까운 자리이니, 만일 강하고 절개 있게 정도를 지켜서 사악한 자를 미워하고 멀리하면 장차 군주의 신임을 얻어 도를 행해서 복경(福慶)이 남에게 미칠 것이니, 기쁜 일이 있는 것이다. 사(四)와 같은 자는 득실(得失)이 아직 정해짐이 없고 따르는 바에 매어(달려) 있다.

本義 | 四上承九五之中正하고 而下比六三之柔邪라 故不能決而商度所說하여 未能有定이라 然質本陽剛이라 故能介然守正而疾惡(오)柔邪也니 如此則有喜矣라 象占如此하니 爲戒深矣로다

사(四)가 위로 구오(九五)의 중정을 받들고 아래로 육삼(六三)의 유사(柔邪)를 가까이 하였다. 그러므로 능히 결단하지 못하여 기뻐할 상대를 헤아려 정함이 있지 못한 것이다. 그러나 질(質)이 본래 양강(陽剛)이기 때문에 개연(介然)히 정도를 지켜 유사(柔邪)한 자를 미워하는 것이니, 이와 같이 하면 기쁨이 있을 것이다. 상(象)과 점(占)이 이와 같으니, 경계함이 깊도다.

象曰 九四之喜는 有慶也라

〈상전〉에 말하였다. "구사(九四)의 기쁨은 복경이 있는 것이다."

傳 | 所謂喜者는 若守正而君說之면 則得行其剛陽之道하여 而福慶及物也라

이른바 기쁘다는 것은 만약 정도(正道)를 지켜 군주가 좋아하면 자신의 강양(剛陽)의 도(道)를 행하여 복경(福慶)이 남에게 미칠 수 있는 것이다.

九五는 孚于剝이면 有厲리라

구오(九五)는 박(剝;양(陽)을 해치는 자)을 믿으면 위태로움이 있으리라.

傳 | 九五得尊位而處中正하니 盡說道之善矣로되 而聖人이 復設有厲之戒하시니 蓋堯舜之盛으로도 未嘗无戒也하니 戒所當戒而已라 雖聖賢在上이라도 天下에 未嘗无小人이라 然不敢肆其惡也하니 聖人亦說其能勉而革面也라 彼小人者 未嘗不知聖賢之可說也하니 如四凶[26]處堯朝에 隱惡而順命이 是也라 聖人이 非不知其終惡也로되 取其畏罪而强仁耳니 五若誠心信小人之假善爲實善하여 而不知其包藏이면 則危道也라 小人者는 備之不至면 則害於善이니 聖人爲戒之意深矣로다 剝者는 消陽之名이라 陰은 消陽者也니 蓋指上六이라 故孚于剝則危也니 以五在說之時하여 而密比於上六이라 故爲之戒라 雖舜之聖이라도 且畏巧言令色[27]하시니 安得不戒也리오 說之惑人이 易入而可懼也如此하니라

구오(九五)가 존위(尊位)를 얻고 중정(中正)에 처하였으니, 기뻐하는 방도의 선(善)을 다한 자이나 성인이 다시 위태로움이 있다는 경계를 베푸시니, 이는 요(堯)·순(舜)의 성덕(盛德)으로도 일찍이 경계가 없지 않았으니, 마땅히 경계할 바를

26 四凶 : 요(堯)·순(舜) 시대에 악명 높은 네 부족(部族)의 수령(首領)으로, 《서경》〈순전(舜典)〉에는 공공(共工)·환도(驩兜)·곤(鯀)과 삼묘(三苗)의 군주라 하였으나 《춘추좌씨전》 문공(文公) 18년에는 "사흉(四凶)을 혼돈(渾敦)·궁기(窮奇)·도올(檮杌)·도철(饕餮)이라 한다." 하였다.

27 雖舜之聖 且畏巧言令色 : 《서경》〈고요모(皐陶謨)〉에 "고요가 말하기를 '사람을 잘 알아봄에 있으며 백성을 편안히 함에 있다.'고 말하자, 우(禹)가 말씀하기를 '모두 이와 같이 하는 것은 순(舜) 임금께서도 어렵게 여기셨으니, 사람을 잘 알면 명철하므로 능히 훌륭한 사람을 벼슬시키며, 백성을 편안히 하면 은혜로우므로 백성들이 그리워할 것이니, 능히 명철하고 은혜로우면 어찌 환도를 걱정할 것이 있으며 어찌 유묘(삼묘)를 귀양 보낼 것이 있으며, 어찌 말을 잘하고 얼굴빛을 좋게 하면서 크게 간악한 마음을 품은 자를 두려워하겠는가.〔咸若時, 惟帝其難之, 知人則哲, 能官人. 安民則惠, 黎民懷之. 能哲而惠, 何憂乎驩兜, 何遷乎有苗, 何畏乎巧言令色孔壬.〕" 하였으므로 말한 것이다. 위의 황제는 《집전(集傳)》에는 요(堯) 임금을 가리킨 것으로 보았으나 여기서는 순 임금으로 본 것이다.

··· 剝 : 깎을 박 包 : 쌀 포

경계할 뿐이다. 비록 성현이 윗자리에 있더라도 천하에 일찍이 소인이 없지는 않다. 그러나 감히 그 악(惡)을 부리지 못하니, 성인 또한 소인들이 억지로 힘써서 얼굴을 고치는 것을 좋아한다. 저 소인들도 일찍이 성현이 기뻐할 만한 것임을 모르지는 않으니, 사흉(四凶)이 요(堯) 임금의 조정에 있을 때에 악을 숨기고 명령에 순종함과 같은 것이 이것이다. 성인이 그들이 끝내 악할 줄을 모르지 않았으나 죄를 두려워하여 억지로 인(仁)을 하는 것을 취할 뿐이니, 오(五)가 만약 성심으로 소인의 거짓 선(善)함을 믿어 진실한 선이라고 여겨서 그가 나쁜 마음을 감추고 있는 것을 모른다면 위태로운 방도이다. 소인은 대비하기를 지극히 하지 않으면 선을 해치니, 성인이 경계하신 뜻이 깊다.

'박(剝)'은 양(陽)을 사라지게 하는 이름이다. 음은 양을 사라지게 하는 자이니, 상육(上六)을 가리킨다. 그러므로 박(剝)을 믿으면 위태로운 것이니, 오(五)가 기뻐하는 때에 있어 상육(上六)과 매우 가깝기 때문에 경계한 것이다. 비록 순(舜) 임금 같은 성인이라도 말을 잘하고 얼굴빛을 좋게 하는 자를 두려워하셨으니, 어찌 경계하지 않을 수 있겠는가. 기뻐함이 사람을 혹하게 함이 들어가기 쉬워 두려워할 만함이 이와 같은 것이다.

本義 | 剝은 謂陰이니 能剝陽者也라 九五陽剛中正이나 然當說之時而居尊位하여 密近上六하니 上六은 陰柔로 爲說之主하고 處說之極하니 能妄說以剝陽者也라 故其占이 但戒以信于上六則有危也라

'박(剝)'은 음을 이르니, 양을 소멸시키는 자이다. 구오(九五)가 양강 중정(陽剛中正)이나 기뻐하는 때를 당하여 존위(尊位)에 거해서 상육(上六)과 매우 가까우니, 상육은 음유(陰柔)로 열(說)의 주체가 되고 열(說)의 극에 처하였으니, 능히 망령되이 기뻐하여 양을 소멸시키는 자이다. 그러므로 그 점(占)이 다만 상육을 믿으면 위태로움이 있다고 경계한 것이다.

象曰 孚于剝은 位正當也일새라

〈상전〉에 말하였다. "박(剝)을 믿음은 자리가 바로 경계해야 할 자리에 당했기 때문이다."

傳 | 戒孚于剝者는 以五所處之位 正當戒也일새라 密比陰柔하여 有相說之道라 故戒在信之也라

박(剝)을 믿음을 경계한 것은 오(五)의 처한 자리가 바로 경계해야 할 자리에 당했기 때문이다. 음유(陰柔)를 매우 가까이하여 서로 기뻐하는 방도가 있기 때문에 경계함이 믿음에 있는 것이다.

本義 | 與履九五同[28]이라

리괘(履卦)의 구오효(九五爻)와 같다.

上六은 引兌[29]라

상육(上六)은 이끌어 기뻐함이다.

傳 | 他卦는 至極則變이로되 兌爲說하니 極則愈說이라 上六은 成說之主요 居說之極하여 說不知已者也라 故說旣極矣로되 又引而長之라 然而不至悔咎는 何也오 曰 方言其說不知已요 未見其所說善惡也며 又下乘九五之中正하여 无所施其邪說일새라 六三則承乘皆非正이라 是以有凶하니라

다른 괘는 극에 이르면 변하나 태(兌)는 기뻐함이 되니, 극에 이르면 더욱 기뻐한다. 상육(上六)은 기쁨의 주체가 되고 기뻐함의 극에 처하여 기뻐함을 그칠 줄 모르는 자이다. 그러므로 기뻐함이 이미 지극한데 또 이끌어 자라게 하는 것이다.

"그러나 뉘우침과 허물에 이르지 않음은 어째서인가?" "그 기뻐함을 그칠 줄 모름을 말했을 뿐이요, 기뻐하는 바가 아직 선(善)인지 악(惡)인지를 볼 수 없으며, 또 아래로 구오(九五)의 중정(中正)을 타고 있어 간사하게 기뻐함을 베풀 곳이

••••••

28 與履九五同 : 리괘(履卦) 구오 효사(九五爻辭)에 "구오는 쾌(夬)하게 행함이니, 정(貞)하더라도 위태로우리라.〔九五, 夬履, 貞, 厲.〕"라고 하였는데, 〈상전〉에 "쾌리정여(夬履貞厲)'는 자리가 바로 경계하여야 할 자라에 당했기 때문이다.〔夬履貞厲, 位正當也.〕"라고 하여 이 〈상전〉과 내용이 비슷하므로 '같다'고 한 것이다.

29 上六引兌 : 퇴계는 인태(引兌)를 해석함에 있어 '인(引)하야 태(兌)홈이라', 함과 일설에는 '태(兌)를 인(引)홈이라'를 들고, "마땅히 뒤의 해석을 따라야 할 것이다." 하였다. 《정전》을 살펴보면 퇴계의 말씀과 같이 '기쁨을 이끌어 연장하다'로 해석하여야 할 것이나 《본의》를 따라 위와 같이 해석하였다.

••• 比 : 가까울 비 愈 : 더욱 유

없기 때문이다. 육삼(六三)은 승(承)과 승(乘)이 모두 정(正)이 아니기 때문에 흉함이 있는 것이다."

本義 | 上六은 成說之主요 以陰居說之極하여 引下二陽하여 相與爲說이나 而不能必其從也라 故九五當戒요 而此爻엔 不言其吉凶하니라

상육(上六)은 기쁨을 이룬 주체이고 음효로서 기뻐함의 극에 거하여 아래의 두 양을 이끌어서 서로 기뻐하나 그 따름을 기필할 수 없다. 그러므로 구오(九五)는 마땅히 경계하여야 하고 이 효(爻)에는 길 · 흉을 말하지 않은 것이다.

象曰 上六引兌 未光也라

〈상전〉에 말하였다. "상육(上六)이 이끌어 기뻐함은 빛나지 못한다."

傳 | 說旣極矣어늘 又引而長之면 雖說之之心不已하나 而事理已過하여 實无所說이라 事之盛이면 則有光輝로되 旣極而强引之長이면 其无意味甚矣니 豈有光也리오 未는 非必之辭니 象中多用하니 非必能有光輝는 謂不能光也라

기뻐함이 이미 지극한데 또 이끌어 신장하면 비록 기뻐하는 마음이 그치지 않으나 사리(事理)가 이미 지나쳐 실제로 기뻐할 바가 없다. 일이 성대하면 광휘(光輝)가 있으나 이미 극에 이르렀는데 억지로 이끌어 자라게 하면 의미(의의)가 없음이 심하니, 어찌 빛남이 있겠는가. '미(未)'는 반드시는 아니라는 말이니, 〈상전〉 안에 많이 사용하였는바, 반드시 광휘함이 있지 못하다는 것은 빛나지 못함을 말한 것이다.

59 풍수 風水 환(渙) ䷺ 감하손상 坎下巽上

傳 | 渙은 序卦에 兌者는 說也니 說而後散之라 故受之以渙이라하니라 說則舒散也니 人之氣 憂則結聚하고 說則舒散이라 故說有散義하니 渙所以繼兌也라 爲卦巽上坎下하니 風行於水上하여 水遇風則渙散이니 所以爲渙也라

환괘(渙卦)는 〈서괘전〉에 "태(兌)는 기뻐함이니, 기뻐한 뒤에 흩어지므로 환괘로써 받았다." 하였다. 기뻐하면 풀어지고 흩어지니, 사람의 기운은 근심하면 맺히고 모이고, 기뻐하면 풀어지고 흩어진다. 그러므로 기뻐함에 흩어지는 뜻이 있으니, 환괘가 이 때문에 태괘(兌卦 ䷹)를 이은 것이다. 괘됨이 손(巽 ☴)이 위에 있고 감(坎 ☵)이 아래에 있으니, 바람이 물 위를 지나가 물이 바람을 만나면 흩어지니, 이 때문에 환(渙)이라 한 것이다.

渙은 亨하니 王假(격)有廟며 利涉大川하니 利貞하니라

환(渙)은 형통하니, 왕(王)이 종묘(宗廟)를 둠에 이르며 대천(大川)을 건넘이 이로우니, 정(貞)함이 이롭다.

본의 | 왕이 종묘(宗廟)에 이르며

傳 | 渙은 離散也라 人之離散은 由乎中하니 人心離則散矣요 治乎散도 亦本於〔一作必由〕中하니 能〔一有利貞字〕收合人心이면 則散可聚也라 故卦之義 皆主於中하니라 利貞은 合渙散之道 在乎正固也라

환(渙)은 이산(離散)함이다. 사람의 이산함은 중심에 말미암으니 인심이 떠나면 흩어지며, 흩어짐을 다스림 또한 중심에 근본하니, 인심을 수합하면 흩어짐을 모을 수 있다. 그러므로 괘의 뜻이 모두 중(中)을 주장하였다. 이정(利貞)은 환산(渙散)을 합하는 방도가 정고(正固)함에 있는 것이다.

本義 | 渙은 散也라 爲卦下坎上巽하니 風行水上하여 離披解散之象이라 故爲渙

••• 渙 : 풀릴 환 披 : 헤칠 피

이라 其變則本自漸卦하니 九來居二而得中하고 六往居三하여 得九之位而上同於四라 故其占可亨이요 又以祖考之精神旣散이라 故王者當至於廟以聚之라 又以巽木坎水는 舟楫之象이라 故利涉大川이라 其曰利貞은 則占者之深戒也라

환(渙)은 흩어짐이다. 괘됨이 아래는 감(坎)이고 위는 손(巽)이니, 바람이 물 위를 지나가 이피(離披;어지러움)하고 흩어지는 상(象)이다. 그러므로 환이라 한 것이다. 괘변(卦變)이 본래 점괘(漸卦 ䷴)로부터 왔으니, 구(九)가 와서 이(二)에 거하여 중을 얻고 육(六)이 가서 삼(三)에 거하여 양구(陽九)의 자리를 얻어 위로 사(四)와 함께 한다. 그러므로 그 점(占)이 형통할 수 있으며, 또 조(祖)·고(考)의 정신(영혼)이 이미 흩어졌으므로 왕자(王者)가 마땅히 종묘(宗廟)를 둠에 이르러 모으는 것이다. 또 손(巽)의 목(木)과 감(坎)의 수(水)는 주즙(舟楫;배와 노)의 상(象)이므로 대천(大川)을 건넘이 이로운 것이다. 이정(利貞)이라고 말한 것은 점치는 자에게 깊이 경계한 것이다.

彖曰 渙亨은 剛來而不窮하고 柔得位乎外而上同할새라
〈단전〉에 말하였다. "환(渙)이 형통함은 강(剛)이 옴에 궁극하지 않고 유(柔)가 밖에서 자리를 얻어 위와 함께 하기 때문이다.

傳| 渙之能亨者는 以卦才如是也라 渙之成渙은 由九來居二하고 六上居四也라 剛陽之來에 則不窮極於下而處得其中하고 柔之往에 則得正位於外而上同於五之中하니 巽順於五는 乃上同也라 四、五는 君臣之位니 當渙而比면 其義相通이니 同五는 乃從中也라 當渙之時하여 而守其中이면 則不至於離散이라 故能亨也라

환(渙)이 형통할 수 있는 것은 괘의 재질이 이와 같기 때문이다. 환(渙)이 환이 된 까닭은 구(九)가 와서 이(二)에 거하고 육(六)이 올라가 사(四)에 거하기 때문이다. 강양(剛陽)이 옴에 아래에 궁극하지 않아 처함이 중(中)을 얻고 유(柔)가 감에 밖에서 바른 자리〔正位〕를 얻어 위로 오(五)의 중과 함께 하니, 오(五)에게 손순(巽順)함은 바로 위와 함께 하는 것이다. 사(四)와 오(五)는 군(君)·신(臣)의 자리이니, 환산(渙散)할 때를 당하여 가까이 있으면 그 뜻이 서로 통하니, 오(五)와 함께 함은 바로 중을 따르는 것이다. 환산의 때를 당하여 중을 지키면 이산함에 이르지 않으므로 능히 형통할 수 있는 것이다.

··· 楫 : 노 집

本義 | 以卦變으로 釋卦辭라

괘변(卦變)으로써 괘사(卦辭)를 해석하였다.

王假有廟는 王乃在中也[30]요

'왕격유묘(王假有廟)'는 왕이 마침내 중(中 ; 마음)에 있는 것이요,

傳 | 王假有廟之義는 在萃卦詳矣[31]라 天下離散之時에 王者收合人心하여 至於有廟면 乃是在其中也라 在中은 謂求得其中이니 攝其心之謂也니 中者는 心之象이라 剛來而不窮하고 柔得位而上同하니 卦才之義 皆主於中也라 王者拯渙之道는 在得其中而已니 孟子曰[32] 得其民有道하니 得其心이면 斯得民矣라하시니라 享帝, 立廟는 民心所歸從也니 歸人心之道가 无大於此라 故云至于有廟라하니 拯渙之道 極於此也라

'왕격유묘(王假有廟)'의 뜻은 췌괘(萃卦 ䷬)에 자세히 나와 있다. 천하가 이산하는 때에 왕자가 인심을 수합하여 종묘를 둠에 이르면 이는 바로 중(中)에 있는 것이다. 중에 있다는 것은 중을 구하여 얻음을 이르니, 그 마음을 잡아 지킴을 이르니, 중은 마음의 상(象)이다. 강(剛)이 옴에 궁극하지 않고 유(柔)가 자리를 얻어 위로 함께 하니, 괘재(卦才)의 뜻이 모두 중을 위주한 것이다. 왕자가 환산(渙散)을 구원하는 방도는 중을 얻음에 있을 뿐이니, 맹자가 말씀하시기를 "백성을 얻는 것이 방법이 있으니, 마음을 얻으면 백성을 얻는다." 하셨다.

상제(上帝)에게 제향하고 종묘를 세움은 민심이 돌아오고 따르는 바이니, 인심을 돌아오게 하는 방도가 이보다 큼이 없다. 그러므로 '종묘를 둠에 이른다.' 하였으니, 환산을 구원하는 방도가 여기에 지극한 것이다.

······

30 王乃在中也 : 중을 《정전》에는 '중심(中心)', 또는 '중도(中道)'로 보았으나, 《본의》에는 "사당의 가운데〔廟中〕로 해석하였다.

31 王假有廟之義 在萃卦詳矣 : '왕격유묘(王假有廟)'는 췌괘(萃卦)의 괘사에 보이는바, 정이천은 여기에서 사당을 두는(세우는) 것에 대해 자세히 설명하였으므로 말한 것이다. 격(格)은 지극함, 또는 이름의 뜻이 있는바, 췌괘의 《언해(諺解)》에 지극함으로 해석하였으나, 《정전》의 '지어유묘(至於有廟)'라고 한 것을 근거하여 '이르다'로 해석하였다.

32 孟子曰 : 이 내용은 《맹자》 〈이루 상(離婁上)〉에 보인다.

本義｜ 中은 謂廟中이라

'중(中)'은 종묘(宗廟)의 가운데를 이른다.

利涉大川은 乘木하여 有功也라

대천(大川)을 건넘이 이로움은 나무를 타서 공(功)이 있는 것이다."

傳｜ 治渙之道는 當濟於險難이니 而卦有乘木濟川之象이라 上巽은 木也요 下坎은 水, 大川也니 利涉險以濟渙也라 木在水上은 乘木之象이니 乘木은 所以涉川也라 涉則有濟渙之功이니 卦有是義하고 有是象也라

환산을 다스리는 방도는 마땅히 험난함을 구제하여야 하니, 괘(卦)에 나무를 타고 냇물을 건너는 상(象)이 있다. 위의 손(巽)은 나무이고 아래의 감(坎)은 물이며 대천이니, 험함을 건너 환산을 구제함이 이로운 것이다. 나무가 물 위에 있음은 나무를 타는 상이니, 나무(나무로 만든 배)를 탐은 냇물을 건너는 것이다. 건너면 환산을 구제하는 공이 있으니, 괘에 이러한 뜻이 있고 이러한 상(象)이 있다.

象曰 風行水上이 渙이니 先王이 以하여 享于帝하며 立廟하니라

〈상전〉에 말하였다. "바람이 물 위에 행함이 환(渙)이니, 선왕이 보고서 상제에게 제향하고 종묘를 세운다."

傳｜ 風行水上은 有渙散之象이니 先王이 觀是象하여 救天下之渙散하여 至于享帝立廟也하니 收合人心은 无如宗廟라 祭祀之報는 出於其心이라 故享帝立廟는 人心之所歸也니 係人心, 合離散之道 无大於此니라

바람이 물 위를 지나감은 환산하는 상(象)이 있으니, 선왕이 이 상을 보고서 천하의 환산을 구원하여 상제에게 제향하고 종묘를 세움에 이르렀으니, 인심을 수합함은 종묘만한 것이 없다. 제사의 보답은 마음(본심)에서 나오기 때문에 상제에게 제향하고 종묘를 세움은 인심이 돌아오는 바이니, 인심을 잡아매고 이산을 합치는 방도가 이보다 큰 것이 없다.

本義｜ 皆所以合其散이라

모두 그 흩어짐을 합치는 것이다.

初六은 用拯호되 馬壯하니 吉하니라

초육(初六)은 써서 구원하되 말이 건장하니, 길하다.

傳 | 六居卦之初하니 渙之始也라 始渙而拯之하고 又得馬壯하니 所以吉也라 六爻에 獨初不云渙者는 離散之勢를 辨之宜早니 方始而拯之면 則不至於渙也니 爲敎深矣라 馬는 人之所託也니 託於壯馬라 故能拯渙이니 馬는 謂二也라 二有剛中之才하고 初陰柔順하며 兩皆无應하니 无應則親比相求라 初之柔順而託於剛中之才하여 以拯其渙하니 如得壯馬以致遠하여 必有濟矣라 故吉也라 渙拯於始면 爲力則易하니 時之順也일새라

육(六)이 괘의 초(初)에 거하였으니, 환산의 초기이다. 처음 흩어질 때에 구원하고 또 말이 건장함을 얻었으니, 이 때문에 길한 것이다. 여섯 효(爻) 중에 오직 초효(初爻)에만 환(渙)을 말하지 않은 것은 이산하는 형세를 분변하기를 마땅히 일찍 하여야 하니, 환산이 막 시작할 때에 구원하면 환산함에 이르지 않으니, 가르침이 깊다.

말은 사람이 의탁하는 것이니, 건장한 말에 의탁하기 때문에 환산을 구원할 수 있는 것이니, 말은 이(二)를 이른다. 이(二)는 강중(剛中)의 재질이 있고 초음(初陰)은 유순하며 이(二)와 초(初)가 모두 응이 없으니, 응이 없으면 가까이 있는 자를 서로 구한다. 초(初)가 유순한데 강중(剛中)의 재질에게 의탁하여 그 환산을 구원하니, 이는 마치 건장한 말을 얻어 먼 길을 가는 것과 같아 반드시 구제함이 있을 것이다. 그러므로 길한 것이다. 환산을 초기에 구원하면 힘쓰기가 쉬우니, 때를 순히 따르기 때문이다.

本義 | 居卦之初하니 渙之始也라 始渙而拯之면 爲力旣易요 又有壯馬하니 其吉可知라 初六은 非有濟渙之才요 但能順乎九二라 故其象占如此하니라

괘(卦)의 초(初)에 거하였으니 환산하는 초기이다. 처음 환산할 때에 구원하면 힘쓰기가 이미 쉽고 또 건장한 말이 있으니, 그 길함을 알 수 있다. 초육(初六)은 환산을 구제할 수 있는 재질이 있는 것이 아니요, 다만 구이(九二)에게 순종하기

때문에 그 상(象)과 점(占)이 이와 같은 것이다.

象曰 初六之吉은 順也일새라

〈상전〉에 말하였다. "초육(初六)의 길함은 순하기 때문이다."

傳 | 初之所以吉者는 以其能順從剛中之才也라 始渙而用拯하니 能順乎時也라

초(初)가 길한 까닭은 능히 강중(剛中)의 재질에게 순종하기 때문이다. 처음 환산할 때에 구원하니, 이는 능히 때를 순히 하는 것이다.

九二는 渙에 奔其机(궤)면 悔亡하리라

구이(九二)는 환산(渙散)에 궤(机;안석)로 달려가면 뉘우침이 없어지리라.

本義 | 渙에 奔其机니

환산에 궤로 달려감이니,

傳 | 諸爻에 皆云渙하니 謂渙之時也라 在渙離之時하여 而處險中하니 其有悔를 可知니 若能奔就所安이면 則得悔亡也라 机者는 俯憑以爲安者也니 俯는 就下也요 奔은 急往也라 二與初雖非正應이나 而當渙離之時하여 兩皆无與하여 以陰陽親比相求하니 則相賴者也라 故二目初爲机하고 初謂二爲馬라 二急就於初以爲安이면 則能亡其悔矣니 初雖坎體나 而不在險中也일새라 或疑初之柔微를 何足賴리오하니 蓋渙之時는 合力爲〔一作而〕勝이라 先儒皆以五爲机하니 非也라 方渙離之時하여 二陽이 豈能同也리오 若能同이면 則成濟渙之功이 當大〔一有吉字〕하리니 豈止悔亡而已리오 机는 謂俯就也라

여러 효(爻)에 다 환(渙)을 말하였으니, 환산의 때를 이른다. 환리(渙離)의 때에 있어 구이(九二)가 험한 가운데에 처하였으니, 그 뉘우침이 있음을 알 수 있으니, 만약 편안한 데로 달려 나아가면 뉘우침이 없어질 것이다. '궤(机)'는 몸을 구부려 의지하여 몸을 편안하게 하는 것이니, '부(俯)'는 아래로 나아감이요 '분(奔)'은 급히 달려감이다. 이(二)와 초(初)가 비록 정응이 아니나 환리의 때를 당하여 둘이 모두 응여(應與)가 없어 음·양이 가까이 있는 자와 서로 구하니, 서로 의뢰하는 자이다. 그러므로 이(二)는 초(初)를 지목하여 궤(机)라 하고, 초(初)는 이(二)를 일러

••• 机 : 안석 궤

마(馬)라 한 것이다. 이(二)가 급히 초에게 나아가 편안하게 여기면 뉘우침을 없앨 수 있으니, 초(初)가 비록 감(坎)의 체(體)이나 험한 가운데에 있지 않기 때문이다.

혹자는 "초(初)의 유미(柔微;유약)함을 어찌 의뢰할 수 있겠는가" 하고 의심하는데, "환산의 때에는 힘을 합하는 것을 우세함으로 여긴다." 선유(先儒)는 모두 오(五)를 궤(机)라 하였는데, 잘못이다. 환리의 때를 당하여 두 양이 어찌 함께 할 수 있겠는가. 만약 함께 한다면 환산을 구제하는 공(功)을 이룸이 마땅히 클 것이니, 어찌 다만 뉘우침이 없어질 뿐이겠는가. 궤(机)는 구부려 나아감을 말한 것이다.

本義 | 九而居二하니 宜有悔也나 然當渙之時하여 來而不窮하니 能亡其悔者也라 故其象占如此하니 蓋九奔而二机也라

구(九)로서 이(二)에 거하였으니, 마땅히 뉘우침이 있을 것이나 환산의 때를 당하여 와서 다하지 않으니, 능히 그 뉘우침을 없앨 수 있는 자이다. 그러므로 그 상(象)과 점(占)이 이와 같으니, 구(九)는 달려오고 이(二)는 궤(机)인 것이다.

象曰 渙奔其机는 得願也라

〈상전〉에 말하였다. "환산에 궤(机)로 달려감은 소원을 얻는 것이다."

傳 | 渙散之時엔 以合爲安하나니 二居險中하여 急就於初는 求安也라 賴之如机而亡其悔하니 乃得所願也라

환산의 때에는 합하는 것을 편안함으로 삼으니, 이(二)가 험한 가운데에 거하여 급히 초(初)에 나아감은 편안함을 구해서이다. 의뢰하기를 궤(机)와 같이 하여 뉘우침이 없어지니, 이는 원하는 바를 얻는 것이다.

六三은 渙에 其躬[33]이 无悔니라

육삼(六三)은 환산할 때에 그 몸만 뉘우침이 없다.

••••••

33 渙其躬 :《정전》에는 '환(渙)'을 환산할 때로 보고 '기궁(其躬)'을 자기 몸으로 보아, 위 구이(九二)의 환 분기궤(渙, 奔其机)와 이어지는 것으로 해석하였으나, 《본의》에는 '환기궁(渙其躬)'으로 연결하여 "자기 몸의 사사로움을 환산하는 것"으로 해석하였는바, 육사효(六四爻)의 '渙其羣'과 상구효(上九爻)의 '渙其血去'도 모두 비슷하다.

本義 | 渙其躬이니 无悔리라
몸의 사사로움을 환산함이니, 뉘우침이 없으리라.

傳 | 三在渙時하여 獨有應與하니 无渙散之悔也나 然以陰柔之質, 不中正之才로 上居无位之地하니 豈能拯時之渙而及人也리오 止於其身可以无悔而已라 上加渙字는 在渙之時에 躬无渙之悔也라

삼(三)이 환(渙)의 때에 있어 홀로 응여(應與)가 있으니, 환산하는 뉘우침이 없을 것이나 음유(陰柔)의 자질과 중정하지 못한 재질로서 위(상구)가 지위가 없는 자리에 거하였으니, 어찌 세상의 환산을 구원하여 남에게 미치겠는가. (자기) 몸이 뉘우침이 없음에 그칠 뿐이다. 위에 환(渙) 자를 가한 것은 환산하는 때에 있어 자기 몸에 환산하는 뉘우침이 없는 것이다.

本義 | 陰柔而不中正하니 有私於己之象也나 然居得陽位하여 志在濟時하니 能散其私하여 以得无悔라 故其占如此라 大率此上四爻는 皆因渙以濟渙者也라

음유(陰柔)로서 중정하지 못하니, 자기에게 사사로움이 있는 상(象)이나 거함이 양위(陽位)를 얻어 뜻이 때(세상)를 구제함에 있으니, 사사로움을 흩어 뉘우침이 없을 수 있다. 그러므로 그 점(占)이 이와 같은 것이다. 대체로 이 위의 네 효(爻:육삼과 육사 · 구오 · 상구)는 환산함으로 인하여 환산을 구원하는 자이다.

象曰 渙其躬은 志在外也일새라
〈상전〉에 말하였다. "'환기궁(渙其躬)'은 뜻이 밖에 있기 때문이다."

傳 | 志應於上은 在外也니 與上相應이라 故其身得免於渙而无悔라 悔亡者는 本有而得亡이요 无悔者는 本无也라

뜻이 상(上)과 응함은 뜻이 밖에 있는 것이니, 상(上)과 서로 응하기 때문에 그 몸이 환산함을 면하여 뉘우침이 없는 것이다. '회망(悔亡)'은 뉘우침이 본래 있는데 없어진 것이요, '무회(无悔)'는 본래 없는 것이다.

六四는 **渙**에 **其羣**이라 **元吉**이니 **渙**에 **有丘**는 **匪夷所思**리라

육사(六四)는 환산에 무리를 이루는지라 대선(大善)의 길함이니, 환산할 때에 언덕처럼 많이 모임은 보통 사람이 생각할 바가 아니리라.

本義 | **渙其羣**이라

붕당(朋黨)의 무리를 환산하는 것이다. 대선(大善)하여 길하니,

傳 | 渙四、五二爻義相須라 故通言之하니 彖에 故日上同也라하니라 四는 巽順而正하여 居大臣之位하고 五는 剛中而正하여 居君位하니 君臣合力하고 剛柔相濟하여 以拯天下之渙者也라 方渙散之時하여 用剛則不能使之懷附하고 用柔則不足爲之依歸어늘 四以巽順之正道로 輔剛中正之君하여 君臣同功하니 所以能濟渙也라 天下渙散이어늘 而能〔一无能字〕使之羣聚면 可謂大善之吉也라 渙有丘 匪夷所思는 贊美之辭也라 丘는 聚之大也니 方渙散而能致其大聚면 其功甚大요 其事甚難이요 其用至妙라 夷는 平常也니 非平常之見所能思及也라 非大賢智면 孰能如是리오

환괘(渙卦)의 사(四)와 오(五) 두 효는 뜻이 서로 필요로 하기 때문에 통틀어 말하였으니, 〈단전〉에 이 때문에 위와 함께 한다고 말한 것이다. 사(四)는 손순(巽順)으로 바르면서 대신(大臣)의 지위에 있고 오(五)는 강중(剛中)으로 바르면서 군주의 지위에 거하였으니, 군주와 신하가 힘을 합치고 강과 유가 서로 구제하여 천하의 환산을 구원하는 자이다. 환산의 때를 당하여 강(剛)을 쓰면 회유하여 따르게 할 수 없고 유(柔)를 쓰면 의귀(依歸)하게 할 수 없는데, 사(四)는 손순한 정도로 강중정(剛中正)의 군주를 보필하여 군주와 신하가 공을 함께 하니, 이 때문에 환산을 구제하는 것이다.

천하가 환산하는데 능히 떼지어 모이게 한다면 대선(大善)의 길함이라고 이를 만하다. '환유구 비이소사(渙有丘匪夷所思)'는 찬미(贊美)한 말이다. 언덕은 〈흙의〉 모임이 큰 것이니, 환산할 때를 당하여 큰 모임을 이룬다면 그 공이 매우 크고 그 일이 매우 어렵고 그 쓰임이 지극히 신묘하다. '이(夷)'는 평상(平常:보통)이니, 보통 사람의 소견으로는 생각하여 미칠 바가 아닌 것이다. 크게 어질고 지혜로운 자가 아니면 누가 이와 같이 하겠는가.

本義 | 居陰得正하고 上承九五하니 當濟渙之任者也요 下无應與하니 爲能散其朋黨之象이라 占者如是면 則大善而吉이라 又言能散其小羣하여 以成大羣하여 使所散者聚而若丘면 則非常人思慮之所及也라하니라

사(四)가 음위(陰位)에 거하여 정위(正位)를 얻고 위로 구오(九五)를 받드니 환산을 구제할 임무를 담당한 자이며, 아래에 응여(應與)가 없으니 그 붕당을 해산하는 상(象)이 된다. 점치는 자가 이와 같이 하면 크게 선하여 길하다. 또 작은 무리를 흩어서 큰 무리를 이루어 흩어진 자들로 하여금 언덕처럼 많이 모이게 한다면 상인(常人)들의 사려로는 미칠 바가 아님을 말한 것이다.

象曰 渙其羣元吉은 光大也라

〈상전〉에 말하였다. "'환기군원길(渙其羣元吉)'은 〈그 공덕이〉 광대한 것이다."

傳 | 稱元吉者는 謂其功德光大也라 元吉光大가 不在五而在四者는 二爻之義를 通言也일새라 於四에 言其施用하고 於五에 言其成功하니 君臣之分也라

원길(元吉)이라고 칭한 것은 그 공덕이 광대함을 말한 것이다. '원길 광대(元吉光大)'가 오(五)에 있지 않고 사(四)에 있는 것은 두 효(爻)의 뜻을 통틀어(합하여) 말하였기 때문이다. 사(四)에서는 그 시용(施用)을 말하고 오(五)에서는 그 성공을 말하였으니, 이는 군주와 신하의 구분이다.

九五는 渙에 汗其大號면 渙에 王居니 无咎리라

구오(九五)는 환산의 때에 큰 호령을 내되 땀이 나듯 하면 환산에 대처함에 왕자의 거처에 걸맞으니, 허물이 없으리라.

本義 | 汗其大號하며 渙王居면

큰 호령을 내되 땀이 나듯 하며 왕자의 거자(居積;재화(財貨))를 환산하면

傳 | 五與四君臣合德하여 以剛中正巽順之道로 治渙하니 得其道矣라 唯在浹洽於人心이면 則順從也라 當使號令洽〔一作浹〕於民心하여 如人身之汗이 浹於四體

··· 汗 : 땀 한 浹 : 젖을 협 洽 : 젖을 흡

면 則信服而從矣니 如是면 則可以濟天下之渙하여 居王位 爲稱而无咎라 大號는 大政令也니 謂新民之大命과 救渙之大政이라 再云渙者는 上은 謂渙之時요 下는 謂處渙如是則无咎也라 在四에 已言元吉하니 五엔 唯言稱其位也라 渙之四、五通言者는 渙은 以離散爲害어늘 拯之使合也니 非君臣同功合力이면 其能濟乎아 爻義相須하니 時之宜也라

오(五)와 사(四)는 군주와 신하가 덕을 합하여 강중정(剛中正)과 손순(巽順)의 도로써 환산을 다스리니, 그 도를 얻은 것이다. 오직 인심에 협흡(浹洽:흡족)하게 함에 있으니, 이렇게 하면 순종한다. 마땅히 호령을 민심에 무젖게 하여 사람 몸의 땀이 사체(四體)에 젖어들듯이 하면 믿고 복종하여 따를 것이니, 이와 같이 하면 천하의 환산을 구제하여 왕위(王位)에 거함이 걸맞아 무구(无咎)가 된다. '대호(大號)'는 큰 정령(政令)이니, 백성을 새롭게 하는 큰 명령과 환산을 구제하는 큰 정사를 이른다.

두 번 환(渙)을 말한 것은 위는 환산의 때를 이르고, 아래는 환산에 대처하기를 이와 같이 하면 허물이 없음을 말한 것이다. 사효(四爻)에서 이미 원길(元吉)을 말했으니, 오효(五爻)에서는 오직 그 지위에 걸맞음을 말하였다. 환괘(渙卦)의 사효와 오효를 통틀어 말한 것은 환(渙)은 이산을 해(害)로움으로 여기는데, 〈사와 오가〉 구제하여 합하게 하니, 군주와 신하가 공을 함께 하고 힘을 합치지 않으면 구제할 수 있겠는가. 효(爻)의 뜻이 서로 필요로 하니, 이는 때의 마땅함이다.

本義 | 陽剛中正으로 以居尊位하니 當渙之時하여 能散其號令與其居積(자)하면 則可以濟渙而无咎矣라 故其象占如此라 九五는 巽體니 有號令之象이라 汗은 謂如汗之出而不反也라 渙王居는 如陸贄[34]所謂散小儲而成大儲之意라

〈구오가〉 양강 중정(陽剛中正)으로 존위(尊位)에 거하였으니, 환산의 때를 당하여 호령(號令)과 거자(居積)를 흩으면 환산을 구제하여 허물이 없을 수 있다. 그러므로 그 상(象)과 점(占)이 이와 같은 것이다. 구오(九五)는 손체(巽體)이니, 호령의

34 陸贄 : 육지(陸贄 754~805)는 당(唐)나라 덕종(德宗) 때의 명재상으로 주의(奏議:임금에게 아뢰고 건의함)를 잘하여 그의 저서인 《육선공주의(陸宣公奏議)》가 유명한 바, 이 내용도 여기에 보인다.

••• 積 : 쌓을 자 贄 : 폐백 지 儲 : 쌓을 저

상이 있다. 한(汗)은 땀이 나오면 되돌아가지 않음과 같음을 이른다. '왕의 거자를 환산〔渙王居〕'함은 육지(陸贄)의 이른바 '작은 쌓음을 흩어서 큰 쌓음을 이룬다.'는 것과 같은 뜻이다.

象曰 王居无咎는 **正位也**라

〈상전〉에 말하였다. "'왕거무구(王居无咎)'는 바른 자리인 것이다."

傳｜ 王居는 謂正位니 人君之尊位也라 能如五之爲하면 則居尊位爲稱而无咎也라

'왕거(王居)'는 바른 자리를 이르니, 인군의 존위(尊位)이다. 오(五)의 행위와 같이 하면 존위에 거함이 걸맞아서 허물이 없는 것이다.

上九는 **渙**에 **其血**이 **去**하며 **逖(愓)**에 **出**[35]하면 **无咎**리라

상구(上九)는 환산에 그 피가 제거되며 두려움에서 벗어나게 하면 허물이 없으리라.

本義｜ **渙其血去**하며 **逖(愓)出**이니

피를 환산하여 제거하며 두려움에서 벗어남이니,

傳｜ 渙之諸爻가 皆无係應하니 亦渙離之象이라 唯上應於三이나 三居險陷之極하니 上若下從於彼면 則不能出於渙也라 險有傷害畏懼之象이라 故云血愓이라 然九以陽剛으로 處渙之外하여 有出渙之象하고 又居巽之極하여 爲能巽順於事理라 故云若能使其血去하며 其愓出하면 則无咎也라하니 其者는 所有也라 渙之時엔 以能合爲功이로되 獨九居渙之極하여 有係而臨險이라 故以能出渙遠害로 爲善也라

환괘의 여러 효(爻)가 모두 계응(係應)이 없으니, 또한 환리(渙離)의 상(象)이다. 오직 상(上)은 삼(三)과 응하나 삼이 험함(險陷)의 극에 거하였으니, 상(上)이 만약 아래로 저 삼을 따른다면 환산에서 벗어나지 못한다. 험(險)은 상해(傷害)와 외구

35 渙其血去 逖出 : 왕필은 "적(逖)은 멂이니, 해로움에서 가장 멀리 있어 침극(侵克)을 가까이 하지 않는다." 하였으며, 주진(朱震) 역시 이 설(說)을 따랐다. 그리하여 '환기혈(渙其血) 거적출(去逖出)'로 구두(句讀)를 떼고 "피를 흩어버리고 떠나 멀리 나간다."로 해석하였다.

••• 逖 : 멀 적 愓 : 두려울 척

(畏懼)의 상이 있으므로 '혈(血)·척(惕)'이라고 말한 것이다. 그러나 구(九)가 양강(陽剛)으로 환(渙)의 밖에 처하여 환을 벗어날 상이 있고, 또 손(巽)의 극에 거하여 사리에 손순(巽順)함이 된다. 그러므로 만약 그 피가 제거되게 하고 두려움에서 벗어나게 하면 허물이 없다고 한 것이니, 기(其)는 자기가 가지고 있는 것이다. 환산의 때에는 합하는 것을 공(功)으로 삼으나 오직 상구(上九)는 환산의 극에 거하여 계응(係應)이 있고 험함에 임했기 때문에 환산에서 벗어나고 해(害)를 멀리함을 선(善)으로 삼은 것이다.

本義 | 上九以陽居渙極하여 能出乎渙이라 故其象占如此라 血은 謂傷害라 逖은 當作惕이니 與小畜六四同[36]하니 言渙其血則去요 渙其惕則出也라

상구(上九)가 양효로서 환산의 극에 거하여 환산에서 벗어날 수 있기 때문에 그 상(象)과 점(占)이 이와 같은 것이다. 혈(血)은 상해를 이른다. '적(逖)'은 마땅히 척(惕)이 되어야 하니, 소축괘(小畜卦 ☴☰)의 육사효(六四爻)와 같으니, 피를 흩으면 피가 제거되고 두려움을 흩으면 두려움에서 벗어남을 말한 것이다.

象曰 渙其血은 遠害也라

〈상전〉에 말하였다. "'환기혈(渙其血)'은 해(害)로움을 멀리하는 것이다."

傳 | 若如象文爲渙其血이면 乃與屯其膏同也[37]나 義則不然이라 蓋血字下에 脫去字하니 血去惕出은 謂能遠害則无咎也라

만약 〈상전〉의 글과 같이 '환기혈(渙其血)'이라고 하면 바로 준괘(屯卦 ☵☳)의 '준기고(屯其膏)'와 같은 문체(文體)이나 뜻은 그렇지 않다. 혈(血) 자 아래에 거(去) 자가 빠졌으니, 피가 제거되고 두려움에서 벗어남은, 능히 해(害)를 멀리하면 허물이 없음을 말한 것이다.

······

36 小畜六四同 : 소축괘(小畜卦) 육사 효사에도 "六四, 有孚, 血去惕出, 无咎."라고 보이므로 말한 것이다.

37 乃與屯其膏同也 : 준기고(屯其膏)는 군주가 은택을 제대로 내리지 못함을 이르는바, 준괘(屯卦) 구오 효사에 "그 은택을 제대로 내리지 못함이니, 작게 바로잡으면 길하고 크게 바로잡으면 흉하다.〔屯其膏, 小貞吉, 大貞凶.〕"라고 보인다.

60 수택 水澤 절(節) ䷻ 태하감상 兌下坎上

傳 | 節은 序卦에 渙者는 離也니 物不可以終離라 故受之以節이라하니라 物旣離散이면 則當節止之니 節所以次渙也라 爲卦 澤上有水하니 澤之容은 有限이라 澤上置水에 滿則不容이니 爲有節之象이라 故爲節이라

절괘(節卦)는 〈서괘전〉에 "환(渙)은 이산(離散)됨이니, 사물은 끝내 이산될 수만은 없으므로 절괘로 받았다." 하였다. 사물이 이미 이산되면 마땅히 절제하여 멈춰야 하니, 절괘가 이 때문에 환괘(渙卦 ䷺)의 다음이 된 것이다. 괘됨이 못 위에 물이 있으니, 못의 용납(수용)함은 한계가 있다. 못 위에 물을 둠에 가득차면 용납하지 못하니, 절제가 있는 상(象)이다. 그러므로 절(節)이라 한 것이다.

節은 亨하니 苦節은 不可貞이니라

절(節)은 형통하니, 괴로운 절(節)은 정고(貞固)히 할 수 없다.

傳 | 事旣有節이면 則能致亨通이라 故節有亨義하니라 節貴適中하니 過則苦矣니 節至於苦면 豈能常也리오 不可固守以爲常이니 不可貞也라

일이 이미 절제가 있으면 형통함을 이룰 수 있다. 그러므로 절(節)에 형통하는 뜻이 있는 것이다. 절제함은 중도에 알맞음을 귀하게 여기니, 지나치면 괴로우니 절제함이 괴로움에 이르면 어찌 항상할 수 있겠는가. 굳게 지켜 항상할 수 없으니, 이는 정고(貞固)할 수 없는 것이다.

本義 | 節은 有限而止也라 爲卦下兌上坎하니 澤上有水하여 其容有限이라 故爲節이니 節固自有亨道矣라 又其體陰陽各半이요 而二、五皆陽이라 故其占得亨이라 然至於太甚이면 則苦矣라 故又戒以不可守以爲貞也하니라

절(節)은 한계가 있어 멈추는 것이다. 괘됨이 아래는 태(兌)이고 위는 감(坎)이니, 못 위에 물이 있어 그 용납함이 한계가 있다. 이 때문에 절(節)이라 하였으니,

절은 진실로 본래 형통할 방도가 있다. 또 체(體)가 음효와 양효가 각각 반씩이고 이효(二爻)와 오효(五爻)가 모두 양이기 때문에 그 점(占)이 형통할 수 있는 것이다. 그러나 너무 심함에 이르면 괴로우므로 또 지켜서 정고(貞固)히 할 수 없다고 경계한 것이다.

彖曰 節亨은 剛柔分而剛得中일새요

〈단전〉에 말하였다. "절(節)이 형통함은 강효(剛爻)와 유효(柔爻)가 반반씩 나뉘고 강(剛)이 중(中)을 얻었기 때문이요,

傳 | 節之道 自有亨義하니 事有節則能亨也라 又卦之才 剛柔分處하고 剛得中而不過하니 亦所以爲節이니 所以能亨也라

절(節)의 도(道)는 본래 형통할 뜻이 있으니, 일에 절제가 있으면 형통할 수 있다. 또 괘의 재질이 강효(剛爻)와 유효(柔爻)가 나누어 처하고 강(剛)이 중(中)을 얻어 지나치지 않으니, 또한 절(節)이 될 수 있는 것이니, 이 때문에 형통한 것이다.

本義 | 以卦體로 釋卦辭라

괘체(卦體)로써 괘사(卦辭)를 해석하였다.

苦節不可貞은 其道窮也일새라

괴로운 절(節)은 정고히 할 수 없음은 그 도가 궁극하기 때문이다.

傳 | 節이 至於極而苦면 則不可堅固常守니 其道已窮極也라

절(節)이 극에 이르러 괴로우면 견고히 항상 지킬 수가 없으니, 그 도가 너무 궁극한 것이다.

本義 | 又以理言이라

또 다시 이치로써 말하였다.

說以行險하고 當位以節하고 中正以通하니라

기뻐하여 험함에 행하고 자리에 합당하여 절제하고 중정으로써 통한다.

傳 | 以卦才言也라 內兌外坎은 說以行險也라 人於所說則不知已하고 遇艱險則思止하나니 方說而止는 爲節之義라 當位以節은 五居尊은 當位也요 在澤上은 有節也니 當位而以節은 主節者也라 處得中正은 節而能通也니 中正則通이요 過則苦矣니라

괘재(卦才)로써 말하였다. 내괘(內卦)는 태(兌)이고 외괘(外卦)는 감(坎)인 것은 기뻐하여 험함에 행하는 것이다. 사람이 기뻐하는 바에는 그칠 줄을 모르고, 어려움과 험함을 만나면 그칠 것을 생각하니, 막 기뻐하면서도 그침은 절(節)의 뜻이다. '당위이절(當位以節)'은 오(五)가 존위(尊位)에 거함은 자리에 합당한 것이요 못 위에 있음은 절제가 있는 것이니, 자리에 합당하여 절제함은 절(節)을 주관하는 자이다. 처함이 중정(中正)을 얻음은 절제하면서도 통할 수 있는 것이니, 중정하면 통하고 지나치면 괴롭다.

本義 | 又以卦德卦體言之라 當位中正은 指五요 又坎爲通이라

또 괘덕(卦德)과 괘체(卦體)로써 말하였다. '당위 중정(當位中正)'은 오(五)를 가리키며 또 감(坎)은 통함이 된다.

天地節而四時成하나니 節以制度하여 不傷財하며 不害民하나니라

하늘과 땅이 절도가 있어 사시(四時)가 이루어지니, 제도로써 절제하여 재물을 손상하지 않으며 백성을 해치지 않는다."

傳 | 推言節之道하니라 天地有節故로 能成四時하나니 无節則失序也며 聖人이 立制度以爲節故로 能不傷財害民이라 人欲之无窮也하니 苟非節以制度면 則侈肆하여 至於傷財害民矣리라

절제하는 방도를 널리 미루어 말하였다. 하늘과 땅이 절도가 있기 때문에 능히 사시(四時)를 이루는 것이니, 절도가 없으면 차례를 잃는다. 성인이 제도를 세워 절제하였다. 그러므로 재물을 손상하지 않고 백성을 해치지 않은 것이다. 사람

••• 傷 : 사치할 사 肆 : 방사할 사

의 욕망은 무궁하니, 만일 제도로써 절제하지 않는다면 사치하고 방사하여 재물을 손상하고 백성을 해침에 이를 것이다.

本義 | 極言節道하니라

절제하는 도를 극언(極言)하였다.

象曰 澤上有水節이니 君子以하여 制數度하며 議德行하나니라

〈상전〉에 말하였다. "못 위에 물이 있음이 절(節)이니, 군자가 보고서 수(數)와 도(度)를 제정하며 덕행을 의논한다."

傳 | 澤之容水有限하여 過則盈溢하나니 是有節이라 故爲節也라 君子觀節之象하여 以制立數度하나니 凡物之大小, 輕重, 高下, 文質이 皆有數度하니 所以爲節也라 數는 多寡요 度는 法制라 議德行者는 存諸中爲德이요 發於外爲行이니 人之德行이 當義則中節이라 議는 謂商度(탁)求中節也라

못이 물을 용납함은 한계가 있어서 지나치면 가득차 넘치니, 이는 절도가 있는 것이다. 그러므로 절(節)이라 한 것이다. 군자가 절의 상(象)을 보고서 수(數)와 도(度)를 제정하여 세우니, 무릇 물건의 대(大)·소(小)와 경(輕)·중(重), 고(高)·하(下)와 문(文)·질(質)이 모두 수와 도가 있으니, 이는 절제하는 것이다. '수(數)'는 다과(多寡)이고 '도(度)'는 법제(法制)이다. 덕행을 의논한다는 것은 마음속에 둠을 덕이라 하고 밖에 발함을 행(行)이라 하니, 사람의 덕행이 의(義)에 합당하면 절도에 맞는다. '의(議)'는 헤아려서 절도에 맞음을 구함을 이른다.

初九는 不出戶庭이면 无咎리라

초구(初九)는 호정(戶庭)을 나가지 않으면 허물이 없으리라.

本義 | 不出戶庭이니 无咎니라

호정을 나가지 않음이니, 허물이 없다.

傳 | 戶庭은 戶外之庭이요 門庭은 門內〔一作外〕之庭이라 初以陽在下하고 上復有

··· 溢 : 넘칠 일 商 : 헤아릴 상

應하니 非能節者也[38]요 又當節之初라 故〔一无故字〕戒之謹守하여 至於不出戶庭이면 則无咎也라 初能固守로되 終或渝(투)之하니 不謹於初면 安能有卒이리오 故於節之初에 爲戒甚嚴也니라

'호정(戶庭)'은 호(戶:작은문) 밖의 뜰이요 '문정(門庭)'은 대문 안의 뜰이다. 초(初)가 양(陽)으로서 아래에 있고 위에 다시 응이 있으니, 절제할 수 있는 자가 아니며 또 절(節)의 초기를 당하였다. 그러므로 삼가 지켜서 호정을 나가지 않음에 이르면 허물이 없다고 경계한 것이다. 처음에는 굳게 지킬 수 있으나 끝에는 혹 변할 수 있으니, 초기에 삼가지 않으면 어찌 졸(卒:끝마침)이 있겠는가. 그러므로 절(節)의 초기에 경계함이 심히 엄한 것이다.

本義 | 戶庭은 戶外之庭也라 陽剛得正하고 居節之初하여 未可以行하니 能節而止者也라 故其象占如此하니라

'호정(戶庭)'은 호(戶) 밖의 뜰이다. 양강(陽剛)이 정(正)을 얻고 절(節)의 초기에 거하여 행할(갈) 수 없으니, 능히 절제하여 그치는 자이다. 그러므로 그 상(象)과 점(占)이 이와 같은 것이다.

象曰 不出戶庭이나 知通塞也니라

〈상전〉에 말하였다. "호정을 나가지 않으나, 통함과 막힘을 알아야 한다."

傳 | 爻辭는 於節之初에 戒之謹守라 故云不出戶庭則无咎也라하고 象은 恐人之泥於言也라 故復明之云 雖當謹守하여 不出戶庭이나 又必知時之通塞也라하니라 通則行이요 塞則止니 義當出則出矣라 尾生之信[39]〔一无信字〕은 水至不去하니 不知

······

38　上復有應 非能節者也 : 사계(沙溪)는 "초구(初九)가 육사(六四)에 응하니, 이는 밖으로 구하는 것이므로 절제할 수 있는 자가 아닌 것이다." 하였다. 《經書辨疑》

39　尾生之信 : 미생(尾生)은 춘추시대 노(魯)나라 사람으로 다리 밑에서 여인과 만나기로 약속하고는, 큰비가 오는데도 떠나가지 않고 계속 기다리다가 결국 홍수에 떠내려가 죽고 말았다. 이후로 변통할 줄 모르고 작은 약속만을 지키려 함을 미생지신(尾生之信)이라 칭한다.

··· 渝 : 변할 투　塞 : 막힐 색

通塞也라 故君子貞而不諒[40]이라 繫辭所解에 獨以言者[41]는 在人所節은 唯言與行이니 節於言則行可知니 言當在先也라

효사(爻辭)는 절(節)의 초기에 삼가 지킴을 경계하였다. 그러므로 '호정(戶庭)을 나가지 않으면 허물이 없다.'고 하였고, 〈상전〉은 사람들이 말에 집착할까 두려워하였다. 그러므로 다시 밝히기를 '비록 마땅히 삼가 지켜서 호정을 나가지 않아야 하나 또 반드시 때의 통함과 막힘을 알아야 한다.'고 한 것이다. 통하면 가고 막히면 멈춰야 하니, 의리상 나가야 하면 나가는 것이다.

미생(尾生)의 신(信)은 물이 닥쳐오는 데도 떠나가지 않았으니, 이는 통함과 막힘을 알지 못한 것이다. 그러므로 군자는 정고(貞固)함을 지키고 작은 신(信)에 집착하지 않는 것이다. 《계사》의 해석에 오직 말(언어)만 말한 것은 사람에게 있어 절제할 것은 오직 말과 행실이니, 말을 절제하면 행실을 절제함을 알 수 있으니, 말이 마땅히 앞에 있어야 하는 것이다.

九二는 不出門庭이라 凶하니라

구이(九二)는 문정(門庭)을 나가지 않으니 흉하다.

傳 | 二雖剛中之質이나 然處陰居說而承柔하니 處陰은 不正也요 居說은 失剛也요 承柔는 近邪也라 節之道는 當以剛中正이어늘 二失其剛中之德하니 與九五剛中正으로 異矣라 不出門庭은 不之於外也니 謂不從於五也라 二、五非陰陽正應이라 故不相從이라 若以剛中之道相合이면 則可以成節之功이어늘 唯其失德失時라 是以凶也니 不合於五는 乃不正之節也라 以剛中正爲節은 如懲忿窒慾, 損過抑有餘〔一作益不及〕가 是也요 不正之節은 如嗇節於用, 懦節於行이 是也라

이(二)가 비록 강중(剛中)의 자질이나 음위(陰位)에 처하고 기뻐함에 거하고 유

40 君子貞而不諒 : 이 내용은 《논어》 〈위령공(衛靈公)〉에 보이는 공자의 말씀인데, 《집주(集註)》에 "정(貞)은 바르고 견고함이요, 량(諒)은 옳고 그름을 헤아리지 않고 신(信;약속)에만 기필하는 것이다.〔貞, 正而固也; 諒, 則不擇是非而必於信.〕" 하였다.

41 繫辭所解 獨以言者 : 〈계사전 상〉에 "호정을 나가지 않으면 허물이 없다." 하였는데, 공자께서 말씀하시기를 "난(亂)이 일어남은 언어로써 계제(階梯)를 삼는다.〔不出戶庭, 吉. 孔子曰, 亂之所生也, 言語以爲階.〕" 하였으므로 말한 것이다.

••• 諒 : 성실할 량 懲 : 징계할 징 窒 : 막을 질 嗇 : 아낄 색 懦 : 나약할 나

(柔)를 받들고 있으니, 음위에 처함은 바르지 못함이요, 기뻐함에 거함은 강함을 잃은 것이요, 유를 받듦은 사(邪)를 가까이 하는 것이다. 절제하는 방도는 마땅히 강중정(剛中正)을 써야 하는데 이(二)가 강중(剛中)의 덕을 잃었으니, 구오(九五)의 강중정과는 다르다. 문정을 나가지 않는다는 것은 밖에 나가지 않는 것이니, 오(五)를 따르지 않음을 이른다. 이효(二爻)와 오효(五爻)는 음·양의 정응(正應)이 아니기 때문에 서로 따르지 않는 것이다. 만약 강중(剛中)의 도로써 서로 합한다면 절(節)의 공을 이룰 수 있는데, 오직 덕을 잃고 때를 잃었기 때문에 흉한 것이니, 오(五)에게 합하지 않음은 곧 바르지 못한 절제이다. 강중정으로 절제함은 분함을 징계하고 욕심을 막으며 과(過)함을 덜고 유여(有餘)함을 억제하는 것과 같은 것이 이것이요, 바르지 못한 절제는 인색(吝嗇)한 자가 씀을 절약하고 나약한 자가 행실을 절제하는 것과 같은 것이 이것이다.

本義 | 門庭은 門內之庭也라 九二當可行之時하여 而失剛不正하고 上无應與하여 知節而不知通이라 故其象占如此하니라

'문정(門庭)'은 대문 안의 뜰이다. 구이(九二)가 행할 만한 때를 당하여 강(剛)을 잃고 바르지 못하며 위에 응여(應與)가 없어서 절제할 줄만 알고 변통할 줄을 모른다. 그러므로 그 상(象)과 점(占)이 이와 같은 것이다.

象曰 不出門庭凶은 失時가 極也일새라

〈상전〉에 말하였다. "문정을 나가지 않아 흉함은 때를 잃음이 지극하기 때문이다."

傳 | 不能上從九五剛中正之道하여 成節之功하고 乃係於私暱之陰柔하니 是失時之至極이니 所以凶也라 失時는 失其所宜也라

위로 구오(九五)의 강중정(剛中正)한 도(道)를 따라 절제하는 공을 이루지 못하고, 마침내 사사롭고 친한 음유(陰柔)에게 얽매여 있으니, 이는 때를 잃음이 지극한 것이니, 이 때문에 흉한 것이다. 때를 잃음은 마땅한 바를 잃는 것이다.

··· 暱 : 친할 닐

六三은 不節若이면 則嗟若하리니 无咎니라

육삼(六三)은 절제하지 않으면 한탄하리니, 허물할 데가 없다.

本義 | 不節若이라 則嗟若이니

절제하지 못하여 한탄함이니,

傳 | 六三은 不中正하고 乘剛而臨險하니 固宜有咎라 然이나 柔順而和說하니 若能自節而順於義하면 則可以无過요 不然則凶咎必至하리니 可傷嗟也라 故不節若이면 則嗟若이니 己所自致라 无所歸咎也니라

육삼(六三)은 중정(中正)하지 못하며 강(剛)을 타고 험(險)함에 임하였으니, 진실로 마땅히 허물이 있을 것이다. 그러나 유순하고 화열(和說)하니, 만약 능히 스스로 절제하여 의(義)에 순하면 허물이 없을 수 있고, 그렇지 않으면 흉함과 허물이 반드시 이를 것이니, 상심하고 한탄할 만하다. 그러므로 절제하지 않으면 한탄하는 것이니, 자기가 스스로 오게 하였기에 허물을 돌릴 곳이 없는 것이다.

本義 | 陰柔而不中正하여 以當節時하니 非能節者라 故其象占如此하니라

음유(陰柔)로서 중정하지 못하면서 절(節)의 때를 당하였으니, 능히 절제할 수 있는 자가 아니다. 그러므로 그 상(象)과 점(占)이 이와 같은 것이다.

象曰 不節之嗟를 又誰咎也리오

〈상전〉에 말하였다. "절제하지 못한 한탄을 또 누구를 허물하겠는가."

傳 | 節則可以免〔一作无〕過어늘 而不能自節하여 以致可嗟하니 將誰咎乎아

절제하면 허물을 면할 수 있는데 능히 스스로 절제하지 못하여 한탄함을 이루었으니, 장차 누구를 허물하겠는가.

本義 | 此无咎는 與諸爻異하니 言无所歸咎也라

여기의 무구(无咎)는 여러 효(爻)와 다르니, 허물을 돌릴 곳이 없음을 말한 것이다.

••• 嗟 : 탄식할 차

六四는 安節이니 亨하니라

육사(六四)는 절제(節制)에 편안함이니, 형통하다.

본의 | 편안히 행하는 절제이니,

傳 | 四順承九五剛中正之道하니 是는 以中正爲節也니 以陰居陰은 安於正也요 當位는 爲有節之象이라 下應於初하니 四는 坎體로 水也니 水上溢은 爲无節이요 就下는 有節也라 如四之義는 非强節之요 安於節者也라 故能致亨이니 節은 以安爲善이라 强守而不安이면 則不能常이니 豈能亨也리오

사(四)는 구오(九五)의 강중정(剛中正)한 도(道)를 순히 받드니, 이는 중정(中正)함으로써 절제(節制)를 하는 것이니, 음효(陰爻)로서 음위(陰位)에 거함은 정도에 편안함이요 자리에 합당함은 절제가 있는 상(象)이다. 아래로 초(初)와 응하니, 사(四)는 감체(坎體)로 물이니, 물이 위로 넘침은 절제가 없는 것이요, 아래로 내려감은 절제가 있는 것이다. 사(四)와 같은 뜻은 억지로 절제함이 아니요 절제에 편안한 자이다. 그러므로 형통함을 이룰 수 있으니, 절제는 편안함을 선(善)으로 여긴다. 억지로 지키고 편안하지 못하면 항상할 수 없으니, 어찌 형통할 수 있겠는가.

本義 | 柔順得正하고 上承九五하니 自然有節者也라 故其象占如此하니라

유순하면서 정(正)을 얻고 위로 구오(九五)를 받드니, 자연스럽게 절제가 있는 자이다. 그러므로 그 상(象)과 점(占)이 이와 같은 것이다.

象曰 安節之亨은 承上道也라

〈상전〉에 말하였다. "안절(安節)의 형통함은 위의 도를 받들기 때문이다."

傳 | 四能安節之義非一이어늘 象에 獨擧其重者는 上承九五剛中正之道하여 以爲節하니 足以亨矣요 餘善이 亦不出於中正也일새라

사(四)가 절제에 편안한 뜻이 한 가지가 아닌데 〈상전〉에 홀로 중한 것을 든 것은, 위로 구오(九五)의 강중정(剛中正)한 도를 받들어 절제하니 형통할 수 있고, 나머지 선(善)도 중정에서 벗어나지 않기 때문이다.

九五는 甘節이라 吉하니 往하면 有尙하리라

구오(九五)는 감미로운 절제이다. 길하니 가면 가상한 일이 있으리라.

本義 | 往有尙하리라

감에 가상한 일이 있으리라.

傳 | 九五 剛中正으로 居尊位하여 爲節之主하니 所謂當位以節, 中正以通者也라 在己則安行이요 天下則說從이니 節之甘美者也니 其吉可知라 以此而行이면 其功大矣라 故往則有可嘉尙也라

구오(九五)가 강중정(剛中正)으로 존위(尊位)에 거하여 절(節)의 주체가 되었으니, 이른바 '자리에 합당하여 절제하고 중정하여 통한다.'는 것이다. 자신에 있어서는 편안히 행하고 천하는 기뻐하여 따르니, 절제함의 감미롭고 아름다운 자이니, 그 길함을 알 수 있다. 이러한 방법으로 행하면 그 공(功)이 크므로 가면 가상할 만한 일이 있는 것이다.

本義 | 所謂當位以節, 中正以通者也라 故其象占如此하니라

이른바 '자리에 합당하여 절제하고 중정(中正)하여 통한다.'는 것이다. 그러므로 그 상(象)과 점(占)이 이와 같은 것이다.

象曰 甘節之吉은 居位中也일새라

〈상전〉에 말하였다. "감미로운 절제의 길함은 처한 자리가 중(中)이기 때문이다."

傳 | 旣居尊位하고 又得中道하니 所以吉而有功이라 節은 以中爲貴하니 得中則正矣로되 正不能盡中也라

이미 존위(尊位)에 거하고 또 중도(中道)를 얻었으니, 이 때문에 길하여 공(功)이 있는 것이다. 절제함은 중을 귀하게 여기니, 중을 얻으면 정(正)이 되지만 정이 모두 중하지는 못하다.

上六은 苦節이니 貞이면 凶하고 悔면 亡하리라
상육(上六)은 괴로운 절제이니, 정고(貞固)히 지키면 흉하고, 뉘우쳐 고치면 흉함이 없어지리라.

本義 | 貞이라도 凶하나 悔亡하리라
바르더라도 흉하나 뉘우침이 없어지리라.

傳 | 上六이 居節之極하니 節之苦者也요 居險之極하니 亦爲苦義라 固守則凶이요 悔則凶亡이니 悔는 損過從中之謂也라 節之悔亡은 與他卦之悔亡으로 辭同而義異也[42]라

상육(上六)이 절(節)의 극에 거하였으니 절제함이 괴로운 자이며, 험(險)의 극에 거하였으니 또한 괴로운 뜻이 된다. 굳게 지키면 흉하고 뉘우치면 흉함이 없어질 것이니, '회(悔)'는 과(過)함을 덜어 중(中)을 따름을 이른다. 절괘(節卦)의 회망(悔亡)은 다른 괘의 회망(뉘우침이 없어짐)과 말은 같으나 뜻은 다르다.

本義 | 居節之極이라 故爲苦節이요 旣處過極이라 故雖得正而不免於凶이라 然禮奢寧儉이라 故雖有悔而終得亡之也라

절(節)의 극에 거하였으므로 고절(苦節)이 되고, 이미 과극(過極)에 처하였으므로 비록 정(正)을 얻어도 흉함을 면치 못하는 것이다. 그러나 예(禮)는 사치하기보다는 차라리 검소하여야 하므로 비록 뉘우침이 있으나 끝내 없어질 수 있는 것이다.

象曰 苦節貞凶은 其道窮也일새라
〈상전〉에 말하였다. "'고절정흉(苦節貞凶)'은 그 도가 궁극하기 때문이다."

傳 | 節旣苦而貞固守之則凶이니 蓋節之道 至於窮極矣라

······

42 節之悔亡……辭同而義異也 : 회망(悔亡)을 다른 괘에서는 본래 뉘우침이 없어지는 것으로 해석하였으나 여기서는 뉘우쳐 고치면 흉함이 없어지는 것으로 해석하였다. 그러나 《본의》에는 다른 괘와 똑같이 해석하였다.

··· 奢 : 사치할 사 寧 : 차라리 녕

절제함이 이미 괴로운데 정고(貞固)히 이를 지키면 흉하니, 이는 절제하는 도가 궁극함에 이른 것이다.

61 풍택 風澤 중부(中孚) ䷼ 태하손상 兌下巽上

傳 | 中孚는 序卦에 節而信之라 故受之以中孚라하니라 節者는 爲之制節하여 使不得過越也라 信而後能行이니 上能信守之면 下則信從之니 節而信之也니 中孚所以次節也라 爲卦 澤上有風하니 風行澤上而感于水中은 爲中孚之象이니 感은 謂感而動也라 內外皆實而中虛는 爲中孚之象이요 又二、五皆陽〔一有而字〕中實은 亦爲孚義라 在二體則中實이요 在全體則中虛니 中虛는 信之本이요 中實은 信之質[43]이라

중부괘(中孚卦)는 〈서괘전〉에 "절제하여 믿게 한다. 그러므로 중부괘로 받았다." 하였다. 절(節)은 절제하여 지나치지 않게 하는 것이다. 믿은 뒤에 행할 수 있으니, 위에서 믿고 지키면 아래가 믿고 따르니, 절제하여 믿게 함이니, 중부괘가 이 때문에 절괘(節卦 ䷻)의 다음이 된 것이다. 괘됨이 못 위에 바람이 있으니, 바람이 못 위에 스쳐가서 물속을 감동시킴은 중부의 상이 되니, '감(感)'은 감촉하여 동함을 이른다. 안과 밖이 모두 실(實)하고 가운데가 비어 있음은 중부의 상이 되고, 또 이효(二爻)와 오효(五爻)가 모두 양이어서 중(中)이 실(實)함은, 또한 부신(孚信)의 뜻이 된다. 두 체에 있으면 중이 실하고 전체에 있으면 중이 허(虛)하니, 중이 허함은 신(信)의 근본이요 중이 실함은 신의 바탕이다.

中孚는 豚魚면 吉하니 利涉大川하고 利貞하니라

중부(中孚)는 믿음이 돼지와 물고기에 미치면 길하니, 대천을 건넘이 이롭고 정(貞)함이 이롭다.

······

43 中虛信之本 中實信之質 : 중허(中虛)와 중실(中實)에 대하여 주자(朱子)는 "일이 없을 때에 마음이 비어 아무런 사물이 없기 때문에 중허라고 말한 것이니, 만일 사물이 있다면 중허라고 말할 수 없다. 그리고 중허의 가운데에서 나오면 모두 진실한 이치이기 때문에 중실이라고 말한 것이다." 하였으며, 또 "한번 생각하는 사이에 사사로이 주장함이 없는 것을 허(虛)라 이르고, 일을 함에 모두 진실하여 망령되지 않은 것을 실(實)이라 한다." 하였다. 중부괘는 전체로 보면 이허중(離虛中)의 상이 되고, 상·하 두 체로 보면 구이와 구오가 중실의 상이 된다.

··· 孚 : 믿을 부, 성실할 부 豚 : 돼지 돈

傳 | 豚躁魚冥하니 物之難感者也라 孚信이 能感於豚魚면 則无不至矣니 所以吉也라 忠信은 可以蹈水火하니 況涉川乎아 守信之道는 在乎堅正이라 故利於貞也라

돼지는 조급하고 물고기는 어두우니(미련하니), 물건 중에 감동시키기 어려운 자이다. 부신(孚信)이 능히 돼지와 물고기를 감동시키면 지극하지 않음이 없는 것이니, 이 때문에 길한 것이다. 충신(忠信)은 물과 불 속에도 뛰어들 수 있으니, 하물며 냇물을 건넘에랴. 부신을 지키는 도(道)는 견고하고 바름에 있으므로 정(貞)함이 이로운 것이다.

本義 | 孚는 信也라 爲卦 二陰在內하고 四陽在外하며 而二、五之陽이 皆得其中하니 以一卦言之하면 爲中虛요 以二體言之하면 爲中實이니 皆孚信之象也라 又下說以應上하고 上巽以順下하니 亦爲孚義라 豚魚는 无知之物이며 又木在澤上하고 外實內虛하니 皆舟楫之象이라 至信은 可感豚魚라 涉險難而不可以失其貞이라 故占者能致豚魚之應이면 則吉而利涉大川이요 又必利於貞也라

부(孚)는 신(信:부신, 성신(誠信))이다. 괘됨이 두 음효가 안에 있고 네 양효가 밖에 있으며, 이효(二爻)와 오효(五爻)의 양(陽)이 모두 중(中)을 얻었으니, 한 괘로 말하면 중허(中虛)가 되고 두 체(體)로 말하면 중실(中實)이 되니, 모두 부신(孚信)의 상(象)이다. 또 아래가 기뻐하여 위에 응하고 위가 손순(巽順)하여 아래에 순하니, 또한 부신의 뜻이 된다. 돼지와 물고기는 무지(無知)한 물건이며 또 나무가 못 위에 있고 밖이 실(實)하고 안이 허(虛)하니, 모두 주즙(舟楫)의 상이다. 지극한 신(信)은 돼지와 물고기를 감동시킬 수 있다. 험난함을 건널 때에 정(貞)함을 잃어서는 안 된다. 그러므로 점치는 자가 능히 돼지와 물고기의 응함을 이루면 길하고 대천(大川)을 건넘이 이로우며, 또 반드시 정(貞)함이 이로운 것이다.

彖曰 中孚는 柔在內而剛得中할새니

〈단전〉에 말하였다. "중부(中孚)는 유(柔)가 안에 있고 강(剛)이 중(中)을 얻었기 때문이니,

傳| 二柔在內하여 中虛는 爲誠之象이요 二剛得上下體之中[44]하여 中實은 爲孚之象이니 卦所以爲中孚也라

두 유효(柔爻)가 안에 있어 중(中)이 허(虛)함은 성신(誠信)의 상(象)이 되고, 두 강효(剛爻)가 상체(上體)와 하체(下體)의 중(中)을 얻어 중이 실(實)함은 부신(孚信)의 상(象)이 되니, 괘를 이 때문에 중부(中孚)라 한 것이다.

說而巽할새 孚乃化邦也니라

기뻐하고 공손하기에 부신(孚信)이 마침내 나라를 감화시키는 것이다.

傳| 以二體로 言卦之用也라 上巽下說은 爲上至誠以順巽於下요 下有孚以說從其上이니 如是면 其孚乃能化於邦國也라 若人不說從하고 或違拂事理면 豈能化天下乎아

두 체(體)로써 괘의 용(用)을 말하였다. 위가 손(巽)이고 아래가 열(說)인 것은 윗사람이 지성으로 아랫사람에게 손순(巽順)하고 아랫사람이 부신(孚信)이 있어 윗사람을 기뻐하여 따름이 되니, 이와 같이 하면 그 부신이 마침내 능히 나라를 감화시킬 수 있다. 만약 사람이 기뻐하여 따르지 않고 혹 사리(事理)를 어긴다면 어찌 천하를 감화시키겠는가.

本義| 以卦體卦德으로 釋卦名義라

괘체(卦體)와 괘덕(卦德)으로써 괘명(卦名)의 뜻을 해석하였다.

豚魚吉은 信及豚魚也요

돈어(豚魚)에 미쳐 길함은 부신이 돼지와 물고기에게 미친 것이요,

傳| 信能及於豚魚면 信道至矣니 所以吉也라

••••••

44 二柔在內……二剛得上下體之中 : 이유(二柔)는 육삼(六三)과 육사(六四)의 두 음효(陰爻)를 가리키며, 이강(二剛)은 하체(下體)의 중(中)인 구이(九二)와 상체(上體)의 중인 구오(九五)를 가리킨 것이다.

••• 拂 : 어길 불

부신이 능히 돼지와 물고기에게 미치면 부신의 도가 지극하니, 이 때문에 길한 것이다.

利涉大川은 **乘木**하고 **舟虛也**요
대천을 건넘이 이로움은 나무배를 타고 배가 비어 있기 때문이요,

傳 | 以中孚〔一作虛〕涉險難이면 其利如乘木濟川而以虛舟也라 舟虛〔一有中字〕則无沈覆之患〔一无之患二字〕하니 卦虛中이 爲虛舟之象이라
중부(中孚)로 험난함을 건너면 그 이로움이 마치 나무로 만든 배를 타고 냇물을 건너는데 빈 배를 쓰는 것과 같은 것이다. 배가 비면 침몰하거나 전복하는 화(禍)가 없으니, 괘에 중(中)이 허(虛)함은 배가 비어 있는 상(象)이 된다.

本義 | 以卦象言이라
괘상(卦象)으로써 말하였다.

中孚하고 **以利貞**이면 **乃應乎天也**리라
중심이 믿고(진실하고) 이정(利貞)으로 하면 마침내 하늘에 응하리라."

傳 | 中孚而貞이면 則應乎天矣니 天之道는 孚貞而已니라
중심이 믿고 정(貞)하면 하늘에 응하니, 하늘의 도는 믿음과 바름〔貞〕 뿐이다.

本義 | 信而正이면 則應乎天矣라
믿고 바르면 하늘에 응하리라.

象曰 澤上有風이 **中孚**니 **君子以**하여 **議獄**하며 **緩死**하나니라
〈상전〉에 말하였다. "못 위에 바람이 있음이 중부(中孚)이니, 군자가 보고서 옥사를 의논하며 죽임을 늦춘다.(관대히 한다.)"

傳 | 澤上有風이면 感于澤中이니 水體虛故로 風能入之하고 人心虛故로 物能感

··· 沈 : 잠길 침

之니 風之動乎澤은 猶物之感于中이라 故爲中孚之象이라 君子觀其象하여 以議獄與緩死하나니 君子之於議獄에 盡其忠而已요 於決死에 極於惻而已라 故誠意常求於緩하나니 緩은 寬也라 於天下之事에 无所不盡其忠이로되 而議獄緩死 最其大者也라

못 위에 바람이 있으면 못 가운데를 감동시키니, 물의 체(體)가 비어 있기 때문에 바람이 들어가고, 사람의 마음이 비어 있기 때문에 사물이 감동시키는 것이니, 바람이 못을 감동시킴은 사물이 사람의 심중(心中)을 감동시킴과 같다. 그러므로 중부(中孚)의 상(象)이 된 것이다. 군자가 그 상(象)을 보고서 옥사를 의논하고 죽임을 늦추니, 군자가 옥사를 의논함에는 충(忠:성심)을 다할 뿐이요, 사형(死刑)을 결단함에는 측은한 마음을 지극히 할 뿐이다. 그러므로 성의(誠意)로 항상 늦추어 관대히 하기를 구하니, '완(緩)'은 관대함이다. 천하의 일에 있어 충을 다하지 않는 바가 없으나 옥사를 의논함과 죽임을 늦춤은 그 중에 가장 큰 것이다.

本義 | 風感水受는 中孚之象이요 議獄緩死는 中孚之意라

바람이 감동시킴에 물이 받아들임은 중부(中孚)의 상(象)이요, 옥사를 의논하고 죽임을 늦춤은 중부의 뜻이다.

初九는 虞하면 吉하니 有他면 不燕하리라

초구(初九)는 〈믿을 바를〉 헤아리면 길하니, 딴 마음을 두면 편안하지 못하리라.

傳 | 九當中孚之初라 故戒在審其所信이라 虞는 度(탁)也니 度其可信而後從也라 雖有至信이나 若不得其所면 則有悔咎라 故虞度而後信則吉也라 旣得所信이면 則當誠一이니 若有他면 則不得其燕安矣리라 燕은 安裕也요 有他는 志不定也니 人志不定이면 則惑而不安이라 初與四爲正應이니 四巽體而居正하여 无不善也로되 爻以謀始之義大라 故不取相應之義하니 若用應이면 則非虞也라

구(九)가 중부(中孚)의 초(初)를 당하였으므로 경계함이 믿을 바를 살핌에 있는 것이다. '우(虞)'는 헤아림이니, 믿을 만한 사람을 헤아린 뒤에 따르는 것이다. 비록 지극한 믿음이 있으나 만약 제자리를 얻지 못하면 뉘우침과 허물이 있을 것이

••• 虞 : 헤아릴 우 燕 : 편안할 연 裕 : 넉넉할 유

다. 그러므로 헤아린 뒤에 믿으면 길한 것이다. 이미 믿을 바를 얻었으면 마땅히 정성스럽고 한결같이 믿어야 하니, 만약 딴 마음을 두면 편안함을 얻지 못할 것이다.

'연(燕)'은 안유(安裕)함이요 '유타(有他)'는 마음이 정해지지 못한 것이니, 사람의 마음이 정해지지 못하면 의혹하여 편안하지 못하다. 초(初)는 사(四)와 정응(正應)이니, 사(四)는 손체(巽體)로서 정(正)에 거하여 불선(不善)함이 없으나 이 효(爻)가 시작(처음)을 도모하는 뜻이 크므로 서로 응하는 뜻을 취하지 않았으니, 만약 응을 쓴다면(따른다면) 헤아림이 아니다.

本義 | 當中孚之初하여 上應六四하니 能度其可信而信之면 則吉이요 復有他焉이면 則失其所以度之之正하여 而不得其所安矣니 戒占者之辭也라

중부(中孚)의 초(初 ; 처음, 시작)를 당하여 위로 육사(六四)와 응하니, 그 믿을 만한 사람을 헤아려 믿으면 길할 것이요, 다시 딴 마음을 두면 헤아림의 바름을 잃어 편안한 바를 얻지 못할 것이니, 점치는 자를 경계한 말이다.

象曰 初九虞吉은 志未變也일새라

〈상전〉에 말하였다. "초구가 헤아리면 길함은 뜻이 아직 변치 않았기 때문이다."

傳 | 當信之始하여 志〔一无之字〕未有所存하여 而虞度所信이면 則得其正이라 是以吉也니 蓋其志未有變動이라 志有所從이면 則是變動이니 虞之不得其正矣라 在初일새 言求所信之道也라

믿는 초기를 당하여 뜻이 아직 둔 바가 없으면서 믿을 바를 헤아리면 바름을 얻는다. 이 때문에 길하니, 그 뜻이 아직 변동함이 있지 않은 것이다. 뜻이 따르는 바가 있으면 이는 변동하는 것이니, 헤아림에 바름을 얻지 못한다. 초(初)에 있기 때문에 믿을 바를 구하는 도리를 말한 것이다.

九二는 鳴鶴이 在陰이어늘 其子和之로다 我有好爵하여 吾與爾靡

··· 爵 : 벼슬 작 靡 : 맬 미, 연연할 미

之[45] 하노라

구이(九二)는 우는 학(鶴)이 음지에 있는데 그 새끼가 화답하도다. 내가 좋은 벼슬을 두어 내 그대와 함께 이에 매어 있노라.

傳 | 二剛實於中은 孚之至者也니 孚至則能感通이라 鶴鳴於幽隱之處면 不聞也로되 而其子相應和하나니 中心之願이 相通也라 好爵我有면 而彼亦係慕는 說好爵之意同也요 有孚於中에 物无不應은 誠同故也라 至誠은 无遠近幽深之間이라 故繫辭云 善則千里之外應之요 不善則千里違之라하니 言誠通也라 至誠感通之理는 知道者爲能識之니라

이(二)가 중(中)에 강(剛)하고 실(實)함은 부신(孚信)이 지극한 자이니, 부신이 지극하면 감통(感通)한다. 어미 학(鶴)이 유은(幽隱)한 곳(웅덩이)에서 울면 소리가 들리지 않으나 그 새끼는 서로 응하여 화답하니, 중심의 원함이 서로 통해서이다. 좋은 벼슬을 내(군주)가 가지고 있으면 저 현자(賢者) 또한 계모(係慕:연모)함은 좋은 벼슬을 좋아하는 뜻이 같기 때문이요, 마음속에 부신이 있음에 물건이 응하지 않음이 없음은 정성이 같기 때문이다. 지성(至誠)은 원근(遠近)과 유심(幽深)의 간격이 없다. 그러므로 〈계사전 상〉에 "말이 선(善)하면 천 리 밖에서도 응하고, 말이 선하지 못하면 천 리 밖에서도 떠나간다." 하였으니, 정성이 통함을 말한 것이다. 지성으로 감통하는 이치는 도(道)를 아는 자만이 알 수 있는 것이다.

本義 | 九二 中孚之實이어늘 而九五亦以中孚之實應之라 故有鶴鳴子和, 我爵爾靡之象이라 鶴在陰은 謂九居二요 好爵은 謂得中이요 靡는 與縻同이라 言懿德은 人之所好라 故好爵이 雖我之所獨有나 而彼亦繫戀之也라

구이(九二)가 중부(中孚)의 실(實)인데 구오(九五) 역시 중부의 실로 응한다. 그러므로 어미 학이 욺에 새끼가 화답하고 나의 벼슬을 그대가 연모하는 상(象)이 있는 것이다. 학이 음지에 있다는 것은 구(九)가 이(二)에 거함을 이르고, 좋은 벼

45 我有好爵 吾與爾靡之 : 정자와 주자 모두 군주가 좋은 벼슬을 소유하고 있으면 어진 신하가 그 벼슬을 담당하여 큰 업적을 이룰 것을 생각하는 것으로 해석하였다. 여기에서 좋은 벼슬이란 중요한 권력을 말한 것이 아니요, 조선조의 삼사(三司)와 같은 청요직(淸要職)을 이른다.

··· 係 : 맬 계 縻 : 맬 미 戀 : 그리워할 련

슬은 중(中)을 얻음을 이르고, '미(靡)'는 미(縻;매어 있음)와 같다. 아름다운 덕은 사람이 좋아하는 바이므로 좋은 벼슬이 비록 내가 홀로 가지고 있으나 저 현자(賢者) 또한 계련(繫戀;연모)함을 말한 것이다.

象曰 其子和之는 中心願也라

〈상전〉에 말하였다. "그 새끼가 화답함은 중심에 원해서이다."

傳 | 中心願은 謂誠意所願也라 故通而相應이라

중심에 원함은 정성스러운 뜻으로 소원함을 이른다. 그러므로 통하여 서로 응(應)하는 것이다.

六三은 得敵하여 或鼓, 或罷(파), 或泣, 或歌로다

육삼(六三)은 적(敵;상대방)을 얻어서 혹 북치고 혹 그만두며, 혹 울고 혹 노래하도다.

傳 | 敵은 對敵也니 謂所交孚者니 正應上九是也라 三、四皆以虛中爲成孚之主나 然所處則異라 四는 得位居正이라 故亡匹以從上하고 三은 不中失正이라 故得敵以累志〔一作心〕라 以柔說之質로 旣有所係하니 唯所信是從하여 或鼓張, 或罷廢하고 或悲泣, 或歌樂하니 動息憂樂이 皆係乎所信也라 唯係所信故로 未知吉凶이라 然非明達君子之所爲也니라

'적(敵)'은 대적(상대)이니, 서로 믿는 자를 이르는바, 정응(正應)인 상구(上九)가 이것이다. 삼효(三爻)와 사효(四爻)가 다 허중(虛中)으로 부신(孚信)을 이룬 주체가 되었으나 처한 바가 다르다. 사(四)는 제자리를 얻고 정(正)에 거하였으므로 짝을 잃어 위를 따르고, 삼(三)은 중하지 못하고 정(正)을 잃었으므로 짝을 얻어 뜻을 매어두는 것이다. 유열(柔說)의 자질로 이미 매어 있는 바가 있으니, 오직 믿는 바를 따라서 혹 북을 쳐 풍악을 펼치기도 하고 혹 그만두기도 하며 혹 슬피 울기도 하고 혹 노래하며 즐거워하기도 하니, 동하고 쉬며 근심하고 즐거워함이 모두 믿는 바에 매어 있다. 오직 믿는 바에 매어 있으므로 길·흉을 알지 못하는 것이다. 그러나 밝고 통달한 군자의 행하는 바는 아니다.

··· 鼓 : 북칠 고 罷 : 그만둘 파

本義 | 敵은 謂上九니 信之窮者라 六三은 陰柔不中正하여 以居說極하여 而與之爲應이라 故不能自主하여 而其象如此하니라

'적(敵)'은 상구(上九)를 이르니, 믿기를 궁극히 하는 자이다. 육삼(六三)은 음유(陰柔)로 중정(中正)하지 못하면서 열(說)의 극에 거하여 상구와 응이 되기 때문에 스스로 주장하지 못하여 그 상(象)이 이와 같은 것이다.

象曰 或鼓, 或罷는 位不當也일새라

〈상전〉에 말하였다. "혹 북치고 혹 그만둠은 자리가 합당하지 않기 때문이다."

傳 | 居不當位라 故无所主하고 唯所信是從하니 所處得正이면 則所信有方矣리라

거함이 자리에 합당하지 않기 때문에 주장하는 바가 없고 오직 믿는 바를 따르니, 처한 바가 정(正)을 얻었으면 믿는 것이 방도가 있을 것이다.

六四는 月幾望[46]이니 馬匹이 亡하면 无咎리라

육사(六四)는 달이 기망(幾望)이니, 말의 짝이 없어지면 허물이 없으리라.

本義 | 月幾望이요 馬匹이 亡이니

달이 기망(幾望)이고 마필(馬匹)이 없어짐이니,

傳 | 四爲成孚之主하고 居近君之位하여 處得其正而上信之至〔一作位〕하니 當孚之任者也라 如月之幾望은 盛之至也라 已望則敵矣니 臣而敵君이면 禍敗必至라 故以幾望爲至盛이라 馬匹亡은 四與初爲正應하니 匹也라 古者에 駕車用四馬하니 不能備純色이면 則兩服兩驂[47]이 各一色이요 又小大必相稱이라 故兩馬爲匹이니 謂對也라 馬者는 行物也니 初上應四하고 而四亦進從五하여 皆上行이라 故以馬

46 月幾望 : 기망(幾望)은 보름이 가까운 것으로 음력 14일을 가리키며 15일은 망(望), 16일은 기망(旣望)이라 한다. 망(望)은 해와 달이 서로 바라본다 하여 보름을 일컫게 되었다.

47 兩服兩驂 : 옛날 수레를 네 마리의 말이 끌었는바, 중앙에 있는 두 말을 복마(服馬)라 하고, 바깥쪽에 있는 두 말을 참마(驂馬)라 하였다.

··· 累 : 얽매일 루 駕 : 멍에 가 服 : 가운데말 복 驂 : 곁말 참

爲象이라 孚道在一하니 四旣從五하고 若復下係於初면 則不一而害於孚니 爲有咎矣라 故馬匹亡則无咎也니 上從五而不係於初는 是亡其匹也라 係初則不進하여 不能成孚之功也라

사(四)가 부(孚)를 이룬 주체가 되고 군주와 가까운 자리에 거하여 처함이 그 바름을 얻고 위가 믿기를 지극히 하니, 부신(孚信)의 임무를 담당한 자이다. 달이 보름에 가까움과 같음은 성(盛)함이 지극한 것이다. 이미 보름이 되면 맞서니, 신하로서 군주에게 맞서면 화패(禍敗)가 반드시 이른다. 그러므로 기망(幾望)을 지극히 성함으로 삼는 것이다. '마필망(馬匹亡)'은 사(四)가 초(初)와 정응이 되니 짝이다. 옛날에 수레를 멍에할 적에 말 네 마리를 썼으니, 순수한(똑같은) 색깔을 구비하지 못하면 두 복마(服馬 ; 중앙에 있는 두 말)와 두 참마(驂馬 ; 양곁에 있는 두 말)를 각기 한 색깔로 하고, 또 크기를 반드시 서로 맞추었다. 그러므로 말 두 마리를 필(匹)이라 하니, 상대[對]를 이른다. 말[馬]은 가는 물건이니 초(初)가 위로 사(四)에 응하고, 사(四) 또한 나아가 오(五)를 따라 모두 위로 가기 때문에 말을 상(象)으로 삼은 것이다.

부신(孚信)의 도(道)는 전일(專一)함에 있으니, 사(四)가 이미 오(五)를 따르고 만약 다시 아래로 초(初)에 매어 있으면 전일하지 못하여 부신을 해치니, 허물이 있음이 된다. 그러므로 말의 짝이 없어지면 허물이 없는 것이니, 위로 오(五)를 따르고 초에 얽매이지 않으면 이는 그 짝을 잃는 것이다. 초에 매어 있으면 나아가지 못하여 부신의 공을 이루지 못한다.

本義 | 六四居陰得正하고 位近於君하여 爲月幾望之象이라 馬匹은 謂初與己爲匹이니 四乃絶之而上하여 以信於五라 故爲馬匹亡之象이니 占者如是면 則无咎也라

육사(六四)가 음위(陰位)에 거하여 정(正)을 얻고 자리가 군주와 가까워 '월기망(月幾望)'의 상(象)이 된다. '마필(馬匹)'은 초(初)가 자기와 짝이 됨을 이르니, 사(四)가 마침내 초(初)를 끊고 올라가서 오(五)를 믿기 때문에 '마필망(馬匹亡)'의 상이 된 것이니, 점치는 자가 이와 같이 하면 허물이 없다.

象曰 馬匹亡은 絶類하여 上也라

〈상전〉에 말하였다. "'마필망(馬匹亡)'은 동류를 끊고서 위로 올라가는 것이다."

傳 | 絶其類而上從五也니 類는 謂〔一作相〕應也라

그 동류를 끊고 위로 오(五)를 따름이니, '류(類)'는 응을 이른다.

九五는 有孚攣如면 无咎리라

구오(九五)는 믿음(부신)이 있음이 잡아당기듯 하면 허물이 없으리라.

本義 | 有孚攣如니 无咎니라

믿음이 있음이 잡아당기듯 함이니, 허물이 없다.

傳 | 五居君位하니 人君之道는 當以至誠感通天下하여 使天下之心信之하여 固結이 如拘攣然이면 則爲无咎也라 人君之孚 不能使天下固結如是면 則億兆之心이 安能保其不離乎아

오(五)가 군위(君位)에 거하였으니, 인군의 도리는 마땅히 지성으로 천하를 감통(感通)시켜 천하의 마음으로 하여금 믿게 하여 굳게 맺음이 잡아당기듯이 하면 허물이 없는 것이다. 인군의 부신(孚信)이 천하의 사람들로 하여금 굳게 맺음이 이와 같게 하지 못한다면 억조의 마음이 떠나지 않음을 어찌 보장하겠는가.

本義 | 九五剛健中正하여 中孚之實而居尊位하니 爲孚之主者也요 下應九二하여 與之同德이라 故其象占如此하니라

구오(九五)가 강건하고 중정하여 중부(中孚)의 실(實)함으로 존위(尊位)에 거하였으니 부신(孚信)의 주체가 된 자이며, 아래로 구이(九二)에 응하여 더불어 덕이 같기 때문에 그 상(象)과 점(占)이 이와 같은 것이다.

象曰 有孚攣如는 位正當也일새라

〈상전〉에 말하였다. "'유부연여(有孚攣如)'는 자리가 바로 합당하기 때문이다."

••• 攣 : 맬 련

傳 | 五居君位之尊하고 由中正之道하여 能使天下信之를 如拘攣之固라야 乃稱其位니 人君之道 當如是也라

오(五)가 군위(君位)의 높음에 거하고 중정(中正)의 도(道)를 행하여 천하로 하여금 믿게 하기를 잡아당기듯이 굳게 하여야 비로소 그 자리에 걸맞으니, 인군의 도리가 마땅히 이와 같아야 한다.

上九는 翰音이 登于天이니 貞하여 凶하도다

상구(上九)는 한음(翰音)이 하늘로 올라가니, 정고(貞固)하여 흉하도다.

本義 | 貞이라도 凶하니라

바르더라도 흉하다.

傳 | 翰音者는 音飛而實不從[48]이라 處信之終하니 信終則衰하나니 忠篤內喪하고 華美外颺이라 故云翰音登天이라하니 正亦滅矣라 陽性上進하고 風體飛颺이라 九居中孚之時하여 處於最上하니 孚於上進而不知止者也라 其極이 至於羽翰之音이 登聞于天하니 貞固於此而不知變이면 凶可知矣라 夫子曰 好信不好學이면 其蔽也賊[49]이라하시니 固守而不通之謂也라

'한음(翰音)'은 소리만 날고 실제는 따르지 않는 것이다. 신(信)의 종(終)에 처하였으니, 신이 끝나면 쇠하니, 충신(忠信)이 안에 상실되고 화려함과 아름다움이 밖에 드날리므로 한음이 하늘로 올라간다고 말하였으니, 바름〔正〕 또한 멸한 것이다. 양(陽)의 성질은 위로 나아가고 바람의 체(體)는 비양(飛颺)한다. 구(九)가 중부(中孚)의 때에 거하여 가장 윗자리에 처하였으니, 위로 나아감에 성실하여 그칠 줄을 모르는 자이다. 그 지극함이 우한(羽翰:깃털)의 소리가 하늘에 올라가 들림에 이르니, 이에 정고(貞固)하여 변통할 줄 모르면 흉함을 알 수 있다. 부자(夫子)께서 말씀하시기를 "신(信)만 좋아하고 배우기를 좋아하지 않으면 그 가리움이 해치게

••••••

48 翰音者 音飛而實不從:《예기》〈곡례〉에 닭을 한음(翰音)이라 하였는바, 그 주(註)에 "한(翰)은 길이니, 닭이 살찌면 우는 소리가 길다." 하여 《정전》과 해석이 다르며, 《본의》에는 "닭을 한음이라 한다." 하였으나 그 이유는 밝히지 않았다.

49 夫子曰 好信不好學 其蔽也賊:적(賊)은 해치는 것으로, 이 내용은 《논어》〈양화(陽貨)〉에 보인다.

••• 拘:당길 구 翰:날개 한 颺:날릴 양

된다.” 하셨으니, 굳게 지키기만 하고 변통하지 못함을 이른 것이다.

本義｜ 居信之極而不知變하니 雖得其貞이나 亦凶道也라 故其象占如此하니라 鷄曰翰音이니 乃巽之象이요 居巽之極하니 爲登于天이라 鷄非登天之物이어늘 而欲登天하니 信非所信而不知變이 亦猶是也라

신(信)의 극에 거하여 변통할 줄을 모르니, 비록 정(貞)을 얻더라도 흉한 도이다. 그러므로 그 상(象)과 점(占)이 이와 같은 것이다. 닭을 ‘한음(翰音)’이라고 하니 닭은 바로 손(巽)의 상이요, 손의 극에 처하였으니 하늘에 오름이 된다. 닭은 하늘에 오르는 물건이 아닌데 하늘에 오르고자 하니, 믿을 바가 아닌 것을 믿어 변통할 줄을 모름이 또한 이와 같은 것이다.

象曰 翰音登于天이니 何可長也리오

〈상전〉에 말하였다. “한음(翰音)이 하늘에 오르니, 어찌 장구하리오.”

傳｜ 守孚하여 至於窮極而不知變하니 豈可長久也리오 固守而〔一无而字〕不通하니 如是則凶也라

부신(孚信)을 지켜 궁극함에 이르러도 변통할 줄 모르니, 어찌 장구하겠는가. 굳게 지켜 변통하지 못하니, 이와 같이 하면 흉하다.

62 뢰산 雷山 소과(小過) ䷽ 간하진상 艮下震上

傳 | 小過는 序卦에 有其信者는 必行之라 故受之以小過라하니라 人之所信則必行이요 行則過也니 小過所以繼中孚也라 爲卦 山上有雷하니 雷震於高면 其聲過常이라 故爲小過라 又陰居尊位하고 陽失位而不中하니 小者過其常也라 蓋爲小者過요 又爲小事過요 又爲過之小라

소과괘(小過卦)는 〈서괘전〉에 "부신(孚信)이 있는 자는 반드시 행하므로 소과괘로 받았다." 하였다. 사람이 믿는 바에는 반드시 행하고 행하면 넘치니, 소과괘가 이 때문에 중부괘(中孚卦 ䷼)를 이은 것이다. 괘됨이 산(山) 위에 우레가 있으니, 우레가 높은 곳에서 진동하면 그 소리가 보통을 넘는다. 그러므로 소과(小過)라 한 것이다. 또 음(陰)이 존위(尊位)에 거하였고, 양(陽)이 지위를 잃고 중(中)하지 못하니, 작은 것(음)이 보통을 넘는 것이다. 작은 것이 과함이 되고, 또 작은 일이 과함이 되고, 또 과함이 작음이 된다.

小過는 亨하니 利貞하니

소과(小過)는 형통하니, 정(貞)함이 이로우니,

傳 | 過者는 過其常也라 若矯枉而過正하니 過는 所以就正也라 事有時而當然하여 有待過而後能亨者라 故小過自有亨義라 利貞者는 過之道利於貞也니 不失時宜之謂正이니라

'과(過)'는 보통을 넘는 것이다. 굽은 것을 바로잡음에 바름을 과하게 함과 같으니, 과하게 함은 바름에 나아가는 것이다. 일은 때에 당연함이 있어 과하게 함을 기다린 뒤에 형통할 수 있는 경우가 있다. 그러므로 소과(小過)에 본래 형통할 뜻이 있는 것이다. '이정(利貞)'은 과하게 하는 방도는 정(貞)함이 이로우니, 때에 마땅함을 잃지 않음을 정(正)이라 한다.

••• 矯 : 바로잡을 교

可小事요 不可大事니 飛鳥遺之音에 不宜上이요 宜下면 大吉하리라

작은 일은 가(可)하고 큰 일은 불가(不可)하니, 나는 새가 소리를 남김에 올라감은 마땅하지 않고 내려옴이 마땅하듯이 하면 크게 길하리라.

傳 | 過는 所以求就中也라 所過者小事也니 事之大者를 豈可過也리오 於大過에 論之詳矣[50]라 飛鳥遺之音은 謂過之不遠也요 不宜上, 宜下는 謂宜順也니 順則大吉이라 過以就之는 蓋順理也니 過而順理면 其吉必大라

과하게 함은 중(中)에 나아가려고 하는 것이다. 과하게 하는 것은 작은 일이니, 큰 일을 어찌 과하게 할 수 있겠는가. 대과괘(大過卦 ䷛)에 상세히 논하였다. '나는 새가 소리를 남긴다.'는 것은 과하게 하기를 멀리하지 않음을 이른 것이요, '올라감은 마땅하지 않고 내려옴이 마땅하다.'는 것은 마땅히 순히 하여야 함을 말한 것이니, 순히 하면 크게 길하다. 과하게 하여 〈중(中)에〉 나아감은 이치를 순히 함이니, 과하게 하여 이치에 순하면 그 길함이 반드시 크다.

本義 | 小는 謂陰也라 爲卦四陰在外하고 二陽在內하여 陰多於陽하니 小者過也라 旣過於陽이면 可以亨矣나 然必利於守貞하니 則又不可以不戒也라 卦之二、五 皆以柔而得中이라 故可小事요 三、四皆以剛失位而不中이라 故不可大事라 卦體內實外虛하니 如鳥之飛에 其聲下而不上이라 故能致飛鳥遺音之應이면 則宜下而大吉이니 亦不可大事之類也라

'소(小)'는 음(陰)을 이른다. 괘됨이 네 음이 밖에 있고 두 양이 안에 있어서 음이 양보다 많으니, 작은 것(음)이 과한 것이다. 음이 이미 양보다 과하면 형통할 수 있으나 반드시 정(貞)을 지킴이 이로우니, 또 경계하지 않을 수 없는 것이다. 괘의 이효(二爻)와 오효(五爻)가 모두 유(柔)로서 중(中)을 얻었기 때문에 작은 일은 가

······

50 所過者小事也……於大過論之詳矣 : 정이천은 대과괘(大過卦)의 괘 설명에서 "대과는 양이 과한 것이다. 그러므로 큰 것(양)의 지나침과 지나침이 큼과 큰 일이 지나침이 된다. 잘못을 바로잡는 쓰임에 조금 중(中)보다 지나친 경우가 있으니, 행실이 공손함을 과하게 하며 상사(喪事)에 슬픔을 과하게 하며 씀에 검소함을 과하게 함과 같은 것이 이것이다.〔大過者, 陽過也. 故爲大者過, 過之大, 與大事過也……矯失之用, 小過於中者則有之, 如行過乎恭, 喪過乎哀, 用過乎儉是也.〕" 하여 소과괘와 상대하여 설명하였고, 또 소과괘 〈상전(象傳)〉의 내용을 거론하였으므로 이렇게 말한 것이다.

··· 遺 : 남길 유

(可)한 것이요, 삼효(三爻)와 사효(四爻)가 모두 강(剛)으로서 지위(제자리)를 잃고 중하지 못하기 때문에 큰 일은 불가한 것이다. 괘체(卦體)가 안은 실(實)하고 밖은 허(虛)하니, 새가 날아갈 때에 그 소리가 아래로 내려오고 위로 올라가지 않음과 같다. 그러므로 나는 새가 소리를 남기는 응험을 이루면 아래로 내려옴이 마땅하여 크게 길하니, 또한 큰 일은 불가한 따위이다.

彖曰 小過는 小者過而亨也니

〈단전〉에 말하였다. "소과(小過)는 작은 일이 과하여 형통한 것이니,

傳 | 陽大陰小어늘 陰得位하고 剛失位而不中하니 是小者過也라 故爲小事過하니 過之小라 小者與小事는 有時而當過하니 過之亦小라 故爲小過라 事固有待過而後能亨者하니 過之所以能[一作求]亨也라

양은 크고 음은 작은데 음은 지위(제자리)를 얻었고 강(剛)은 지위를 잃었으며 중(中)하지 못하니, 이는 작은 것이 과한 것이다. 그러므로 작은 일이 과함이 되니, 과함이 작은 것이다. 작은 것과 작은 일은 때로 마땅히 과하게 하여야 할 경우가 있으니, 과하게 하기를 또한 작게 하여야 한다. 그러므로 소과(小過)라 한 것이다. 일은 진실로 과하게 함을 기다린 뒤에 형통한 것이 있으니, 과하게 함이 이 때문에 형통한 것이다.

本義 | 以卦體로 釋卦名義與其辭라

괘체(卦體)로써 괘명(卦名)의 뜻과 그 말(괘사)을 해석하였다.

過以利貞은 與時行也니라

과하게 하되 정(貞)함이 이로움은 때에 따라 행하는 것이다.

傳 | 過而利於貞은 謂與時行也라 時當過而過는 乃非過也요 時之宜也니 乃所謂正也라

과하게 하되 정(貞)함이 이롭다는 것은 때에 따라 행함을 이른다. 때가 마땅히 과하게 해야 할 경우에 과하게 함은 과함이 아니요 때에 마땅함이니, 이른바 정(正)이라는 것이다.

柔得中이라 **是以小事吉也**요
유(柔)가 중(中)을 얻었기 때문에 작은 일이 길한 것이요

本義 | 以二、五言이라
이효(二爻)와 오효(五爻)로써 말하였다.

剛失位而不中이라 **是以不可大事也**니라
강(剛)이 지위를 잃고 중(中)하지 못하기 때문에 큰 일은 불가한 것이다.

本義 | 以三、四言이라
삼효(三爻)와 사효(四爻)로써 말하였다.

(有飛鳥之象焉하니라**)**
(나는 새의 상(象)이 있다.)

傳 | 小過之道는 於小事에 有過則吉者어늘 而彖以卦才言吉義라 柔得中은 二、五居中也라 陰柔得位는 能致小事吉耳요 不能濟大事也라 剛失位而不中이라 是以不可大事니 大事는 非剛陽之才면 不能濟라 三은 不中이요 四는 失位하니 是以不可大事라 小過之時엔 自不可大事요 而卦才又不堪大事하니 與時合也라 有飛鳥之象焉此一句는 不類彖體하니 蓋解者之辭가 誤入彖中이라 中剛〔一作實〕外柔는 飛鳥之象이니 卦有此象이라 故就飛鳥爲義하니라

소과(小過)의 방도는 작은 일에 과함이 있으면 길한 것인데, 〈단전〉에는 괘의 재질로 길한 뜻을 말하였다. '유득중(柔得中)'은 이효(二爻)와 오효(五爻)가 중에 거한 것이다. 음유(陰柔)가 제자리를 얻음은 능히 작은 일이 길함을 이룰 뿐이요, 능히 큰 일을 이루지는 못한다. 강(剛)이 제자리를 잃고 중하지 못하기 때문에 대사(大事)는 불가하니, 대사는 강양(剛陽)의 재질이 아니면 이루지 못한다. 삼효(三爻)는 중하지 못하고 사효(四爻)는 제자리를 잃었으니, 이 때문에 대사(大事)는 불가한 것이다. 소과(小過)의 때에는 본래 대사는 불가하고 괘의 재질이 또 대사를 감당할 수 없으니, 때와 합하는 것이다.

'유비조지상언(有飛鳥之象焉)'이란 한 구(句)는 〈단전〉의 문체와 유사하지 않으니, 아마도 해석하는 자의 말이 잘못 〈단전〉 가운데로 들어온 듯하다. 가운데가 강(剛)하고 밖이 유(柔)함은 나는 새의 상(象)이니, 괘에 이러한 상이 있으므로 나는 새를 가지고 뜻을 삼은 것이다.

飛鳥遺之音 不宜上宜下 大吉은 **上逆而下順也**일새라

나는 새가 소리를 남김에 올라감은 마땅하지 않고 내려옴이 마땅하듯이 하면 대길함은, 올라감은 역(逆)이고 내려옴은 순(順)이기 때문이다."

傳 | 事有時而當過하니 所以從宜라 然豈可甚過也리오 如過恭, 過哀, 過儉이니 大過則不可라 所以在小過也니 所過當如飛鳥之遺音이라 鳥飛迅疾하여 聲出而身已過라 然豈能相遠也리오 事之當過者亦如是라 身不能甚遠於聲이요 事不可〔一作能〕遠過其常이니 在得宜耳라 不宜上, 宜下는 更就鳥音하여 取宜順之義하니 過之道 當如飛鳥之遺音이라 夫聲은 逆而上則難이요 順而下則易라 故在高則大하니 山上有雷 所以爲過也라 過之道는 順行則吉이니 如飛鳥之遺音宜順也라 所以過者는 爲順乎宜也니 能順乎宜라 所以大吉이니라

일은 때로 과하게 하여야 할 경우가 있으니, 마땅함을 따르기 위한 것이다. 그러나 어찌 너무 과하게 하겠는가. 공손함을 과하게 하고 슬픔을 과하게 하고 검소함을 과하게 하듯이 하여야 하니, 크게 과하게 하면 불가하다. 이 때문에 소과(小過)에 있는 것이니, 과하게 하기를 마땅히 나는 새가 소리를 남기듯이 하여야 한다. 새의 날아감은 빨라서 소리가 나오면 몸은 이미 지나간다. 그러나 어찌 서로 멀겠는가. 일을 과하게 해야 하는 것도 이와 같은 것이다. 몸은 소리와 매우 멀지 못하고 일은 보통을 멀리 넘어서는 안 되니, 마땅함을 얻음에 있을 뿐이다.

'불의상 의하(不宜上宜下)'는 다시 새소리를 가지고 마땅히 순하게 해야 하는 뜻을 취하였으니, 과하게 하는 방도는 마땅히 나는 새가 소리를 남기듯이 하여야 한다. 소리는 역(逆)으로 올라가면 어렵고 순(順)으로 내려오면 쉽다. 그러므로 높은 곳에 있으면 소리가 크게 들리니, 산 위에 우레가 있는 것이 과(過)가 되는 이유이다. 과하게 하는 방도는 순히 행하면 길하니, 나는 새가 소리를 남김에 마땅히 순히 하듯이 하여야 한다. 과하게 하는 까닭은 마땅함에 순하기 위해서이니, 마땅함

에 순하므로 대길한 것이다.

本義 | 以卦體言이라

괘체(卦體)로써 말하였다.

象曰 山上有雷小過니 君子以하여 行過乎恭하며 喪過乎哀하며 用過乎儉하나니라

〈상전〉에 말하였다. "산 위에 우레가 있음이 소과(小過)이니, 군자가 보고서 행실은 공손함을 과하게 하며 상사(喪事)는 슬픔을 과하게 하며 씀은 검소함을 과하게 한다."

傳 | 雷震於山上이면 其聲過常이라 故爲小過라 天下之事 有時當過로되 而不可過甚이라 故爲小過라 君子觀小過之象하여 事之宜過者則勉之하나니 行過乎恭, 喪過乎哀, 用過乎儉이 是也라 當過而過는 乃其宜也요 不當過而過則過矣니라

우레가 산 위에서 진동하면 그 소리가 보통을 넘는다. 그러므로 소과(小過)라 한 것이다. 천하의 일이 때로는 마땅히 과하게 하여야 할 경우가 있으나 너무 과하게 해서는 안 된다. 그러므로 괘 이름을 소과라 한 것이다. 군자가 소과의 상(象)을 보고서 일에 마땅히 과하게 하여야 할 것이면 힘쓰니, 행실은 공손함을 과하게 하고 상사(喪事)는 슬픔을 과하게 하고 씀은 검소함을 과하게 함이 이것이다. 마땅히 과하게 하여야 할 경우에 과하게 함은 바로 마땅한 것이요, 과하게 해서는 안 되는데 과하게 하면 지나침이 된다.

本義 | 山上有雷면 其聲小過하니 三者之過[51]는 皆小者之過니 可過於小요 而不可過於大라 可以小過로되 而不可甚過하니 彖所謂可小事而宜下者也라

산 위에 우레가 있으면 그 소리가 조금 과하니, 세 가지를 과하게 함은 모두 작은 일을 과하게 하는 것이니, 작은 일에 과하게 할 것이요, 큰 일에 과하게 해서

51 三者之過 : 위 《상전》의 "행과호공(行過乎恭), 상과호애(喪過乎哀), 용과호검(用過乎儉)"을 가리켜 말한 것이다.

는 안 된다. 조금 과하게 하되 너무 과하게 해서는 안 되니, 〈단전(彖傳)〉에 이른바 '작은 일에 과하게 하고 내려옴이 마땅하다.'는 것이다.

初六은 飛鳥라 以凶이니라
초육(初六)은 나는 새처럼 빠르니 흉하다.

傳 | 初六은 陰柔在下하니 小人之象이요 又上應於四하니 四復動體라 小人이 躁易而上有應助하니 於所當過에 必至過甚이라 況不當過而過乎아 其過如飛鳥之迅疾하니 所以凶也라 躁疾如是라〔一有則字〕所以過之速且遠하여 救止莫及也라

초육(初六)은 음유(陰柔)로서 아래에 있으니 소인의 상(象)이요, 또 위로 사(四)에 응하니 사(四)는 다시 동하는 체이다. 소인은 성질이 조급하고 함부로 하며 위에 응(應)의 도움이 있으니, 과하게 해야 할 경우에 반드시 너무 과함에 이른다. 하물며 과하게 해서는 안 될 경우에 과(過)함에 있어서랴. 그 지나침이 나는 새처럼 빠르니, 이 때문에 흉한 것이다. 조급하고 빨리하기를 이와 같이 한다. 이 때문에 과하게 함이 신속하고 또 멀어서 구원하여 멈춤이 미칠 수 없는 것이다.

本義 | 初六은 陰柔로 上應九四하고 又居過時하여 上而不下者也라 飛鳥遺音은 不宜上이요 宜下라 故其象占如此하니라 郭璞洞林[52]에 占得此者는 或致羽蟲之孽(얼)이라하니라

초육(初六)은 음유(陰柔)로서 위로 구사(九四)에 응(應)하고 또 과(過)의 때에 거하여 위로 올라가고 내려오지 않는 자이다. 나는 새가 소리를 남김은 올라감은 마땅하지 않고 내려옴이 마땅하다. 그러므로 그 상(象)과 점(占)이 이와 같은 것이다. 곽박(郭璞)의 《동림(洞林)》에 "점을 쳐서 이 효(爻)를 얻은 자는 혹 우충(羽蟲:깃이 있는 새)의 재앙을 부른다." 하였다.

52 郭璞洞林 : 곽박(郭璞)은 동진(東晉)의 역술가(易術家)로, 《동림(洞林)》은 그가 점을 쳐서 맞은 사례를 모아 만든 책이다.

… 璞 : 옥덩이 박 孽 : 재앙 얼

象曰 飛鳥以凶은 不可如何也라

〈상전〉에 말하였다. "'비조이흉(飛鳥以凶)'은 어쩔 수 없는 것이다."

傳｜ 其過之疾이 如飛鳥之迅하니 豈容救止也리오 凶其宜矣라 不可如何는 无所用其力也라

그 지나침의 빠름이 나는 새의 신속함과 같으니, 어찌 구원하여 멈추게 할 수 있겠는가. 흉함이 마땅하다. '불가여하(不可如何)'는 힘을 쓸 곳이 없는 것이다.

六二는 過其祖하여 遇其妣[53]니 不及其君이요 遇其臣[54]이면 无咎리라

육이(六二)는 할아버지를 지나가 할머니를 만나니, 군주에게 미치지 않고 신하에게 맞게 하면 허물이 없으리라.

本義｜ 遇其臣이라 无咎니라

신하를 만남이니, 허물이 없다.

傳｜ 陽之在上者는 父之象이요 尊於父者는 祖之象이니 四在三上이라 故爲祖라 二與五居相應之地하여 同有柔中之德하니 志不從於三、四라 故過四而遇五하니 是過其祖也라 五陰而尊하니 祖妣之象이라 與二同德相應하니 在它卦則陰陽相求로되 過之時엔 必過其常이라 故異也니 无所不過라 故二從五에도 亦戒其過하니라 不及其君, 遇其臣은 謂上進而不陵及於君하고 適當臣道면 則无咎也니 遇는 當也라 過臣之分이면 則其咎可知니라

양(陽)이 위에 있는 것은 아버지의 상(象)이요 아버지보다 높은 것은 할아버지의 상이니, 사효(四爻)가 삼(三)의 위에 있기 때문에 '조(祖)'라 한 것이다. 이(二)는 오(五)와 서로 응하는 자리에 거하여 함께 유중(柔中)의 덕이 있으니, 뜻이 구삼

53 過其祖 遇其妣 : 사계(沙溪)는 "구삼(九三)은 부(父)이고 구사(九四)는 조부(祖父)이며 육오(六五)는 조비(祖妣)이니, 조비가 조부를 지나가는 것으로 해석함은 옳지 않을 듯하다. 본래 조부를 지나가 조비를 만남을 말한 것이고, 조비가 조부를 지나가는 것은 아니다." 하였다. 《經書辨疑》

54 遇其臣 : 여기의 '우(遇)'를 《정전》에는 "신하의 직분에 맞게 하는 것"으로 보았으나, 《본의》에는 '우기비(遇其妣)'와 똑같이 "만나는 것"으로 보았다. 그러나 구사 효사(九四爻辭)의 '우지(遇之)'는 《본의》 역시 "맞게 하는 것"으로 보았다.

··· 妣 : 할머니 비　它 : 다를 타(他同)

(九三)과 구사(九四)를 따르지 않는다. 그러므로 사(四)를 지나가 오(五)를 만나니, 이는 할아버지를 지나간 것이다. 오(五)는 음으로서 높으니, 조비(祖妣)의 상이다.

오(五)는 이(二)와 덕이 같아 서로 응하니, 다른 괘에 있으면 음·양이 서로 구하나 과(過)의 때에는 반드시 그 보통을 넘는다. 그러므로 다른 것이니, 과하지 않은 바가 없으므로 이(二)가 오(五)를 따름에도 그 과함을 경계한 것이다. '불급기군 우기신(不及其君遇其臣)'은 위로 나아가되 능멸하여 군주에게 미치지 않고 신하의 도에 적당하게 하면 허물이 없는 것이니, 우(遇)는 맞게 하는 것이다. 신하의 분수를 넘으면 허물이 있음을 알 수 있다.

本義 | 六二柔順中正으로 進則過三、四而遇六五하니 是過陽而反遇陰也라 如此則不及六五而自得其分이니 是不及君而適遇其臣也라 皆過而不過하여 守正得中之意니 无咎之道也라 故其象占如此하니라

육이(六二)가 유순 중정(柔順中正)으로 나아가면 구삼(九三)과 구사(九四)를 지나가 육오(六五)를 만나니, 이는 양을 지나 도리어 음을 만나는 것이다. 이와 같이 하면 육오(六五)에 미치지 못하고 스스로 그 분수를 얻는 것이니, 이는 군주에 미치지 못하고 마침 그 신하를 만나는 것이다. 모두 과하나 너무 과하게 하지 아니하여 정(正)을 지키고 중(中)을 얻은 뜻이니, 무구(无咎)의 방도이다. 그러므로 그 상(象)과 점(占)이 이와 같은 것이다.

象曰 不及其君은 臣不可過也라

〈상전〉에 말하였다. "'불급기군(不及其君)'은 신하는 과하게 해서는 안 되는 것이다."

傳 | 過之時엔 事无不過其常이라 故於上進에 則戒及其[一作其及]君하니 臣不可過臣之分也라

과(過)의 때에는 일이 보통을 넘지 않는 것이 없다. 그러므로 위로 나아감에 군주에게 미침을 경계하였으니, 신하가 신하의 분수를 넘어서는 안 된다.

本義 | 所以不及君而還遇臣者는 以臣不可過故也라

··· 還 : 도리어 환

군주에게 미치지 않고 도리어 신하를 만나는 까닭은 신하는 과하게 해서는 안 되기 때문이다.

九三은 弗過防之면 從或戕之라 凶하리라
구삼(九三)은 소인을 지나치게 방비하지 않으면 따라서 혹 해친다. 그리하여 흉하리라.

本義 | 弗過防之라 從或戕之니 凶하니라
지나치게 방비하지 아니하여 따라서 혹 해침이니, 흉하다.

傳 | 小過는 陰過, 陽失位之時니 三獨居正이나 然在下하여 无所能爲요 而爲陰所忌惡(오)라 故有〔一作所〕當過者하니 在過防於小人이라 若弗過防之면 則或從而戕害之矣리니 如是則凶也라 三於陰過之時에 以陽居剛은 過於剛也니 旣戒之過防이면 則過剛亦在所戒矣라 防小人之道는 正己爲先이니 三不失正이라 故无必凶之義하니 能過防則免矣라 三居下之上하니 居上, 爲下 皆如是也라

소과(小過)는 음이 과하고 양이 자리를 잃은 때이니, 삼(三)이 홀로 정(正)에 거했으나 아래에 있어 일을 할 수 없고, 음에게 시기와 미움을 받는다. 그러므로 마땅히 과하게 하여야 할 것이 있으니, 소인을 지나치게 방비함에 있다. 만약 지나치게 방비하지 않으면 혹 따라서 해칠 것이니, 이와 같으면 흉하다.

삼은 음이 과한 때에 양효로서 강위(剛位)에 거함은 강함에 과한 것이니, 이미 지나치게 방비할 것을 경계하였으면 지나치게 강함도 경계하여야 할 대상에 있는 것이다. 소인을 방비하는 방도는 자신을 바로잡음이 우선이니, 삼이 정(正)을 잃지 않았으므로 반드시 흉한 뜻이 없으니, 능히 지나치게 방비하면 면한다. 삼은 하체(下體)의 위에 거하였으니, 위에 거함과 아래가 됨이 모두 이와 같다.

本義 | 小過之時엔 事每當過니 然後得中이라 九三은 以剛居正하여 衆陰所欲害者也로되 而自恃其剛하여 不肯過爲之備라 故其象占如此하니 若占者能過防之면 則可以免矣리라

소과(小過)의 때에는 일을 언제나 과하게 하여야 하니, 그런 뒤에야 중(中)을 얻는다. 구삼(九三)은 강(剛)으로 바른 자리〔正位〕에 거하여 여러 음이 해치고자 하

••• 戕 : 해칠 장

는 대상이나 스스로 강함을 믿고서 지나치게 방비하려고 하지 않는다. 그러므로 그 상(象)과 점(占)이 이와 같은 것이니, 만약 점치는 자가 지나치게 방비하면 이를 면할 것이다.

象曰 從或戕之 凶如何也오

〈상전〉에 말하였다. "따라서 혹 해침은 흉함이 어떠한가?"

傳 | 陰過之時엔 必害於陽이요 小人道盛이면 必害君子라 當過爲之防이니 防之不至면 則爲其所戕矣라 故曰凶如何也오하니 言其甚也라

음이 과할 때에는 반드시 양을 해치고 소인의 도가 성하면 반드시 군자를 해친다. 마땅히 지나치게 방비하여야 하니, 방비함이 지극하지 않으면 해침을 당한다. 그러므로 '흉함이 어떠한가?' 하였으니, 〈흉함이〉심함을 말한 것이다.

九四는 无咎하니 弗過하여 遇之니 往이면 厲라 必戒며 勿用永貞이니라

구사(九四)는 허물이 없으니 과하지 아니하여 맞게(적당하게) 하니, 가면 위태로우므로 반드시 경계하여야 하며, 오래하고 정고(貞固)함을 쓰지 말아야 한다.

傳 | 四當小過之時하여 以剛處柔하여 剛不過也니 是以无咎라 旣弗過면 則合其宜矣라 故云遇之라하니 謂得其道也라 若往則有危니 必當戒懼也니 往은 去柔而以剛進也라 勿用永貞은 陽性堅剛이라 故戒以隨宜요 不可固守也라 方陰過之時하여 陽剛失位면 則君子當隨時順處요 不可固守其常也라 四居高位하여 而无上下之交하고 雖比五應初나 方陰過之時하니 彼豈肯從陽也리오 故往則有厲라

사(四)는 소과의 때를 당해서 강(剛)으로서 유위(柔位)에 처하여 강함이 과하지 않으니, 이 때문에 허물이 없는 것이다. 이미 과하지 않으면 마땅함에 합하므로 맞게 한다고 하였으니, 그 도에 맞음을 이른다. 만약 가면 위태로움이 있으니, 반드시 마땅히 경계하고 두려워하여야 하니, 왕(往)은 유(柔)를 버리고 강(剛)으로 나아가는 것이다. '물용영정(勿用永貞)'은 양의 성질은 굳고 강하기 때문에 마땅함

을 따를 것이요 굳게 지키지 말라고 경계한 것이다. 음이 과한 때를 당하여 양강(陽剛)이 지위(제자리)를 잃었으면 군자가 마땅히 때에 따라 순히 처할 것이요, 그 떳떳함을 굳게 지켜서는 안 된다. 사(四)가 고위(高位)에 거하여 상·하의 사귐이 없고, 비록 오(五)와 가깝고 초(初)와 응하나 음이 과한 때를 당하였으니, 저들이 어찌 즐겨 양을 따르겠는가. 그러므로 가면 위태로움이 있는 것이다.

本義｜ 當過之時하여 以剛處柔하니 過乎恭矣니 无咎之道也라 弗過遇之는 言弗過於剛하여 而適合其宜也니 往則過矣라 故有厲而當戒라 陽性堅剛이라 故又戒以勿用永貞하니 言當隨時之宜요 不可固守也라 或曰 弗過遇之는 若以六二爻例면 則當如此說이어니와 若依九三爻例면 則過遇는 當如過防之義라하니 未詳孰是라 當闕以俟知者하노라

과(過)의 때를 당하여 강효(剛爻)로서 유위(柔位)에 처하였으니, 공손함을 과하게 함이니, 무구(无咎)의 방도이다. '불과우지(弗過遇之)'는 강함을 과하게 하지 않아 그 마땅함에 적합함을 말한 것이니, 가면 과하다. 그러므로 위태로움이 있어 마땅히 경계하여야 하는 것이다. 양(陽)의 성질은 굳고 강하기 때문에 또 영정(永貞)함을 쓰지 말라고 경계하였으니, 마땅히 때의 마땅함을 따를 것이요 굳게 지켜서는 안 됨을 말한 것이다.

혹자는 말하기를 "'불과우지(弗過遇之)'는 만약 육이효(六二爻)의 준례로 보면 마땅히 이 말과 같이 해석하여야 하겠지만 만약 구삼효(九三爻)의 준례에 따른다면 과우(過遇;지나치게 만남)는 마땅히 과방(過防;지나치게 방비함)의 뜻과 같이 해석하여야 한다." 하니, 누가 옳은지 자세하지 않다. 마땅히 빼놓아서 아는 자를 기다리노라.

象曰 弗過遇之는 位不當也요 往厲必戒는 終不可長也일새라

〈상전〉에 말하였다. "과하지 아니하여 맞게 함은 자리가 합당하지 않기 때문이요, 가면 위태로우므로 반드시 경계하여야 함은 끝내 장성(長盛;자라서 성함)할 수 없어서이다."

傳｜ 位不當은 謂處柔라 九四當過之時하여 不過剛而反居柔하니 乃得其宜라 故

曰遇之라하니 遇其宜也라 以九居四는 位不當也로되 居柔는 乃遇其宜也라 當陰過之時하여 陽退縮自保면 足矣니 終豈能長而盛也리오 故往則有危니 必當戒也라 長은 上聲이니 作平聲이면 則大失易意하니 以夬與剝觀之하면 可見이라 與夬之象으로 文同而音異也[55]라

'위불당(位不當)'은 양(陽)이 유위(柔位)에 처함을 이른다. 구사(九四)가 과(過)의 때를 당하여 지나치게 강하지 않고 마침내 유위(柔位)에 거하였으니, 그 마땅함을 얻은 것이다. 그러므로 '우지(遇之)'라 말하였으니, 그 마땅함에 맞는 것이다. 구(九)로서 사(四)에 거함은 자리가 합당하지 않으나 유(柔)에 거함은 바로 그 마땅함에 맞는 것이다. 음이 과한 때를 당하여 양이 물러나 위축되어 스스로 보존하면 충분하니, 마침내 어찌 자라서 성하겠는가. 그러므로 가면 위태로움이 있는 것이니, 반드시 마땅히 경계하여야 한다. '장(長)'은 상성(上聲)이니, 평성(平聲;장구(長久)함)으로 읽으면 역(易)의 뜻을 크게 잃으니, 쾌괘(夬卦 ䷪)와 박괘(剝卦 ䷖)로 보면 알 수 있다. 쾌괘의 상과 글자는 같으나 음(音)은 다르다.

本義 | 爻義未明하니 此亦當闕이라

효(爻)의 뜻이 분명치 않으니, 이 또한 마땅히 빼놓아야 할 것이다.

六五는 密雲不雨는 自我西郊니 公이 弋(익)取彼在穴이로다

육오(六五)는 구름이 빽빽하나 비가 오지 않음은 우리 서교(西郊)로부터 하기 때문이니, 공(公)이 저 구멍에 있는 것을 쏘아서 잡도다.

傳 | 五以陰柔居尊位하니 雖欲過爲나 豈能成功이리오 如密雲而不能成雨라 所以不能成雨는 自西郊故也니 陰不能成雨는 小畜卦中에 已解[56]하니라 公弋取彼

······

55 長上聲……文同而音異也 : 장(長)은 상성(上聲)으로 읽으면 '자라다'의 뜻이 되고 평성(平聲)으로 읽으면 '장구(長久)'의 뜻이 되는 바, 쾌괘(夬卦) 〈상전〉의 '종불가장야(終不可長也)'는 '끝내 장구히 할 수 없다.'는 뜻이어서 평성인 반면, 박괘(剝卦) 〈단전〉의 '소인장야(小人長也)'는 '소인(小人)이 자란다.'는 뜻이어서 상성이므로 말한 것이다.

56 小畜卦中已解 : 소축괘(小畜卦) 괘사(卦辭)에도 "密雲不雨, 自我西郊."라고 보이는데, 정이천은 "서교(西郊)는 음방(陰方)이니, 음이 선창했기 때문에 비가 오지 않는 것이다."라고 풀이하였다.

··· 縮 : 오그라들 축 夬 : 결단할 쾌 密 : 빽빽할 밀 弋 : 주살 익 穴 : 구멍 혈

在穴은 弋은 射取之也니 射는 止是射요 弋有取義라 穴은 山中之空이니 中虛乃空也니 在穴은 指六二也라 五與二本非相應이니 乃弋而取之라 五當位라 故云公하니 謂公上也라 同類相取하여 雖得之나 兩陰이 豈能濟大事乎아 猶密雲之不能成雨也라

오(五)가 음유(陰柔)로서 존위(尊位)에 거하였으니, 비록 과(過)하게 하고자 하나 어찌 성공하겠는가. 구름이 빽빽하나 비를 이루지 못함과 같은 것이다. 비를 이루지 못하는 까닭은 서교(西郊)에서 구름이 왔기 때문이니, 음(陰)이 비를 이루지 못함은 소축괘(小畜卦)의 가운데에 이미 해석하였다.

'공익취피재혈(公弋取彼在穴)'은, '익(弋)'은 쏘아서 취함이니, '사(射)'는 다만 쏘는 것이요 '익(弋)'은 취하는 뜻이 있다. '혈(穴)'은 산 가운데의 구멍이니, 중허(中虛)가 바로 구멍이니, 구멍에 있다는 것은 육이(六二)를 가리킨다. 육오(六五)와 육이(六二)는 본래 서로 응하는 것이 아니니, 바로 쏘아 취한 것이다. 오(五)가 존위(尊位)에 당하였기 때문에 공(公)이라고 말했으니, 공상(公上)을 이른다. 같은 류(類)끼리 서로 취하여 비록 맞으나 두 음이 어찌 대사(大事)를 이루겠는가. 빽빽한 구름이 비를 이루지 못함과 같은 것이다.

本義 | 以陰居尊하고 又當陰過之時하여 不能有爲하고 而弋取六二以爲助라 故有此象이라 在穴은 陰物也니 兩陰相得이면 其不能濟大事를 可知니라

음효로서 존위(尊位)에 거하고 또 음이 과(過)한 때를 당하여 훌륭한 일을 할 수 없고 육이(六二)를 쏘아 취하여 도움을 삼는다. 그러므로 이러한 상(象)이 있는 것이다. 구멍에 있는 것은 음물(陰物)이니, 두 음이 서로 맞으면 대사를 이루지 못함을 알 수 있다.

象曰 密雲不雨는 已上也일새라

〈상전〉에 말하였다. "구름이 빽빽하나 비가 오지 않음은 이미 올라갔기 때문이다."

본의 | 너무 올라갔기 때문이다.

傳 | 陽降陰升하여 合則和而成雨하나니 陰已在上이면 雲雖密이나 豈能成雨乎아

陰過하여 不能成大之義也라

양(陽)이 내려오고 음(陰)이 올라가서 합하면 화하여 비를 이루는데, 음이 이미 위에 있으면 구름이 비록 빽빽하나 어찌 비를 이루겠는가. 음이 과하여 큼을 이루지 못하는 뜻이다.

本義 | 已上은 太高也라

이상(已上)은 너무 높은 것이다.

上六은 弗遇하여 過之니 飛鳥離之라 凶하니 是謂災眚이니라

상육(上六)은 맞지 못하여 과(過)하니, 나는 새가 멀리 떠나가는지라 흉하니, 이를 재생(災眚)이라 이른다.

傳 | 六은 陰而動體로 處過之極하여 不與理遇하고 動皆過之하니 其違理過常이 如飛鳥之迅速이니 所以凶也라 離는 過之遠也라 是謂災眚은 是當有災眚也라 災者는 天殃이요 眚者는 人爲라 旣過之極이면 豈唯人眚이리오 天災亦至리라 其凶可知니 天理、人事皆然也라

육(六)은 음효(陰爻)이며 동체(動體)로 과(過)의 극(極)에 처하여 이치에 맞게 하지 못하고 동함을 모두 과하게 하니, 이치를 어기고 보통을 넘음이 나는 새의 신속함과 같으니, 이 때문에 흉한 것이다. '리(離)'는 과함이 먼 것이다. '시위재생(是謂災眚)'은 이는 당연히 재생(災眚)이 있는 것이다. '재(災)'는 하늘의 재앙이요 '생(眚)'은 사람이 만든 화(禍)이다. 이미 과함이 지극하면 어찌 오직 사람이 만든 화(禍) 뿐이겠는가. 하늘의 재앙 또한 이를 것이다. 그 흉함을 알 수 있으니, 천리(天理)와 인사(人事)가 모두 그러하다.

本義 | 六이 以陰居動體之上하여 處陰過之極하니 過之已高而甚遠者也라 故其象占如此하니라 或曰 遇過는 恐亦只當作過遇니 義同九四라하니 未知是否로라

육(六)이 음효로서 동체(動體)의 위에 거하여 음의 과함이 지극함에 처하였으니, 지나침이 이미 높고 심히 먼 자이다. 그러므로 그 상(象)과 점(占)이 이와 같은 것이다. 혹자는 말하기를 "우과(遇過)는 또한 마땅히 과우(過遇:지나치게 만남)가 되

어야 할 듯하니, 뜻이 구사효(九四爻)와 같다." 하니, 옳고 그름은 알지 못하겠다.

象曰 弗遇過之는 **已亢也**라

〈상전〉에 말하였다. "맞지 못하여 지나침은 이미 높은 것이다."

본의 | 너무 높은 것이다.

傳 | **居過之終**하여 **弗遇於理而過之**하여 **過已亢極**하니 **其凶宜也**라

과(過)의 종(終)에 거하여 이치에 맞게 하지 못하고 지나쳐서 지나침이 이미 항극(亢極:높고 지극함)하니, 그 흉함이 마땅하다.

63 수화 水火 기제(旣濟) ䷾ 리하감상 離下坎上

傳 | 旣濟는 序卦에 有過物者는 必濟라 故受之以旣濟라하니라 能過於物이면 必可以濟라 故小過之後에 受之以旣濟也라 爲卦 水在火上하니 水火相交면 則爲用矣하여 各當其用이라 故爲旣濟하니 天下萬事已濟之時也라

기제괘(旣濟卦)는 〈서괘전〉에 "남보다 뛰어남이 있는 자는 반드시 이루므로 기제괘로 받았다." 하였다. 이미 남보다 뛰어나면 반드시 이룰 수 있다. 그러므로 소과괘(小過卦 ䷽)의 뒤에 기제괘로써 받은 것이다. 괘됨이 물이 불 위에 있으니, 물과 불이 서로 사귀면 쓰임이 되어 각기 그 쓰임에 마땅하므로 기제(旣濟)라 하였으니, 천하 만사가 이미 이루어지는 때이다.

旣濟는 亨이 小니 利貞하니 初吉하고 終亂하니라

기제(旣濟)는 형통함이 작으니 정(貞)함이 이로우니, 처음에는 길하고 끝에는 혼란하다.

本義 | (亨小)[小亨]하고
조금 형통하고

傳 | 旣濟之時에 大者旣已亨矣로되 小者尙有〔一有未字〕亨也라 雖旣濟之時라도 不能无小未亨也니 小字在下하니 語當然也라 若言小亨이면 則爲亨之小也라 利貞은 處旣濟之時〔一无之時字〕하여 利在貞固以守之也라 初吉은 方濟之時也요 終亂은 濟極則反也라

기제(旣濟)의 때에 큰 것은 이미 형통하였으나 작은 것은 아직 형통할 것이 있다. 비록 기제의 때라도 조금 형통하지 못한 것이 없지 않으니, 소(小) 자가 아래에 있으니, 말이 마땅히 이래야 한다. 만약 '소형(小亨)'이라고 말하면 형통함이 작음이 된다. '이정(利貞)'은 기제의 때에 처하여 이로움이 정고(貞固)히 지킴에 있는

••• 濟 : 건널 제, 이룰 제

것이다. 처음에 길함은 막 이룰 때요, 끝에 혼란함은 이룸이 지극하면 뒤집혀지는 것이다.

本義 | 旣濟는 事之旣成也라 爲卦水火相交하여 各得其用하고 六爻之位 各得其正이라 故爲旣濟라 亨小는 當爲小亨이라 大抵此卦及六爻占辭 皆有警戒之意하니 時當然也라

기제(旣濟)는 일이 이미 이루어진 것이다. 괘됨이 물과 불이 서로 사귀어 각기 그 쓰임을 얻었고 여섯 효(爻)의 자리가 각기 그 바름을 얻었기 때문에 기제라 하였다. '형소(亨小)'는 마땅히 '소형(小亨)'이 되어야 한다. 대저 이 괘와 여섯 효의 점사(占辭)에 모두 경계하는 뜻이 있으니, 때가 마땅히 그래야 하기 때문이다.

彖曰 旣濟亨은 小者亨也니

〈단전〉에 말하였다. "기제가 형통함은 작은 것이 형통함이니,

本義 | 濟下에 疑脫小字라

제(濟) 자 아래에 소(小) 자가 빠진 듯하다.

利貞은 剛柔正而位當也일새라

정(貞)함이 이로움은 강(剛)과 유(柔)가 바르고 자리가 합당하기 때문이다.

傳 | 旣濟之時에 大者固〔一无固字〕已亨矣요 唯有小者〔一有未字〕亨也라 時旣濟矣면 固宜貞固以守之라 卦才剛柔正當其位하니 當位者는 其常也니 乃正固之義니 利於如是之貞〔一有正字〕也라 陰陽이 各得正位하니 所以爲旣濟也라

기제(旣濟)의 때에 큰 것은 이미 형통하였고, 오직 작은 것이 형통하여야 함이 있는 것이다. 때가 이미 이루어지면 진실로 마땅히 정고(貞固)히 지켜야 한다. 괘의 재질이 강·유가 바로 그 자리에 합당하니, 자리가 합당함은 떳떳함이니, 바로 정고(正固)의 뜻이니, 이와 같은 정(貞)함이 이로운 것이다. 음·양이 각기 정위(正位:바른 자리)를 얻었으니, 이 때문에 괘 이름을 기제라 한 것이다.

本義 | 以卦體言이라

괘체(卦體)로써 말하였다.

初吉은 柔得中也요

처음에 길함은 유(柔)가 중(中)을 얻었기 때문이요,

傳 | 二以柔順文明而得中이라 故能成旣濟之功이라 二居下體하니 方濟之初也요 而又善處라 是以吉也라

이(二)가 유순 문명(柔順文明)으로 중(中)을 얻었기 때문에 기제의 공(功)을 이룬 것이다. 이(二)가 하체(下體)에 거하였으니, 막 이룬〔濟〕 초기이고 또 잘 대처하기 때문에 길한 것이다.

本義 | 指六二라

육이(六二)를 가리킨 것이다.

終止則亂은 其道窮也라

종(終)에 멈추면 혼란함은 그 도(道)가 궁극하기 때문이다."

傳 | 天下之事 不進則退하여 无一定之理라 濟之終에 不進而止矣면 无常止也니 衰亂至矣니 蓋其道已窮極也라 九五之才 非不善也로되 時極道窮하여 理當必變也라 聖人至此면 奈何오 日〔一无日字〕 唯聖人은 爲能通其變於未窮하여 不使至於極也니 堯舜是也라 故有終而无亂이니라

천하의 일은 나아가지 않으면 물러나서 일정한 이치가 없다. 제(濟)의 종(終;마침)에 나아가지 않고 멈추면 떳떳한 멈춤이 아니니, 쇠란(衰亂)이 이르게 되니, 그 도가 이미 궁극한 것이다. 구오(九五)의 재질이 불선(不善)한 것이 아니나 때가 극에 이르고 도가 궁하여, 이치상 마땅히 반드시 변해야 하는 것이다.

"성인(聖人)이 이에 이르면 어찌 하는가?" "오직 성인은 아직 궁극하지 않을 때에 변통하여 극에 이르지 않게 하니, 요(堯)·순(舜)이 이것이다. 그러므로 종(終)이 있어 혼란함이 없었던 것이다."

象曰 水在火上이 **旣濟**니 **君子以**하여 **思患而豫防之**하나니라

〈상전〉에 말하였다. "물이 불 위에 있음이 기제(旣濟)이니, 군자가 보고서 환난을 생각하여 미리 방비한다."

傳| 水火旣交하여 各得其用이 爲旣濟라 時當旣濟면 唯慮患害之生이라 故思而豫防하여 使不至於患也라 自古로 天下旣濟而致禍亂者는 蓋不能思慮而豫防也일새라

물과 불이 이미 사귀어 각기 그 쓰임을 얻음이 기제(旣濟)이다. 기제의 때를 당하였으면 오직 환해(患害)가 생김을 염려하여야 한다. 그러므로 생각하여 미리 방비해서 환해에 이르지 않게 하는 것이다. 예로부터 천하가 이미 이루어졌는데도(구제되었는데도) 화란(禍亂)을 이룬 것은 사려하여 미리 방비하지 못했기 때문이다.

初九는 **曳**(예)**其輪**하며 **濡其尾**면 **无咎**리라

초구(初九)는 수레바퀴를 뒤로 끌며 짐승(여우)이 꼬리를 적시듯 하면 허물이 없으리라.

傳| 初以陽居下하여 上應於四하고 又火體니 其進之志銳也라 然時旣濟矣어늘 進不已면 則及於悔咎〔一作吝〕라 故曳其輪, 濡其尾라야 乃得无咎라 輪은 所以行이니 倒曳之하여 使不進也라 獸之涉水에 必揭其尾하나니 濡其尾면 則不能濟라 方旣濟之初하여 能止其進이면 乃得无咎니 不知已면 則至於咎也라

초(初)는 양효로서 아래에 거하여 위로 사(四)에 응하고 또 화(火)의 체(體)이니, 그 나아가려는 뜻이 예리하다. 그러나 때가 이미 이루어졌는데도 나아감을 그치지 않으면 뉘우침과 허물에 미친다. 그러므로 수레바퀴를 뒤로 끌고 짐승이 꼬리를 적시듯 하여야 허물이 없을 수 있는 것이다. 수레바퀴는 굴러가는 것이니, 거꾸로 끌어서 나아가지 못하게 하는 것이다. 짐승이 물을 건널 때에 반드시 꼬리를 드니, 꼬리를 적시면 건너가지 못한다. 기제(旣濟)의 초기를 당하여 그 나아감을 그치면 비로소 허물이 없을 수 있으니, 그칠 줄 모르면 허물에 이른다.

··· 曳 : 끌 예 濡 : 젖을 유 倒 : 거꾸로 도 銳 : 빠를 예 揭 : 들 게

本義 | 輪은 在下하고 尾는 在後하니 初之象也라 曳輪則車不前이요 濡尾則狐不濟라 旣濟之初에 謹戒如是면 无咎之道니 占者如是면 則无咎矣리라

수레바퀴는 아래에 있고 여우의 꼬리는 뒤에 있으니, 초(初)의 상(象)이다. 수레바퀴를 뒤로 끌면 수레가 전진하지 못하고, 여우가 꼬리를 적시면 건너가지 못한다. 기제의 초기에 삼가고 경계하기를 이와 같이 하면 무구(无咎)의 방도이니, 점치는 자가 이와 같이 하면 허물이 없을 것이다.

象曰 曳其輪은 義无咎也니라

〈상전〉에 말하였다. "수레바퀴를 뒤로 끎은 의리상 허물이 없는 것이다."

傳 | 旣濟之初에 而能止其進이면 則不至於極이니 其義自无咎也라

기제(旣濟)의 초기에 능히 그 나아감을 그치면 극에 이르지 않으니, 그 의리에 본래 허물이 없는 것이다.

六二는 婦喪其茀(불)이니 勿逐하면 七日에 得하리라

육이(六二)는 부인이 그 가리개를 잃었으니, 쫓지 않으면 칠 일에 얻으리라.

本義 | 勿逐이라도

쫓아가지 않더라도

傳 | 二以文明中正之德으로 上應九五剛陽中正之君하니 宜得行其志也라 然五旣得尊位하고 時已旣濟하여 无復進而有爲矣니 則於在下賢才에 豈有求用之意리오 故二不得遂其行也라 自古로 旣濟而能用人者鮮矣니 以唐太宗之用言으로도 尙怠於終[57]이어든 況其下者乎아 於斯時也엔 則剛中反爲中滿이요 坎離乃爲相戾矣라 人能識時知變이면 則可以言易矣리라 二는 陰也라 故以婦言이라 茀은 婦人

57 唐太宗之用言 尙怠於終 : 용언(用言)은 신하의 간언(諫言)을 잘 받아들여 씀을 이른다. 당 태종은 신하들의 간언을 잘 따랐고, 특히 위징(魏徵)을 간의대부(諫議大夫)로 등용하여 그의 말을 모두 따랐으나 위징이 죽은 뒤에는 간신들의 말을 따라 자신이 지은 위징의 묘비문(墓碑文)을 쓰러뜨리고 고구려(高句麗)를 정벌하였다가 실패하였다.

··· 茀 : 가리개 불 戾 : 어그러질 려

出門以自蔽者也니 喪其茀이면 則不可行矣라 二不爲五之求用이면 則不得行이니 如婦之喪茀也라 然中正之道를 豈可廢也리오 時過則行矣라 逐者는 從物也니 從物則失其素守라 故戒勿逐하니 自守不失이면 則七日當復得也라 卦有六位하니 七則變矣니 七日得은 謂時變也라 雖不爲上所用이나 中正之道 无終廢之理하니 不得行於今이면 必行於異時也리니 聖人之〔一有爲字〕勸戒深矣로다

이(二)는 문명 중정(文明中正)한 덕(德)으로써 위로 구오(九五)의 강양 중정(剛陽中正)한 군주에게 응하니, 마땅히 그 뜻을 행할 것이다. 그러나 오(五)가 이미 존위(尊位)를 얻고 때가 이미 기제(旣濟)여서 다시 나아가 할 일이 없으니, 아래에 있는 현재(賢才)에 대하여 어찌 구하여 쓰려는 마음이 있겠는가. 그러므로 이(二)가 그 행함을 이루지 못하는 것이다. 예로부터 이미 이루고서 훌륭한 사람을 등용한 자가 드무니, 당 태종(唐太宗)처럼 간언(諫言)을 받아들인 사람도 오히려 끝에는 게을러졌으니, 하물며 그보다 아래인 자에 있어서랴. 이러한 때에는 구오의 강중(剛中)이 도리어 중만(中滿;마음에 자만함)이 되고 감(坎)과 리(離)가 서로 어그러짐이 된다. 사람이 때를 알고 변통할 줄을 알면 역(易)을 말할 수 있을 것이다.

이(二)가 음이기 때문에 부인으로 말하였다. '불(茀)'은 부인이 문을 나갈 때에 스스로 몸을 가리는 가리개이니, 가리개를 잃으면 갈 수가 없다. 이(二)가 오(五)에게 구하여 쓰임이 되지 못하면 행할 수 없으니, 부인이 가리개를 잃은 것과 같다. 그러나 중정(中正)의 도를 어찌 폐할 수 있겠는가. 때가 지나면 행하게 된다. '축(逐)'은 물건을 좇는(따르는) 것이니, 물건을 좇으면 평소의 지킴을 잃는다. 그러므로 좇지 말라고 경계하였으니, 스스로 지키고 잃지 않으면 7일에 마땅히 다시 얻게 될 것이다. 괘에는 여섯 자리가 있으니 일곱이면 변하니, 7일에 얻는다는 것은 때가 변함을 말한 것이다. 비록 윗사람에게 쓰여지지 못하나 중정(中正)의 도가 끝내 폐해질 이치가 없으니, 지금에 행해지지 못하면 반드시 다른 때에 행해질 것이니, 성인의 권계(勸戒)하심이 깊도다.

本義 | 二以文明中正之德으로 上應九五剛陽中正之君하니 宜得行其志로되 而九五居旣濟之時하여 不能下賢以行其道라 故二有婦喪其茀之象이라 茀은 婦車之蔽니 言失其所以行也라 然中正之道 不可終廢니 時過則行矣라 故又有勿逐而自得之戒하니라

이(二)가 문명 중정(文明中正)한 덕으로써 위로 구오(九五)의 강양 중정(剛陽中正)한 군주에게 응하니, 마땅히 그 뜻을 행할 것이나 구오(九五)가 기제의 때에 거하여 현자(賢者)에게 몸을 낮추어 그 도를 행하지 못한다. 그러므로 이(二)가 부인이 가리개를 잃는 상(象)이 있는 것이다. '불(茀)'은 부인의 수레의 가리개이니, 갈 바를 잃음을 말한 것이다. 그러나 중정(中正)의 도(道)는 끝내 폐해질 수 없으니, 때가 지나면 행해지게 된다. 그러므로 또 쫓지 않아도 스스로 얻는다는 경계가 있는 것이다.

象曰 七日得은 以中道也라

〈상전〉에 말하였다. "칠 일에 얻음은 중도(中道)를 쓰기 때문이다."

傳 | 中正之道 雖不爲時所用이나 然无終不行之理라 故喪茀七日에 當復得이니 謂自守其中이면 異時必行也라 不失其中이면 則正矣라

중정(中正)의 도(道)가 비록 때에 쓰여지지 못하나 끝내 행해지지 않을 리가 없다. 그러므로 불(茀)을 잃은 지 7일 만에 다시 얻는 것이니, 스스로 중(中)을 지키면 다른 때에 반드시 행해짐을 말한 것이다. 중을 잃지 않으면 정(正)이 된다.

九三은 高宗이 伐鬼方[58]하여 三年克之니 小人勿用이니라

구삼(九三)은 고종(高宗)이 귀방(鬼方)을 정벌하여 삼 년 만에 이겼으니, 소인은 쓰지 말아야 한다.

傳 | 九三이 當既濟之時하여 以剛居剛하니 用剛之至也라 既濟而用剛如是는 乃高宗伐鬼方之事니 高宗은 必商之高宗이리라 天下之事既濟에 而遠伐暴亂也라 威武可及而以救民爲心은 乃王者之事也니 唯聖賢之君則可요 若騁威武하여 忿不服, 貪土地면 則殘民肆欲也라 故戒不可用小人하니라 小人爲之면 則以貪忿私意也니 非貪忿이면 則莫肯爲也라 三年克之는 見其勞憊(비)之甚이라 聖人이 因

......

58 高宗伐鬼方 : 고종(高宗)은 상왕(商王) 무정(武丁)의 묘호(廟號)이며, 귀방(鬼方)은 은(殷)·주(周) 시대 서북쪽에 있었던 종족의 이름이라 한다.

··· 騁 : 부릴 빙 殘 : 해칠 잔 憊 : 지칠 비

九三當既濟而用剛하여 發此義以示人하여 爲法, 爲戒하시니 豈淺見所能及也리오

구삼(九三)이 기제(既濟)의 때를 당하여 강효(剛爻)로서 강위(剛位)에 거하였으니, 강을 씀이 지극하다. 기제에 강을 씀이 이와 같으면 이는 바로 고종(高宗)이 귀방(鬼方)을 정벌한 일이니, 고종은 반드시 상(商)나라의 고종일 것이다. 천하의 일이 이미 이루어짐에 포악한 자와 혼란한 자를 멀리 정벌하는 것이다. 위엄과 무력이 미칠 수 있어 백성을 구제함을 마음으로 삼음은 바로 왕자(王者)의 일이니 오직 성현의 군주만이 가능하고, 만일 위엄과 무력을 구사하여 복종하지 않음에 분노하고 토지를 탐낸다면 백성을 해치고 욕심을 부리는 것이다. 그러므로 소인을 쓰지 말라고 경계한 것이다.

소인이 이것(정벌)을 행하면 탐하고 분노하는 사사로운 마음으로 하니, 탐함과 분노가 아니면 즐겨하지 않는다. 3년 만에 이겼다는 것은 수고롭고 피곤함이 심함을 나타낸 것이다. 성인이 구삼(九三)이 기제를 당하여 강을 씀으로 인해서 이 뜻을 발(말씀)하여 사람들에게 보여주시어, 법(法)을 삼고 경계로 삼게 하셨으니, 어찌 천박한 소견으로 미칠 수 있는 바이겠는가.

本義 | 既濟之時에 以剛居剛하니 高宗伐鬼方之象也라 三年克之는 言其久而後克이니 戒占者不可輕動之意라 小人勿用은 占法이 與師上六同[59]하니라

기제(既濟)의 때에 강효(剛爻)로서 강위(剛位)에 거하였으니, 고종이 귀방을 정벌한 상(象)이다. 3년 만에 이겼다는 것은 오랜 뒤에 이겼음을 말한 것이니, 점치는 자에게 가벼이 동하지 말라고 경계한 뜻이다. 소인은 쓰지 말라는 것은 점치는 법이 사괘(師卦)의 상육효(上六爻)와 같다.

象曰 三年克之는 憊也라

〈상전〉에 말하였다. "삼 년 만에 이김은 피곤한 것이다."

傳 | 言憊하여 以見(현)其事之至難이라 在高宗爲之則可어니와 无高宗之心이면

59 小人勿用 占法與師上六同 : 사괘(師卦)의 상육 효사(上六爻辭)에도 "小人勿用"이라 하였으므로 말한 것이다.

則貪忿以殃〔一作殘〕民也라

피곤함을 말하여 이 일이 지극히 어려움을 나타낸 것이다. 고종에 있어서는 가(可)하나 〈백성을 돌보는〉 고종의 마음이 없다면 탐함과 분노로 백성을 해치는 것이다.

六四는 (繻)[濡]에 有衣袽하고 終日戒니라

육사(六四)는 〈배가 물이 새어〉 젖음에 옷과 헌옷을 장만해 두고 종일토록 경계함이다.

本義｜ 有衣袽하여

옷과 헌옷을 장만하여

傳｜ 四在濟卦而水體라 故取舟爲義하니라 四는 近君之位하니 當其任者也니 當旣濟之時하여 以防患慮變爲急이라 繻는 當作濡니 謂滲漏也라 舟有罅(하)漏면 則塞以衣袽하나니 有衣袽以備濡漏하고 又終日戒懼不怠하니 慮患을 當如是也라 不言吉은 方免於患也일새라 旣濟之時에 免患則足矣니 豈復有加也리오

사(四)가 기제괘(旣濟卦)에 있고 물의 체이므로 배를 취하여 뜻으로 삼았다. 사(四)는 군주와 가까운 자리이니, 그 임무를 담당한 자이니, 기제의 때를 당하여 환난(患難)을 방지하고 사변(事變)을 염려함을 급함으로 여겨야 한다. '수(繻)'는 마땅히 유(濡)가 되어야 하니, 배에 물이 샘을 이른다. 배가 틈이 있어 물이 새면 의여(衣袽:옷과 헌솜)로 막으니, 의여를 장만해 두어 새는 것에 대비하고 또 종일토록 경계하고 두려워하여 태만하지 않으니, 환난을 염려하기를 마땅히 이와 같이 하여야 한다. 길함을 말하지 않은 것은 이제 막 환난에서 면했기 때문이다. 기제의 때에 환난을 면하면 충분하니, 어찌 다시 더함이 있겠는가.

本義｜ 旣濟之時에 以柔居柔하니 能預備而戒懼者也라 故其象如此하니라 程子曰 繻는 當作濡라하시니라 衣袽는 所以塞舟之罅漏라

기제의 때에 유효(柔爻)로서 유위(柔位)에 거하였으니, 능히 미리 대비하여 경계하고 두려워하는 자이다. 그러므로 그 상(象)이 이와 같은 것이다. 정자(程子)가 말씀하시기를 "수(繻)는 마땅히 유(濡)가 되어야 한다." 하셨다. '의여(衣袽)'는 배

••• 袽:해진옷 여 滲:샐 삼 罅:틈 하

의 틈에 새는 곳을 막는 것이다.

象曰 終日戒는 有所疑也라
〈상전〉에 말하였다. "종일토록 경계함은 의심스러운 바가 있어서이다."

傳 | 終日戒懼는 常疑患之將至也라 處旣濟之時하여 當畏愼如是也라
종일토록 경계하고 두려워함은 항상 환난이 장차 이를까 의심해서이다. 기제의 때에 처하여 마땅히 두려워하고 삼가기를 이와 같이 하여야 한다.

九五는 東隣殺牛 不如西隣之禴(약)祭 實受其福이니라
구오(九五)는 동쪽 이웃의 소를 잡아 성대히 제사함이 서쪽 이웃의 검소한 제사가 실제로 그 복(福)을 받음만 못하다.

傳 | 五中實은 孚也요 二虛中은 誠也라 故皆取祭祀爲義하니라 東隣은 陽也니 謂五요 西隣은 陰也니 謂二라 殺牛는 盛祭也요 禴은 薄祭也니 盛不如薄者는 時不同也일새라 二、五皆有孚誠中正之德이로되 二在濟下하여 尙有進也라 故受福이요 五處濟極하여 无所進矣니 以至誠中正守之면 苟未至於反耳라 理无極而終不反者也니 已至於極이면 雖善處나 无如之何矣라 故爻象에 唯言其時也하니라
오(五)의 가운데가 실(實)함은 부신(孚信)이요, 이(二)의 가운데가 허(虛)함은 정성이다. 그러므로 이와 오가 모두 제사를 취하여 뜻으로 삼은 것이다. 동쪽 이웃은 양(陽)이니 오(五)를 이르고, 서쪽 이웃은 음(陰)이니 이(二)를 이른다. 소를 잡음은 성대한 제사이고 '약(禴)'은 박한 제사이니, 성대함이 박함만 못한 것은 때가 똑같지 않기 때문이다. 이효(二爻)와 오효(五爻)가 모두 부성(孚誠)과 중정(中正)의 덕이 있으나 이(二)는 기제(旣濟)의 아래에 있어서 아직 나아갈 곳이 있으므로 복을 받고, 오(五)는 기제의 극에 처하여 나아갈 곳이 없으니, 지성(至誠)과 중정으로 지키면 진실로 뒤집혀짐에 이르지 않을 뿐이다. 이치는 극에 이르고서 끝내 뒤집히지 않음이 없으니, 이미 극에 이르렀으면 비록 잘 대처하나 어쩔 수가 없다. 그러므로 효(爻)와 상(象)에 오직 그 때를 말한 것이다.

••• 禴 : 여름제사이름 약

本義 | 東은 陽이요 西는 陰이니 言九五居尊而時已過하여 不如六二之在下而始得時也라 又當文王與紂之事[60]라 故其象占如此하니라 彖辭의 初吉終亂도 亦此意也라

동(東)은 양(陽)이고 서(西)는 음(陰)이니, 구오(九五)가 존위(尊位)에 거하고 때가 이미 지나서 육이(六二)가 아래에 있어 처음 때를 얻음만 못함을 말한 것이다. 또 문왕(文王)과 주(紂)의 일에 해당하므로 그 상(象)과 점(占)이 이와 같은 것이다. 단사(彖辭)의 '처음은 길하고 끝은 혼란함'도 이러한 뜻이다.

象曰 東隣殺牛 不如西隣之時也니 實受其福은 吉大來也라

〈상전〉에 말하였다. "동쪽 이웃의 소를 잡아 성대히 제사함이 서쪽 이웃의 때에 맞는 제사만 못하니, 〈서쪽 이웃이〉 실제로 그 복을 받음은 길함이 크게 오는 것이다."

傳 | 五之才德이 非不善이로되 不如二之時也라 二在下하여 有進之時라 故中正而孚면 則其吉大來니 所謂受福也라 吉大來者는 在旣濟之時하여 爲大來也니 亨小初吉이 是也라

오(五)의 재주와 덕이 불선(不善)한 것은 아니나 이(二)의 때에 맞음만 못한 것이다. 이(二)는 아래에 있어 나아감이 있는 때이므로 중정(中正)하고 정성이 있으면 길함이 크게 오니, 이른바 복을 받는다는 것이다. 길함이 크게 온다는 것은 기제의 때에 있어 크게 오는 것이니, '형통함이 작고 처음에는 길함'이 이것이다.

上六은 濡其首라 厲하니라

상육(上六)은 그 머리를 적심이니, 위태롭다.

傳 | 旣濟之極엔 固不安而危也요 又陰柔處之하고 而在險體之上이라 坎爲水요 濟亦取水義라 故言其窮至於濡首하니 危可知也라 旣濟之終이어늘 而小人處之면

······

60 又當文王與紂之事 : 주(紂)는 동쪽에 있으면서 제왕의 존위(尊位)에 거하였고, 문왕은 서쪽에 있으면서 제후의 자리에 있었으므로 말한 것이다.

其敗壞를 可立而待也니라

기제(旣濟)의 극(極)에는 진실로 편안하지 못하여 위태로우며, 또 음유(陰柔)가 이 자리에 처하고 험체(險體)의 위에 있다. 감(坎)은 물이 되고 제(濟) 또한 물의 뜻을 취하였다. 그러므로 그 궁극함이 머리를 적심에 이른다고 말하였으니, 위태로움을 알 수 있다. 기제의 끝인데 소인이 처하면 패(敗)하고 무너짐을 서서(당장) 기다릴 수 있는 것이다.

本義 | 旣濟之極이요 險體之上이어늘 而以陰柔處之하니 爲狐涉水而濡其首之象이라 占者不戒는 危之道也라

기제의 극이고 험체(險體)의 위인데 음유(陰柔)로서 처하였으니, 여우가 물을 건너다가 머리를 적신 상(象)이 된다. 점치는 자가 경계하지 않으면 위태로운 방도이다.

象曰 濡其首厲 何可久也리오

〈상전〉에 말하였다. "머리를 적셔 위태로움이 어찌 장구하겠는가?"

傳 | 旣濟之窮하여 危至於濡首하니 其能長久乎아

기제가 궁극하여 위태로움이 머리를 적심에 이르렀으니, 어찌 능히 장구하겠는가.

64 화수 火水 미제(未濟) ䷿ 감하리상 坎下離上

傳 | 未濟는 序卦에 物不可窮也라 故受之以未濟하여 終焉이라하니라 旣濟矣면 物之窮也니 物窮而不變이면 則无不已之理하니 易者는 變易而不窮也라 故旣濟之後에 受之以未濟而終焉하니라 未濟則未窮也니 未窮則有生生之義라 爲卦 離上坎下하여 火在水上하여 不相爲用이라 故爲未濟라

미제괘(未濟卦)는 〈서괘전〉에 "사물은 다할 수만은 없으므로 미제괘로 받아서 끝마쳤다." 하였다. 이미 이루면 사물이 다한 것이니, 사물이 다하였는데도 변치 않으면 그치지 않을 리가 없으니, 역(易)은 변역하여 다하지 않는다. 그러므로 기제괘(旣濟卦 ䷾)의 뒤에 미제괘로써 받아 끝마친 것이다. 아직 이루지 않았으면 다하지 않은 것이니, 다하지 않으면 낳고 낳는 뜻이 있다. 괘됨이 리(離)가 위에 있고 감(坎)이 아래에 있어 불이 물 위에 있어 서로 쓰임이 되지 못한다. 그러므로 미제(未濟)라 한 것이다.

未濟는 亨하니 小狐汔(흘)濟[61]하여 濡其尾니 无攸利하니라

미제(未濟)는 형통하니, 어린 여우가 물을 건넘에 용감하여 그 꼬리를 적시니, 이로운 바가 없다.

본의 | 거의 건너가

傳 | 未濟之時엔 有亨之理요 而卦才復有致亨之道하니 唯在愼處라 狐能度(渡)水로되 濡尾則不能濟하나니 其老者多疑畏라 故로 履冰而聽하니 懼其陷也요 小者則未能畏愼이라 故勇於濟라 汔은 當爲仡이니 壯勇之狀이라 書曰 仡仡勇夫라하니라 小狐果於濟면 則濡其尾而不能濟也라 未濟之時에 求濟之道를 當至愼이면

61 小狐汔濟 : 《정전》에는 汔을 仡로 보아 "어린 여우가 용감하게 건너는 것"으로 해석한 반면, 《본의》에는 汔을 幾(거의)의 뜻으로 보아 "어린 여우가 물을 거의 다 건넌 것"으로 해석하였다.

··· 汔 : 용감할 흘, 거의 흘

則能亨이요 若如小狐之果면 則不能濟也니 旣不能濟면 无所利矣니라

미제(未濟)의 때에는 형통할 이치가 있고 괘의 재질이 다시 형통함을 이룰 방도가 있으니, 오직 신중히 처함에 있을 뿐이다. 여우는 물을 건너갈 수 있으나 꼬리를 적시면 건너가지 못하니, 늙은 여우는 의심과 두려움이 많기 때문에 얼음을 밟으면서 물소리를 들으니 빠질까 두려워해서요, 어린 여우는 두려워하고 삼가지 못하기 때문에 건넘에 용감한 것이다.

'흘(汔)'은 마땅히 흘(仡)이 되어야 하니, 장용(壯勇)한 모양이다. 《서경》〈진서(秦誓)〉에 "흘흘용부(仡仡勇夫)"라 하였다. 어린 여우가 건넘에 과감하면 꼬리를 적시어 건너지 못한다. 미제의 때에 이루기〔濟〕를 구하는 방도를 마땅히 지극히 신중히 하면 형통할 것이요, 만일 어린 여우처럼 과감히 하면 이루지 못할 것이니, 이미 이루지 못하면 이로운 바가 없는 것이다.

本義 | 未濟는 事未成之時也라 水火不交하여 不相爲用이요 卦之六爻 皆失其位라 故爲未濟라 汔은 幾也니 幾濟而濡尾는 猶未濟也라 占者如此면 何所利哉리오

미제(未濟)는 일이 아직 이루어지지 못한 때이다. 물과 불이 사귀지 못하여 서로 쓰임이 되지 못하고, 괘의 여섯 효(爻)가 모두 제자리를 잃었기 때문에 미제라 한 것이다. '흘(汔)'은 거의이니, 거의 건너가서 꼬리를 적심은 건너가지 못함과 같은 것이다. 점치는 자가 이와 같으면 어찌 이로운 바가 있겠는가.

彖曰 未濟亨은 柔得中也요

〈단전〉에 말하였다. "미제가 형통함은 유(柔)가 중(中)을 얻었기 때문이요,

傳 | 以卦才言也라 所以能亨者는 以柔得中也니 五以柔居尊位하고 居剛而應剛하여 得柔之中也라 剛柔得中하니 處未濟之時하여 可以亨也라

괘의 재질로써 말하였다. 형통할 수 있는 까닭은 유(柔)가 중(中)을 얻었기 때문이니, 오(五)가 유(柔)로서 존위(尊位)에 거하고 강위(剛位)에 거하여 강(구이)과 응하여 유(柔)의 중(中)을 얻었다. 강(剛)·유(柔)가 중도(中道)를 얻었으니, 미제의 때에 처하여 형통할 수 있는 것이다.

本義 | 指六五言이라

육오(六五)를 가리켜 말하였다.

小狐汔濟는 未出中也요

'소호흘제(小狐汔濟)'는 험한 가운데에서 벗어나지 못한 것이요,

傳 | 據二而言也라 二以剛陽居險中하니 將濟者也요 又上應於五하니 險非可安之地니 五有當從之理라 故果於濟를 如小狐也라 旣果於濟라 故有濡尾之患하니 未能出於險中也라

구이(九二)를 근거하여 말하였다. 이(二)가 강양(剛陽)으로 험한 가운데 거하였으니 장차 건너야 할 자이며 또 위로 오(五)와 응하니, 험함은 편안한 자리가 아니니, 오(五)가 마땅히 따를 이치가 있다. 그러므로 건넘에 과감하기를 어린 여우와 같이 하는 것이다. 이미 건넘에 과감하기 때문에 꼬리를 적시는 근심이 있으니, 험한 가운데에서 벗어나지 못한 것이다.

濡其尾无攸利는 不續終也라

꼬리를 적셔 이로운 바가 없음은 계속하여 끝마치지 못하기 때문이다.

傳 | 其進銳者는 其退速이라 始雖勇於濟나 不能繼續而終之하니 无所往而利也라

나아감이 빠른 자는 물러감도 속하다. 처음에는 비록 건넘에 용감하나 계속하여 끝마치지 못하니, 가는 곳마다 이로움이 없다.

雖不當位나 剛柔應也니라

비록 자리가 합당하지 않으나 강(剛)·유(柔)가 서로 응한다."

傳 | 雖陰陽不當位나 然剛柔皆相應하여 當未濟而有與하니 若能重愼이면 則有可濟之理나 二以汔濟故로 濡尾也라 卦之諸爻가 皆不得位라 故爲未濟라 雜卦云

未濟는 男之窮也라하니 謂三陽皆失位也라 斯義也를 聞之成都隱者[62]로라

비록 음 · 양이 자리에 합당하지 않으나 강(剛) · 유(柔)가 모두 서로 응하여 미제를 당해서 응여(應與)가 있으니, 만약 신중히 하면 이룰 수 있는 이치가 있다. 그러나 이(二)가 건넘에 용감하기 때문에 꼬리를 적시는 것이다. 괘의 여러 효(爻)가 모두 제자리를 얻지 못했기 때문에 미제라 한 것이다. 〈잡괘전(雜卦傳)〉에 "미제는 남자(양)의 궁함이다." 하였으니, 세 양이 모두 제자리를 잃었음을 이른 것이다. 이 뜻을 성도(成都)의 은자(隱者)에게 들었노라.

象曰 火在水上이 未濟니 君子以하여 愼辨物하여 居方하나니라

〈상전〉에 말하였다. "불이 물 위에 있음이 미제(未濟)이니, 군자가 보고서 신중히 사물을 분별하여 방소(方所 ; 제자리)에 거하게 한다."

傳 | 水火不交하여 不相濟爲用이라 故爲未濟라 火在水上은 非其處也라 君子觀其處不當之象하여 以愼處於事物하여 辨其所當하여 各居其方하나니 謂止於其所也라

물과 불이 사귀지 못해서 서로 구제하여 쓰임이 되지 못한다. 그러므로 미제라 한 것이다. 불이 물 위에 있음은 제자리가 아니다. 군자가 처함이 합당하지 않은 상(象)을 보고서 신중히 사물에 대처해서 그 마땅한 바를 분별하여 각기 그 방소에 거하게 하니, 제자리에 멈춤을 말한 것이다.

本義 | 水火異物이 各居其所라 故君子觀象而審辨之하나니라

물과 불의 다른 물건이 각기 제자리에 머물러 있다. 그러므로 군자가 이 상(象)을 보고서 분별하는 것이다.

······

62 雜卦云 ……聞之成都隱者 : 주자(朱子)가 말씀하였다. "장경부(張敬夫)가 말하기를 '이천이 부주(涪州)에 계실 적에 《주역》을 읽고 계셨는데 나무통을 수리하는 자가 이 내용(未濟男之窮也)을 물었으나 이천이 대답하지 못하셨다. 그 사람이 '이것은 세 양이 모두 제자리를 잃은 것이다.' 하니, 이천은 이것을 '옳다.'고 말씀했다.' 하였다. 이천은 이 내용이 《화주림》에 이미 나와 있음을 알지 못하신 것이다. 이는 일찍이 이천이 잡서를 보시지 않았기 때문에 그의 말에 감동되신 것이다.〔張敬夫說 伊川之在涪也, 方讀易, 有箍桶人以此問, 伊川不能答, 其人云三陽失位, 伊川謂是, 不知此語火珠林上已有, 蓋伊川未曾看雜書, 所以被他說動了.〕"《大全本》

初六은 濡其尾니 吝하니라

초육(初六)은 꼬리를 적셨으니 부끄럽다.

傳 | 六以陰柔在下하고 處險而應四하니 處險則不安其居요 有應則志行於上이라 然己旣陰柔요 而〔一无而字〕四非中正之才니 不能援之以濟也라 獸之濟水에 必揭其尾하나니 尾濡則不能濟니 濡其尾는 言不能濟也라 不度(탁)其才力而進하여 終不能濟면 可羞吝也라

육(六)이 음유(陰柔)로서 아래에 있고 험함에 처하여 사(四)와 응하니, 험함에 처하면 거처를 편안히 여기지 못하고, 응이 있으면 뜻이 위로 가려 한다. 그러나 자신이 이미 음유(陰柔)이고 사(四)가 중정(中正)의 재질이 아니니, 자신을 구원하여 구제하지 못한다. 짐승이 물을 건너갈 적에는 반드시 꼬리를 드는데 꼬리가 젖으면 건너가지 못하니, 꼬리를 적셨다는 것은 건너가지 못함을 말한 것이다. 자신의 재주와 힘을 헤아리지 않고 나아가서 끝내 건너가지(이루지) 못하면 부끄러울 만한 것이다.

本義 | 以陰居下하니 當未濟之初하여 未能自進이라 故其象占如此하니라

음효(陰爻)로서 아래에 거하였으니, 미제의 초기를 당하여 능히 스스로 나아가지 못한다. 그러므로 그 상(象)과 점(占)이 이와 같은 것이다.

象曰 濡其尾亦不知極也[63]라

〈상전〉에 말하였다. "꼬리를 적심은 또한 알지 못함이 지극한 것이다."

傳 | 不度(탁)其才力而進하여 至於濡尾는 是不知之極也라

자신의 재주와 힘을 헤아리지 않고 나아가서 꼬리를 적심에 이름은 이는 알지 못함이 지극한 것이다.

······

63 濡其尾亦不知極也 : 주자(朱子)는 "혹자는 '극(極)은 마땅히 증(拯)이 되어야 한다.'고 한다." 하였는 바, 사계(沙溪)는 "이것이 옳다." 하였다.《經書辨疑》 만일 증(拯)이 옳다면 '꼬리를 적심은 또한 구원할 줄을 모르는 것이다.'로 해석하여야 할 것이다.

··· 吝 : 부끄러울 린

本義 | 極字는 未詳이라 考上下韻컨대 亦不叶하니 或恐是敬字니 今且闕之하노라

극(極) 자는 미상(未詳)이다. 상 · 하의 운(韻)을 상고해도 맞지 않으니, 혹 경(敬) 자일 듯하니, 이제 우선 빼놓는다.

九二는 曳其輪이면 貞하여 吉하리라

구이(九二)는 수레바퀴를 뒤로 끌듯 급속(急速)히 하지 않으면 정(貞)하여 길하리라.

本義 | 曳其輪이니 貞이라 吉하리라

수레바퀴를 뒤로 끎이니, 정(貞)하여 길하리라.

傳 | 在他卦엔 九居二 爲居柔得中하여 无過剛之義也로되 於未濟엔 聖人深取卦象以爲戒하여 明事上恭順之道하시니라 未濟者는 君道艱難之時也라 五以柔處君位어늘 而二乃剛陽之才로 而居相應之地하니 當用者也라 剛有陵柔之義하고 水有勝火之象이라 方艱難之時하여 所賴者는 才臣耳니 尤當盡恭順之道라 故戒曳其輪則得正而吉也라 倒曳其輪하여 殺(쇄)其勢하고 緩其進이니 戒用剛之過也니 剛過則好犯上〔一无上字〕而順不足이라 唐之郭子儀, 李晟[64]이 當艱危未濟之時하여 能極其恭順하니 所以爲得正而能保其終吉也라 於六五엔 則言其貞吉光輝하여 盡君道之善하고 於九二엔 則戒其恭順하여 盡臣道之正하니 盡上下之道也라

다른 괘에 있어서는 구(九)가 이(二)에 거함이 유(柔)에 거하고 중(中)을 얻음이 되어 지나치게 강한 뜻이 없으나 미제(未濟)에 있어서는 성인이 깊이 괘상(卦象)을 취하여 경계해서 〈신하가〉 윗사람을 섬김에 공손히 하는 도리를 밝히셨다. 미제는 군주의 도가 간난(艱難)한 때이다. 오(五)가 유(柔)로서 군위(君位)에 처하였는데, 이(二)가 강양(剛陽)의 재질로 서로 응하는 자리에 처하였으니, 마땅히 쓰여질 자이다. 강(剛)은 유(柔)를 능멸하는 뜻이 있고 물은 불을 이기는 상(象)이 있다. 간난(艱難)한 때를 당하여 군주가 의뢰할 것은 재주 있는 신하이니, 신하는 더욱 마

64 唐之郭子儀李晟 : 곽자의(郭子儀)는 당나라 숙종(肅宗) 때의 명장으로 성품이 너그럽고 충성스러워 안록산(安祿山)과 그의 잔당을 평정하여 큰 공을 세워 분양왕(汾陽王)에 봉해졌으나, 시종 겸손하여 부귀를 끝까지 누렸다. 이성(李晟)은 덕종(德宗) 때의 명장으로 주차(朱泚)의 반란을 평정하고 서평왕(西平王)에 봉해졌으나 역시 겸손하고 충성스러웠다.

… 曳 : 끌 예 殺 : 줄일 쇄 陵 : 능멸할 릉 艱 : 어려울 간 輝 : 빛날 휘

땅히 공순한 도리를 다하여야 한다. 그러므로 수레를 뒤로 끌듯하여 급속히 나아가지 않으면 정(正)을 얻어 길하다고 경계한 것이다. 수레바퀴를 뒤로 끌어 그 세(勢)를 줄이고 그 나아감을 늦춰야 하니, 강(剛)을 쓰기를 지나치게 함을 경계한 것이니, 강함이 지나치면 윗사람을 범하기 좋아하여 순함이 부족하게 된다.

당(唐)나라의 곽자의(郭子儀)와 이성(李晟)은 어렵고 위태로운 미제의 때를 당하여 능히 공순함을 다하였으니, 이 때문에 정(正)을 얻음이 되어 끝내 길함을 보존한 것이다. 육오(六五)에 있어서는 '정길광휘(貞吉光輝)'를 말하여 군도(君道)의 선(善)함을 다하였고, 구이(九二)에 있어서는 신하가 공순히 할 것을 경계하여 신도(臣道)의 바름을 다하였으니, 윗사람과 아랫사람의 도리를 다한 것이다.

本義 | 以九二應六五而居柔得中하니 爲能自止而不進하여 得爲下之正也라 故其象占如此하니라

구이(九二)로서 육오(六五)에 응하고 유위(柔位)에 거하며 중(中)을 얻었으니, 능히 스스로 멈추고 나아가지 않음이 되어 아랫사람이 된 바름을 얻었다. 그러므로 그 상(象)과 점(占)이 이와 같은 것이다.

象曰 九二貞吉은 中以行正也일새라

〈상전〉에 말하였다. "구이(九二)의 정길(貞吉)은 중(中)으로서 정(正)을 행하기 때문이다."

傳 | 九二得正而吉者는 以曳輪而得中道 乃正也라

구이(九二)가 정(正)을 얻어 길한 것은 수레바퀴를 뒤로 끌 듯하여 중도(中道)를 얻음이 바로 정(正)이기 때문이다.

本義 | 九居二는 本非正이로되 以中故로 得正也[65]라

••••••

65 九居二……得正也 : 득정(得正)에 대하여 운봉호씨(雲峯胡氏)가 말하였다. "정자가 '정(正)에는 중(中)하지 못함이 있지만 중은 정하지 않음이 없다.' 하셨으니, 여기에서 '중이기 때문에 정을 얻었다.' 함은 《주역》의 대의이다.〔程子云 正有不中, 中无不正. 此日以中故得正, 易之大義也.〕" 《大全本》

구(九)가 이(二)에 거함은 본래 정(正)이 아니나 중(中)이기 때문에 정(正)을 얻은 것이다.

六三은 未濟에 征이면 凶하나 利涉大川하니라

육삼(六三)은 미제의 때에 가면 흉하나 대천(大川)을 건넘은 이롭다.

傳 | 未濟征凶은 謂居險하여 无出險之用하니 而行則凶也니 必出險而後可征이라 三以陰柔不中正之才而居險하여 不足以濟하니 未有可濟之道、出險之用而征은 所以凶也라 然未濟는 有可濟之道요 險終은 有出險之理라 上有剛陽之應하니 若能涉險而往從之면 則濟矣라 故利涉大川也라 然三之陰柔 豈能出險而往이리오 非時不可요 才不能也라

'미제정흉(未濟征凶)'은 험함에 거하여 험함을 벗어날 재용(材用;재주와 도구)이 없으니, 가면 흉함을 말한 것이니, 반드시 험함을 벗어난 뒤에야 갈 수 있다. 삼(三)은 음유(陰柔)이고 중정하지 못한 재질로 험함에 거하여 구제할 수 없으니, 구제할 수 있는 방도와 험함을 벗어날 수 있는 재용이 없으면서 감은 흉한 소이(所以)이다. 그러나 미제는 구제할 수 있는 방도가 있고, 험함이 끝남은 험함을 벗어날 이치가 있다. 위에 강양(剛陽)의 응이 있으니, 만약 험함을 건너고 가서 응을 따른다면 구제될 것이다. 그러므로 대천을 건넘이 이로운 것이다. 그러나 삼(三)의 음유(陰柔)가 어찌 험함을 벗어나 갈 수 있겠는가. 때가 불가한 것이 아니요, 재주가 능하지 못한 것이다.

本義 | 陰柔不中正으로 居未濟之時하니 以征則凶이라 然以柔乘剛하고 將出乎坎하니 有利涉之象이라 故其占如此라 蓋行者可以水浮요 而不可以陸走也라 或疑利字上에 當有不字라

중정하지 못한 음유(陰柔)로 미제의 때에 거하였으니, 그대로 가면 흉하다. 그러나 유(柔)로서 강(剛)을 타고 장차 감(坎)에서 벗어나게 되었으니, 이섭(利涉)의 상(象)이 있다. 그러므로 그 점(占)이 이와 같은 것이다. 길을 가는 자는 수상(水上)으로 떠갈 것이요 육지로 달려가서는 안 된다. 혹자는 이(利) 자 위에 마땅히 불(不) 자가 있어야 한다고 의심한다.

象曰 未濟征凶은 位不當也일새라
〈상전〉에 말하였다. "'미제정흉(未濟征凶)'은 자리가 합당하지 않기 때문이다."

傳 | 三이 征則凶者는 以位不當也니 謂陰柔不中正하여 无濟險之才也라 若能涉險〔一无險字〕以從應이면 則利矣리라

삼(三)이 가면 흉한 것은 자리가 합당하지 않기 때문이니, 음유(陰柔)로 중정하지 못하여 험함을 구제할 재주가 없음을 말한 것이다. 만약 험함을 건너 응을 따른다면 이로울 것이다.

九四는 貞이면 吉하여 悔亡하리니 震用伐鬼方하여 三年에야 有賞于大國이로다

구사(九四)는 정(貞)하면 길하여 뉘우침이 없어지리니, 진동하여 귀방(鬼方)을 정벌해서 삼 년에야 대국(大國)에 상(賞)이 있도다.

傳 | 九四는 陽剛으로 居大臣之位하고 上有虛中明順之主하며 又已出於險하고 未濟已過中矣니 有可濟之道也라 濟天下之艱難은 非剛健之才면 不能也라 九雖陽而居四라 故戒以貞固則吉而悔亡하니 不貞則不能濟니 有悔者〔一无者字〕也라 震은 動之極也라 古之人用力之甚者는 伐鬼方也라 故以爲義하니라 力勤而遠伐하여 至于三年然後에 成功而行大國之賞이니 必如是라야 乃能濟也라 濟天下之道는 當貞固如是니 四居柔故로 設此戒하니라

구사(九四)는 양강(陽剛)으로 대신의 지위에 거하고 위에 마음을 비운 밝고 순한 군주가 있으며, 또 이미 험함에서 벗어났고 미제가 이미 중(中;반)을 지났으니, 구제할 수 있는 방도가 있다. 천하의 간난(艱難)을 구제함은 강건(剛健)한 재질이 아니면 능하지 못하다. 구(九)가 비록 양(陽)이나 사(四)에 거했으므로 정고(貞固)하면 길하여 뉘우침이 없어진다고 경계하였으니, 바르지 못하면 구제하지 못할 것이니, 뉘우침이 있는 것이다.

진(震)은 동함이 지극함이다. 옛사람이 힘쓰기를 심히 한 것은 귀방(鬼方)을 정벌한 일이었다. 그러므로 이로써 뜻으로 삼은 것이다. 힘이 수고롭고 멀리 정벌

하여 3년에 이른 뒤에야 성공하여 대국의 상(賞)을 행하였으니, 반드시 이와 같이 하여야 구제할 수 있는 것이다. 천하를 구제하는 방도는 마땅히 정고함이 이와 같아야 하니, 사(四)가 유(柔)에 거했으므로 이 경계를 베푼 것이다.

本義 | 以九居四는 不正而有悔也로되 能勉而貞이면 則悔亡矣라 然以不貞之資로 欲勉而貞인댄 非極其陽剛, 用力之久면 不能也라 故爲伐鬼方三年而受賞之象이니라

구(九)로서 사(四)에 거함은 정(正)이 아니어서 뉘우침이 있으나 능히 힘쓰고 바르게 하면 뉘우침이 없어진다. 그러나 바르지 못한 자질로 힘써 바르게 하고자 할진댄 양강(陽剛)을 지극히 하고 힘쓰기를 오래함이 아니면 능하지 못하다. 그러므로 귀방(鬼方)을 정벌한 지 3년 만에 상(賞)을 받는 상(象)이 된 것이다.

象曰 貞吉悔亡은 志行也라

〈상전〉에 말하였다. "정(貞)하면 길하여 뉘우침이 없어짐은 뜻이 행해지는 것이다."

傳 | 如四之才 與時合而加以貞固면 則能行其志하여 吉而悔亡이라 鬼方之伐은 貞之至也라

사(四)와 같은 재질이 때와 합하고 정고(貞固)함을 가하면 능히 그 뜻을 행해서 길하여 뉘우침이 없어질 것이다. 귀방을 정벌함은 정고함이 지극한 것이다.

六五는 貞이라 吉하여 无悔니 君子之光이 有孚라 吉하니라

육오(六五)는 바르므로 길하여 뉘우침이 없으니, 군자의 빛남이 진실함이 있어 길하다.

傳 | 五는 文明之主로 居剛而應剛하고 其處得中하여 虛其心而陽爲之輔하니 雖以柔居尊이나 處之至正至善이니 无不足也라 旣得貞正이라 故吉而无悔라 貞은 其固有니 非戒也니 以此而濟면 无不濟也라 五는 文明之主라 故稱其光이라 君子德輝之盛而功實稱之는 有孚也라 上云吉은 以貞也니 柔而能貞은 德之吉也요 下

••• 輝 : 빛날 휘 暉 : 빛날 휘, 밝을 휘

云吉은 以功也니 旣光而有孚면 時可濟也라

오(五)는 문명의 주체로 강위(剛位)에 거하고 구이의 강에 응하며 그 처함이 중(中)을 얻어서 마음을 비워 양(陽)이 보필해 주니, 비록 유(柔)로서 존위(尊位)에 거하였으나 처하기를 지극히 바르고 지극히 선(善)하게 함이니, 부족함이 없다. 이미 정정(貞正)함을 얻었기 때문에 길하여 뉘우침이 없는 것이다. 정(貞)은 고유(固有)한 것이니 경계함이 아니니, 이와 같이 하여 구제하면 구제하지 못함이 없을 것이다. 오(五)는 문명의 주체이기 때문에 그 빛남을 말한 것이다. 군자가 덕의 빛남이 성하고 공(功)이 실제로 이에 걸맞음은 진실함이 있는 것이다. 위에서 말한 길함은 정(貞)하기 때문이니 유(柔)하면서 정함은 덕(德)의 길함이요, 아래에서 말한 길함은 공(功) 때문이니, 이미 빛나고 진실함이 있으면 당시(세상)를 구제할 수 있는 것이다.

本義 | 以六居五는 亦非正也나 然文明之主로 居中應剛하여 虛心以求下之助라 故得貞而吉且无悔하고 又有光輝之盛하여 信實而不妄하니 吉而又吉也라

육(六)으로서 오(五)에 거함은 또한 정(正)이 아니나, 문명의 주체로 중(中)에 거하고 강(剛)에 응하여 마음을 비워 아랫사람의 도움을 구한다. 그러므로 정(貞)을 얻어 길하고 또 뉘우침이 없으며, 또 광휘(光輝)의 성함이 있어 신실(信實)하여 망령되지 않으니, 길하고 또 길하다.

象曰 君子之光은 其暉吉也라

〈상전〉에 말하였다. "군자의 광채는 그 빛남이 길한 것이다."

傳 | 光盛則有暉니 暉는 光之散也라 君子積充而光盛하여 至於有暉는 善之至也라 故重云吉하니라

빛남이 성하면 휘(暉)가 있으니, 휘는 빛의 발산이다. 군자가 쌓고 충만하여 광채가 성해서 빛남이 있음에 이름은 선(善)이 지극한 것이다. 그러므로 거듭 길하다고 말한 것이다.

本義 | 暉者는 光之散也라

'휘(暉)'는 빛의 발산이다.

上九는 有孚于飮酒면 无咎어니와 濡其首면 有孚에 失是[66]하리라
상구(上九)는 믿음을 두고 술을 마시면 허물이 없지만 머리를 적시듯 지나치면 유부(有孚)에 옳음을 잃으리라.

本義 | 有孚于飮酒니 无咎어니와 濡其首면 有孚하여
믿음을 두고 술을 마심이니 허물이 없지만, 머리를 적시듯 지나치면 너무 자신(自信)하여

傳 | 九以剛在上하니 剛之極也요 居明之上하니 明之極也라 剛極而能明이면 則不爲躁而爲決이니 明能燭理하고 剛能斷義라 居未濟之極하여 非得濟之位면 无可濟之理니 則當樂天順命而已라 若否終則有傾[67]은 時之變也요 未濟則无極而自濟之理라 故止爲未濟之極이니 至誠安於義命而自樂이면 則可无咎라 飮酒는 自樂也니 不樂其處면 則忿躁隕穫하여 入于凶咎矣요 若從樂而耽肆過禮하여 至濡其首면 亦非能安其處也라 有孚는 自信于中也요 失是는 失其宜也니 如是則於有孚爲失也라 人之處患難에 知其无可奈何하여 而放意不反者는 豈安於義命者哉리오

구(九)가 강(剛)으로서 위에 있으니 강함이 지극하고, 밝음의 위에 거하였으니 밝음이 지극하다. 강함이 지극하면서도 밝으면 조급함이 되지 않고 결단함이 되니, 밝으면 사리를 밝힐 수 있고 강하면 능히 의리로 결단할 수 있다. 미제의 극에 거하여 구제할 수 있는 지위를 얻은 경우가 아니면 구제할 수 있는 이치가 없으

••••••

66 有孚于飮酒……有孚失是 : '유부우음주(有孚于飮酒)'를 퇴계는 '술을 마심에 믿음을 두면'으로 해석하였으며, 아래의 '유부(有孚)' 역시 '부(孚)를 둠에'로 해석하였음을 밝혀둔다. 그리고 사계는 "기제괘(旣濟卦)와 미제괘(未濟卦)의 유기미(濡其尾), 유기수(濡其首)에 모두 '여우'로 말하였는데, 홀로 '有孚于飮酒……濡其首'에서만 글의 뜻을 바꿀 리가 있겠는가. 《정전》에 이른바 '즐기고 방사하여 예(禮)를 지나쳐서 머리를 적심에 이른다[耽肆過禮至濡其首]'는 것도 상문(上文)에 여우가 물을 건너간다는 뜻을 이어받은 것인데 '여(如)' 자 하나를 더넣지 않은 것이다." 하였다. 《經書釋義, 經書辨疑》 주자(朱子)와 사계의 설(說)을 따라 '유기수(濡其首)'를 해석함에 모두 '머리를 적시듯'으로 풀이하였다.

67 否終則有傾 : 비괘(否卦)의 상구효(上九爻) 〈상전〉에 "否終則傾, 何可長也."라 하였으므로 말한 것이다.

••• 燭 : 밝힐 촉 否 : 막힐 비 隕 : 떨어질 운 耽 : 즐길 탐

니, 마땅히 천리(天理)를 즐거워하고 천명(天命)을 순히 따를 뿐이다. 비(否)가 끝나면 기욺이 있는 것은 때가 변했기 때문이요, 미제는 극이 되었다고 하여 스스로 구제될 이치가 없다. 그러므로 다만 미제의 극이 되는 것이니, 지성으로 의(義)와 명(命)을 편안히 여기고 스스로 즐거워하면 허물이 없을 수 있다.

술을 마심은 스스로 즐거워함이니, 그 처함을 즐거워하지 않으면 분하고 조급하여 운확(隕穫;곤궁하여 실의함)할 것이니, 흉함과 허물에 들어갈 것이요, 만약 방종하여 즐거움을 따라 즐기고 방사하여 예(禮)를 지나쳐서 머리를 적심에 이르듯하면 이 또한 처함을 편안히 여기는 것이 아니다. '유부(有孚)'는 스스로 마음속에 믿는 것이요 '실시(失是)'는 그 마땅함을 잃는 것이니, 이와 같이 하면 유부에 잃음이 된다. 사람이 환난(患難)에 처함에 어찌할 방도가 없음을 알고서 마음을 방탕히 하고 돌아오지 않는 자는 어찌 의(義)와 명(命)을 편안히 여기는 자이겠는가.

本義 | 以剛明으로 居未濟之極하여 時將可以有爲요 而自信自養以俟命하니 无咎之道也라 若縱而不反하여 如狐之涉水而濡其首면 則過於自信而失其義矣라

강명(剛明)으로 미제의 극에 거하여 때가 장차 일을 할 수 있으며 스스로 믿고 스스로 기르면서 명(命)을 기다리니, 무구(无咎)의 방도이다. 만약 방종하고 돌아오지 아니하여 여우가 물을 건너다가 머리를 적시듯이 한다면 스스로 믿기를 지나치게 하여 의리를 잃을 것이다.

象曰 飮酒濡首 亦不知節也라

〈상전〉에 말하였다. "술을 마셔 머리를 적심은 또한 절제를 모르는 것이다."

傳 | 飮酒至於濡首는 不知節之甚也라 所以至如是는 不能安義命也니 能安則不失其常矣리라

술을 마셔 머리를 적심에 이르는 것은 절제할 줄을 모름이 심한 것이다. 이와 같음에 이른 까닭은 의(義)와 명(命)을 편안히 여기지 못해서이니, 능히 편안히 여긴다면 그 떳떳함을 잃지 않을 것이다.

계사 상전(繫辭上傳)

本義 | 繫辭는 本謂文王、周公所作之辭로 繫于卦爻之下者[68]하니 卽今經文이요 此篇은 乃孔子所述繫辭之傳也라 以其通論一經之大體凡例라 故无經可附하여 而自分上下云이라

······

68 繫辭……繫于卦爻之下者 :《본의》는 '계사'의 해석을 위의 단(彖)·상(象)처럼 단지 〈계사전〉 상·하만을 말하지 않고, 문왕이 지은 괘사와 주공이 지은 효사를 먼저 말하였다.
'계사(繫辭)'에 대해 아래《대전본(大全本)》끝부분에 쌍호호씨(雙湖胡氏 : 호정방(胡庭芳))의 말이 다음과 같이 보인다.
"〈계사전〉 가운데 '성인이 글을 달았다〔聖人繫辭〕'고 말한 것이 모두 여섯이니, '성인이 괘를 만들어 상을 보고 글을 달아 길흉을 밝혔다.' 하였고, '성인이 천하의 동함을 보고서 글을 달아 길흉을 결단했다.' 한 것이 모두 두 번이며, '글을 단 것은 길흉을 고한 것이다.' 하였고, '글을 달아 그 말을 다했다.' 하였고, '글을 달아 길흉을 명했다.' 하였는데, 여기의 '글을 달았다〔繫辭〕'는 것은 모두 문왕과 주공의 괘사와 효사를 가리켜 말한 것이다. 〈계사전〉 상·하로 말하면 이는 공자가《주역》한 경(經)의 괘효에 대한 대체와 범례를 논한 것이니, 예컨대 옛 성인이《주역》을 지은 이유를 논한 것은 '포희씨가 우러러 천문을 보고 굽어 지리를 살폈다'는 것과 '역에 태극이 있다'는 것과 '하도·낙서'를 설명한 몇 장에 보이고,《주역》을 활용하는 방법을 논한 것은 '대연의 수가 50이라'는 장(章)과 '괘효의 강유(剛柔)', '상수의 변화', '삼극의 도', '유명의 연고', '귀신의 정상' 등에 보이니, 이는 모두《주역》을 활용하는 방법을 숨김없이 찾아낸 것이다. 만약 단지 상경·하경만 있고 〈계사전〉이 없었다면, 상수(象數)의 학문이 밝아지지 못하고 의리의 정미(精微)함이 드러나지 못해 역이 끝내 만세에 활용되지 못하여 인의 중정으로 돌아가지 못했을 것이다.〔繫辭傳中, 言聖人繫辭者六, 曰聖人設卦, 觀象繫辭焉而明吉凶. 曰聖人有以見天下之動, 繫辭焉以斷其吉凶者凡兩出. 曰繫辭焉焉所以告也, 曰繫辭焉以盡其言, 曰繫辭焉而命之, 皆指文王周公卦爻辭言也. 若繫辭上下傳 則孔子統論一經之卦爻大體凡例, 如論先聖作易之由, 則見於包犧氏仰觀俯察及易有太極及河圖洛書數章, 如論用易之法, 則見於大衍之數五十章 與夫卦爻之剛柔、象數之變化、三極之道、幽明之故、鬼神之情狀, 皆搜抉無隱. 若徒有上下經而無繫辭傳, 則象數之學不明, 理義之微莫顯, 易亦竟無以致用於萬世, 適乎仁義中正之歸矣.〕"
그리고 〈계사전〉을 〈대전(大傳)〉 또는 〈역대전(易大傳)〉이라고 칭하는 이유에 대해 뒤이어 다음과 같이 밝히고 있다.
"〈계사전〉을 〈대전〉이라고 칭하는 것은 태사공(사마천(司馬遷))이 〈계사전〉의 '천하에 돌아감은 같으나 길이 다르며 이치는 하나이나 생각은 백 가지이다.'란 글을 인용하면서 〈역대전〉이라고 칭한 것에서 연유하였다. 태사공이 양하(楊何)에게서《주역》을 배웠는데, 양하의 무리가 본래 〈역전(易傳)〉을 지어 세상에 유행하였으므로 공자라고 칭한 것을 〈대전〉이라고 말하여 구별한 것이다.〔其有稱大傳者, 因太史公引天下同歸而殊途, 一致而百慮, 爲易大傳, 蓋太史公受易楊何, 何之屬自著易傳行世, 故稱孔子者, 曰大傳以別之耳.〕"

〈계사(繫辭)〉는 본래 문왕(文王)과 주공(周公)이 지은 말씀(글)으로 괘와 효(爻)의 아래에 단 것을 이르니 곧 지금의 경문(經文)이요, 이 편(篇)은 바로 공자가 지으신 계사의 전(傳)이다. 한 경(經)의 대체와 범례(凡例)를 통론(通論)하였기 때문에 경문에 붙일 만한 곳이 없어서 별도로 상 · 하로 나눈 것이다.

天尊地卑하니 **乾坤**이 **定矣**요 **卑高以陳**하니 **貴賤**이 **位矣**요 **動靜有常**하니 **剛柔 斷矣**요 **方以類聚**하고 **物以羣分**하니 **吉凶**이 **生矣**요 **在天成象**하고 **在地成形**하니 **變化 見**(현)**矣**[69]라

하늘은 높고 땅은 낮으니 건(乾) · 곤(坤)이 정해지고, 낮은 것과 높은 것이 진열되니 귀(貴) · 천(賤)이 자리하고, 동(動)과 정(靜)이 떳떳함(일정함)이 있으니 강(剛) · 유(柔)가 결단되고, 방향은 류(類)로써 모이고 사물은 무리로써 나누어지니 길(吉) · 흉(凶)이 생기고, 하늘에 있어서는 상(象)을 이루고 땅에 있어서는 형체를 이루니 변(變) · 화(化)가 나타난다.

本義 | 天地者는 陰陽形氣之實體요 乾坤者는 易中純陰純陽之卦名也라 卑高者는 天地萬物上下之位요 貴賤者는 易中卦爻上下之位也[70]라 動者는 陽之常이요 靜者는 陰之常이며 剛柔者는 易中卦爻陰陽之稱也라 方은 謂事情所向이니 言事物善惡이 各以類分[71]이요 而吉凶者는 易中卦爻占決之辭也라 象者는 日月星辰之屬이요 形者는 山川動植之屬이며 變化者는 易中蓍策卦爻가 陰變爲陽하고 陽化爲陰者也[72]라 此는 言聖人作易에 因陰陽之實體하여 爲卦爻之法象하니 莊周所

······

69 天尊地卑……變化見矣 : 이 경문은 내용상 다섯 절로 나눌 수 있으며, 절이 끝나는 곳에는 의(矣) 자가 달려있다. 《본의》에 따르면, 각각의 절은 두 부분으로 구성되며, 앞부분은 천지와 음양의 실체를, 뒷부분은 《주역》 괘효의 법(法)과 상(象)을 말한 것이다.

70 易中卦爻上下之位也 : 사계(沙溪)는 "상하지위(上下之位)는 천위(天位)와 지위(地位) · 인위(人位)를 가리킨 것이다." 하였다. 《經書辨疑》

71 方謂事情所向……各以類分 : 선을 지향하는 일에는 선한 사람이 모이고, 악을 지향하는 일에는 악한 사람이 모인다는 말이다.

72 陰變爲陽 陽化爲陰者也 : 변(變)과 화(化)를 《본의》에서는 일관되게 '음(陰)이 변하여 양(陽)이 되고, 양이 화하여 음이 됨'으로 구분하였는바, 즉 양으로 변함은 변, 음으로 변함은 화라 하였다. 이에 대한 설명을 아래 2장 4절의 《대전본(大全本)》에서 확인할 수 있다. 요컨대, '변'은 싹이 터

··· 蓍 : 시초 시

謂易以道陰陽[73]이 此之謂也라

천(天)과 지(地)는 음 · 양과 형(形) · 기(氣)의 실체이고, 건(乾)과 곤(坤)은 역(易) 가운데 순양(純陽)과 순음(純陰)의 괘 이름이다. 비(卑)와 고(高)는 천지 만물의 높고 낮은 자리이고, 귀(貴)와 천(賤)은 역(易) 가운데 괘효(卦爻)의 위 · 아래의 자리이다. 동(動)은 양의 떳떳함이요 정(靜)은 음의 떳떳함이며, 강(剛)과 유(柔)는 역 가운데 괘효의 음 · 양의 명칭이다. 방향은 사정(事情)의 향하는 바를 이르니 사물의 선(善) · 악(惡)이 각기 류(類)로써 나누어짐을 말한 것이요, 길과 흉은 역 가운데 괘효의 점을 쳐서 결단한 말이다. 상(象)은 일(日) · 월(月) · 성신(星辰)의 등속이고 형(形)은 산(山) · 천(川), 동(動;동물) · 식(植;식물)의 등속이며, 변(變)과 화(化)는 역 가운데 시책(蓍策)과 괘효가 음이 변하여 양이 되고 양이 화하여 음이 되는 것이다. 이는 성인이 역(易)을 지을 적에 음 · 양의 실체로 인하여 괘효의 법(法)과 상(象)을 만듦을 말한 것이니, 장주(莊周)가 이른바 "역(易)으로써 음 · 양을 말했다."는 것이 이것이다.

是故로 剛柔相摩하며 八卦相盪[74]하여

이러므로 강(剛)과 유(柔)가 서로 갈리며 팔괘(八卦)가 서로 뒤섞여서

本義 | 此는 言易卦之變化也라 六十四卦之初는 剛柔兩畫而已니 兩相摩而爲四하고 四相摩而爲八하고 八相盪而爲六十四라

이는 역괘(易卦)의 변화를 말한 것이다. 육십사괘(六十四卦)의 시초(처음)는 강

서 가지와 잎이 무성하게 자라는 운동으로, 생명의 근원에서 양(陽)의 극으로 뻗어가는 것이고, '화'는 무성했던 잎이 떨어져서 다시 뿌리로 돌아오는 운동으로, 양의 극에서 음의 극으로 수렴하는 것이다. '화'는 본래 어떤 것이 다른 것으로 완전히 바뀜을 의미하는바, 전하여 '죽어서 사라짐'의 의미가 있다. 이 때문에 생명의 근원으로 돌아오는 것을 '화'라 한 것이다.

73 莊周所謂易以道陰陽 : 《장자(莊子)》 〈천하(天下)〉에 "역으로써 음양을 말하고 《춘추》로써 명분을 말하였다.〔易以道陰陽, 春秋以道名分.〕"라고 보인다.

74 剛柔相摩 八卦相盪 : '마(摩)'와 '탕(盪)'은 모두 '서로 교차하여 섞임'의 뜻으로, 양의(兩儀) 위에 음·양이 교차해서 사상(四象)이 만들어지고, 사상 위에 음·양이 교차해서 팔괘(八卦)가 만들어지는 것과 같다. 이를 주자(朱子)는 맷돌에 비유하여 설명하였는바, "맷돌의 아랫돌이 움직이지 않음은 사상을 만들 때 아래의 효가 고정되어 있는 것과 같고, 윗돌이 움직이며 곡식을 가는 것〔摩旋〕은 아래 효 위에 음효와 양효가 교차로 더해지는 것과 같다." 하였다.

··· 盪 : 움직일 탕 摩 : 갈릴 마(磨通)

(剛)과 유(柔) 두 획일 뿐이니, 둘이 서로 갈려서 사(四:사상(四象))가 되고, 사가 서로 갈려서 팔(八:팔괘(八卦))이 되고, 팔이 서로 뒤섞여서 육십사괘가 되었다.

鼓之以雷霆하며 **潤之以風雨**하며 **日月**이 **運行**하며 **一寒一暑**하여

뇌정(雷霆;우레)으로써 고동하며, 풍우(風雨)로써 적셔주며, 해와 달이 운행하며, 한 번 춥고 한 번 더워,

本義 | 此는 變化之成象者라

이는 〈역의〉 변(變) · 화(化)가 상(象)을 이룬 것이다.

乾道成男하고 **坤道成女**[75]하니

건(乾)의 도(道)가 남(男)이 되고 곤(坤)의 도(道)가 여(女)가 되었으니,

本義 | 此는 變化之成形者라 此兩節은 又明易之見(현)於實體者하니 與上文相發明也라

이는 〈역의〉 변 · 화가 형체를 이룬 것이다.

이 두 절(節)은 또 역(易)이 실체에 나타남을 밝혔으니, 상문(上文)과 서로 발명된다.

••••••

75 乾道成男 坤道生女 : 이는 기화(氣化)로써 말하였는바, 여기의 남·녀는 사람을 위주하여 말한 것이다. 성별을 나눌 적에 금(禽;날짐승)은 자(雌)·웅(雄)으로 구분하고 수(獸;길짐승)는 빈(牝)·무(牡)로 구분하며, 식물 또한 자·웅으로 많이 표현한다. 천지가 개벽되어 만물이 생겨날 적에는 반드시 식물이 먼저 나오고, 이것을 먹고 사는 금수 등의 동물이 그 다음으로 나왔을 것이다. 그런데 사람을 생물의 대표로 보아 인(人)을 천(天)·지(地)와 함께 삼재(三才)라 칭하는 이유는, 인간은 천지의 빼어난 기운을 얻고 태어나 인(仁)·의(義)·예(禮)·지(智)의 본성을 간직하고 이를 실행하기 때문이다. 이 뒤(《계사전 하》)의 남녀구정(男女構精) 역시 수컷과 암컷의 교접을 말하였는데, 여기에서도 사람을 위주하여 말한 것이다. 정이천(程伊川)은 삼재에 대하여 비괘(否卦)의 〈단전(彖傳)〉에서 "하늘과 땅이 사귄 뒤에 삼재가 갖추어지니, 사람이 만물 중에 가장 영특하므로 만물의 우두머리가 되는 것이다. 무릇 하늘과 땅의 가운데에 태어난(사는) 것은 모두 인도이다.〔天地交而萬物生於中, 然後三才備, 人爲最靈, 故爲萬物之首, 凡生天地之中者 皆人道也.〕"라고 풀이하였다.

••• 鼓 : 두드릴 고 霆 : 우레 정 潤 : 적실 윤 參 : 참여할 참 玩 : 볼 완 蓍 : 시초 시

乾知大始요 坤作成物이라

건(乾)은 〈물건의〉 큰 시작을 주장하고 곤(坤)은 물건을 만들어 완성한다.

本義 | 知는 猶主也라 乾主始物하고 而坤作成之하니 承上文男女而言乾坤之理라 蓋凡物之屬乎陰陽者 莫不如此하니 大抵陽先陰後하고 陽施陰受하며 陽之輕淸은 未形하고 而陰之重濁은 有跡也라

지(知)는 주(主)와 같다. 건(乾)은 물건을 시작함을 주장하고 곤(坤)은 이를 만들어 완성하니, 상문(上文)의 남·녀를 이어 건·곤의 이치를 말한 것이다. 무릇 물건 중에 음·양에 속하는 것은 이와 같지 않음이 없으니, 대저 양이 먼저이고 음이 뒤이며, 양은 베풀고 음은 받아들이며, 양의 가볍고 맑음은 형체로 나타나지 않고, 음의 무겁고 탁함은 형체의 자취가 있다.

乾以易知요 坤以簡能이니

건(乾)은 쉬움으로써 주장(주관)하고 곤(坤)은 간략함으로써 능하니,

本義 | 乾은 健而動하니 卽其所知가 便能始物而无所難이라 故爲以易而知大始요 坤은 順而靜하니 凡其所能이 皆從乎陽而不自作이라 故爲以簡而能成物이라

건(乾)은 굳세고 동(動)하니, 곧 주장하는 바가 물건을 시작하여 어려운 바가 없다. 그러므로 쉬움으로써 큰 시작을 주장함이 되는 것이다. 곤(坤)은 순(順)하고 정(靜)하니, 무릇 그 능한 바가 모두 양을 따르고 스스로 만들지 않는다. 그러므로 간략함으로써 물건을 이룸이 되는 것이다.

易則易知[76]요 簡則易從이요 易知則有親[77]이요 易從則有功이요 有

••••••

76 易則易知 : 주자(朱子)는 "위의 이(易) 자는 이간(易簡)의 이(易)이고 아래의 이(易) 자는 난이(難易)의 이여서 약간의 차이가 있다." 하였으며, 사계(沙溪)는 '이지(易知)'의 지(知) 자에 대하여 "위의 '건이이지(乾以易知)'의 지(知) 자는 주(主;맡음)로써 말하였고, 여기의 지(知) 자는 지식(知識)의 뜻으로 해석했다." 하였다.

77 易知則有親 : 건(乾)의 간이함을 행하는 사람은 그 마음이 명백해서 남들이 그 마음을 알기 쉬우므로 절로 그를 친애하게 된다는 의미이다. 이를 주자는 다음과 같이 설명하였다. "쉽게 알 수

••• 知 : 맡을 지, 주장할 지 介 : 분변할 개 易 : 평탄할 이

親則可久[78]요 **有功則可大**요 **可久則賢人之德**이요 **可大則賢人之業**이니

쉬우면 알기 쉽고 간략하면 따르기 쉬우며, 알기 쉬우면 친함이 있고 따르기 쉬우면 공(功)이 있으며, 친함이 있으면 오래할 수 있고 공이 있으면 커질 수 있으며, 오래할 수 있으면 현인(賢人)의 덕(德)이요 커질 수 있으면 현인의 업(業)이니,

本義 | 人之所爲가 如乾之易면 則其心明白而人易知요 如坤之簡이면 則其事要約而人易從이니 易知則與之同心者多라 故有親이요 易從則與之協力者衆이라 故有功이라 有親則一於內라 故可久요 有功則兼於外라 故可大라 德은 謂得於己者요 業은 謂成於事者라 上言乾坤之德不同하고 此言人法乾坤之道하니 至此則可以爲賢矣라

사람의 하는 바가 건(乾)의 쉬움과 같으면 그 마음이 명백하여 사람들이 알기 쉽고, 곤(坤)의 간략함과 같으면 그 일이 요약하여 사람들이 따르기 쉬우니, 알기 쉬우면 더불어 마음을 함께 하는 자가 많으므로 친함이 있고, 따르기 쉬우면 더불어 협력하는 자가 많으므로 공이 있는 것이다. 친함이 있으면 안(마음)에 한결같으므로 오래할 수 있고, 공이 있으면 밖을 겸하므로 커질 수 있는 것이다. '덕(德)'은 자기에게 얻은 것을 말하고 '업(業)'은 일을 이루는 것을 말한다. 위에서는 건(乾)·곤(坤)의 덕이 똑같지 않음을 말하였고, 여기서는 사람이 건·곤의 도(道)를 법받음(본받음)을 말하였으니, 이에 이르면 현(賢)이라 할 수 있는 것이다.

••••••

있는 사람은 사람들이 절로 그를 친애하니, 마음속이 음험(陰險)해서 알 수 없는 사람으로 말하면, 누가 그를 친애하겠는가.〔夫易知底人, 人自然去親他, 若其中險深不可測, 則誰親之?〕"《大全本》

78 有親則可久 : '가구(可久)'는 사람들과 친애하는 관계를 오래할 수 있음을 말한다. 주자는 "사람들이 이미 친애하였으면 자연히 오래할 수 있는 것이다.〔人旣親附, 則自然可以久長.〕"라고 하였다.《朱子語類 卷74 易十》 또한, 이렇듯 오래도록 좋은 관계를 유지할 수 있는 까닭은 그가 '날마다 새로워지는 덕〔日新而不已〕'을 소유했기 때문인바, 이것이 바로 현인의 덕인 것이다.《大全本》

易簡而天下之理得矣니 天下之理得에 而成位乎其中矣니라

쉽고 간략함에 천하의 이치가 얻어지니(맞게 되니), 천하의 이치가 얻어짐에 사람이 이 가운데에 자리를 이루는 것이다.

本義 | 成位는 謂成人之位요 其中은 謂天地之中이니 至此則體道之極功과 聖人之能事가 可以與天地參矣니라

'성위(成位)'는 사람의 자리를 이루는 것이요, 그 가운데는 천(天)·지(地)의 가운데이니, 이에 이르면 도(道)를 체행하는 지극한 공부와 성인의 능사(能事:능히 감당해낼 수 있는 훌륭한 일)가 천지와 더불어 참여할 수 있는 것이다.

右는 第一章이라

이상은 제1장이다.

本義 | 此章은 以造化之實로 明作經之理하고 又言乾坤之理가 分見(현)於天地而人兼體之也라

이 장(章)은 조화(造化)의 실제로써 역경(易經)을 지은 이치를 밝히고, 또 건(乾)·곤(坤)의 이치가 천(天)·지(地)에 나뉘어 나타나는데 사람이 겸하여 체행(體行)함을 말한 것이다.

聖人이 設卦하여 觀象繫辭焉하여 而明吉凶하며

성인이 괘를 만들어 상(象)을 보고 말(글)을 달아 길·흉을 밝히며,

本義 | 象者는 物之似也[79]라 此는 言聖人作易에 觀卦爻之象而繫以辭也라

상(象)은 물건과 유사한 것이다. 이는 성인이 역(易)을 지을 적에 괘(卦)·효(爻)

······

79 象者 物之似也 : 상(象)은 괘의 상으로 건(乾)은 하늘, 곤(坤)은 땅과 같은 것인데, 건의 상에는 실제로 하늘이 있는 것이 아니요 자연상징물을 빌렸으므로 '물건과 같은 것'이라 한 것이다. 옛날에는 형(形)과 상(象)을 구분하여 형은 산천과 동식물처럼 실체가 있는 것이고, 상은 해와 달, 별처럼 실체는 없고 광선만 있는 것으로 생각하였다. 사람의 사진이나 초상화 역시 실체가 아니고 그와 유사한 모습이므로 이 역시 현상(懸象)이라 하는 것이다.

의 상을 보고 말(괘사와 효사)을 달았음을 말한 것이다.

剛柔相推하여 而生變化하니

강(剛)과 유(柔)가 서로 미루어(왕래하여) 변·화를 낳으니,

本義 | 言卦爻陰陽이 迭相推盪하여 而陰或變陽하고 陽或化陰하니 聖人所以觀象而繫辭요 衆人所以因蓍而求卦者也라

괘(卦)·효(爻)의 음·양이 번갈아 서로 밀고 뒤섞여 음(陰)이 혹 양(陽)으로 변하고 양이 혹 음으로 화함을 말한 것이니, 성인이 이 때문에 상(象)을 보고 말을 달았고, 중인(衆人)이 이 때문에 시초(蓍草)로 인하여 괘를 구하는 것이다.

是故로 吉凶者는 失得之象也요 悔吝者는 憂虞之象也요

그러므로 길(吉)과 흉(凶)은 실(失;잘못함)과 득(得;잘함)의 상(象)이요, 뉘우침과 부끄러움은 근심과 헤아림(비상사태를 헤아림)의 상이요,

本義 | 吉凶、悔吝者는 易之辭也요 得失、憂虞者는 事之變也니 得則吉이요 失則凶이며 憂虞는 雖未至凶이나 然已足以致悔而取羞矣라 蓋吉凶相對하고 而悔吝居其中間하니 悔는 自凶而趨吉이요 吝은 自吉而向凶也[80]라 故聖人觀卦爻之中에 或有此象이면 則繫之以此辭也라

길(吉)·흉(凶)과 회(悔)·린(吝)은 역(易)의 말이요, 득(得)·실(失)과 우(憂)·우(虞;비상사태를 염려함)는 일의 변(變)이니, 이치에 맞으면 길하고 이치를 잃으면 흉(凶)하며, 우(憂)와 우(虞)는 비록 흉함에는 이르지 않았으나 이미 뉘우침을 이루어 부끄러움을 취할 수 있는 것이다. 길과 흉은 상대가 되고 회(悔)와 린(吝)은 그 중간에 위치하니, 회는 흉함에서 길함으로 나아가는 것이요, 린은 길함에서 흉함으로 향하는 것이다. 그러므로 성인이 괘·효의 가운데에 혹 이러한 상(象)이 있

······

80 悔自凶而趨吉 吝自吉而向凶也 : 회(悔)는 자신의 잘못을 뉘우치는 것으로 개과천선(改過遷善)할 조짐이 있기 때문에 흉에서 길로 나아가는 것이요, 린(吝)은 자신의 행위에 대해 내심에 불만족하여 부끄러워하는 것인바, 현재는 아무도 알지 못하나 뒤에는 탄로될 가능성이 있기 때문에 길에서 흉으로 나아가는 것이다.

··· 悔 : 뉘우칠 회 吝 : 부끄러울 린 虞 : 헤아릴 우 羞 : 부끄러울 수 趨 : 달려갈 추

음을 보면 이러한 말씀을 다신 것이다.

變化者는 **進退之象也**요 **剛柔者**는 **晝夜之象也**요 **六爻之動**은 **三極之道也**라

변(變) · 화(化)는 나아감과 물러감의 상(象)이요, 강(剛) · 유(柔)는 낮과 밤의 상이요, 육효(六爻)의 동함(변화함)은 삼극(三極)의 도(道)이다.

本義 | 柔變而趨於剛者는 退極而進也요 剛化而趨於柔者는 進極而退也니 既變而剛이면 則晝而陽矣요 既化而柔면 則夜而陰矣라 六爻는 初、二爲地요 三、四爲人이요 五、上爲天이라 動은 卽變化也라 極은 至也니 三極은 天地人之至理니 三才各一太極也라 此는 明剛柔相推以生變化하고 而變化之極이 復爲剛柔하여 流行於一卦六爻之間하니 而占者得因所值하여 以斷吉凶也라

유(柔)가 변하여 강(剛)에 나아감은 물러감이 지극(궁극)하여 나아감이요, 강(剛)이 화(化)하여 유(柔)에 나아감은 나아감이 지극하여 물러감이니, 이미 변하여 강(剛)이면 낮이어서 양이고, 이미 화(化)하여 유(柔)이면 밤이어서 음인 것이다. 육효(六爻)는, 초(初)와 이(二)는 지위(地位)가 되고 삼(三)과 사(四)는 인위(人位)가 되고 오(五)와 상(上)은 천위(天位)가 된다. 동(動)은 곧 변 · 화이다. '극(極)'은 지극함이니, 삼극(三極)은 천(天) · 지(地) · 인(人)의 지극한 이치이니, 삼재(三才)가 각기 한 태극을 갖고 있는 것이다. 이는 강(剛) · 유(柔)가 서로 미루어 변(變) · 화(化)를 낳고 변 · 화의 극(極)이 다시 강 · 유가 되어서 한 괘 여섯 효(爻)의 사이에 유행하니, 점치는 자가 만난 바(괘 · 효)를 인하여 길 · 흉을 결단함을 밝힌 것이다.

是故로 **君子所居而安者**는 **易之序也**[81]요 **所樂而玩者**는 **爻之辭也**니

••••••

81 君子所居而安者 易之序也 : "혹자가 묻기를 '군자가 거처하면서 편안히 여기는 것은 역의 차례이다.' 하였으니, 이는 아랫절(節)의 '조용히 있으면서 그 상을 본다.'는 거(居) 자와 똑같지 않습니다. 위의 거(居) 자는 몸이 거처하는 바를 총괄하여 말한 것이요, 아래의 거(居) 자는 바로 정(靜)이니, 이것은 동(動)을 상대하여 말하였습니다." 하니, 주자는 "옳다." 하였다.〔或問, 所居而安者, 易之序也. 與居則觀其象之居不同, 上居字是總就身之所處而言; 下居字是靜, 對動而言. 朱子曰, 然.〕《大全本》 즉 여기의 거(居)는 '특별한 일이 없는 한가로운 때를 가리킨 것이 아니고, 항상 몸을 역(易)의 차례에 머물러 둔다는 뜻이다.

••• 値 : 만날 치 玩 : 구경할 완, 자세히볼 완

그러므로 군자가 거처하면서 편안히 여기는 것은 역(易)의 차례이고, 즐거워하여 살펴봄(완미(玩味)함)은 〈괘와〉 효(爻)의 말(괘사와 효사)이니,

本義 | 易之序는 謂卦爻所著事理當然之次第[82]라 玩者는 觀之詳이라

역(易)의 차례는 괘와 효에 드러난 바 사리의 당연한 차제(次第)를 이른다. '완(玩)'은 보기를 상세히 하는 것이다.

是故로 君子居則觀其象而玩其辭하고 動則觀其變而玩其占하나니 是以自天祐之하여 吉无不利니라

그러므로 군자가 거하면(조용히 있으면) 그 상(象)을 보고 그 말(괘사와 효사)을 살펴보며, 동하면 그 변화함을 보고 그 점(占)을 살펴본다. 이 때문에 하늘로부터 도와주어 길하여 이롭지 않음이 없는 것이다.

本義 | 象、辭、變은 已見(현)上이라 凡單言變者는 化在其中이라 占은 謂其所值吉凶之決也라

상(象) · 사(辭) · 변(變)은 이미 위에 보인다. 무릇 변(變)만을 말한 것은 화(化)가 이 가운데 들어 있다. 점(占)은 그 만난 바의 길 · 흉을 결단함을 말한 것이다.

右는 第二章이라

이상은 제2장이다.

本義 | 此章은 言聖人作易, 君子學易之事하니라

이 장(章)은 성인이 역(易)을 짓고 군자가 역을 배우는 일을 말하였다.

82 易之序 謂卦爻所著事理當然之次第 : 예컨대, 태괘(泰卦)와 비괘(否卦)의 괘사에서 음과 양이 소장(消長)하는 이치를 알 수 있고, 건괘(乾卦) 효사의 '잠겨있음〔潛〕', '나타남〔見〕', '뛰어오름〔躍〕', '낢〔飛〕' 등의 말에서 인사(人事)의 진퇴(進退)하는 이치를 알 수 있는 것과 같다.

••• 祐 : 도울 우, 복 우

彖者는 **言乎象者也**요 **爻者**는 **言乎變者也**요

단(彖)은 상(象)을 말함이요 효(爻)는 변(變)함을 말함이요,

本義 | 彖은 謂卦辭니 文王所作者요 爻는 謂爻辭니 周公所作者라 象은 指全體而言이요 變은 指一節而言이라

'단(彖)'은 괘사(卦辭)를 이르니 문왕(文王)이 지으신 것이요, '효(爻)'는 효사(爻辭)를 이르니 주공(周公)이 지으신 것이다. '상(象)'은 전체를 가리켜 말한 것이요, '변(變)'은 일절(一節)을 가리켜 말한 것이다.

吉凶者는 **言乎其失得也**요 **悔吝者**는 **言乎其小疵也**요 **无咎者**는 **善補過也**라

길과 흉은 득(得)·실(失)을 말한 것이요, 회(悔;뉘우침)와 린(吝;부끄러움)은 약간의 하자를 말한 것이요, 무구(无咎)는 허물을 잘 보충(보전(補塡))한 것이다.

本義 | 此는 卦爻辭之通例라

이는 괘사(卦辭)와 효사(爻辭)의 통례(通例;일반적인 예)이다.

是故로 **列貴賤者**는 **存乎位**하고 **齊小大者**는 **存乎卦**하고 **辨吉凶者**는 **存乎辭**하고

그러므로 귀(貴)·천(賤)을 진열함은 위(位)에 있고, 소(小;음)·대(大;양)를 정함은 괘에 있고, 길·흉을 분변함은 사(辭;괘사와 효사)에 있고,

本義 | 位는 謂六爻之位라 齊는 猶定也라 小는 謂陰이요 大는 謂陽이라

'위(位)'는 육효(六爻)의 자리를 이른다. '제(齊)'는 정(定)과 같다. '소(小)'는 음을 이르고 '대(大)'는 양을 이른다.

憂悔吝者는 **存乎介**하고 **震无咎者**는 **存乎悔**하니

회(悔)·린(吝)을 근심함은 개(介;나뉨)에 있고, 〈뉘우치는 마음을〉 동

··· 疵 : 허물 자, 하자 자 補 : 기울 보 介 : 나뉠 개, 분별할 개 震 : 진동할 진

(動)하여 허물이 없게 함은 뉘우침에 있으니,

本義 | 介는 謂辨別之端이니 蓋善惡已動而未形之時也니 於此憂之면 則不至於悔吝矣라 震은 動也니 知悔면 則有以動其補過之心하여 而可以无咎矣라

'개(介)'는 변별의 단서를 이르니, 선·악이 이미 동하였으나 아직 나타나지 않은 때이니, 이때에 근심하면 회(悔)·린(吝)에 이르지 않는다. '진(震)'은 동함이니, 〈이 때에〉 뉘우칠 줄을 알면 허물을 보충하려는 마음을 동함이 있어 허물이 없을 수 있는 것이다.

是故로 卦有小大하여 辭有險易하니 辭也者는 各指其所之니라

그러므로 괘에 소(小;음)·대(大;양)가 있어서, 말에 험하고 평탄함이 있으니, 말은 각기 그 향하는 바를 가리킨 것이다.

本義 | 小險大易가 各隨所向[83]이라

소(小)의 험함과 대(大)의 평탄함이 각기 향하는 바를 따른다.

右는 第三章이라

이상은 제3장이다.

本義 | 此章은 釋卦爻辭之通例라

이 장(章)은 괘사(卦辭)와 효사(爻辭)의 통례(通例)를 해석한 것이다.

83 小險大易 各隨所向 : 괘효가 소(小;음(陰))를 지향하면 괘효사가 험하고, 대(大;양(陽))를 지향하면 괘효사가 평탄하다는 의미이다. 《주역》에서 대체로 음은 불선(不善)이나 유약(柔弱)을, 양은 선(善)이나 강건(剛健)을 상징하기 때문에 말한 것으로, 이를 가장 잘 보여주는 괘가 태괘(泰卦)와 비괘(否卦)이다.

易이 **與天地準**이라 **故**로 **能彌綸天地之道**하나니

역(易)이 천지(天地)와 똑같다. 그러므로 천지의 도를 미륜(彌綸)하는 것이다.

本義 | 易書卦爻가 具有天地之道하여 與之齊準이라 彌는 如彌縫之彌니 有終竟聯合之意요 綸은 有選擇條理之意[84]라

《주역》 책의 괘효(卦爻)는 천지의 도를 모두 갖추고 있어 천지와 똑같다. '미(彌)'는 미봉(彌縫)의 미(彌)와 같으니 끝내고 연합하는 뜻이 있고, '윤(綸)'은 선택하고 조리하는 뜻이 있다.

仰以觀於天文하고 **俯以察於地理**라 **是故**로 **知幽明之故**하며 **原始反終**이라 **故**로 **知死生之說**하며 **精氣爲物**이요 **游魂爲變**이라 **是故**로 **知鬼神之情狀**하나니라

〈성인이〉 우러러는(위로는) 〈역으로써〉 천문(天文)을 관찰하고 굽어서는(아래로는) 〈역으로써〉 지리(地理)를 살핀다. 그러므로 유(幽;귀신세계)·명(明;인간세계)의 원인을 알며, 시작을 근원하고 종(終)을 돌이킨다(종을 맞추어본다). 그러므로 사(死)·생(生)의 말(이론)을 알며, 정(精)과 기(氣)가 모여 물건이 되고, 혼(魂)이 떠돌아다녀 변(變;죽음)이 된다. 이 때문에 귀(鬼)·신(神)의 정상을 아는 것이다.

本義 | 此는 窮理之事라 以者는 聖人以易之書也라 易者는 陰陽而已니 幽明、死生、鬼神은 皆陰陽之變이요 天地之道也라 天文則有晝夜、上下하고 地理則有南北、高深이라 原者는 推之於前이요 反者는 要之於後라 陰精陽氣가 聚而成物은 神之伸也요 魂游魄降하여 散而爲變은 鬼之歸也라

······

84 彌……有選擇條理之意 : '미(彌)'는 천지만물 전체를 빠짐없이 봉합한다는 뜻이고, '륜(綸)'은 그 만물 각각에 조리가 있게 한다는 뜻이다. 이를 주자는 "미(彌)는 대덕(大德)의 돈화(敦化)와 같고, 륜(綸)은 소덕(小德)의 천류(川流)와 같다."고 하였는바, 대덕돈화와 소덕천류는《중용》의 내용으로, 대덕돈화는 만물 전체가 함께 화육(化育)된다는 뜻이고, 소덕천류는 만물이 각자의 조리대로 움직이면서도 서로 어긋나지 않는다는 뜻이다.《大全本》

··· 準 : 같을 준 彌 : 더할 미, 마칠 미 縫 : 꿰맬 봉 竟 : 끝마칠 경 幽 : 그윽할 유 游 : 떠돌아다닐 유 魄 : 넋 백

이는 이치를 궁구하는 일이다. '이(以)'는 성인이 《주역》 책을 이용하는 것이다. 역(易)은 음(陰)·양(陽)일 뿐이니, 유(幽)·명(明), 사(死)·생(生), 귀(鬼)·신(神)은 모두 음·양의 변화이고 천(天)·지(地)의 도(道)이다. 천문(天文)은 주(晝)·야(夜)와 상·하가 있고, 지리(地理)는 남·북과 고(高)·심(深)이 있다. '원(原)'은 앞으로 미룸이요 '반(反)'은 뒤에 맞춰보는 것이다. 음의 정(精)과 양의 기(氣)가 모여서 물건을 이룸은 신(神)의 펴짐이요, 혼(魂)이 떠돌아다니고(떠나가고) 백(魄)이 내려가서 흩어져 변(變)이 됨은 귀(鬼)의 돌아감이다.

與天地相似라 **故**로 **不違**하나니 **知(智)周乎萬物而道濟天下**라 **故**로 **不過**하며 **旁行而不流**하여 **樂天知命**이라 **故**로 **不憂**하며 **安土**하여 **敦乎仁**이라 **故**로 **能愛**하나니라

〈성인이〉 천(天)·지(地)와 서로 같으므로 어기지 않으니, 지혜가 만물에 두루하고 도(道)가 천하를 구제하기 때문에 지나치지 않으며, 사방으로 행하되 악으로 흐르지 아니하여 천리(天理)를 즐거워하고 천명(天命)을 알기 때문에 근심하지 않으며, 자리(있는 곳)에 편안하여 인(仁)을 돈독히 하기 때문에 사랑할 수 있는 것이다.

本義 | 此는 聖人盡性之事也라 天地之道는 知(智)、仁而已라 知周萬物者는 天也요 道濟天下者는 地也니 知且仁이면 則知而不過矣라 旁行者는 行權之知也요 不流者는 守正之仁也라 旣樂天理而又知天命이라 故能无憂而其知益深하고 隨處皆安而无一息之不仁이라 故能不忘其濟物之心而仁益篤하나니 蓋仁者는 愛之理요 愛者는 仁之用이라 故其相爲表裏 如此하니라

이는 성인이 성(性)을 다하는 일이다. 천·지의 도는 지(智)와 인(仁) 뿐이니, 지(智)가 만물에 두루함은 하늘(양)이요, 도(道)가 천하를 구제함은 땅(음)이니, 지혜로우면서도 인(仁)하면 지혜롭되 지나치지 않은 것이다. 사방으로 행함은 권도(權道)를 행하는 지(智)이고, 흐르지 않음은 바름을 지키는 인(仁)이다. 이미 천리(天理)를 즐거워하고 또 천명(天命)을 알기 때문에 능히 근심이 없어 그 지혜가 더욱 깊고, 있는 곳에 따라 모두 편안하여 한번 숨 쉴 때라도 인(仁)하지 않음이 없기 때문에 물건을 구제하려는 마음을 잊지 않아 인(仁)이 더욱 돈독하니, 인(仁)은 사

랑의 이치이고 사랑은 인의 용(用)이다. 그러므로 서로 표(表)·리(裏)가 됨이 이와 같은 것이다.

範圍天地之化而不過하며 **曲成萬物而不遺**하며 **通乎晝夜之道而知**라 **故**로 **神无方而易无體**하니라

〈성인이〉 천지의 조화를 범위(範圍)하여 지나치지 않으며, 만물을 곡진히 이루어 빠뜨리지 않으며, 주(晝)·야(夜)의 도(道)를 겸하여 안다. 그러므로 신(神)은 일정한 방소가 없고, 역(易)은 일정한 형체가 없는 것이다(신과 역의 이치를 아는 것이다).

本義 | 此는 聖人至命之事也라 範은 如鑄金之有模範이요 圍는 匡郭也라 天地之化无窮이어늘 而聖人爲之範圍[85]하여 不使過於中道하니 所謂裁成者也[86]라 通은 猶兼也요 晝夜는 卽幽明、生死、鬼神之謂라 如此然後에 可見至神之妙无有方所하고 易之變化无有形體也라

이는 성인이 천명(天命)에 이르는 일이다. '범(範)'은 금(金)을 주조(鑄造)할 적에 모범(模範;원형(原型))이 있는 것과 같고, '위(圍)'는 광곽(匡郭;틀)이다. 천지의 조화가 무궁한데 성인이 이것을 범위하여 중도(中道)에 지나치지 않게 하니, 이른바 재성(裁成)한다는 것이다. '통(通)'은 겸(兼)과 같고, '주(晝)'·'야(夜)'는 곧 유(幽)·명(明)과 생(生)·사(死)와 귀(鬼)·신(神)을 이른다. 이와 같이 한 뒤에야 지신(至神)의 묘함이 일정한 방소가 없고 역(易)의 변화가 형체가 없음을 볼 수 있는 것이다.

右는 **第四章**이라

이상은 제4장이다.

······

85 爲之範圍 : 위지(爲之)는 '~~을 위하여'가 아니고, 지(之)는 바로 경문의 '천지지화(天地之化)'를 가리킨 것으로, 그(천지의 조화)의 범위를 만든다는 뜻이다.

86 所謂裁成者也 : 재성(裁成)은 재성(財成)으로 쓰기도 하는데, 과(過)한 것을 억제하여 알맞게 함을 이르는 바, 태괘(泰卦) 〈상전(象傳)〉에 "임금이 이것을 보고서 천지의 도를 재성하고 천지의 마땅함을 돕는다.〔后以, 財成天地之道, 輔相天地之宜.〕"라고 보인다.

··· 圍 : 에워쌀 위 鑄 : 주조할 주 匡 : 틀 광

本義 | 此章은 言易道之大어늘 聖人用之如此라

이 장(章)은 역(易)의 도(道)가 큰데, 성인이 쓰기를 이와 같이 함을 말한 것이다.

一陰一陽之謂道[87]니

한 번 음(陰)하고 한 번 양(陽)하게 하는 것(소이(所以))을 도(道)라 이르니,

本義 | 陰陽迭運者는 氣也요 其理는 則所謂道라

음·양이 번갈아 운행함은 기(氣)이고, 그 이치는 이른바 도(道)라는 것이다.

繼之者善也요 成之者性也[88]라

87 一陰一陽之謂道 : 정자(程子)와 주자는, 형이상자(形而上者)인 도(道)와 형이하자(形而下者)인 음양(陰陽)을 구분하였는바, 이 구절에 대해 정자는 "도가 음양인 것이 아니라 한번 음하고 한번 양하는 소이가 도이다.〔道非陰陽也, 所以一陰一陽者道也.〕"라고 하였으며, 주자는 "음·양은 기(氣)이지, 도가 아니니, 음하고 양하게 하는 소이가 바로 도이다. 만약 '음양을 일러 도라고 한다.'라고만 말했다면, 음양이 곧 도이겠지만, 이제 '한번 음하고 한번 양함'이라고 하였으니, 그렇다면 음양이 순환하게 하는 소이가 바로 도인 것이다.〔陰陽是氣不是道, 所以爲陰陽者乃道也. 若只言陰陽之謂道, 則陰陽是道, 今日一陰一陽, 則是所以循環者乃道也.〕"라고 하였다.《大全本》 일음일양은 일반적으로 한 음과 한 양을 이르나, 여기서는 '지위도(之謂道)'의 세 글자가 있으므로 위와 같이 해석한 것이다.

88 繼之者善也 成之者性也 : 이에 대한 주자의 《본의》에 설명이 있으나 역시 알기 어렵다. 주자가 이에 대해 언급한 세 조항을 아래에 소개한다. '일음일양지위도(一陰一陽之謂道)'에 대해 묻자, 주자는 다음과 같이 말씀하였다. "'일음일양'은 이는 바로 천지의 이치이니, 예컨대 건괘 〈단전(彖傳)〉의 '위대하다. 건(乾)의 원(元)이여! 만물이 의뢰하여 시작한다.'는 것은 바로 '계지자선'이고, '건도가 변화함에 만물이 각기 성명을 바르게 간직한다.'는 것은 이는 '성지자성'이다.〔問一陰一陽之謂道. 日, 一陰一陽, 此是天地之理. 如大哉乾元, 萬物資始, 乃繼之者善也; 乾道變化, 各正性命, 此成之者性也.〕" 하였다.
또, "'일음일양지위도'는 태극이다. '계지자선'은 낳고 낳아 그치지 않는 뜻이니 양에 속하고, '성지자성'은 만물이 각기 성명을 바르게 간직한다는 뜻이니 음에 속한다.〔一陰一陽之謂道, 太極也. 繼之者善, 生生不已之意, 屬陽; 成之者性, 各正性命之意, 屬陰.〕"
"조화가 만물을 발육하는 것은 '계지자선'이 되고, 만물이 각기 성명을 바르게 간직하는 것은 '성지자성'이 된다.〔造化所以發育萬物者, 爲繼之者善; 各正性命者, 爲成之者性也.〕"《朱子語類 卷74 易十 上繫上》
그리고 조선조의 우담(愚潭) 정시한(丁時翰)은 다음과 같이 말하였다. "리(理)는 진실로 기(氣)와 뒤섞이지 않으나, 리는 기에서 떠나지 않는다. 그러므로 태극이 동하고 정하여 양의(음·양)가 처음 나누어지니, '계지자선'은 바로 건도가 변화하는 리(理)이고, '성지자성'은 바로 만물이 각기 성명을 간직하는 리(理)이다. '고요하여 동하지 않는 체'는 바로 음 가운데 갖춰진 리(理)이고, '감동하여 마침내 통하는 용'은 바로 양 가운데 유행하는 리(理)이다.〔理固不雜於氣, 理不離乎氣也. 故太極

계속하여 〈발육(發育)〉함은 선(善)이요, 갖추어져 있음은 성(性)이다.

本義 | 道具於陰而行乎陽하나니 繼는 言其發也요 善은 謂化育之功이니 陽之事也며 成은 言其具也요 性은 謂物之所受니 言物生則有性而各具是道也니 陰之事也라 周子、程子之書에 言之備矣니라

도(道)가 음에 갖추어져 있고 양에 행해지니, '계(繼)'는 그 발함을 말한 것이요 '선(善)'은 화육(化育)의 공(功)을 이르니 이는 양의 일이다. '성(成)'은 그 갖추고 있음을 말한 것이요 '성(性)'은 물건이 받은 것을 이르니, 물건이 생겨나면 성(性)을 간직하고 있어 각기 이 도(道)를 갖춤을 말한 것이니, 이는 음의 일이다. 주자(周子)와 정자(程子)의 책에 말씀한 것이 자세하다.

仁者見之에 謂之仁하며 知(智)者見之에 謂之知(智)요 百姓은 日用而不知라 故로 君子之道鮮矣니라

인자(仁者)는 이를 보고 인(仁)이라 이르고, 지자(智者)는 이를 보고 지(智)라 이르며, 백성들은 날마다 쓰면서도 알지 못한다. 그러므로 군자의 도가 드문 것이다.

本義 | 仁陽知陰은 各得是道之一隅라 故隨其所見而目爲全體也라 日用不知는 則莫不飮食이언마는 鮮能知味者니 又其每下者也[89]라 然亦莫不有是道焉이라 或曰 上章은 以知屬乎天하고 仁屬乎地하여 與此不同은 何也오 曰 彼는 以淸濁言이요 此는 以動靜言[90]이니라

••••••

動靜而兩儀肇判, 繼之者善, 卽乾道變化之理也, 成之者性, 卽萬物各正之理也; 寂然不動之體, 卽陰中所具之理也, 感而遂通之用, 卽陽中流行之理也.]"《愚潭先生文集 卷9 雜著壬午錄》 주자는《소학》〈제사(題辭)〉에서 "원·형·이·정은 천도의 떳떳함이요, 인·의·예·지는 인성의 벼리(큰 강령)이다.[元亨利貞, 天道之常; 仁義禮智, 人性之綱.]" 하였는바, 윗구는 '계지자선'을, 아랫구는 '성지자성'을 가리킨 것으로 보인다.

89 仁陽知陰……又其每下者也 : 여기에서 말한 인(仁)과 지(智)는 전체를 말한 것이 아니고, 그 한쪽만을 가리킨 것으로 인자(仁者)보다 지자(智者)가 못하고, 백성은 인과 지를 모르므로 매번 낮다고 한 것이다.

90 彼以淸濁言 此以動靜言 : 피(彼)는 위의 "智周乎萬物而道濟天下"를 가리킨 것으로 저기서는

인(仁)의 양과 지(智)의 음은 각각 이 도(道)의 한 쪽만을 얻었다. 그러므로 그 본 바에 따라 전체라고 지목하는 것이다. 날마다 쓰면서도 알지 못한다는 것은 음식을 먹고 마시지 않는 이가 없으나 맛을 아는 자가 적으니, 또 매번 낮은 것이다. 그러나 또한 이 도가 있지 않음이 없다.

혹자는 말하기를 "상장(上章)에서는 지(智)를 하늘에 소속시키고 인(仁)을 땅에 소속시켜서 여기와 똑같지 않음은 어째서인가?" 하기에 다음과 같이 대답하였다. "저것은 청(清)·탁(濁)으로 말하였고 이것은 동(動)·정(靜)으로 말한 것이다."

顯諸仁하며 **藏諸用**[91]하여 **鼓萬物而不與聖人同憂**하나니 **盛德大業**이 **至矣哉**라

인(仁)에 드러나며 용(用)에 감추어져 만물을 고무(鼓舞)하되 성인과 함께 근심하지 않으니, 성한 덕(德)과 큰 업(業)이 지극하다.

本義 | 顯은 自內而外也요 仁은 謂造化之功이니 德之發也라 藏은 自外而內也요 用은 謂機緘之妙[92]니 業之本也라 程子曰 天地는 无心而成化하고 聖人은 有心而无爲니라

'현(顯)'은 안으로부터 밖으로 나옴이요, '인(仁)'은 조화의 공(功)을 이르니 덕(德)의 발로이다. '장(藏)'은 밖으로부터 안으로 들어감이요, '용(用)'은 기함(機緘)의 묘(妙)를 이르니, 업(業)의 근본이다. 정자(程子)가 말씀하였다. "천지는 마음이 없으나 조화를 이루고, 성인은 마음이 있으나 위함(목적을 위함)이 없다."

••••••

지(智)를 천(天)이라 하여 양(陽)에 소속시켰는바, 청(清)·탁(濁)으로 말하면 지(智)가 양에 속하고 동(動)·정(靜)으로 말하면 음에 속하므로 말한 것이다. 지(智)는 지(知)에 속하는바, 형적(形跡)에 잘 드러나지 않아 경청(輕清)하므로 양(하늘)에 속하고, 인(仁)은 행(行)에 속하는바, 형적이 있어 중탁(重濁)하므로 음(땅)에 속하며, 지(智)는 연구하고 생각하는 것이어서 정적(靜的)이고, 인(仁)은 행동에 나타나 동적(動的)이므로, 동·정으로 말하면 지(智)가 음에 속하고 인(仁)이 양에 속하는 것이다. 동(動)은 양이고, 정(靜)은 음이다.

91 顯諸仁 藏諸用 : 퇴계는 '인(仁)에 현(顯)하며 용(用)으로 장(藏)하야'로 해석하고, "여러 설(說)을 자세히 살펴보면 마땅히 '인(仁)에 현(顯)하며 용(用)을 장(藏)하야'로 해석하여야 할듯하니, 다시 살펴보아야 할 것이다." 하였다. 《經書辨疑》

92 機緘之妙 : 기함(機緘)은 열리고 닫히는 것으로 물건을 움직일 때에 발생하는 변화를 이르는 바, 여기서는 자연(自然)의 묘리(妙理)를 가리킨 것으로 보인다.

••• 機 : 틀 기 緘 : 닫을 함, 꿰맬 함 效 : 본받을 효 呈 : 드러날 정

富有之謂大業이요 日新之謂盛德이요

풍부히 소유함을 대업(大業)이라 이르고, 날로 새로워짐을 성덕(盛德)이라 이르고,

本義 | 張子曰 富有者는 大而无外요 日新者는 久而无窮이라

장자(張子)가 말씀하였다. "'부유(富有)'는 커서 밖이 없는 것이요, '일신(日新)'은 오래어 무궁한 것이다."

生生之謂易이요

〈음과 양이 서로〉 낳고 낳음을 역(易)이라 이르고,

本義 | 陰生陽하고 陽生陰하여 其變无窮하니 理與書皆然也[93]라

음은 양을 낳고 양은 음을 낳아 그 변화가 무궁하니, 이치와 책(역(易)의 책)이 모두 그러하다.

成象之謂乾이요 效法之謂坤이요

상(象)을 이룸을 건(乾)이라 하고 법(法)을 드러냄을 곤(坤)이라 하고,

本義 | 效는 呈也요 法은 謂造化之詳密而可見者라

'효(效)'는 드러냄이요, '법(法)'은 조화가 상세하고 치밀하여 볼 수 있음을 이른다.

極數知來之謂占이요 通變之謂事요

수(數)를 지극히 하여 미래를 앎을 점(占)이라 하고, 변(變)을 통함을 일이라 하고,

本義 | 占은 筮也니 事之未定者는 屬乎陽也요 事는 行事也니 占之已決者는 屬乎

93 理與書皆然也 : 사계(沙溪)는 "서(書) 자는 뜻이 자세하지 않다." 하였다.《經書辨疑》 그러나 호산은 "서(書)는 역서(易書:주역책)를 가리킨다." 하였다.《詳說》

陰也라 極數知來는 所以通事之變이라 張忠定公이 言公事有陰陽[94] 이라하니 意蓋如此하니라

'점(占)'은 시초점(蓍草占)이니 일이 아직 결정되지 않은 것은 양에 속하며, 일은 행하는 일이니 점(占)이 이미 결단된 것은 음에 속한다. 수(數)를 지극히 하여 미래를 앎은 일의 변(變)을 통하는 것이다. 장충정공(張忠定公)이 "공사(公事)에도 음·양이 있다." 하였으니, 뜻이 이와 같은 것이다.

陰陽不測之謂神이라

음(陰)하고 양(陽)하여 측량할 수 없음을 신(神)이라 한다.

本義 | 張子曰 兩在라 故不測[95] 이니라

장자(張子)가 말씀하였다. "음·양 두 가지가 있으므로 측량할 수 없는 것이다."

右는 第五章이라

이상은 제5장이다.

本義 | 此章은 言道之體用이 不外乎陰陽이로되 而其所以然者는 則未嘗倚於陰陽也라

이 장(章)은 도(道)의 체(體)·용(用)은 음·양에서 벗어나지 않으나, 그 소이연(所以然)은 일찍이 음·양에 의지하지 않음을 말하였다.

••••••

94 張忠定公 言公事有陰陽 : 충정(忠定)은 북송(北宋)의 학자이고 정치가인 장영(張詠)의 시호(諡號)로 자(字)는 복지(復之)이고 호(號)는 괘애(乖崖)이다. 공사(公事)는 국사(國事)를 이르는 바, 이미 결정된 것은 음(陰)이고 아직 결정되지 않은 것을 양(陽)이라 한다.

95 張子曰 兩在故不測 : 장횡거(張橫渠)의 《정몽(正蒙)》 〈참량편(參兩篇)〉의 "한 가지 사물에 두 가지 체(體)가 있는 것이 기(氣)이니, 하나이기 때문에 신묘하다.[一物兩體氣也, 一故神.]"라고 한 자주(自註)에 보이는 바, 두 가지란 음과 양, 굴(屈)과 신(伸), 왕(往)과 래(來), 상(上)과 하(下) 등을 이르며, 하나란 사물이나 도리(道理)를 이른다.

夫易이 **廣矣大矣**라 **以言乎遠則不禦**하고 **以言乎邇則靜而正**하고 **以言乎天地之間則備矣**라

이 역(易)의 도가 넓고 크다. 이로써 멂을 말하면 다함이 없고(끝이 없고), 가까움을 말하면 고요하여 바르고, 천(天) · 지(地)의 사이를 말하면 구비되었다.

本義 | 不禦는 言无盡이라 靜而正은 言卽物而理存이라 備는 言无所不有라

'불어(不禦)'는 다함이 없음을 말한 것이다. 고요하여 바름은 일에 나아감에 이치가 존재함을 말한 것이다. '비(備)'는 역의 이치가 있지 않은 바가 없음을 말한 것이다.

夫乾은 **其靜也專**하고 **其動也直**이라 **是以大生焉**하며 **夫坤**은 **其靜也翕**하고 **其動也闢**이라 **是以廣生焉**하나니

건(乾)은 그 고요함이 전일하고 그 동함이 곧다. 이 때문에 큼이 생기며, 곤(坤)은 그 고요함이 합하고 그 동함이 열린다. 이 때문에 넓음이 생기니,

本義 | 乾坤이 各有動靜하니 於其四德에 見之면 靜體而動用이요 靜別而動交也라 乾은 一而實이라 故以質言而曰大요 坤은 二而虛라 故以量言而曰廣이라 蓋天之形이 雖包於地之外나 而其氣는 常行乎地之中也니 易之所以廣大者는 以此니라

건(乾) · 곤(坤)이 각기 동(動) · 정(靜)이 있으니, 원 · 형 · 이 · 정의 사덕(四德)에서 보면 정(靜)은 체(體)이고 동(動)은 용(用)이며, 정은 따로이고 동은 서로 사귄다. 건(乾)은 획이 하나〔一〕이어서 실(實)하므로 질(質)로써 말하여 대(大)라 하였고, 곤(坤)은 획이 둘〔二〕여서 허(虛)하므로 양(量)으로써 말하여 광(廣)이라 한 것이다. 하늘의 형체가 비록 땅의 밖을 포함하고 있으나 그 기(氣)는 항상 땅의 가운데에 행하니, 역이 광대(廣大)한 까닭은 이 때문이다.

廣大는 **配天地**하고 **變通**은 **配四時**하고 **陰陽之義**는 **配日月**하고 **易**

••• 禦 : 그칠 어 邇 : 가까울 이 翕 : 합할 흡 闢 : 열 벽

簡之善은 **配至德**[96]하니라

〈역의〉 광대(廣大)는 천지와 같고, 변통은 사시(四時)와 같고, 음양의 뜻은 일월(日月)과 같고, 〈사람의〉 이간(易簡)의 선(善)은 지덕(至德)과 같다.

本義 | **易之廣大變通**과 **與其所言陰陽之說, 易簡之德**을 **配之天道人事**면 **則如此**라

역(易)의 광대(廣大)·변통(變通)과 그 말한 바의 음양(陰陽)의 말과 이간(易簡)의 덕(德)을 천도(天道)와 인사(人事)에 배합하면 이와 같은 것이다.

右는 **第六章**이라

이상은 제6장이다.

子曰 易이 **其至矣乎**인저 **夫易**은 **聖人所以崇德而廣業也**라 **知(智)**는 **崇**하고 **禮**는 **卑**하니 **崇**은 **效天**하고 **卑**는 **法地**하니라

공자께서 말씀하였다. "역(易)은 지극하다 할 것이다. 역(易)은 성인이 덕(德)을 높이고 업(業)을 넓히신 것이다. 지(智)는 높고 예(禮)는 낮으니, 높음은 하늘을 본받고 낮음은 땅을 본받은 것이다.

本義 | **十翼**은 **皆夫子所作**이니 **不應自著**(착)**子曰字**니 **疑皆後人所加也**라 **窮理則知崇如天而德崇**이요 **循理則禮卑如地而業廣**[97]이라 **此其取類**는 **又以淸濁言**

••••••

96 廣大……配至德 : 혹자가 묻기를 "이 배(配) 자는 배합하는 것이 아닙니까?" 하고 묻자, 주자는 "배는 다만 '서로 같다'는 뜻이다. 우선 예를 들건대 '변통배사시(變通配四時)'는 사시에 어떻게 배합하겠는가. 사시가 자연히 유행하여 그치지 않으니, 이른바 '변통'이란 것이 이와 같은 것이다.〔問這配字, 莫是配合否? 曰, 配只是相似之意. 且如變通配四時. 四時如何配合, 四時自是流行不息, 所謂變通者如此了.〕" 하였다. 그러나 《본의》에 "易之廣大, 易簡之德, 配之天道人事, 則如此"라 하여, 여기의 배(配) 자는 '배합' 그대로 번역하였음을 밝혀둔다.

97 窮理則知崇如天而德崇 循理則禮卑如地而業廣 : 지혜를 써서 열심히 이치를 궁구하면 그 지혜(지식)가 하늘처럼 높아져서 덕 또한 하늘처럼 높아지며, 궁구한 이치를 열심히 따라 예(禮)를 실천해서 자신을 낮춤이 땅과 같아지면 시행하는 사업 또한 땅처럼 넓어지는 것이다. 예는 자신을 낮추고 남을 높이는 것이 기본이다. 이는 성인이 역을 통하여 지(智)와 예, 덕과 업이 상호 보완하는 지극한 공효를 말씀한 것이다. 다만 위에서는 지(智)와 인(仁)을 병렬하였는데, 여기서는 인 대

也[98]라

십익(十翼)은 모두 부자(夫子)가 지으신 것이니, 스스로 '자왈(子曰)'이라는 글자를 놓을 수 없으니, 의심컨대 모두 후인(後人)이 붙인 것인 듯하다. 이치를 궁구하면 지혜의 높음이 하늘과 같아 덕(德)이 높아지고, 이치를 따르면 예(禮)로 낮춤이 땅과 같아 업(業)이 넓어진다. 여기에 류(類)를 취함은 또 청(淸)·탁(濁)으로써 말한 것이다.

天地設位어든 **而易**이 **行乎其中矣**니 **成性**[99]**存存**이 **道義之門**이니라

천·지가 자리를 베풀면 역(易)이 이 가운데에 행해지니, 이루어진 성(性)에 보존하고 보존함이 도의(道義)의 문(門)이다."

本義 | 天地設位而變化行은 猶知禮存性而道義出也라 成性은 本成之性也요 存存은 謂存而又存이니 不已之意也라

천·지가 자리를 베풀면 변화가 행해짐은 지(智)와 예(禮)가 성(性)에 보존되어 도의가 나오는 것과 같다. '성성(成性)'은 본래 이루어진 성(性)이요 '존존(存存)'은 보존하고 또 보존함을 이르니, 그치지 않는 뜻이다.

······

신 예를 든 것이 약간 다르나, 지(智)는 지(知)의 일이고 인(仁)은 행(行)의 일이며 예 역시 행에 속하는바, 공자의 박문(博文;글을 널리 배움)·약례(約禮;예로 요약함) 역시 지·행으로 말씀한 것이다. 이 내용은 위 건괘(乾卦) 〈문언전〉 제 2절의 구삼효(九三爻)를 해석한 공자의 말씀에 "군자가 덕을 진전시키고 업을 닦으니, 충신은 덕을 진전시키는 것이요 말을 닦음에 그 성실함을 세움은 업을 보유하는 것이다. 이를 데(지선(至善))를 알아 이르므로 더불어 기미를 알 수 있고, 끝마칠 데(지선을 얻음)를 알아 끝마치므로 더불어 의를 보존할 수 있는 것이다.〔君子進德修業. 忠信, 所以進德也; 修辭立其誠, 所以居業也. 知至至之, 可與幾也; 知終終之, 可與存義也.〕"라고 한 내용과 서로 부합한다 하겠다.

98 此其取類 又以淸濁言也 : 위의 예(禮)는 바로 인(仁)인바, 청·탁으로 말하면 지(智)는 형체가 없어 경청(輕淸)하므로 하늘인 양에 속하고, 예(禮)는 사람이 육체로 행하여 중탁(重濁)하므로 땅인 음에 속하는 것이다.

99 成性 : '성성(成性)'은 만물 각각이 간직한 본성을 이르는바, 만물이 이미 받은 본성이므로 '이루어진 성'이라고 한 것이다. 주자는 이에 대하여 "성성(成性)은 5장의 '성지자성(成之者性)'과 글자의 뜻은 같고 쓰임은 다르다. '성성'은 이미 이루어진 본성이니 '성덕(成德)'·'성설(成說)'이라는 말과 같고, '성지자성'은 성취해간다는 뜻이니, '나를 이루고 남을 이루어줌〔成己成物〕'이라는 말과 같다.〔成性, 成之者性, 字義同而用異. 成性, 是已成之性, 如言成德成說之類, 成之者性, 是成就之意, 如言成己成物之類.〕"라고 설명하였다.《大全本》

右는 **第七章**이라

이상은 제7장이다.

聖人이 **有以見天下之賾**(색)하여 **而擬諸其形容**[100]하며 **象其物宜**라 **是故謂之象**이요

성인이 천하의 잡란(雜亂)한 사물을 보고서 이것을 그 형용에 모의(模擬:견주어 헤아림)하고 그 물건에 마땅함을 형상하였다. 이러므로 상(象)이라 일렀고,

本義 | 賾은 雜亂也[101]라 象은 卦之象이니 如說卦所列者라

'색(賾)'은 잡란함이다. '상(象)'은 괘의 상(象)이니, 〈설괘전(說卦傳)〉에 나열한 바와 같은 것이다.

聖人이 **有以見天下之動**하여 **而觀其會通**하여 **以行其典禮**하며 **繫辭焉**하여 **以斷其吉凶**이라 **是故謂之爻**니

성인이 천하의 동함을 보고서 그 회통(會通)을 살펴보아 떳떳한 예(禮)를 행하며, 말을 달아 길·흉을 결단하였다. 이 때문에 효(爻)라 이르니,

本義 | 會는 謂理之所聚而不可遺處요 通은 謂理之可行而无所礙處니 如庖丁

100 擬諸其形容 : '의(擬)'는 '견주어서 헤아림〔比度〕'의 뜻으로, 성인이 음양변화의 잡란함을 보고서 그 모습을 비교하고 분석하여 여기에 가장 적합한 물건을 그 상징으로 삼았다는 말이다.

101 賾 雜亂也 : 주자 이전의 학자들은 대부분 '색(賾)'을 '지극히 묘함'의 뜻으로 풀이하였는데, 주자는 이를 따르지 않고 '잡란함'으로 풀이하였는바, 이에 대하여 다음과 같이 부연 설명하였다. "색(賾)은 《설문(說文)》에 '색은 잡란함이다.'라고 하였다. 옛날엔 이 글자가 없고, 다만 '책(嘖)' 자였다. 이제 '이(頤)' 자를 따르니 역시, 입〔口〕의 뜻도 있으니, 《춘추좌씨전》 정공(定公) 4년의 '책유번언(嘖有煩言:크게 떠들며 분쟁함)'의 '책'과 같은바, 이는 입안의 말에 잡란함이 많다는 뜻이다. 이 때문에 아래에 '싫어할 수 없음'을 말한 것이다. 선유들은 대부분 '색'자를 '지극히 묘함'의 뜻으로 보았는데, 만약 이와 같다면, 어째서 '싫어할 수 없음'을 말하겠는가.〔說文曰, 賾, 雜亂也. 古无此字, 只是嘖字. 今從頤, 亦是口之義, 與左傳嘖有煩言之嘖同, 是口裏說話多雜亂底意思, 所以下文說不可惡. 先儒多以賾字爲至妙之意, 若如此說, 何以謂之不可惡?〕" 《大全本》

解牛에 會則其族而通則其虛也[102]라

'회(會)'는 이치가 모여 있어 빠뜨릴 수 없는 부분을 이르고, '통(通)'은 이치가 행할 수 있어 막힘이 없는 부분을 이르니, 포정(庖丁)이 소를 해체할 적에 회(會)는 힘줄과 뼈가 모인 곳이요, 통(通)은 그 빈 곳인 것과 같다.

言天下之至賾하되 **而不可惡**(오)**也**며 **言天下之至動**하되 **而不可亂也**니

천하의 지극히 잡란함을 말하나 싫어할 수 없으며, 천하의 지극히 동함을 말하나 어지럽힐 수 없으니,

本義 | 惡는 猶厭也라

'오(惡)'는 염(厭;싫어함)과 같다.

擬之而後言하고 **議之而後動**이니 **擬議**하여 **以成其變化**하니라

〈역으로〉 모의(견주어 헤아림)한 뒤에 말하고 〈역으로〉 의논한 뒤에 동하니, 모의하고 의논하여 그 변화를 이룬다.

本義 | 觀象玩辭, 觀變玩占而法行之니 此下七爻는 則其例也라

상(象)을 보고 말(글)을 살펴보며 변(變)을 보고 점(占)을 살펴보아 법받아 행하는 것이니, 이 아래 일곱 효(爻)는 바로 그 예(例)이다.

鳴鶴이 **在陰**이어늘 **其子和之**로다 **我有好爵**하여 **吾與爾靡之**[103]라하

······

102 如庖丁解牛 會則其族而通則其虛也 : 포정(庖丁)의 포(庖)는 옛날 군주의 푸줏간에서 소를 잘 해체한 사람이고, 정(丁)은 그의 이름으로 보인다. 옛날 바둑을 잘 둔 사람을 혁추(奕秋), 공작물을 잘 만든 사람을 공수(工倕), 춘추시대에 유명한 악사를 사광(師曠)이라 하였다. 족(族)은 소의 힘줄과 뼈가 모여 있는 곳이고, 허(虛)는 살결을 따라 칼이 잘 들어가는 부분을 이른다.《莊子 養生主》

103 我有好爵 吾與爾靡之 : 호작(好爵)은 좋은 벼슬이란 뜻으로 정승이나 대장군 등의 요직을 말한 것이 아니고, 군주의 잘못을 바로잡을 수 있는 간의대부(諫議大夫;사간원의 간관)와 어사대부(御史大夫;사헌부의 관직), 또는 홍문관의 경연관(經筵官) 등을 이른다. '내가 너와 함께 연연한다

··· 賾 : 잡란할 색 擬 : 비길 의 礙 : 막힐 애 庖 : 푸줏간 포 靡 : 얽힐 미 (縻通)

니 **子曰 君子居其室**하여 **出其言**에 **善**이면 **則千里之外應之**하나니 **況其邇者乎**아 **居其室**하여 **出其言**에 **不善**이면 **則千里之外違之**하나니 **況其邇者乎**아 **言出乎身**하여 **加乎民**하며 **行發乎邇**하여 **見**(현)**乎遠**하나니 **言行**은 **君子之樞機**니 **樞機之發**이 **榮辱之主也**라 **言行**은 **君子之所以動天地也**니 **可不愼乎**아

"우는 (어미)학이 음지(웅덩이)에 있으니 그 새끼가 화답하도다. 내 좋은 벼슬을 소유하여 내 너와 함께 매어 있다(연연해 한다)." 하니, 공자께서 다음과 같이 말씀하셨다.

"군자가 집(방안)에 거하여 말을 냄에 선(善)하면 천 리의 밖에서도 응하니, 하물며 가까운 자에 있어서랴. 집(방안)에 거하여 말을 냄에 선(善)하지 못하면 천 리 밖에서도 떠나가니, 하물며 가까운 자에 있어서랴. 말은 몸에서 나와 백성에게 가(加)해지며, 행실은 가까운 곳에서 발하여 먼 곳에 나타나니, 말과 행실은 군자의 추기(樞機;중요한 관건)이니, 추기의 발함이 영(榮)·욕(辱)의 주체이다. 말과 행실은 군자가 천지를 감동하는 것이니, 삼가지 않을 수 있겠는가."

本義 | 釋中孚九二爻義라

중부괘(中孚卦) 구이효(九二爻)의 뜻을 해석한 것이다.

同人이 **先號咷**(조)**而後笑**라하니 **子曰 君子之道 或出或處、或默或語**나 **二人同心**하니 **其利斷金**이로다 **同心之言**이 **其臭如蘭**이로다

"남과 함께 하되 먼저는 울부짖다가 뒤에는 웃는다." 하니, 공자께서 다음과 같이 말씀하셨다.

"군자의 도(道)가 혹은 나아가고(진출하고) 혹은 처하며(은둔하며), 혹은 침묵하고 혹은 말하나, 두 사람이 마음을 함께 하니 그 예리함이 쇠〔金〕

••••••

〔吾與爾靡之〕'의 '나'는 군주이고 '너'는 현자(賢者)인바, 군주도 이 벼슬을 반드시 현자에게 맡겨야 한다고 다짐하고 현자 역시 이 벼슬은 내가 한번 맡아 군주의 덕을 보필하겠다고 자임(自任)함을 이른다.

를 절단한다. 마음을 함께 하는 말은 그 향기로움이 난초와 같다."

本義｜ 釋同人九五爻義라 言君子之道 初若不同이나 而後實无間이라 斷金, 如蘭은 言物莫能間而其言有味也라

동인괘(同人卦) 구오효(九五爻)의 뜻을 해석한 것이다. 군자의 도가 처음에는 똑같지 않은 듯하나 뒤에는 실로 간격이 없음을 말한 것이다. 쇠〔金〕를 절단함과 난초와 같다는 것은 다른 물건(사람)이 능히 끼지 못하고 그 말이 맛이 있음을 말한 것이다.

初六은 藉用白茅니 无咎라하니 子曰 苟錯諸地라도 而可矣어늘 藉之用茅하니 何咎之有리오 愼之至也라 夫茅之爲物이 薄이나 而用은 可重也니 愼斯術也하여 以往이면 其无所失矣리라

"초육(初六)은 깔되 흰 띠풀을 사용함이니 허물이 없다." 하니, 공자께서 다음과 같이 말씀하셨다.

"만일 그대로 땅에 놓더라도 가(可)한데(괜찮은데) 깔되 띠풀을 사용하니 무슨 허물이 있겠는가. 삼감이 지극한 것이다. 띠풀이란 물건은 하찮으나 쓰임은 소중히 여길 만하니, 이 방법을 삼가서 미루어 가면 잘못되는 바가 없으리라."

本義｜ 釋大過初六爻義라

대과괘(大過卦) 초육효(初六爻)의 뜻을 해석한 것이다.

勞謙[104]이니 君子有終[105]이니 吉이라하니 子曰 勞而不伐하며 有功而

••••••

104 勞謙 :《언해(諺解)》에 위의 겸괘(謙卦) 구삼 효사(九三爻辭)에는 '노(勞)하고 겸(謙)함이니'로 해석하였고, 여기서는 '노(勞)한 겸(謙)이니'로 해석하였다. 이 때문에 사계(沙溪)는 "노겸(勞謙)은 노차겸(勞且謙)이니,《언해》에 '공로로 겸손한다' 함은 잘못이다." 하였다. 그러나 차(且)는 하면서도의 '도'를 의미하므로 '공로가 있으면서도 겸손하니'로 해석하였음을 밝혀둔다.

105 君子有終 :《정전》에는 "군자가 끝까지 겸손한 것"으로 본 반면,《본의》에는 "좋은 끝마침이 있는 것"으로 보았다.

••• 咷 : 울 도 利 : 날카로울 리 默 : 침묵할 묵 藉 : 깔 자 茅 : 띠 모 錯 : 둘 조 階 : 계단 계 勞 : 공로 로

不德이 **厚之至也**니 **語以其功下人者也**라 **德言盛**이요 **禮言恭**[106]이니 **謙也者**는 **致恭**하여 **以存其位者也**라

"공로가 있으면서도 겸손하니 군자가 종(終)이 있으니 길하다." 하니, 공자께서 다음과 같이 말씀하셨다.

"공로가 있어도 자랑하지 않으며 공(功)이 있어도 덕(德)으로 여기지 않음은 후(厚)함의 지극함이니, 공이 있으면서도 남에게 몸을 낮춤을 말한 것이다. 덕으로 말하면 성대하고 예(禮)로 말하면 공손하니, 겸(謙)은 공손함을 지극히 하여 그 지위를 보존하는 것이다."

本義 | **釋謙九三爻義**라 **德言盛, 禮言恭**은 **言德欲其盛**이요 **禮欲其恭也**라

겸괘(謙卦) 구삼효(九三爻)의 뜻을 해석한 것이다. '덕(德)으로 말하면 성대하고 예(禮)로 말하면 공손하다.'는 것은 덕은 성하고자 하고 예는 공손하고자 함을 말한 것이다.

亢龍이니 **有悔**라하니 **子曰 貴而无位**하며 **高而无民**하며 **賢人**이 **在下位而无輔**라 **是以動而有悔也**니라

"항룡(亢龍)이니 뉘우침이 있다." 하니, 공자께서 다음과 같이 말씀하셨다.

"귀하나 지위가 없고 높으나 백성이 없으며, 현인(賢人)이 아랫자리에 있어 도와주는 이가 없다. 이 때문에 동하면 뉘우침이 있는 것이다."

本義 | **釋乾上九爻義**라 **當屬文言**이니 **此蓋重出**이라

건괘(乾卦) 상구효(上九爻)의 뜻을 해석한 것이다. 이 글은 마땅히 〈문언전(文言傳)〉에 속해야 하니, 이는 거듭 나온 것이다.

不出戶庭이면 **无咎**라하니 **子曰 亂之所生也 則言語以爲階**니 **君**

106 德言盛 禮言恭 : 퇴계의 "덕(德)으로 언(言)컨댄 성(盛)하고 예(禮)로 언(言)컨댄 공(恭)하다." 한 해석을 따랐음을 밝혀둔다.

不密則失臣하며 **臣不密則失身**[107]하며 **幾事不密則害成**하나니 **是以君子愼密而不出也**하나니라

"호정(戶庭;작은 문의 뜰)을 나가지 않으면 허물이 없다." 하니, 공자께서 다음과 같이 말씀하셨다.

"난(亂)이 생기는 것은 언어(言語)가 계제(階梯;연유)가 되니, 군주가 신밀(愼密;말을 조심함)하지 않으면 신하를 잃고 신하가 신밀하지 않으면 몸을 잃으며, 기미(幾微)의 일이 신밀하지 않으면 해로움이 이루어지니, 이 때문에 군자는 신밀하여 말을 함부로 내지 않는 것이다."

本義 | 釋節初九爻義라

절괘(節卦) 초구효(初九爻)의 뜻을 해석한 것이다.

子曰 作易者其知盜乎인저 **易曰 負且乘**이라 **致寇至**라하니 **負也者**는 **小人之事也**요 **乘也者**는 **君子之器也**니 **小人而乘君子之器**라 **盜思奪之矣**며 **上**을 **慢**하고 **下**를 **暴**라 **盜思伐之矣**니 **慢藏**이 **誨盜**며 **冶容**이 **誨淫**이니 **易曰 負且乘致寇至**라하니 **盜之招也**라

공자께서 말씀하셨다.

"역(易)을 지은 자는 아마도 도적이 생기는 이유를 알았을 것이다. 역(易)에 이르기를 '짐을 져야 할 자이면서 또(자이면서도) 타고 있는지라 도적이 옴을 이룬다.' 하였으니, 짐을 지는 것은 소인의 일이요 타는 것은 군자의 기물(器物)이니, 소인으로서 군자의 기물을 타고 있다. 이 때문에 도적이 빼앗을 것을 생각하며, 〈소인이 지위를 얻으면〉 윗사람을 소홀히 하

······

107 君不密則失臣 臣不密則失身 : '실신(失臣)'은 군주가 비밀을 지키지 않아 충직한 신하를 죽게 하는 것이며, '실신(失身)'은 신하가 비밀을 지키지 않아 자기 몸을 죽게 함을 이른다. 성재양씨(誠齋楊氏)가 말하였다. "당 고종(唐高宗)이 측천무후(則天武后)에게 '상관의(上官儀)가 나더러 「너를 폐위(廢位)하라」고 가르쳤다.' 하였으니, 이는 군주가 신밀(愼密)하지 않아 충직한 신하를 잃은(죽게) 것이요, 후한(後漢)의 진번(陳蕃)이 군주에게 '신의 이 글(상소문)을 공개하여 환관들에게 보이소서.' 하였으니, 이는 신하가 신밀하지 않아 자기 몸을 죽게 한 것이다.〔唐高宗告武后以上官儀教我以廢汝, 此君不密而失臣也; 陳蕃乞宣臣章以示宦者, 此臣不密而失身也.〕"《大全本》 밀(密)은 비밀을 지켜 함부로 말하지 않음을 이른다.

··· 寇 : 도적 구 奪 : 빼앗을 탈 慢 : 거만할 만, 허술할 만 誨 : 가르칠 회 冶 : 치장할 야 招 : 부를 초

고 아랫사람을 포학하게 대한다. 이 때문에 도적이 칠 것을 생각하는 것이다. 보관을 허술하게 함이 도적질하라고 가르치는 것이며, 모양을 치장함이 간음하라고 가르치는 것이니, 역(易)에 '짐을 져야 할 자이면서도 타고 있는지라 도적이 옴을 이룬다.' 하였으니, 도적을 불러들이는 것이다."

本義 | 釋解六三爻義라

해괘(解卦) 육삼효(六三爻)의 뜻을 해석한 것이다.

右는 第八章이라

이상은 제8장이다.

本義 | 此章은 言卦爻之用이라

이 장(章)은 괘효(卦爻)의 쓰임을 말하였다.

天一地二、天三地四、天五地六、天七地八、天九地十이니

천(天)이 1이고 지(地)가 2이며, 천(天)이 3이고 지(地)가 4이며, 천(天)이 5이고 지(地)가 6이며, 천(天)이 7이고 지(地)가 8이며, 천(天)이 9이고 지(地)가 10이니,

本義 | 此簡은 本在第十章之首어늘 程子曰 宜在此라하시니 今從之하노라 此는 言天地之數 陽奇陰偶니 卽所謂河圖[108]者也라 其位가 一六居下하고 二七居上하고 三八居左하고 四九居右하고 五十居中하니 就此章而言之하면 則中五爲衍母요 次十爲衍子[109]며 次一、二、三、四 爲四象之位하고 次六、七、八、九 爲四象之數[110]라 二老는 位於西、北하고 二少는 位於東、南하며 其數則各以其類로 交錯

------

108 河圖 : 하도(河圖)에 대한 그림과 해설은 3권의 〈총목(總目)〉을 참고하기 바란다.

109 中五爲衍母 次十爲衍子 : 연모(衍母)는 대연(大衍)의 모체(근본)가 되는 것이고, 연자(衍子)는 대연의 자식(부속)이 되는 것이다.

110 次一、二、三、四……爲四象之數 : 사상의 출생 순서를 보면 태양이 1, 소음이 2, 소양이 3,

於外也[111]라

이 쪽(죽간(竹簡))은 본래 제10장의 맨 앞에 있었는데, 정자(程子)가 "마땅히 여기에 있어야 한다." 하셨으니, 이제 그 말씀을 따른다. 이는 천 · 지의 수(數)에 양(陽)의 기수(奇數)와 음(陰)의 우수(偶數)를 말한 것이니, 곧 이른바 하도(河圖)라는 것이다. 그 위치가 1 · 6은 아래에 있고 2 · 7은 위에 있고 3 · 8은 좌(左)에 있고 4 · 9는 우(右)에 있고 5 · 10은 중앙에 있으니, 이 장(章)을 가지고 말하면 중앙의 5는 대연(大衍)의 어미가 되고 다음의 10은 대연(大衍)의 자식이 되며, 다음의 1 · 2 · 3 · 4는 사상(四象)의 자리가 되고 다음의 6 · 7 · 8 · 9는 사상의 수(數)가 된다. 두 노(老;노양(老陽) · 노음(老陰))는 서(西;노음) · 북(北;노양)에 위치하고, 두 소(少;소양(少陽) · 소음(少陰))는 동(東;소양) · 남(南;소음)에 위치하며, 그 수(數)는 각기 그 류(類)에 따라 밖에서 교차한다.

天數五요 **地數五**니 **五位相得**하며 **而各有合**하니 **天數二十有五**요 **地數三十**이라 **凡天地之數五十有五**니 **此所以成變化而行鬼神也**라

천(天)의 수(數)가 다섯이고 지(地)의 수가 다섯이니, 다섯의 자리가 서로 맞으며 각기 합함이 있으니, 천(天)의 수가 25이고 지(地)의 수가 30이다. 무릇 천 · 지의 수가 55이니, 이것이 변화를 이루고 귀신(鬼神)을 행하게 하는 것이다.

本義 | 此簡은 本在大衍之後어늘 今按宜在此라 天數五者는 一、三、五、七、九皆奇也요 地數五者는 二、四、六、八、十이 皆偶也라 相得은 謂一與二, 三與四, 五與六, 七與八, 九與十이 各以奇偶爲類而自相得이요 有合은 謂一與六,

••••••

태음이 4이며 사상의 고유 번호는 태음이 6, 소양이 7, 소음이 8, 태양이 9인바, 출생 순서의 숫자와 고유 넘버의 숫자를 합치면 모두 10이 된다.

111 其數則各以其類 交錯於外也 : 사계(沙溪)는 "생수(生數)와 성수(成數)가 각기 류(類)에 따라 밖에 교착(交錯)함을 이르니, 하문(下文)에 '1과 2가 각기 기수(奇數)와 우수(偶數)로 류가 된다.'는 것이 바로 그 류라는 것이다. 그리고 1과 6, 2와 7, 3과 8, 4와 9, 5와 10도 그 류이다." 하였다.《經書辨疑》하도의 1 · 2 · 3 · 4 · 5는 오행을 낳는 생수이고, 6 · 7 · 8 · 9 · 10은 오행을 이루는 성수이다.

二與七, 三與八, 四與九, 五與十이 皆兩相合이라 二十有五者는 五奇之積也요 三十者는 五偶之積也라 變化는 謂一變生水而六化成之하고 二化生火而七變成之하고 三變生木而八化成之하고 四化生金而九變成之하고 五變生土而十化成之라 鬼神은 謂凡奇偶生成之屈伸往來者라

이 쪽〔簡〕은 본래 대연(大衍)의 뒤에 있었는데 이제 살펴보건대 마땅히 여기에 있어야 한다. 천(天)의 수(數)가 다섯이라는 것은 1·3·5·7·9가 모두 기수(奇數)인 것이고, 지(地)의 수(數)가 다섯이라는 것은 2·4·6·8·10이 모두 우수(偶數)인 것이다. 서로 맞는다는 것은 1과 2, 3과 4, 5와 6, 7과 8, 9와 10이 각기 기수(奇數)와 우수(偶數)로서 류(類)가 되어 스스로 서로 맞음을 이르고, 합함이 있다는 것은 1과 6, 2와 7, 3과 8, 4와 9, 5와 10이 모두 서로 합함을 이른다. 25는 다섯 기수(奇數)를 모은 것이고, 30은 다섯 우수(偶數)를 모은 것이다.

변·화는 1이 변(變)하여 수(水)를 낳으면 6이 화(化)하여 수를 이루고, 2가 화(化)하여 화(火)를 낳으면 7이 변하여 화를 이루고, 3이 변하여 목(木)을 낳으면 8이 화하여 목을 이루고, 4가 화하여 금(金)을 낳으면 9가 변하여 금을 이루고, 5가 변하여 토(土)를 낳으면 10이 화하여 토를 이룸을 이른다. 귀신(鬼神)은 모든 기(奇)·우(偶), 생(生)·성(成)의 굴신(屈伸)과 왕래(往來)를 이른다.

大衍之數五十이니 **其用**은 **四十有九**라 **分而爲二**하여 **以象兩**하고 **掛一**하여 **以象三**하고 **揲之以四**하여 **以象四時**하고 **歸奇於扐**[112]하여 **以象閏**하나니 **五歲再閏**이라 **故**로 **再扐而後掛**하나니라

대연(大衍)의 수(數)가 50이니, 그 씀은 49이다. 이를 나누어 둘로 만들어 양(兩:하늘과 땅)을 상징하고, 하나를 걸어서 삼재(三才)를 상징하고, 넷으로 세어 사시(四時)를 상징하고, 남는 것을 늑(扐)에 돌려 윤달을 상징하니, 5년에 윤달이 두 번이므로 두 번 늑(扐)한 뒤에 다시 〈시작하여〉 거는 것이다.

112 大衍之數五十……歸奇於扐 : 사계(沙溪)는 "대연(大衍)은 크게 부연한 것이며 설(揲)은 시초(蓍草)를 세어서 잡는 것이고 늑(扐)은 넷씩 떼고 난 나머지 시초를 손가락 사이에 끼는 것이다." 하였다. 《經書辨疑》

··· 衍 : 부연할 연, 넓힐 연, 남을 연 掛 : 걸 괘 揲 : 시초셀 설 奇 : 남을 기 扐 : 시초낄 륵 閏 : 윤달 윤

本義 | 大衍之數五十은 蓋以河圖中宮天五로 乘地十而得之요 至用以筮하여는 則又止用四十有九하니 蓋皆出於理勢之自然이요 而非人之知(智)力所能損益也라 兩은 謂天地也라 掛는 懸其一於左手小指之間也라 三은 三才也라 揲은 間而數之也라 奇는 所揲四數之餘也요 扐은 勒於左手中三指之兩間也라 閏은 積月之餘日而成月者也니 五歲之間에 再積日而再成月이라 故五歲之中에 凡有再閏然後에 別起積分하니 如一掛之後에 左右各一揲而一扐이라 故五者之中에 凡有再扐然後에 別起一掛也라

대연(大衍)의 수(數)가 50이라는 것은 하도(河圖)의 중궁(中宮)에 있는 천수(天數) 5를 가지고 지수(地數) 10을 승(乘)하여(곱하여) 얻은 것이요, 점(占)을 치는 데 사용함에 이르러는 또 다만 49개의 시초(蓍草)를 쓰니, 이는 모두 이치와 형세의 자연스러움에서 나온 것이요, 사람이 지혜와 힘으로 손익(損益;가감)할 수 있는 것이 아니다.

'양(兩)'은 천(天)·지(地)를 이른다. '괘(掛)'는 그 시초 하나를 왼손의 작은 손가락 사이에 매다는(거는) 것이다. '삼(三)'은 천·지·인의 삼재(三才)이다. '설(揲)'은 사이를 띄워 시초를 셈이다. '기(奇)'는 넷으로 세고 남은 것이요, '늑(扐)'은 왼손의 가운데 셋째 손가락의 두 사이에 끼는 것이다. '윤(閏)'은 달의 남은 날을 모아 윤달을 이룬 것이니, 5년 사이에 두 번 날을 모아 두 번 윤달을 이루므로 5년 가운데 무릇 두 번 윤달이 있은 뒤에야 별도로 적분(積分;남은 수)을 일으키니, 이는 마치 한 번 매단 뒤에 좌·우의 시초를 각기 한 번씩 세고, 한 번씩 늑(扐)하는 것과 같다. 그러므로 다섯 번 가운데 무릇 두 번 늑함이 있은 뒤에 별도로 〈다시 시작하여〉 한 번 매닮을 일으키는 것이다.

乾之策이 **二百一十有六**이요 **坤之策**이 **百四十有四**[113]라 **凡三百有六十**이니 **當期之日**하고

건(乾)의 책수(策數)가 216이요 곤(坤)의 책수가 144이다. 그러므로 모

••••••

113 乾之策……百四十有四 : 건(乾)의 책수(策數)는 노양효(老陽爻)의 떼어낸 책수를 기준한 것으로, 노양효는 떼어낸 책수가 36개인데 여섯 효이므로 36×6=216이 되며, 곤(坤)의 책수는 노음효(老陰爻)의 떼어낸 책수를 기준한 것으로 떼어낸 책수가 24개인데 여섯 효이므로 24×6=144가 되는 것이다.

••• 策 : 점대 책

두 360이니, 기년(期年)의 일수(日數)에 해당하고,

本義 | 凡此策數는 生於四象하니 蓋河圖四面에 太陽居一而連九하고 少陰居二而連八하고 少陽居三而連七하고 太陰居四而連六이라 揲蓍之法은 則通計三變之餘하되 去其初掛之一하여 凡四爲奇요 凡八爲偶니 奇圓圍三이요 偶方圍四니 三用其全하고 四用其半하나니 積而數之면 則爲六七八九요 而第三變揲數策數亦皆符會라 蓋餘三奇면 則九而其揲亦九니 策亦四九三十六이니 是爲居一之太陽이요 餘二奇一偶면 則八而其揲亦八이니 策亦四八三十二니 是爲居二之少陰이요 二偶一奇면 則七而其揲亦七이니 策亦四七二十八이니 是爲居三之少陽이요 三偶면 則六而其揲亦六이니 策亦四六二十四니 是爲居四之老陰이니 是其變化往來進退離合之妙가 皆出自然이요 非人之所能爲也라 少陰은 退而未極乎虛하고 少陽은 進而未極乎盈이라 故此獨以老陽、老陰으로 計乾坤六爻之策數니 餘可推而知也라 期는 周一歲也니 凡三百六十五日四分日之一이어늘 此는 特擧成數而槪言之耳라

무릇 이 책수(策數)는 사상(四象)에서 생겼으니, 하도(河圖)의 사면(四面)에 태양(太陽)은 1에 거하여 9를 연하고, 소음(少陰)은 2에 거하여 8을 연하고, 소양(少陽)은 3에 거하여 7을 연하고, 태음(太陰)은 4에 거하여 6을 연한다.

시초(蓍草)를 세는 법은 세 번 변한 나머지를 통틀어 계산하되 처음 걸었던(매달았던) 1을 제하여 무릇 4를 기(奇)라 하고 8을 우(偶)라 하니, 기(奇)는 둥근바 둘레가 3이요, 우(偶)는 네모진바 둘레가 4이니, 3은 그 완전한 수(數)를 사용하고 4는 그 반만 쓴다. 이것을 모아 세면 6·7·8·9가 되어 세 번 변한 설수(揲數:떼어내고 남은 수)와 책수(策數:떼어낸 수)가 또한 모두 들어맞는다. 세 기수(奇數)가 남으면 3×3은 9인데 그 셈 또한 9이니 책수 또한 4×9는 36인바, 이것이 1에 위치한 태양이 되고, 두 기수(奇數)와 한 우수(偶數)가 남으면 8인데 그 셈 또한 8이니 책수 또한 4×8은 32인바 이것이 2에 위치한 소음이 되며, 두 우수와 한 기수가 남으면 7인데 그 셈 또한 7이니 책수 또한 4×7은 28인바 이것이 3에 위치한 소양이 되며, 세 우수이면 6인데 그 셈 또한 6이니 책수 또한 4×6은 24인바 이것이 4에 위치한 노음이 된다.

이는 변화하고 왕래하여 나아가고 물러가며 떠나고 합하는 묘리(妙理)가 모두 자연에서 나온 것이요, 사람이 〈인위적으로〉 할 수 있는 바가 아니다. 소음은 물러가나 아직 허(虛)에 지극하지 않고, 소양은 나아가나 아직 가득참에 지극하지 않다. 그러므로 이는 홀로 노양과 노음으로 건(乾)·곤(坤) 여섯 효(爻)의 책수(36×6, 24×6)를 계산한 것이니, 나머지를 여기에서 미루어 알 수 있다. '기(期)'는 1년을 돈 것이니, 무릇 365일과 4분의 1일인데, 이는 다만 성수(成數:360일)를 들어 대략 말했을 뿐이다.

二篇之策이 萬有一千五百二十이니 當萬物之數也하니

상(上)·하(下) 두 편(篇)의 책수가 1만 1천 520이니, 만물의 수에 해당하니,

本義 | 二篇은 謂上下經이라 凡陽爻百九十二에 得六千九百一十二策이요 陰爻百九十二에 得四千六百八策이니 合之면 得此數라

이편(二篇)은 상경(上經)과 하경(下經)을 이른다. 무릇 양효(陽爻) 192에(192×36) 6천 912를 얻고 음효(陰爻) 192에(192×24) 4천 608을 얻어 합하면 이 수(數)를 얻게 된다.

是故로 四營而成易하고 十有八變而成卦하니

이러므로 네 번 경영하여 역(易:변역)을 이루고 18번 변하여 괘(卦)를 이루니,

本義 | 四營은 謂分二, 掛一, 揲四, 歸奇也라 易은 變易也니 謂一變也라 三變成爻하니 十八變則成六爻也라

네 번 경영한다는 것은 시초를 둘로 나누고 하나를 걸고 넷으로 세고 나머지 수를 돌리는(가운데 손가락 두 사이에 끼는) 것이다. '역(易)'은 변역이니, 한 번 변함을 이른다. 세 번 변하여 효(爻)를 이루니, 18번 변하면 육효(六爻)를 이룬다.

八卦而小成하여
팔괘(八卦)에 조금 이루어

本義 | 謂九變而成三畫하여 得內卦也라
아홉 번 변하여 세 획을 이루어 내괘(內卦)를 얻음을 이른다.

引而伸之하며 觸類而長之하면 天下之能事畢矣리니
이끌어 펴며 류(類)에 따라 신장하면 천하의 능사(能事)가 다할 것이니,

本義 | 謂已成六爻면 而視其爻之變與不變하여 以爲動靜이면 則一卦可變而爲六十四卦하여 以定吉凶하니 凡四千九十六卦也라
이미 육효(六爻)를 이루면 그 효(爻)의 변함과 변하지 않음을 보아 동(動;변한 효)·정(靜;변하지 않은 효)을 삼으면 한 괘가 변하여 64괘가 되어 길·흉을 정함을 이르니, 무릇 4천 96괘인 것이다.(64×64=4096)

顯道하고 神德行이라 是故로 可與酬酢이며 可與祐神矣니
도(道)를 드러내고 덕행(德行)을 신묘하게 한다. 이 때문에 더불어 수작(酬酢;사물에 대응)할 수 있으며 더불어 신화(神化)의 공을 도울 수 있는 것이다.

本義 | 道는 因辭顯하고 行은 以數神이라 酬酢은 謂應對요 祐神은 謂助神化之功이라
도(道)는 말(글)로 인하여 드러나고, 행(行)은 수(數)로써 신묘해진다. '수작(酬酢)'은 응대함을 이르고, '우신(祐神)'은 신화(神化;신묘한 조화)의 공(功)을 도움을 이른다.

子曰 知變化之道者 其知神之所爲乎인저
공자께서 말씀하셨다. "변화의 도를 아는 자는 신(神)의 하는 바를 알 것이다."

… 觸 : 닿을 촉 酬 : 술권할 수 酢 : 술권할 작 祐 : 도울 우 嚮 : 향할 향 響 : 울릴 향

本義 | 變化之道는 卽上文數法[114]이 是也니 皆非人之所能爲라 故夫子歎之에 而門人加子曰하여 以別上文也라

변화의 도는 곧 상문(上文)의 수(數)와 법(法)이 이것이니, 이는 모두 사람이 인위(人爲)로 할 수 있는 것이 아니다. 그러므로 부자께서 감탄하시자, 문인(門人)들이 '자왈(子曰)'을 가(加)하여 상문(上文)과 구별한 것이다.

右는 第九章이라

이상은 제9장이다.

本義 | 此章은 言天地大衍之數와 揲蓍求卦之法이라 然亦略矣니 意其詳이 具於大(太)卜、筮人之官[115]이어늘 而今不可考耳요 其可推者는 啓蒙[116]에 備言之하니라

이 장(章)은 천지 대연(大衍)의 수(數)와 시초를 세어 괘를 구하는 법을 말하였다. 그러나 또한 간략하니, 짐작컨대 그 상세한 내용이 태복(太卜) · 서인(筮人)의 관직에 갖추어져 있었는데 지금은 상고할 수 없고, 미룰 수 있는 것은《역학계몽(易學啓蒙)》에 자세히 말하였다.

易有聖人之道四焉하니 以言者는 尙其辭하고 以動者는 尙其變하고 以制器者는 尙其象하고 以卜筮者는 尙其占하나니

역(易)에 성인의 도가 네 가지 있으니, 〈역으로써〉 말하려는 자는 그 말을 숭상하고, 〈역으로써〉 동(動)하려는 자는 그 변(變)을 숭상하고, 〈역으로써〉 기물을 만들려는 자는 그 상(象)을 숭상하고, 〈역으로써〉 복서(卜

114 上文數法 : 사계(沙溪)는 "상문(上文)은 '팔괘이소성 촉류이장지(八卦而小成 觸類而長之)' 등의 내용을 가리키며, 수법(數法)은 윗글의 시초를 세는 법식을 이른다." 하였다.《經書辨疑》

115 太卜筮人之官 : 태복(太卜)은 거북점을 담당한 관원이고, 서인(筮人)은 주역점을 담당한 관원이다.

116 啓蒙 : 주자가 초학자를 위해 지은《주역》의 해설서인《역학계몽(易學啓蒙)》을 말한다. 4권으로 구성하여 1186년에 완성하였다. 주자는《주역본의》 12권을 통해 점서(占筮)와 의리를 융합하여《주역》의 본의(本義)를 밝히려 했으며,《역학계몽》에서는 역(易)의 도식(圖式), 점서에 대한 수리적 설명에 주력하였다. 이 책은 조선에서도 일찍이 간행되어 유학자들 사이에 널리 읽히고 연구되었으며 역대 왕들이 강독하였다.

筮)하려는 자는 그 점(占)을 숭상한다.

本義 | 四者는 皆變化之道니 神之所爲者也라

네 가지는 모두 변화의 도(道)이니, 신(神)이 하는 것이다.

是以로 君子將有爲也하며 將有行也에 問焉而以言[117]하면 其受命也如嚮(響)하여 无有遠近、幽深히 遂知來物하나니 非天下之至精이면 其孰能與於此리오

그러므로 군자가 장차 일을 함이 있거나 장차 행함이 있을 적에 〈시초에게 역을〉 물어서 역으로써 말하려 하면 시초가 그 명령을 받음이 메아리와 같아 원근(遠近)과 유심(幽深)이 없이 마침내 미래의 일을 아니, 천하에 지극히 정(精)한 자가 아니면 그 누가 이에 참예하겠는가.

本義 | 此는 尙辭尙占之事라 言人以蓍問易하여 求其卦爻之辭하여 而以之發言處事하면 則易受人之命而有以告之를 如嚮之應聲하여 以決其未來之吉凶也라 以言은 與以言者尙其辭之以言으로 義同이라 命은 則將筮而告蓍之語니 冠禮筮日에 宰自右贊命[118]이 是也라

이는 말을 숭상하고 점(占)을 숭상하는 일이다. 사람이 시초(蓍草)로써 역(易)에게 물어 〈괘사(卦辭)와 효사(爻辭)를 구하여〉 이로써 말을 하고 일에 대처하려 하면 역이 사람의 명령을 받아 고(告)해주기를 마치 메아리가 목소리에 응하듯이 하

••••••

117 問焉而以言 : 퇴계는 '문(問)호되 언(言)으로써 하여든'으로 해석함을 소개하고, "《본의(本義)》에 '이언(以言)은 이언자상기사(以言者尙其辭)의 이언(以言)과 같은 뜻이다.' 하였으니, 이것은 시초(蓍草)에게 명하는 말이 아니요 바로 괘효(卦爻)의 말을 구하여 이로써 발언(發言)함을 이른다. 그런데 지금 이 토(吐)와 해석한 말은 모두 시초에게 명하는 말로 하였으니, 잘못이다." 하였다. 《經書釋義》《언해》의 토는 '以言하거든'으로 되어 있고, 《언석(諺釋)》은 '言하여 하거든'으로 되어 있는바, '하면'으로 현토하고 '말하면'으로 해석해야 함을 말씀한 것으로 보이나, 뜻이 분명하지 않으므로, 위와 같이 번역하였음을 밝혀둔다.

118 冠禮筮日 宰自右贊命 : 《의례(儀禮)》〈사관례(士冠禮)〉에 "관례할 날짜를 점칠 적에 재가 오른쪽에서 조금 물러나 명을 돕는다.〔筮日, 宰自右小退, 贊命.〕"라고 보이는바, 재(宰)는 주인(主人)을 위하여 정교(政敎)를 펴는 자인데, 고대(古代)에 대관(大官)들은 소속된 관리 중에 한 사람을 뽑아 재로 임명하였다. 찬명(贊命)은 점(占)을 칠 때에 재가 주인을 대신하여 시초(蓍草)에게 명하는 말을 외워 주인을 도움을 이른다.

여 미래의 길·흉을 결단해줌을 말한 것이다. 이언(以言)은 '이언자상기사(以言者尙其辭 ; 역으로써 말하려는 자는 그 말을 숭상함)'의 이언(以言)과 뜻이 같다. 명(命)은 장차 점을 치려 하면서 시초에게 고하는 말이니, 관례(冠禮)에 '날짜를 점칠 적에 재(宰)가 오른쪽에서 명령을 돕는다.' 함이 이것이다.

參(참)**伍以變**[119]하며 **錯綜其數**하여 **通其變**하여 **遂成天地之文**하며 **極其數**하여 **遂定天下之象**하니 **非天下之至變**이면 **其孰能與於此**리오

참(參)하여 세며 오(伍)하여 세어 변(變)하며 그 수(數)를 착종(錯綜)하여 그 변을 통해서 마침내 천지의 문(文)을 이루며, 그 수를 지극히 하여 마침내 천하의 상(象)을 정하니, 천하에 지극히 변화하는 자가 아니면 그 누가 이에 참예하겠는가.

本義 | 此는 尙象之事니 變則象之未定者也라 參者는 三數之也요 伍者는 五數之也니 既參以變하고 又伍以變하여 一先一後하여 更(경)相考覈하여 以審其多寡之實也라 錯者는 交而互之니 一左一右之謂也요 綜者는 總而挈(설)之니 一低一昂之謂也니 此亦皆謂揲蓍求卦之事라 蓋通三揲兩手之策하여 以成陰陽老少之畫하고 究七八九六之數하여 以定卦爻動靜之象也라 參伍錯綜은 皆古語而參伍尤難曉라 按荀子云 窺敵制變엔 欲伍以參이라하고 韓非曰 省同異之言하여 以知朋黨之分하고 偶參伍之驗하여 以責陳言之實이라하고 又曰 參之以比物하고 伍之以合參이라하며 史記曰 必參而伍之라하고 又曰 參伍不失이라하며 漢書曰 參伍其賈(價)하여 以類相準이라하니 此足以相發明矣니라

이는 상(象)을 숭상하는 일이니, 변(變)은 상(象)이 아직 정해지지 않은 것이다. '참(參)'은 3으로 셈이요 '오(伍)'는 5로 셈이니, 이미 3으로 세어 변하고 또 5로 세어 변해서 한 번 먼저 하고 한 번 뒤에 하여 번갈아 서로 상고해서 많고 적음의 실

••••••

119 參伍以變 : 참오(參伍)는 이렇게도 맞춰보고 저렇게도 맞춰보는 것으로, 주자는 "참오는 다만 참고하여 합쳐 본다는 뜻이니, 저 수를 가지고 와서 이 수를 참고해 보는 것이다.[參伍 只是參合底意思, 以彼數來參此數]"라 하였다. 아래 〈설괘전(說卦傳)〉의 "참천양지(參天兩地)"도 하늘에 참고해 보고 땅에 견주어 보는 것이다.

••• 嚮 : 메아리 향(響通) 覈 : 상고할 핵 挈 : 들 설 低 : 낮을 저 昂 : 높일 앙 錯 : 번갈을 착 窺 : 엿볼 규

제를 살피는 것이다. '착(錯)'은 사귀어 서로 함이니 한번은 왼쪽으로 하고 한번은 오른쪽으로 함을 이르며, '종(綜)'은 총괄하여 셈이니 한번 낮추고 한번 높임을 이르니, 이 또한 모두 시초를 세어 괘를 구하는 일을 말한 것이다. 두 손의 책(策)을 통틀어 세 번 설(揲)하여 음(陰)·양(陽) 노(老)·소(少)의 획을 이루고, 7·8·9·6의 수(數)를 연구하여 괘(卦)·효(爻)와 동(動)·정(靜)의 상(象)을 정하는 것이다.

참오 착종(參伍錯綜)은 모두 옛말인데, 참오(參伍)가 더욱 알기 어렵다. 살펴보건대 《순자(荀子)》 〈의병(義兵)〉에 "적을 엿보고 변화에 대처함에는 오(伍)하고 참(參)하고자 한다." 하였고, 《한비자(韓非子)》 〈비내(備內)〉에는 "같고 다른 말을 살펴 붕당(朋黨)의 나눠짐을 알고, 참오(參伍)의 징험을 맞추어 진언(陳言:아뢴 말)의 실제를 책한다." 하였으며, 또 〈양권(揚權)〉에는 "이 일로써 참(參:참고)하고, 다섯으로 맞추어 참(參)에 합한다." 하였으며, 《사기(史記)》 〈태사공자서(太史公自序)〉에는 "반드시 참(參)으로 세고 오(伍)로 센다." 하였고, 또 이르기를 "참오함이 실수하지 않는다." 하였으며, 《한서(漢書)》 〈조광한 전(趙廣漢傳)〉에는 "그 값을 참오(參伍:이리저리 참고함)하여 류(類)로써 서로 값을 기준한다." 하였으니, 이것을 보면 충분히 서로 발명될 것이다.

易은 **无思也**하며 **无爲也**하여 **寂然不動**이라가 **感而遂通天下之故**하나니 **非天下之至神**이면 **其孰能與於此**리오

역(易)은 생각이 없고 함이 없어 적연(寂然)히 동(動)하지 않다가 감동하여 마침내 천하의 연고(원인)를 통하니, 천하에 지극히 신묘한 자가 아니면 그 누가 이에 참예하겠는가.

本義 | 此는 四者之體所以立而用所以行者也라 易은 指蓍卦라 无思、无爲는 言其无心也라 寂然者는 感之體요 感通者는 寂之用이니 人心之妙가 其動靜亦如此[120]라

······

120 人心之妙其動靜亦如此 : 이 말은 '사람 마음의 동정하는 묘함 또한 이와 같음〔人心動靜之妙亦如此〕'을 말한 것이다. 동(動)은 감이수통(感而遂通)을 이르고 적(寂)은 적연불동(寂然不同)을 이르는바, '감이수통'은 《중용》의 '발하여 모두 절도에 맞음〔發而皆中節〕'을 이르고 '적연불동'은 '희노애락(喜怒哀樂)의 미발(未發)'을 이른다.

이는 네 가지의 체(體)가 확립되어 용(用)이 행해지는 것이다. '역(易)'은 시초(蓍草)와 괘를 가리킨다. '무사(无思)'와 '무위(无爲)'는 마음이 없음을 이른다. '적연(寂然)'은 감(感)의 체(體)이고 '감통(感通)'은 적(寂)의 용(用)이니, 사람 마음의 묘(妙)함이 그 동(動)·정(靜) 또한 이와 같은 것이다.

夫易은 聖人之所以極深而研幾也니

이 역(易)은 성인이 깊음을 다하고 기미를 살피는 것이니,

本義 | 研은 猶審也요 幾는 微也라 所以極深者는 至精也요 所以研幾者는 至變也라

'연(研)'은 심(審; 살핌)과 같고 '기(幾)'는 기미(幾微)이다. 깊음을 다함은 지극히 정(精)함이요, 기미를 살핌은 지극히 변함이다.

唯深也故로 能通天下之志하며 唯幾也故로 能成天下之務하며 唯神也故로 不疾而速하며 不行而至하나니

깊기 때문에 천하의 뜻을 개통시키며, 기미를 알기 때문에 천하의 일을 이루며, 신묘하기 때문에 빠르지 않으면서도 속하며 행하지(가지) 않으면서도 이르는 것이다.

本義 | 所以通志而成務者는 神之所爲也라

뜻을 개통시키며 일을 이루는 것은 신(神)이 하는 것이다.

子曰 易有聖人之道四焉者 此之謂也니라

공자께서 말씀하셨다.
"역(易)에 성인의 도가 네 가지가 있다는 것은 이것을 말한 것이다."

右는 第十章이라

이상은 제10장이다.

本義 | 此章은 承上章之意하여 言易之用이 有此四者하니라

이 장(章)은 상장(上章)의 뜻을 이어 역(易)의 쓰임이 이 네 가지가 있음을 말한 것이다.

子曰 夫易은 **何爲者也**오 **夫易**은 **開物成務**하여 **冒天下之道**하나니 **如斯而已者也**라 **是故**로 **聖人**이 **以通天下之志**하며 **以定天下之業**하며 **以斷天下之疑**하나니라

공자께서 말씀하셨다.

"이 역(易)은 어찌하여 만든 것인가? 이 역은 사물을 열어주고 일을 이루어주어 천하의 도를 포괄하니, 이와 같을 뿐이다. 이러므로 성인이 이로써 천하의 뜻을 개통시키며, 이로써 천하의 사업(事業)을 정하며, 이로써 천하의 의심을 결단하는 것이다.

本義 | 開物成務는 謂使人卜筮하여 以知吉凶而成事業이라 冒天下之道는 謂卦爻既設에 而天下之道皆在其中이라

'개물성무(開物成務)'는 사람들로 하여금 복서(卜筮)를 하여 길·흉을 알아서 사업을 이루게 함을 이른다. 천하의 도를 포괄했다는 것은 괘효(卦爻)가 이미 설치됨에 천하의 도(道)가 모두 이 가운데에 들어 있음을 이른다.

是故로 **蓍之德**은 **圓而神**이요 **卦之德**은 **方以知(智)**요 **六爻之義**는 **易(역)以貢**이니 **聖人**이 **以此洗心**하여 **退藏於密**하며 **吉凶**에 **與民同患**하여 **神以知來**하고 **知(智)以藏往**하나니 **其孰能與於此哉**리오 **古之聰明叡知(智)神武而不殺者夫**인저

그러므로 시초의 덕은 둥글어 신묘하고 괘의 덕은 네모져 지혜로우며, 육효(六爻)의 뜻은 변역하여 길·흉을 알려준다. 성인이 이로써 마음을 깨끗이 씻어 은밀함에(마음속에) 물러가 감추며, 길·흉간에 백성과 더불어 근심을 함께 하여, 신(神)으로써 미래를 알고 지혜로써 지나간 일을 보관(기억)하니, 그 누가 이에 참예하겠는가. 옛날에 총명(聰明)하고 예지(叡智)하며 신무(神武)하고 죽이지 않는 자일 것이다.

··· 冒 : 무릅쓸 모 貢 : 바칠 공 洗 : 씻을 세 叡 : 밝을 예

本義 | 圓神은 謂變化无方이요 方知는 謂事有定理라 易以貢은 謂變易以告人이라 聖人은 體具三者之德하여 而无一塵之累하니 无事則其心寂然하여 人莫能窺하고 有事則神知之用이 隨感而應하나니 所謂无卜筮而知吉凶也라 神武不殺은 得其理而不假其物之謂라

'원신(圓神)'은 변화가 일정한 방소가 없음을 이르고, '방지(方智)'는 일에 정해진 이치가 있음을 이른다. '역이공(易以貢)'은 변역하여 사람에게 길 · 흉을 고해줌을 이른다. 성인은 체(體)에 세 가지의 덕을 구비하여 한 티끌의 누(累)가 없으니, 일이 없으면 그 마음이 조용하여 사람들이 능히 엿보지 못하고, 일이 있으면 신지(神智)의 쓰임이 감동함에 따라 응하니, 이른바 복서함이 없이도 길흉을 안다는 것이다. 신무불살(神武不殺)은 그 이치만 얻고 그 물건(총 · 칼)을 빌리지 않음을 이른다.

是以로 **明於天之道而察於民之故**하여 **是興神物**하여 **以前民用**하니 **聖人**이 **以此齋戒**하여 **以神明其德夫**인저

그러므로 하늘의 도(道)에 밝고 백성의 연고를 살펴서 이에 신물(神物; 신묘한 물건)을 일으켜 백성들의 씀을 앞서서 개발하니, 성인(聖人)이 이로써 재계(齋戒)하여 그 덕(德)을 신명(神明)하게 한 것이다.

本義 | 神物은 謂蓍龜라 湛然純一之謂齋요 肅然警惕之謂戒라 明天道라 故知神物之可興이요 察民故라 故知其用之不可不有以開其先이라 是以로 作爲卜筮以教人하고 而於此焉齋戒하여 以考其占하여 使其心神明不測하여 如鬼神之能知來也라

'신물(神物)'은 시초(蓍草)와 거북껍질을 이른다. 잠연(湛然)하여 순일(純一)함을 '재(齋)'라 하고, 숙연(肅然)하여 경계하고 조심함을 '계(戒)'라 이른다. 천도(天道)에 밝기 때문에 신물을 일으킬 수 있음을 알고, 백성의 연고를 살피기 때문에 그 씀을 앞서서 개발하지 않으면 안 됨을 안 것이다. 이 때문에 복서를 만들어 사람을 가르치고, 이에 재계하여 그 점(占)을 상고해서, 그 마음으로 하여금 신명하고 측량할 수 없게 하여 귀신이 능히 미래를 아는 것과 같은 것이다.

··· 齋 : 재계할 재 湛 : 막을 담

是故로 闔戶를 謂之坤이요 闢戶를 謂之乾이요 一闔一闢을 謂之變이요 往來不窮을 謂之通이요 見(현)을 乃謂之象이요 形을 乃謂之器[121]요 制而用之를 謂之法이요 利用出入하여 民咸用之를 謂之神이라

그러므로 문을 닫음을 곤(坤)이라 이르고, 문을 엶을 건(乾)이라 이르고, 한 번 닫고 한 번 엶을 변(變)이라 이르고, 왕래하여 다하지 않음을 통(通)이라 이르고, 드러남을 상(象)이라 이르고, 형체로 나타남을 기(器)라 이르고, 만들어 씀을 법(法)이라 이르고, 씀을 이롭게 하여 나가고 들어와서 백성들이 모두 사용함을 신(神)이라 이른다.

本義 | 闔闢은 動靜之機也니 先言坤者는 由靜而動也일새라 乾、坤變通者는 化育之功也요 見象、形器者는 生物之序也라 法者는 聖人修道之所爲요 而神者는 百姓自然之日用也라

합(闔)·벽(闢)은 동(動)·정(靜)의 기틀이니, 먼저 곤(坤)을 말한 것은 정(靜)으로 말미암아 동(動)하기 때문이다. 건(乾)·곤(坤)과 변(變)·통(通)은 화육(化育)의 공(功)이요, 현상(見象)과 형기(形器)는 물건을 낳는 차례이다. '법(法)'은 성인이 도(道)를 품절(品節:도리에 맞게 제정함)하는 것이요, '신(神)'은 백성이 자연히 날로 쓰는 것이다.

是故로 易有太極하니 是生兩儀하고 兩儀生四象하고 四象이 生八卦하니

그러므로 역(易)에 태극(太極)이 있으니, 이 태극이 양의(兩儀)를 낳고 양의가 사상(四象)을 낳고 사상이 팔괘(八卦)를 낳으니,

本義 | 一每生二는 自然之理也라 易者는 陰陽之變이요 太極者는 其理也라 兩儀

121 見乃謂之象 形乃謂之器 : 상(象)은 눈으로 볼 수는 있으나 형체가 없는 것으로 광선(光線) 따위를 이르며, 형(形)은 형체가 있는 물건을 이른다. 옛날에 해와 달, 별을 상이라 하고, 산천(山川)과 식물·동물 등을 형이라 하였다.

··· 闔 : 닫을 합 闢 : 열 벽

者는 始爲一畫以分陰陽이요 四象者는 次爲二畫以分太少요 八卦者는 次爲三畫而三才之象始備라 此數言者는 實聖人作易自然之次第니 有不假絲毫智力而成者라 畫卦揲蓍는 其序皆然하니 詳見序例、啓蒙하니라

하나가 매양 둘을 낳음은 자연의 이치이다. 역(易)은 음 · 양의 변(變)이요, 태극(太極)은 그 이치이다. 양의(兩儀)는 처음 한 획을 그어 음 · 양을 나눈 것이요, 사상(四象)은 다음 두 획을 그어 태(太;태양과 태음) · 소(少;소양과 소음)를 나눈 것이요, 팔괘(八卦)는 다음 세 획을 그어 삼재(三才)의 상(象)이 비로소 갖춰진 것이다. 이 몇 말씀은 실로 성인이 역(易)을 지은 자연의 차례이니, 털끝만큼도 사람의 지혜와 힘을 빌리지 않고 이루어진 것이다. 괘를 긋고 시초를 셈은 그 차례가 모두 그러하니, 이는 서례(序例;3권의 뒤에 붙인 총목(總目))와 《역학계몽》에 자세히 보인다.

八卦定吉凶하고 吉凶이 生大業하나니라

팔괘(八卦)가 길(吉) · 흉(凶)을 정하고 길 · 흉이 큰 사업을 낳는다.

本義 | 有吉有凶하여 是生大業이라

길(吉)과 흉(凶)이 있어 이것이 큰 사업을 낳는다.

是故로 法象[122]이 莫大乎天地하고 變通이 莫大乎四時하고 縣(懸)象著明이 莫大乎日月하고 崇高莫大乎富貴하고 備物하며 致用하며 立成器하여 以爲天下利 莫大乎聖人하고 探賾(색)索隱하며 鉤深致遠하여 以定天下之吉凶하며 成天下之亹(미)亹者 莫大乎蓍龜하니라

그러므로 법(法)과 상(象)은 천지(天地)보다 더 큼이 없고, 변(變)과 통(通)은 사시(四時)보다 더 큼이 없고, 상(象)을 매달아 드러냄은 일월(日月)보다 더 큼이 없고, 숭고(崇高)함은 부귀(富貴)보다 더 큼이 없고, 물건을 구비하며 씀을 지극히 하며 〈상을 세우고〉 기물을 이루어 천하를 이롭게 함은 성인보다 더 큼이 없고, 잡란(雜亂)한 것을 상고하고 숨은 것을

······

122 法象 : 퇴계는 "서씨(徐氏)가 '법(法)은 효법(效法)이요, 상(象)은 성상(成象)이다.' 하였으니, 마땅히 '법이며 상(象)이'로 해석하여야 한다." 하였다.《經書釋義》

··· 毫 : 털끝 호 縣 : 매달 현 探 : 탐구할 탐 索 : 찾을 색 亹 : 힘쓸 미

찾아내며 깊은 것을 찾아내고 먼 것을 오게 하여 천하의 길 · 흉을 정하며 천하의 힘써야 할 일을 이룸은 시(蓍) · 구(龜)보다 더 큼이 없다.

本義 | 富貴는 謂有天下, 履帝位라 立下에 疑有闕文[123]이라 亹亹는 猶勉勉也니 疑則怠하나니 決故로 勉이라

부귀(富貴)는 천하를 소유하고 황제의 지위에 오름을 이른다. 입(立) 자 아래에 의심컨대 빠진 글이 있는 듯하다. '미미(亹亹)'는 면면(勉勉)과 같으니, 의심하면 게을러지니, 결단하기 때문에 힘쓰는 것이다.

是故로 天生神物이어늘 聖人이 則之하며 天地變化어늘 聖人이 效之하며 天垂象하여 見(현)吉凶이어늘 聖人이 象之하며 河出圖하고 洛出書어늘 聖人이 則之하니

그러므로 하늘이 신묘한 물건(시초와 거북껍질)을 내자 성인이 이것을 법받았으며, 천지가 변화하자 성인이 이것을 본받았으며, 하늘이 상(象)을 드리워 길 · 흉을 나타내자 성인이 이것을 형상하였으며, 하수(河水)에서 도(圖)가 나오고 낙수(洛水)에서 서(書)가 나오자 성인(聖人)이 이것을 법받았으니,

本義 | 此四者는 聖人作易之所由也라 河圖、洛書는 詳見啓蒙하니라

이 네 가지는 성인이 역(易)을 지은 이유이다. 하도(河圖)와 낙서(洛書)는 《역학계몽》에 자세히 보인다.

易有四象은 所以示也요 繫辭焉은 所以告也요 定之以吉凶은 所以斷也라

역(易)에 사상(四象)이 있음은 보여준 것이요, 글을 닮은 고해준 것이요, 길 · 흉을 정함은 결단한 것이다."

······

123 立下 疑有闕文 : 절재(節齋) 채연(蔡淵)은 "입(立) 자 아래에 상(象) 자가 빠졌다." 하였다.

本義 | 四象은 謂陰陽老少라 示는 謂示人以所値之卦爻라

사상(四象)은 음(陰)·양(陽)의 노(老)·소(少)를 이른다. '시(示)'는 사람에게 만난 바의 괘효(卦爻)를 보여줌을 이른다.

右는 第十一章이라

이상은 제11장이다.

本義 | 此章은 專言卜筮하니라

이 장(章)은 오로지 복서(卜筮)를 말하였다.

易曰 自天祐之라 吉无不利라하니 子曰 祐者는 助也니 天之所助者順也요 人之所助者信也니 履信思乎順하고 又以尙賢也라 是以로 自天祐之 吉无不利也니라

역(易)에 이르기를 "하늘로부터 돕는지라 길하여 이롭지 않음이 없다." 하니, 공자께서 다음과 같이 말씀하셨다.

"우(祐)는 도움이니, 하늘이 돕는 것은 순(順)함이요(천리에 순종하는 자이고), 사람이 돕는 것은 신(信;성신(誠信))이니(성실한 자이니), 신(信)을 행하여 순(順)함을 생각하고 또 어진이를 높인다. 이 때문에 하늘로부터 도와서 길하여 이롭지 않음이 없는 것이다."

本義 | 釋大有上九爻義라 然在此는 无所屬하니 或恐是錯簡이니 宜在第八章之末이라

대유괘(大有卦) 상구효(上九爻)의 뜻을 해석하였다. 그러나 여기에 있음은 소속될 곳이 없으니, 혹 착간(錯簡)인 듯하니, 마땅히 제8장의 끝에 있어야 할 것이다.

子曰 書不盡言하며 言不盡意하니 然則聖人之意를 其不可見乎아 (子曰) 聖人이 立象하여 以盡意하며 設卦하여 以盡情僞하며 繫辭

··· 錯 : 뒤섞일 착, 잘못될 착 綜 : 모을 종 覈 : 상고할 핵 揲 : 둘 설 寂 : 고요할 적 務 : 일 무

焉하여 以盡其言하며 變而通之하여 以盡利[124]하며 鼓之舞之하여 以盡神하니라

공자께서 말씀하셨다.

"글로는 말을 다하지 못하고 말로는 뜻을 다하지 못하니, 그렇다면 성인의 뜻을 볼 수 없단 말인가. 성인이 상(象)을 세워 뜻을 다하며, 괘를 베풀어(만들어) 정위(情僞)를 다하며, 말(글)을 달아 그 말을 다하며, 변통해서 이로움(순함)을 다하며, 고무(鼓舞)하여 신묘함을 다하였다.

本義ㅣ 言之所傳者는 淺이요 象之所示者는 深이니 觀奇耦二畫이 包含變化하여 无有窮盡이면 則可見矣라 變通、鼓舞는 以事而言이라 兩子曰字는 疑衍其一이라 蓋子曰字는 皆後人所加라 故有此誤하니 如近世通書는 乃周子所自作이어늘 亦爲後人每章加以周子曰字하니 其設問答處가 正如此也니라

말로 전하는 것은 얕고 상(象)으로 보여주는 것은 깊으니, 기(奇)·우(耦) 두 획이 변화를 포함하여 다함이 없음을 보면 알 수 있다. 변통과 고무는 일로써 말한 것이다. 두 개의 '자왈(子曰)'이란 글자는 의심컨대 그 하나는 연문(衍文)인 듯하니, '자왈'이란 글자는 모두 후인이 붙인 것이다. 그러므로 이러한 오류가 있으니, 근세에 《통서(通書)》는 바로 주자(周子;주돈이(周敦頤))가 직접 지은 것인데, 또한 후인들이 매 장(章)마다 '주자왈(周子曰)'이라는 글자를 가(加)한 것과 같으니, 그 문답을 가설(假設)한 부분이 바로 이와 같다.

乾坤은 其易之緼耶인저 乾坤成列而易立乎其中矣니 乾坤毁則无以見易이요 易不可見則乾坤이 或幾乎息矣리라

건(乾)·곤(坤)은 그 역(易)에 쌓여 있는 진리일 것이다. 건·곤이 열(列)을 이룸에 역이 이 가운데 서 있으니, 건·곤이 무너지면 역을 볼 수 없고, 역을 볼 수 없으면 건·곤이 혹 거의 종식될 것이다.

本義ㅣ 緼은 所包蓄者니 猶衣之著(저)也라 易之所有는 陰陽而已니 凡陽은 皆乾

······

124 以盡利 : 사계(沙溪)는 "이(利)는 순(順)과 같은 말이다." 하였다. 《經書辨疑》

··· 緼 : 쌓일 온, 솜 온 毁 : 허물 훼, 훼손할 훼

이요 凡陰은 皆坤이라 畫卦定位하면 則二者成列하여 而易之體立矣라 乾坤毁는 謂卦畫不立이요 乾坤息은 謂變化不行이라

'온(縕)'은 싸고 있는 것이니, 옷의 솜과 같다. 역(易)에 들어있는 것은 음 · 양일 뿐이니, 무릇 양은 모두 건(乾)이고 무릇 음은 모두 곤(坤)이다. 괘를 그어 자리를 정하면 건 · 곤 두 가지가 열을 이루어 역의 체가 확립된다. 건 · 곤이 무너진다는 것은 괘획이 확립되지 못함을 이르고, 건 · 곤이 종식된다는 것은 변화가 행해지지 못함을 이른다.

是故로 形而上者를 謂之道요 形而下者를 謂之器요 化而裁之를 謂之變이요 推而行之를 謂之通이요 擧而措之天下之民을 謂之事業이라

그러므로 형(形;형체)으로부터 그 이상인 것을 도(道)라 이르고, 형으로부터 그 이하인 것을 기(器)라 이르고, 화(化)하여 재제(裁制)함을 변(變)이라 이르고, 미루어 행함을 통(通)이라 이르고, 들어 천하의 백성에게 둠을 사업이라 이른다.

本義 | 卦爻陰陽은 皆形而下者요 其理則道也라 因其自然之化而裁制之는 變之義也라 變通二字는 上章은 以天言이요 此章은 以人言이라

괘 · 효의 음 · 양은 모두 형이하(形而下)이고, 그 이치는 도(道)이다. 그 자연의 조화로 인하여 재제(裁制)함은 변(變)의 뜻이다. 변통 두 글자는 상장(上章)에서는 하늘로 말하였고, 이 장(章)에서는 사람으로 말하였다.

是故로 夫象은 聖人이 有以見天下之賾하여 而擬諸其形容하며 象其物宜라 是故謂之象이요 聖人이 有以見天下之動하여 而觀其會通[125] 하여 以行其典禮하며 繫辭焉하여 以斷其吉凶이라 是故謂之爻니

······

125 而觀其會通 : 회(會)는 이치가 모여 있어 알기 어려운 것이고 통(通)은 이치가 소통하여 알기 쉬운 것인 바, 정이천(程伊川)의 〈역전서(易傳序)〉와 위 〈계사전〉 7장의 주에 자세히 보인다.

··· 著 : 솜 저

그러므로 상(象)은 성인이 천하 사물의 잡란함을 보고서 그 형용에 모의하며 그 물건의 마땅함을 형상하였다. 이 때문에 상(象)이라 일렀고, 성인이 천하의 동(動)함을 보고서 그 회통(會通)을 관찰하여 떳떳한 예(禮)를 행하며 말을 달아 길·흉을 결단하였다. 이 때문에 효(爻)라 이른 것이다.

本義 | 重出하여 以起下文이라

거듭 나와 하문(下文)을 일으켰다.

極天下之賾者는 存乎卦하고 鼓天下之動者는 存乎辭하고

천하 사물의 잡란함을 지극히 함은 괘상(卦象)에 있고, 천하의 동함을 고무함은 효사(爻辭)에 있고,

本義 | 卦는 卽象也요 辭는 卽爻也라

괘는 곧 괘상(卦象)이요, 사(辭)는 곧 효사(爻辭)이다.

化而裁之는 存乎變하고 推而行之는 存乎通하고 神而明之는 存乎其人하고 默而成之하며 不言而信은 存乎德行하니라

화(化)하여 재제(裁制)함은 변(變)에 있고, 미루어 행(行)함은 통(通)에 있고, 신묘하게 하여 밝힘은 사람에 있고, 묵묵히 이루며 말하지 않아도 믿음은 덕행에 있다."

本義 | 卦爻所以變通者는 在人이요 人之所以能神而明之者는 在德이니라

괘효(卦爻)가 변통하는 것은 사람에게 있고, 사람이 신묘하게 하여 밝히는 것은 덕(德)에 있다.

右는 第十二章이라

이상은 제12장이다.

계사 하전(繫辭下傳)

八卦成列하니 **象在其中矣**요 **因而重之**하니 **爻在其中矣**요

팔괘(八卦)가 열(列)을 이루니 괘상(卦象)이 이 가운데 있고, 인하여 거듭하니 육효(六爻)가 이 가운데 있고,

本義 | 成列은 謂乾一, 兌二, 離三, 震四, 巽五, 坎六, 艮七, 坤八之類라 象은 謂卦之形體也라 因而重之는 謂各因一卦하여 而以八卦次第加之하여 爲六十四也라 爻는 六爻也니 旣重而後에 卦有六爻也라

열(列)을 이루었다는 것은, 건(乾)이 1이고, 태(兌)가 2이고, 리(離)가 3이고, 진(震)이 4이고, 손(巽)이 5이고, 감(坎)이 6이고, 간(艮)이 7이고, 곤(坤)이 8인 류(類)를 이른다. 상(象)은 괘(卦)의 형체를 이른다. 인하여 거듭하였다는 것은 각기 한 괘로 인하여 팔괘를 차례로 더하여 64괘를 만듦을 이른다. '효(爻)'는 육효(六爻)이니, 이미 거듭한 뒤에야 괘에 육효가 있는 것이다.

剛柔相推하니 **變在其中矣**요 **繫辭焉而命之**하니 **動在其中矣**라

강(剛)과 유(柔)가 서로 미루니 〈괘 · 효의〉 변(變)함이 이 가운데 있고, 말을 달아 명(命;고(告))하니 〈효상(爻象)의〉 동(動)함이 이 가운데에 있다.

本義 | 剛柔相推에 而卦爻之變이 往來交錯하여 无不可見이라 聖人이 因其如此하여 而皆繫之辭하여 以命其吉凶하니 則占者所値當動之爻象이 亦不出乎此矣라

강(剛) · 유(柔)가 서로 미룸에 괘 · 효의 변(變)함이 왕래하고 교착(交錯)하여 볼 수 없는 것이 없다. 성인이 이와 같음으로 인하여 모두 글을 달아서 길 · 흉을 명(말)하였으니, 점치는 자가 만난 바의 동해야 할 효상(爻象)이 또한 이에서 벗어나지 않는다.

吉凶悔吝者는 生乎動者也요

길(吉)·흉(凶)과 회(悔)·린(吝)은 〈괘효의〉 동함에서 생기는 것이요,

本義 | 吉、凶、悔、吝은 皆辭之所命也라 然必因卦爻之動而後見이라

길(吉)·흉(凶)과 회(悔)·린(吝)은 모두 말(괘사와 효사)에 명한 것이다. 그러나 반드시 괘·효의 동함으로 인한 뒤에 볼 수 있다.

剛柔者는 立本者也요 變通者는 趣時者也라

강(剛)·유(柔)는 근본을 세우는 것이요, 변통(變通)은 때에 따르는 것이다.

本義 | 一剛一柔가 各有定位하고 自此而彼가 變以從時라

한 강(剛)과 한 유(柔)가 각각 정한 자리가 있고, 여기로부터 저기로 감에 변하여 때에 따른다.

吉凶者는 貞勝者也니

길·흉은 항상 이기는 것이니,

本義 | 貞은 正也、常也니 物은 以其所正爲常者也라 天下之事가 非吉則凶이요 非凶則吉하여 常相勝而不已也라

정(貞)은 바름이요 항상함(떳떳함)이니, 물건은 바름을 항상함으로 삼는다. 천하의 일이 길(吉)이 아니면 흉(凶)이요 흉이 아니면 길이어서 항상 서로 이기고 그치지 않는다.

天地之道는 貞觀者也요 日月之道는 貞明者也요 天下之動은 貞夫一者也라

천지(天地)의 도(道)는 항상 보여주는 것이요, 일월(日月)의 도는 항상 밝은 것이요, 천하의 동(動)은 한 이치에 항상하는 것이다.

本義 | 觀은 示也라 天下之動이 其變无窮이나 然順理則吉하고 逆理則凶하니 則其所正而常者 亦一理而已矣라

'관(觀)'은 보여줌이다. 천하의 동(動)함이 그 변(變)함이 무궁하나, 이치를 순히 하면 길하고 이치를 거스르면 흉하니, 그렇다면 그 바르고 항상함은 또한 한 이치일 뿐이다.

夫乾은 確然하니 示人易矣요 夫坤은 隤(퇴)然하니 示人簡矣니

이 건(乾)은 굳세니 사람에게 쉬움을 보여주고, 이 곤(坤)은 순하니 사람에게 간략함을 보여주니,

本義 | 確然은 健貌요 隤然은 順貌니 所謂貞觀者也라

'확연(確然)'은 굳센 모양이요 '퇴연(隤然)'은 순한 모양이니, 이른바 항상 보여준다는 것이다.

爻也者는 效此者也요 象也者는 像此者也라

효(爻)는 이것을 본받음이요, 상(象)은 이것을 형상한 것이다.

本義 | 此는 謂上文乾坤所示之理니 爻之奇偶와 卦之消息은 所以效而象之라

이것이란 상문(上文)에 건·곤이 보여준 바의 이치를 이르니, 효(爻)의 기(奇)·우(偶)와 괘(卦)의 소(消)·식(息)은 이것을 본받아 형상한 것이다.

爻象은 動乎內하고 吉凶은 見乎外하고 功業은 見乎變하고 聖人之情은 見乎辭하니라

효(爻)와 상(象)은 시괘(蓍卦)의 안에서 동(動)하고, 길(吉)과 흉(凶)은 시괘의 밖에 나타나고, 공업(功業)은 변(變)에 나타나고, 성인(聖人)의 정(情)은 말에 나타난다.

本義 | 內는 謂蓍卦之中이요 外는 謂蓍卦之外라 變은 即動乎內之變이요 辭는 即見乎外之辭라

··· 確 : 굳을 확 隤 : 순할 퇴

'내(內)'는 시괘(蓍卦)의 가운데를 이르고, '외(外)'는 시괘의 밖을 이른다. '변(變)'은 바로 안에서 동하는 변함이요, '사(辭)'는 바로 밖에서 나타나는 말이다.

天地之大德曰生이요 **聖人之大寶曰位**니 **何以守位**오 **曰(仁)〔人〕**이요 **何以聚人**고 **曰財**니 **理財**하며 **正辭**하며 **禁民爲非曰義**라

천지의 큰 덕을 생(生)이라 하고 성인의 큰 보배를 위(位;지위)라 하니, 무엇으로써 지위를 지키는가? 사람이며, 무엇으로써 사람을 모으는가? 재물이다. 재물을 다스리고 말을 바르게 하며 백성들의 비행(非行)을 금함을 의(義)라 한다.

本義 | 曰人之人을 今本作仁하고 呂氏從古하니 蓋所謂非衆이면 罔與守邦[126]이라

'왈인(曰人)'의 인(人)이 금본(今本)에는 인(仁)으로 되어 있고, 여씨(呂氏)는 고본(古本)을 따랐으니, 이른바 '여러 사람이 아니면 더불어 나라를 지킬 수 없다.'는 것이다.

右는 **第一章**이라

이상은 제1장이다.

本義 | 此章은 言卦爻吉凶과 造化功業하니라

이 장(章)은 괘·효의 길·흉과 조화의 공업(功業)을 말한 것이다.

古者包犧氏之王天下也에 **仰則觀象於天**하고 **俯則觀法於地**하며 **觀鳥獸之文**과 **與[天]地之宜**하며 **近取諸身**하고 **遠取諸物**하여 **於是**에 **始作八卦**하여 **以通神明之德**하며 **以類萬物之情**하니라

옛날 포희씨(包犧氏;복희씨)가 천하에 왕노릇하실 적에 우러러 하늘의 상(象)을 관찰하고 굽어 땅의 법(法)을 관찰하며, 새와 짐승의 문(文;문양

······

126 所謂非衆 罔與守邦:《서경》〈대우모(大禹謨)〉에 "임금은 여러 백성이 아니면 더불어 나라를 지킬 수 없다.〔后非衆, 罔與守邦.〕"라고 보인다.

또는 문채)과 천지의 마땅함을 관찰하며, 가까이는 자신에게서 취하고 멀리는 물건에게서 취하여, 이에 비로소 팔괘를 만들어 신명의 덕(德)을 통하고 만물의 정(情)을 분류하였다.

本義 | 王昭素曰 與地之間에 諸本에 多有天字라하니라 俯仰遠近이 所取不一이나 然不過以驗陰陽消息兩端而已라 神明之德은 如健順動止之性이요 萬物之情은 如雷風山澤之象이라

왕소소(王昭素)가 말하기를 "'여(與)와 지(地)'의 사이에 여러 본(本)에는 천(天)자가 있는 것이 많다." 하였다. 굽어보고 우러러보며 멀고 가까운 곳에서 취한 바가 똑같지 않으나 음(陰)·양(陽)의 소(消)·식(息) 두 가지를 징험함에 불과할 뿐이다. 신명의 덕은 건(健)·순(順), 동(動)·지(止)와 같은 성(性)이요, 만물의 정(情)은 뢰(雷)·풍(風), 산(山)·택(澤)과 같은 상(象)이다.

作結繩而爲網罟하여 **以佃以漁**하니 **蓋取諸離**하고

노끈을 맺어 그물을 만들어서 사냥하고 고기 잡으니, 이는 리괘(離卦 ☲)에서 취하였고,

本義 | 兩目相承而物麗(리)焉이라

두 그물 눈이 서로 이어짐에 물건이 여기에 걸린다.

包犧氏沒커시늘 **神農氏作**하사 **斲木爲耜**(사)하고 **揉木爲耒**(뢰)하여 **耒耨**(누)**之利**로 **以教天下**하니 **蓋取諸益**하고

포희씨(包犧氏)가 별세하시자, 신농씨(神農氏)가 나오시어 나무를 깎아 쟁기를 만들고 나무를 휘어 쟁기자루를 만들어서 쟁기와 호미의 편리함으로 천하를 가르쳤으니, 이는 익괘(益卦 ☴)에서 취하였고,

本義 | 二體皆木이요 上入下動하니 天下之益이 莫大於此라

〈위, 아래의〉 두 체(體)가 모두 나무이며 위는 들어가고 아래는 동(動)하니, 천하의 유익함이 이보다 더 큼이 없다.

··· 犧 : 희생 희 繩 : 노끈 승 罟 : 그물 고 佃 : 사냥할 전 斲 : 깎을 착 耜 : 보습 사 揉 : 휠 유
耒 : 쟁기자루 뢰 耨 : 호미 누

日中爲市하여 **致天下之民**하며 **聚天下之貨**하여 **交易而退**하여 **各得其所**케하니 **蓋取諸噬嗑**하고

한낮에 시장을 만들어 천하의 백성들을 오게 하고 천하의 재화(財貨)를 모아서 교역(交易)하고 물러가 각각 제 살 곳을 얻게 하였으니, 이는 서합괘(噬嗑卦 ䷔)에서 취하였고,

本義 | 日中爲市는 上明而下動이요 又借噬爲市, 嗑爲合也[127]라

한낮에 시장을 만듦은 위는 밝고 아래는 동(動)함이요, 또 서(噬)를 가차(假借)하여 시(市)로 하고, 합(嗑)을 합(合)으로 해석한 것이다.

神農氏没커시늘 **黃帝、堯、舜氏作**하여 **通其變**하여 **使民不倦**하며 **神而化之**하여 **使民宜之**하니 **易**이 **窮則變**하고 **變則通**하고 **通則久**라 **是以**로 **自天祐之**하여 **吉无不利**니 **黃帝、堯、舜**이 **垂衣裳而天下治**하니 **蓋取諸乾坤**하고

신농씨가 별세하자, 황제(黃帝)와 요(堯)·순(舜)이 나오시어 그 변(變)을 통(通)하여 백성들로 하여금 게으르지(권태감을 느끼지) 않게 하며, 신묘하게 교화하여 백성들로 하여금 마땅하게 하였으니, 역(易)은 궁(窮)하면 변(變)하고, 변하면 통(通)하고, 통하면 오래간다. 이 때문에 하늘로부터 도와서 길하여 이롭지 않음이 없는 것이다. 황제와 요·순이 의상(衣裳)을 드리우고 (무위(無爲)로) 있음에 천하가 잘 다스려졌으니, 이는 건괘(乾卦)·곤괘(坤卦)에서 취하였고,

本義 | 乾坤은 變化而无爲라

건(乾)·곤(坤)은 변화하나 작위(作爲)함이 없다.

······

127 又借噬爲市 嗑爲合也 : 시장(市場)은 사람들이 모여 교역(交易)하는 장소인데, 서(噬)와 시(市)의 음(音)이 비슷함을 취한 것이다.

··· 噬 : 깨물 서 嗑 : 깨물 합 刳 : 쪼갤 고 剡 : 깎을 염 楫 : 노 집

刳(고)**木爲舟**하고 **剡**(염)**木爲楫**(즙)하여 **舟楫之利**로 **以濟不通**(하여 **致遠以利天下**)하니 **蓋取諸渙**하고

나무를 쪼개 배를 만들고 나무를 깎아 노를 만들어서 배와 노의 이로움으로 통하지 못하는 곳을 건너게 하여 먼 곳에 가서 천하를 이롭게 하였으니, 이는 환괘(渙卦 ䷺)에서 취하였고,

本義 | 木在水上也라 致遠以利天下는 疑衍이라

나무가 물 위에 있는 것이다. '치원이리천하(致遠以利天下)'는 연문(衍文)인 듯하다.

服牛乘馬하여 **引重致遠**하여 **以利天下**하니 **蓋取諸隨**하고

소를 부리고 말을 타서 무거운 짐을 끌어오고 먼 곳에 이르게 하여 천하를 이롭게 하였으니, 이는 수괘(隨卦 ䷐)에서 취하였고,

本義 | 下動上說이라

아래는 동하고 위는 기뻐한다.

重門擊柝하여 **以待暴客**하니 **蓋取諸豫**하고

문을 이중(二重)으로 하고 목탁을 쳐서 포악한 나그네를 대비하였으니, 이는 예괘(豫卦 ䷏)에서 취하였고,

本義 | 豫備之意라

미리 방비하는 뜻이다.

斷木爲杵(저)하고 **掘地爲臼**하여 **臼杵之利**로 **萬民以濟**하니 **蓋取諸小過**하고

나무를 잘라 절굿공이를 만들고 땅을 파 절구를 만들어서 절구와 절굿공이의 이로움으로 만민이 구제되었으니, 이는 소과괘(小過卦 ䷽)에서 취하였고,

··· 柝 : 목탁 탁 臼 : 절구통 구 杵 : 절굿공이 저 掘 : 팔 굴

本義 | 下止上動이라

아래는 그치고 위는 동(動)한다.

弦木爲弧하고 **剡木爲矢**하여 **弧矢之利**로 **以威天下**하니 **蓋取諸睽**하고

나무에 활시위를 매어 활을 만들고 나무를 깎아 화살을 만들어서 활과 화살의 이로움으로 천하를 두렵게 하였으니, 이는 규괘(睽卦 ䷥)에서 취하였고,

本義 | 睽乖然後威以服之라

어그러진(반목(反目)한) 뒤에 위엄으로 복종시키는 것이다.

上古에 **穴居而野處**러니 **後世聖人**이 **易之以宮室**하여 **上棟下宇**하여 **以待風雨**하니 **蓋取諸大壯**하고

상고시대에는 구멍(굴)에서 살고 들에서 거처하였는데, 후세에 성인이 궁실(宮室)로 바꾸어서 위에는 들보를 얹고 아래에는 서까래를 얹어 풍우(風雨)에 대비하였으니, 이는 대장괘(大壯卦 ䷡)에서 취하였고,

本義 | 壯固之意라

웅장하고 견고한 뜻이다.

古之葬者는 **厚衣之以薪**하여 **葬之中野**하여 **不封不樹**하며 **喪期无數**러니 **後世聖人**이 **易之以棺槨**하니 **蓋取諸大過**하고

옛날 장례(葬禮)하는 자들은 시신에 섶을 두껍게 입혀서 들 가운데 장례하여 봉분(封墳)하지 않고 나무를 심지 않았으며 상기(喪期)가 일정한 수(數)가 없었는데, 후세에 성인이 관곽(棺槨)으로 바꾸었으니, 이는 대과괘(大過卦 ䷛)에서 취하였고,

本義 | 送死는 大事而過於厚라

… 弦 : 활시위 현 弧 : 활 호 睽 : 어지러질 규, 반목할 규 槨 : 외관(外棺) 곽 契 : 문서 계

죽은 이를 장송(葬送)함은 큰 일인데 후함을 과하게 한다.

上古엔 **結繩而治**러니 **後世聖人**이 **易之以書契**하여 **百官以治**하며 **萬民以察**하니 **蓋取諸夬**(쾌)하니라

상고(上古)에는 노끈을 맺어 다스렸는데, 후세에 성인이 글과 문서로 바꾸어서 백관(百官)이 다스려지고 만민(萬民)이 살펴졌으니, 이는 쾌괘(夬卦 ䷪)에서 취한 것이다.

本義 | 明決之意라

밝게 결단하는 뜻이다.

右는 **第二章**이라

이상은 제2장이다.

本義 | 此章은 言聖人制器尙象之事하니라

이 장(章)은 성인이 기물을 만들 적에 상(象)을 숭상한 일을 말한 것이다.

是故로 **易者**는 **象也**니 **象也者**는 **像也**요

이러므로 역(易)은 상(象)이니 상은 형상이요,

本義 | 易은 卦之形이요 理之似也라

역(易)은 괘(卦)의 형상이요 이치의 유사함이다.

彖者는 **材也**요

단(彖)은 괘의 재질이요,

本義 | 彖은 言一卦之材라

단(彖)은 한 괘의 재질을 말한 것이다.

爻也者는 效天下之動者也니
효(爻)는 천하의 동함을 본받은 것이니,

本義 | 效는 放(倣)也라
효(效)는 똑같게 하는 것이다.

是故로 吉凶生而悔吝著也니라
그러므로 길 · 흉이 생겨 회(悔) · 린(吝)이 드러나는 것이다.

本義 | 悔吝은 本微로되 因此而著라
회(悔) · 린(吝)은 본래 미미하나 이로 인하여 드러나는 것이다.

右는 第三章이라
이상은 제3장이다.

陽卦는 多陰하고 陰卦는 多陽하니
양괘(陽卦)는 음획(陰畫)이 많고 음괘(陰卦)는 양획(陽畫)이 많으니,

本義 | 震、坎、艮은 爲陽卦하니 皆一陽二陰이요 巽、離、兌는 爲陰卦하니 皆一陰二陽이라
진(震 ☳) · 감(坎 ☵) · 간(艮 ☶)은 양괘(陽卦)가 되니 모두 한 양획에 두 음획이요, 손(巽 ☴) · 리(離 ☲) · 태(兌 ☱)는 음괘(陰卦)가 되니, 모두 한 음획에 두 양획이다.

其故는 何也오 陽卦는 奇요 陰卦는 耦일새라
그 연고는 어째서인가? 양괘(陽卦)는 기(奇)이고 음괘(陰卦)는 우(耦)이기 때문이다.

本義 | 凡陽卦는 皆五畫이요 凡陰卦는 皆四畫이라

모든 양괘는 모두 〈기수(奇數)인〉 다섯 획이요, 모든 음괘는 모두 〈우수(偶數)인〉 네 획이다.

其德行은 何也오 陽은 一君而二民이니 君子之道也요 陰은 二君而一民이니 小人之道也라

덕행은 어떠한가? 양은 한 군주에 두 백성이니 군자의 도이고, 음은 두 군주에 한 백성이니 소인의 도이다.

本義 | 君은 謂陽이요 民은 謂陰이라

군(君)은 양(陽)을 이르고, 민(民)은 음(陰)을 이른다.

右는 第四章이라

이상은 제4장이다.

易曰 憧憧往來면 朋從爾思라하니 子曰 天下何思何慮리오 天下同歸而殊塗하며 一致而百慮니 天下何思何慮리오

역(易)에 이르기를 "동동(憧憧;자주 왕래함)하게 왕래하면 벗만이 네 생각을 따를 것이다." 하니, 공자께서 말씀하셨다.

"천하에 무엇을 생각하며 무엇을 생각하겠는가. 천하가 돌아감은 같으나 길은 다르며, 이치는 하나이나 생각은 백 가지이니, 천하가 무엇을 생각하고 무엇을 생각하겠는가."

本義 | 此는 引咸九四爻辭而釋之라 言理本无二로되 而殊塗百慮가 莫非自然이니 何以思慮爲哉리오 必思而從이면 則所從者亦狹矣리라

이는 함괘(咸卦 ䷞) 구사효(九四爻)의 말(효사)을 인용하고 해석한 것이다. '이치는 본래 두 가지가 없으나 길이 다르고 생각이 백 가지인 것이 자연 아님이 없으니, 어찌 사려(思慮)할 것이 있겠는가.'라고 말한 것이다. 반드시 생각하고서 따르면 따르는 바가 또한 좁은 것이다.

··· 憧 : 마음동할 동, 왕래가끊이지않는모양 동 殊 : 다를 수 塗 : 길 도 狹 : 좁을 협

日往則月來하고 **月往則日來**하여 **日月相推而明生焉**하며 **寒往則暑來**하고 **暑往則寒來**하여 **寒暑相推而歲成焉**하니 **往者**는 **屈也**요 **來者**는 **信(伸)也**니 **屈信相感而利生焉**하니라

해가 가면 달이 오고 달이 가면 해가 와서 해와 달이 서로 미룸에 밝음이 생기며, 추위가 가면 더위가 오고 더위가 가면 추위가 와서 추위와 더위가 서로 미룸에 한 해가 이루어지니, 가는 것은 굽힘〔屈〕이요 오는 것은 펴짐〔伸〕이니, 굴(屈)·신(伸)이 서로 감동함에 이로움이 생기는 것이다.

本義 | 言往來屈信이 皆感應自然之常理니 加憧憧焉이면 則入於私矣라 所以必思而後有從也니라

왕(往)·래 (來)와 굴(屈)·신(信)이 모두 감응하는 자연의 떳떳한 이치이니, 동동(憧憧)을 가하면 사(私)에 들어가므로 반드시 생각한 뒤에야 따름이 있음을 말한 것이다.

尺蠖(확)**之屈**은 **以求信(伸)也**요 **龍蛇之蟄**은 **以存身也**요 **精義入神**은 **以致用也**요 **利用安身**은 **以崇德也**니

자벌레가 몸을 굽힘은 폄을 구하기(펴기) 위해서요, 용과 뱀이 칩거(蟄居)함은 몸을 보존하기 위해서요, 의(義)를 정밀히 연구하여 신묘한 경지에 들어감은 씀(활용)을 지극히 하기 위해서요, 씀을 이롭게 하여 몸을 편안히 함은 덕(德)을 높이기 위해서이니,

本義 | 因言屈信往來之理하여 而又推以言學亦有自然之機也라 精研其義하여 至於入神은 屈之至也라 然乃所以爲出而致用之本이요 利其施用하여 无適不安은 信之極也라 然乃所以爲入而崇德之資니 內外交相養, 互相發也라

굴신(屈信)·왕래(往來)의 이치를 말함으로 인하여 또다시 미루어서 학문도 자연의 기틀이 있음을 말한 것이다. 그 의(義)를 정밀하게 연구하여 신묘한 경지에 들어감에 이름은 굽힘이 지극한 것이다. 그러나 이는 바로 나와서 씀을 지극히 하는 근본이 되며, 시용(施用)을 이롭게 하여 가는 곳마다 편안하지 않음이 없음은

••• 蠖 : 자벌레 확 蟄 : 숨을 칩 蒺 : 질려풀 질 藜 : 질려풀 려

폄이 지극한 것이다. 그러나 이는 바로 들어가서 덕(德)을 높이는 자뢰(밑천)가 되니, 내(內) · 외(外)가 서로 길러주고 서로 발명하는 것이다.

過此以往은 **未之或知也**[128]니 **窮神知化 德之盛也**라

이것(정의(精義)와 이용(利用))을 지난 이후는 혹 알 수 없으니, 신(神)을 궁구하여 조화를 앎이 덕(德)의 성함이다.

本義 | 下學之事[129] 盡力於精義利用하여 而交養互發之機가 自不能已하나니 自是以上은 則亦无所用其力矣라 至於窮神知化는 乃德盛仁熟而自致耳라 然不知者는 往而屈也요 自致者는 來而信也니 是亦感應自然之理而已라 張子曰 氣有陰陽하니 推行有漸이 爲化요 合一不測이 爲神이니라 此上四節은 皆以釋咸九四爻義라

아래로 배우는 일은 의(義)를 정밀히 연구하고 씀을 이롭게 함에 힘을 다하여 서로 길러주고 서로 발명하는 기틀이 저절로 그칠 수 없으니, 이로부터 이상은 또한 그 힘을 쓸 곳이 없는 것이다. 신(神)을 궁구하여 조화를 앎에 이름은 바로 덕(德)이 성대하고 인(仁)이 익숙하여 스스로 이루어지는 것이다. 그러나 알지 못함은 가서 굽힘이요 앎이 스스로 이룸은 와서 펴짐이니, 이 또한 감응(感應)하는 자연의 이치일 뿐이다.

장자(張子)가 말씀하였다. "기(氣)는 음 · 양이 있으니, 미루어 행함에 점점함이 있는 것이 화(化)이고 하나로 합하여 측량할 수 없는 것이 신(神)이다."

이상 네 절(節)은 모두 함괘(咸卦) 구사효(九四爻)의 뜻을 해석한 것이다.

······

128 過此以往 未之或知也 : '혹 알지 못함'에 대하여, 주자는 "'다만 이것을 따르고자 하나 말미암을 데가 없다.〔雖欲從之, 末由也已.〕'라는 말과 같다."고 하였다. 이 말은 안연(顔淵)이 스승 공자(孔子)의 경지를 두고 한 말로, 스승의 경지가 너무 높아서 아무리 노력을 해도 닿을 수가 없다는 뜻이다. 여기에서는, '정의(精義)'와 '이용(利用)'은 공부를 통해 도달하는 경지지만, 이보다 더 높은 경지인 '궁신 지화(窮神知化)'는 공부를 통해 도달하는 경지가 아니라 저절로 도달하게 되는 경지임을 말한 것이다.

129 下學之事 : 하학(下學)은 '아래로 사람의 일을 배우는 것〔下學人事〕'으로, '위로 천리를 통달하는 것〔上達天理〕'과 상대되는 말이다. 초학자가 효제(孝悌) 충신(忠信)의 일을 배워 실천하다 보면 자연 신(神)을 궁구하여 조화를 알게 됨을 말한 것이다.

易曰 困于石하며 據于蒺蔾라 入于其宮이라도 不見其妻니 凶이라하니 子曰 非所困而困焉하니 名必辱하고 非所據而據焉하니 身必危하리니 旣辱且危하여 死期將至어니 妻其可得見邪아

역(易)에 이르기를 "돌에 곤(困)하며 질려(蒺蔾)에 앉아 있다. 그 집에 들어가도 아내를 만나보지 못하니 흉하다." 하니, 공자께서 말씀하셨다.

"곤(困)할 바가 아닌데 곤하니 이름이 반드시 욕될 것이요, 앉을 곳이 아닌데 앉아 있으니 몸이 반드시 위태로울 것이다. 이미 욕되고 또 위태로워 죽을 시기가 장차 이르게 되었으니, 아내를 어찌 만나볼 수 있겠는가."

本義 | 釋困六三爻義라

곤괘(困卦 ䷮) 육삼효(六三爻)의 뜻을 해석한 것이다.

易曰 公用射(석)隼于高墉之上하여 獲之니 无不利라하니 子曰 隼者는 禽也요 弓矢者는 器也요 射之者는 人也니 君子藏器於身하여 待時而動이면 何不利之有리오 動而不括이라 是以出而有獲하나니 語成器而動者也라

역에 이르기를 "공(公)이 새매를 높은 담장 위에서 쏘아 잡았으니, 이롭지 않음이 없다." 하니, 공자께서 말씀하셨다.

"준(隼)은 새이고 궁시(弓矢)는 기물이고 쏘는 자는 사람이니, 군자가 기물을 몸에 간직하여 때를 기다려 동하면 어찌 이롭지 않음이 있겠는가. 동함에 막히지 않는다. 이 때문에 나가면 얻음이 있는 것이니, 기물을 이루고 동하는 자를 말한 것이다."

本義 | 括은 結礙也라 此는 釋解上六爻義라

'괄(括)'은 맺히고 막힘이다. 이는 해괘(解卦 ䷧) 상육효(上六爻)의 뜻을 해석한 것이다.

子曰 小人은 不恥不仁하며 不畏不義라 不見利면 不勸하며 不威면 不懲하나니 小懲而大誡가 此小人之福也라 易曰 屨校하여 滅趾니

… 射 : 쏘아맞힐 석 墉 : 담장 용 隼 : 새매 준 括 : 맺힐 괄 屨 : 신 구 校 : 차꼬 교

无咎라하니 **此之謂也**라

공자께서 말씀하셨다.

"소인은 불인(不仁)을 부끄러워하지 않고 불의(不義)를 두려워하지 않는다. 이익을 보지 않으면 권면되지 않고, 위엄으로 두렵게 하지 않으면 징계되지 않으니, 조금 징벌하여 크게 경계됨이 소인의 복이다. 역에 이르기를 '차꼬를 신에 채워 발을 멸(상)함이니, 허물이 없다.' 하였으니, 이것을 말한 것이다."

本義 | **此**는 **釋噬嗑初九爻義**라

이는 서합괘(噬嗑卦 ☲☳) 초구효(初九爻)의 뜻을 해석한 것이다.

善不積이면 **不足以成名**이요 **惡不積**이면 **不足以滅身**이니 **小人**은 **以小善**으로 **爲无益而弗爲也**하며 **以小惡**으로 **爲无傷而弗去也**라 **故**로 **惡積而不可掩**이며 **罪大而不可解**니 **易曰 何(荷)校**하여 **滅耳**니 **凶**이라하니라

선(善)이 쌓이지 않으면 이름을 이룰 수 없고, 악(惡)이 쌓이지 않으면 몸을 멸할 수 없으니, 소인은 작은 선을 무익하다 하여 행하지 않고, 작은 악을 무방하다 하여 버리지 않는다. 그러므로 악이 쌓여서 가리울 수 없고 죄가 커져서 풀 수 없으니, 역에 이르기를 '차꼬를 메어서(채워서) 귀를 멸하니 흉하다.' 하였다.

本義 | **此**는 **釋噬嗑上九爻義**라

이는 서합괘(噬嗑卦) 상구효(上九爻)의 뜻을 해석한 것이다.

子曰 危者는 **安其位者也**요 **亡者**는 **保其存者也**요 **亂者**는 **有其治者也**라 **是故**로 **君子安而不忘危**하며 **存而不忘亡**하며 **治而不忘亂**이라 **是以**로 **身安而國家可保也**니 **易曰 其亡其亡**이라야 **繫于包桑**이라하니라

공자께서 말씀하셨다.

"위태로울까 염려함은 그 지위를 편안히 하는 것이요, 망할까 염려함은 그 생존을 보존(존속)하는 것이요, 어지러울까 염려함은 그 다스림을 소유하게 하는 것이다. 이 때문에 군자는 편안해도 위태로움을 잊지 않고, 보존되어도 망함을 잊지 않고, 다스려져도 어지러움을 잊지 않는 것이다. 이 때문에 몸이 편안하여 나라와 집안이 보존될 수 있는 것이니, 역(易)에 이르기를 '망할까 망할까 염려하고 두려워하여야 총생(叢生)하는 뽕나무에 매어놓은듯 튼튼하다.' 하였다."

本義 | 此는 釋否九五爻義라

이는 비괘(否卦 ䷋) 구오효(九五爻)의 뜻을 해석한 것이다.

子曰 德薄而位尊하며 **知(智)小而謀大**하며 **力小而任重**하면 **鮮不及矣**나니 **易曰 鼎折足**하여 **覆公餗**하니 **其形渥[刑剭]**이라 **凶**이라하니 **言不勝其任也**라

공자께서 말씀하셨다.

"덕이 적으면서 지위가 높고, 지혜가 작으면서 도모함이 크고, 힘이 작으면서 짐이 무거우면, 화가 미치지 않는 자가 드물다. 역에 이르기를 '솥발이 부러져 공상(公上)에게 바칠 음식을 엎었으니, 형벌이 무거워 흉하다.' 하였으니, 그 임무를 감당하지 못함을 말한 것이다."

本義 | 此는 釋鼎九四爻義라

이는 정괘(鼎卦 ䷱) 구사효(九四爻)의 뜻을 해석한 것이다.

子曰 知幾其神乎인저 **君子上交不諂**하며 **下交不瀆**하나니 **其知幾乎**인저 **幾者**는 **動之微**니 **吉[凶]之先見**(현)**者也**니 **君子見幾而作**하여 **不俟終日**이니 **易曰 介于石**이라 **不終日**이니 **貞**하고 **吉**이라하니 **介如石焉**이어니 **寧用終日**이리오 **斷可識矣**로다 **君子知微知彰、知柔知剛**하나니 **萬夫之望**이라

공자께서 말씀하셨다.

··· 鼎 : 솥 정 覆 : 뒤엎을 복 餗 : 솥안에음식 속 渥 : 붉을 악 剭 : 형벌 악 諂 : 아첨할 첨

"기미를 앎이 그 신묘함일 것이다. 군자는 위로 사귀되 아첨하지 않고 아래로 사귀되 함부로 하지 않으니, 기미를 알아서일 것이다. 기(幾)는 동함의 은미함으로 길·흉이 먼저 나타난 것이니, 군자는 기미를 보고 일어나서(떠나가서) 하루를 마치기를 기다리지 않는다. 역에 이르기를 '돌처럼 절개가 굳은지라 하루를 마치지 않고 떠나가니, 정(貞)하고 길(吉)하다.' 하였으니, 절개가 돌과 같으니, 어찌 하루를 마치겠는가. 결단함을 알 수 있다. 군자는 은미함을 알고 드러남을 알며, 유(柔;유순하게 대처함)를 알고 강(剛;강하게 대처함)을 아니, 이 때문에 만부(萬夫)가 우러러 보는 것이다."

本義 | 此는 釋豫六二爻義라 漢書에 吉之之間에 有凶字하니라

이는 예괘(豫卦 ䷏) 육이효(六二爻)의 뜻을 해석한 것이다. 《한서(漢書)》〈조원왕전(楚元王傳)〉에는 '길(吉)과 지(之)'의 사이에 흉(凶) 자가 있다.

子曰 顔氏之子 其殆庶幾乎인저 有不善이면 未嘗不知하며 知之면 未嘗復(부)行也하나니 易曰 不遠復(복)이라 无祗悔니 元吉이라하니라

공자께서 말씀하셨다.

"안씨(顔氏)의 아들은 거의 도(道)에 가까울 것이다. 불선(不善)함이 있으면 일찍이 알지 못한 적이 없고, 알면 일찍이 다시 행하지 않았다. 역에 이르기를 '멀리 가지 않고 회복하여(돌아와) 뉘우침에 이르지 않으니, 크게 길(吉)하다.' 하였다."

本義 | 殆는 危也라 庶幾는 近意니 言近道也라 此는 釋復初九爻義라

'태(殆)'는 위(危;거의)이다. '서기(庶幾)'는 가깝다는 뜻이니, 도에 가까움을 말한 것이다. 이는 복괘(復卦 ䷗) 초구효(初九爻)의 뜻을 해석한 것이다.

天地絪縕에 萬物이 化醇하고 男女構精에 萬物이 化生하나니 易曰 三人行엔 則損一人하고 一人行엔 則得其友라하니 言致一也라

··· 瀆 : 함부로할 독 介 : 절개 개 彰 : 밝을 창 絪 : 원기뭉칠 인 縕 : 원기뭉칠 온 醇 : 진할 순

하늘과 땅의 기운이 친밀히 사귐에 만물(萬物)이 화(化)하여 엉기고, 남·녀가 정(精)을 맺음에 만물이 화생(化生)한다. 역에 이르기를 '세 사람이 가면 한 사람을 덜고, 한 사람이 가면 그 벗을 얻는다.' 하였으니, 하나에 지극히 함을 말한 것이다.

本義 | 絪縕은 交密之狀이라 醇은 謂厚而凝也니 言氣化者也요 化生은 形化者也[130]라 此는 釋損六三爻義라

'인온(絪縕)'은 사귀기를 친밀하게 하는 모양이다. '순(醇)'은 농후(濃厚)하여 엉김을 이르니 기화(氣化)를 말한 것이요, 화생(化生)은 형화(形化)하는 것이다. 이는 손괘(損卦 ䷨) 육삼효(六三爻)의 뜻을 해석한 것이다.

子曰 君子安其身而後動하며 **易**(이)**其心而後語**하며 **定其交而後求**하나니 **君子修此三者**라 **故**로 **全也**하나니 **危以動**하면 **則民不與也**요 **懼以語**하면 **則民不應也**요 **无交而求**하면 **則民不與也**하나니 **莫之與**하면 **則傷之者至矣**라 **易曰 莫益之**라 **或擊之**리니 **立心勿恒**이니 **凶**이라하니라

공자께서 말씀하셨다.

"군자는 몸을 편안히 한 뒤에 동하며, 마음을 화평히 한 뒤에 말하며, 사귐을 정한 뒤에 구하니(무엇을 바라거나 요구함), 군자는 이 세 가지를 닦으므로 온전한 것이다. 위태로우면서 동하면 백성들이 더불지 않고, 두려워하면서 말하면 백성들이 응하지 않고, 사귐이 없으면서 구하면 백성들이 친하지 않으니, 친하지 않으면 해롭게 하는 자가 이를 것이다. 역에 이르기를 '유익하게 해주는 이가 없다. 혹은 공격할 것이니, 마음을 세움에 항상하지 말아야 하니, 흉하다.' 하였다."

······

130 氣化者也 化生形化者也 : 기화(氣化)는 천지(天地)의 기운이 뭉쳐 사람이나 물건(동물 모두 생물)이 처음 생기는 것이고, 형화(形化)는 남(男;수컷)과 녀(女;암컷)의 결합에 의하여 생기는 것을 이른다.

··· 凝 : 엉길 응 繆 : 잘못될 류 稽 : 상고할 계

本義 | 此는 釋益上九爻義라

이는 익괘(益卦 ䷩) 상구효(上九爻)의 뜻을 해석한 것이다.

右는 第五章이라

이상은 제5장이다.

子曰 乾坤은 其易之門邪인저 乾은 陽物也요 坤은 陰物也니 陰陽合德하여 而剛柔有體라 以體天地之撰하며 以通神明之德하니

공자께서 말씀하셨다.

"건(乾)과 곤(坤)은 역(易)의 문(門)일 것이다. 건(乾)은 양물(陽物)이고 곤(坤)은 음물(陰物)이니, 음·양이 덕을 합하여 강(剛)·유(柔)가 체(體)가 있게 되었다. 이로써 천지(天地)의 일을 체행(體行)하며 신명(神明)의 덕을 통하니,

本義 | 諸卦剛柔之體가 皆以乾坤合德而成이라 故曰乾坤易之門이라하니라 撰은 猶事也라

여러 괘에 강(剛)·유(柔)의 체(體)가 모두 건(乾)·곤(坤)이 덕(德)을 합함으로써 이루어졌다. 그러므로 건·곤은 역의 문이라고 한 것이다. '찬(撰)'은 일〔事〕과 같다.

其稱名也 雜而不越하나 於稽其類엔 其衰世之意耶인저

그 이름을 칭함이 잡란(雜亂)하면서도 어긋나지 않으나 그 류(類)를 상고함에는 쇠한 세상의 뜻일 것이다.

本義 | 萬物雖多나 无不出於陰陽之變이라 故卦爻之義가 雖雜出而不差繆라 然非上古淳質之時思慮所及也라 故以爲衰世之意라하니 蓋指文王與紂之時也라

만물이 비록 많으나 음·양의 변화에서 나오지 않은 것이 없다. 그러므로 괘효의 뜻이 비록 뒤섞여 나오나 어긋나지 않는 것이다. 그러나 상고(上古)의 순박하고 질박한 때의 사려로는 미칠 수 있는 바가 아니다. 그러므로 쇠한 세상의 뜻

이라 하였으니, 문왕(文王)과 주(紂)의 때를 가리킨 것이다.

夫易은 **彰往而察來**하며 **(而微顯)[微顯而]闡幽**하며 **開而當名**[131]하며 **辨物**하며 **正言**하며 **斷辭**하니 **則備矣**라

이 역은 지나간 것을 드러내고 미래를 살피며, 드러남을 은미하게 하고 그윽함을 밝히며, 명칭에 마땅하게 하고 사물을 분별하며, 말을 바르게 하고 말을 결단하니, 구비하였다.

本義 | 而微顯은 恐當作微顯而라 開而之而도 亦疑有誤라

'이미현(而微顯)'은 마땅히 '미현이(微顯而)'가 되어야 할 듯하다. '개이(開而)'의 이(而) 자도 오자(誤字)가 있는 듯하다.

其稱名也小하나 **其取類也大**하며 **其旨遠**하며 **其辭文**하며 **其言**이 **曲而中**하며 **其事肆而隱**하니 **因貳**하여 **以濟民行**하여 **以明失得之報**니라

그 이름을 칭함은 작으나 그 류(類)를 취함은 크며, 그 뜻이 원대하고 말이 문채나며, 그 말이 곡진하면서도 맞으며, 그 일이 진열되어 있으면서도 은미하니, 의심나는 것으로 인하여 백성의 행함을 구제하여 실(失)·득(得)의 응보(應報)를 밝힌 것이다."

本義 | 肆는 陳也요 貳는 疑也라

'사(肆)'는 베풂(진열됨)이요, '이(貳)'는 의심함이다.

右는 **第六章**이라

이상은 제6장이다.

······

131 開而當名 : 혹자는 개(開) 자 아래에 물(物) 자가 빠진 것이라 한다.

··· 闡 : 밝힐 천 肆 : 베풀 사 貳 : 의심할 이

本義 | 此章은 多闕文疑字하니 不可盡通이니 後皆放此하니라

이 장(章)은 빠진 글과 의심스러운 글자가 많으니, 다 통할 수 없는 바, 뒤도 모두 이와 같다.

易之興也 其於中古乎인저 作易者 其有憂患乎인저

역이 일어남은 중고(中古)시대일 것이다. 역을 지은 자는 아마도 우환(근심함)이 있었을 것이다.

本義 | 夏、商之末에 易道中微러니 文王이 拘於羑里而繫彖辭하여 易道復興하니라

하(夏) · 상(商)의 말기에 역도(易道)가 중간에 쇠하였는데, 문왕이 유리(羑里)마을의 옥에 갇혀 있을 적에 단사(彖辭)를 달아서 역도가 다시 일어났다.

是故로 履는 德之基也요 謙은 德之柄也요 復은 德之本也요 恒은 德之固也요 損은 德之修也요 益은 德之裕也요 困은 德之辨也요 井은 德之地也요 巽은 德之制也라

그러므로 리(履 ䷉)는 덕의 기초요, 겸(謙 ䷎)은 덕의 자루요, 복(復 ䷗)은 덕의 근본이요, 항(恒 ䷟)은 덕의 확고함이요, 손(損 ䷨)은 덕의 닦음이요, 익(益 ䷩)은 덕의 여유로움이요, 곤(困 ䷮)은 덕의 분별이요, 정(井 ䷯)은 덕의 땅(자리)이요, 손(巽 ䷸)은 덕(德)의 제재이다.

本義 | 履는 禮也라 上天下澤이 定分不易하니 必謹乎此然後에 其德이 有以爲基而立也라 謙者는 自卑而尊人이요 又爲禮者之所當執持而不可失者也라 九卦는 皆反身修德以處憂患之事也로되 而有序焉이라 基는 所以立이요 柄은 所以持요 復者는 心不外而善端存이요 恒者는 守不變而常且久라 懲忿窒慾以修身하고 遷善改過以長善하며 困以自驗其力하고 井以不變其所하니 然後에 能巽順於理하여 以制事變也라

리(履)는 예(禮)이다. 위의 하늘(☰)과 아래의 못(☱)이 분수가 정해져 바뀌지 않으니, 반드시 이(예)를 삼간 뒤에야 그 덕(德)이 기초가 되어 설 수 있는 것이다.

••• 羑 : 유리옥 유 持 : 잡을 지 懲 : 징계할 징 窒 : 막을 질

겸(謙)은 자신을 낮추고 남을 높임이요 또 예(禮)를 행하는 자가 마땅히 잡아 지켜서 잃지 않아야 할 것이다.

아홉 괘는 모두 몸에 돌이켜 덕을 닦아서 우환에 대처하는 일인데, 순서가 있다. '기(基)'는 서는 것이요, '병(柄)'은 잡는 것이요, 복(復)은 마음이 밖으로 치달리지 아니하여 착한 마음이 보존되는 것이요, 항(恒)은 지킴이 변하지 않아 항상하고 오래함이다. 〈손(損)으로써〉 분함을 징계하고 욕심을 막아 몸을 닦고, 〈익(益)으로써〉 선(善)으로 옮기고 허물을 고쳐 선을 자라게 하며, 곤(困)으로써 스스로 자신의 능력을 시험하고, 정(井)으로써 그 자리를 변치 않으니, 그런 뒤에야 이치에 손순(巽順)하여 사변(事變)을 제재할 수 있는 것이다.

履는 **和而至**하고 **謙**은 **尊而光**하고 **復**은 **小而辨於物**하고 **恒**은 **雜而不厭**하고 **損**은 **先難而後易**하고 **益**은 **長裕而不設**하고 **困**은 **窮而通**하고 **井**은 **居其所而遷**하고 **巽**은 **稱而隱**하니라

리(履)는 화(和)하면서도 지극하고, 겸(謙)은 높으면서도 빛나고, 복(復)은 양(陽)이 작으나 물건(여러 음)에 분변되고, 항(恒)은 뒤섞여 있으나 싫지 않고, 손(損)은 어려움을 먼저함에 뒤에는 쉽고, 익(益)은 크고 넉넉하나 인위(人爲)를 베풀지 않고, 곤(困)은 궁하나 통하고, 정(井)은 제자리에 머물러 있으나 옮겨가고, 손(巽)은 일에 걸맞으나 드러나지 않는다.

本義 | **此**는 **如書之九德**[132]이라 **禮非强世**[133]나 **然事皆至極**이라 **謙**은 **以自卑而尊**

······

132 如書之九德 : 구덕(九德)은 아홉 가지 덕으로 《서경》〈고요모(皐陶謨)〉에 "총괄하여 말하건대 행실에 아홉 가지 덕이 있으니, 너그러우면서도 씩씩하며 유순하면서도 서며 정성스러우면서도 공손하며 다스리면서도 공경하며 숙달하게 길들여져 있으면서도 굳세며 곧으면서도 온화하며 간략하면서도 모가 나며 강건하면서도 독실하며 강하면서도 의로운 것이다.〔亦行有九德……寬而栗, 柔而立, 愿而恭, 亂而敬, 擾而毅, 直而溫, 簡而廉, 剛而塞, 彊而義.〕"라고 보이는바, 구덕 역시 '너그러우나 장엄하며 유순하나 꼿꼿하며……'로 해석하여 '화이지(和而至)'나 '존이광(尊而光)'처럼 역접(逆接)이기 때문에 같다고 말한 것이다. 다만 《서경언해(書經諺解)》에는 "너그럽고 씩씩하며 유순하고 서며"로 해석하였으니, 이 역시 '이러고서도 이러며'의 뜻으로 보인다.

133 禮非强世 : 강세(强世)는 세상 사람들을 억지로 힘쓰게 하는 것으로, 양웅(揚雄)의 《법언(法言)》〈오백(五百)〉에 "혹자가 묻기를 '예(禮)는 행하기가 어려워 사람들을 억지로 힘쓰게 합니다.' 하자, 양웅은 '행하기가 어렵기 때문에 사람들을 힘쓰게 한다.'〔或問禮難, 以彊世. 曰; 難故彊世.〕"

且光이요 復은 陽微而不亂於羣陰이요 恒은 處雜而常德不厭이요 損은 欲先難하니 習熟則易요 益은 但充長而不造作이요 困은 身困而道亨이요 井은 不動而及物이요 巽은 稱物之宜而潛隱不露라

이는 《서경》의 구덕(九德)과 같다. 예(禮)는 세상 사람들을 억지로 힘쓰게 하는 것이 아니나 일이 모두 지극하다. 겸(謙)은 자신을 낮춤으로써 높아지고 또 빛나며, 복(復)은 양(陽)이 미약하나 여러 음에게 혼란당하지 않으며, 항(恒)은 처함이 뒤섞여 있으나 떳떳한 덕이 싫지 않으며, 손(損)은 먼저는 어렵고자 하니 익숙하면 쉬워지며, 익(益)은 다만 충장(充長)하고 조작하지 않으며, 곤(困)은 몸이 곤궁하나 도가 형통하며, 정(井)은 동하지 않으나 남에게 미치며, 손(巽)은 물건의 마땅함에 걸맞으나 잠기고 숨어 드러나지 않는다.

履以和行하고 **謙以制禮**하고 **復以自知**하고 **恒以一德**하고 **損以遠害**하고 **益以興利**하고 **困以寡怨**하고 **井以辨義**하고 **巽以行權**하나니라

이(履)로써 행함을 화하게 하고, 겸(謙)으로써 예를 따르고, 복(復)으로써 스스로 알고, 항(恒)으로써 덕을 한결같이 하고, 손(損)으로써 해로움을 멀리하고, 익(益)으로써 이로움을 일으키고, 곤(困)으로써 원망을 적게 하고, 정(井)으로써 의(義)를 분변하고, 손(巽)으로써 권도(權道)를 행한다.

本義 | 寡怨은 謂少所怨尤요 辨義는 謂安而能慮[134]라

'과원(寡怨)'은 원망하는 바가 적음을 이르고, '변의(辨義)'는 마음이 편안하여 능히 생각할 수 있음을 이른다.

右는 **第七章**이라

이상은 제7장이다.

••••••

라고 하였는바, 이 글을 역(逆)으로 인용한 듯하다. 호산(壺山)은 "'예비강세(禮非强世)'는 예가 억지로 행하는 것이 아니어서 화이(和易)함을 이른다." 하였다.

134 謂安而能慮 : 《대학장구(大學章句)》 〈경 1장(經一章)〉에 보이는바, 주자는 안(安)은 처한 바에 편안함을 이르고, 려(慮)는 일을 대처하기를 정밀히 하고 자세히 하는 것〔安, 謂所處而安; 慮, 謂處事精詳.〕으로 해석하였다.

本義 | 此章은 三陳九卦하여 以明處憂患之道하니라

이 장(章)은 세 번 아홉 괘(卦)를 말하여 우환(憂患)에 대처하는 방도를 밝힌 것이다.

易之爲書也 不可遠이요 爲道也屢遷이라 變動不居하여 周流六虛하여 上下无常하며 剛柔相易하여 不可爲典要요 唯變所適이니

《주역》의 책은 잊을 수 없고 도(道)가 됨은 자주 옮긴다(변한다). 변동하여 머물지 않아 여섯 자리에 두루 흐른다. 그리하여 오르고 내림이 무상(無常)하고 강(剛)과 유(柔)가 서로 교역(交易)하여 전요(典要;일정한 규칙)로 삼을 수 없고, 오직 변화하여 나아가는 바대로 하니,

本義 | 遠은 猶忘也라 周流六虛는 謂陰陽流行於卦之六位라

'원(遠)'은 망(忘;잊음)과 같다. '주류육허(周流六虛)'는 음·양이 괘의 여섯 자리에 유행함을 이른다.

其出入以度하여 外內에 使知懼하며

나가고 들어옴을 법도로써 하여 밖과 안에 두려움을 알게 하며,

本義 | 此句는 未詳하니 疑有脫誤라

이 구(句)는 자세하지 않으니, 오탈자(誤脫字)가 있는 듯하다.

又明於憂患與故라 无有師保나 如臨父母하니

또 우환과 그 소이연(所以然)에 밝다. 사보(師保)가 없으나 부모가 임하신 듯하니,

本義 | 雖无師保나 而常若父母臨之하니 戒懼之至라

비록 사보(師保)가 없으나 항상 부모가 임하신 듯하니, 경계하고 두려워함이 지극한 것이다.

初率其辭而揆其方컨댄 **旣有典常**이어니와 **苟非其人**이면 **道不虛行**하나니라

처음에 그 말을 따라 그 도리를 헤아려보면 이미 떳떳한 법식이 있지만, 만일 훌륭한 사람이 아니면 역의 도(道)가 헛되이 행해지지 않는다.

本義 | 方은 道也라 始由辭以度(탁)其理하면 則見其有典常矣라 然神而明之는 則存乎其人也라

'방(方)'은 도(道;방도)이다. 처음에 그 말을 따라 그 이치를 헤아려 보면 떳떳한 법식이 있음을 볼 수 있다. 그러나 신묘하게 밝힘은 그 사람에게 달려 있는 것이다.

右는 **第八章**이라

이상은 제8장이다.

易之爲書也 原始要終하여 **以爲質也**하고 **六爻相雜**은 **唯其時物也**라

《주역》의 책은 시작을 근원하고 종(終)을 맞추어 이로써 질(質;괘체(卦體))을 삼고, 육효(六爻)가 서로 뒤섞임은 오직 그 때와 일이다.

本義 | 質은 謂卦體라 卦는 必擧其始終而後成體요 爻則唯其時物而已라

'질(質)'은 괘체(卦體)를 이른다. 괘는 반드시 시(始)와 종(終)을 든 뒤에 체(體)를 이루고, 효(爻)는 오직 그 때와 일일 뿐이다.

其初는 **難知**요 **其上**은 **易知**니 **本末也**라 **初辭擬之**하고 **卒成之終**하니라

초(初)는 알기 어렵고 상(上)은 알기 쉬우니, 본(초)과 말(상)이다. 처음 말은 모의(摸擬)하고 끝마쳐 종(終)을 이룬다.

本義 | 此는 言初上二爻라

이는 초(初)와 상(上) 두 효(爻)를 말한 것이다.

··· 屢 : 여러 루 揆 : 헤아릴 규

若夫雜物과 **撰德**과 **辨是與非**는 **則非其中爻**면 **不備**하리라

물건을 뒤섞음과 덕(德)을 잡아 지킴(따지고 헤아림)과 시(是)·비(非)를 분변함 같은 것은 가운데의 네 효(爻)가 아니면 구비하지 못하리라.

本義 | 此는 謂卦中四爻라

이는 괘(卦) 가운데의 네 효(爻)를 말한 것이다.

噫라 **亦要存亡吉凶**인댄 **則居可知矣**어니와 **知(智)者觀其彖辭**하면 **則思過半矣**리라

아! 또한 존(存)·망(亡)과 길·흉을 살피고자 하면 거연(居然)히(쉽게) 알 수 있지만, 지혜로운 자가 단사(彖辭)를 보면 생각이 반을 넘으리라.

本義 | 彖은 統論一卦六爻之體라

단(彖)은 한 괘(卦) 여섯 효(爻)의 체를 총론한 것이다.

二與四 同功而異位하여 **其善**이 **不同**하니 **二多譽**하고 **四多懼**는 **近也**일새니 **柔之爲道 不利遠者**언마는 **其要无咎**는 **其用柔中也**일새라

이(二)와 사(四)는 공(功)이 같으나 자리가 달라 선(善)함이 똑같지 않으니, 이(二)는 칭찬이 많고 사(四)는 두려움이 많음은 〈사(四)가〉 군주의 자리와 가깝기 때문이다. 유(柔)의 도(道)는 멀리 있는 것이 이롭지 않으나 그 요결(要結)에 허물이 없음은 그 유(柔)로서 중(中)을 쓰기 때문이다.

本義 | 此以下는 論中爻라 同功은 謂皆陰位요 異位는 謂遠近不同이라 四近君이라 故多懼라 柔不利遠而二多譽者는 以其柔中也일새라

이 이하는 가운데 효(爻)를 논한 것이다. 공(功)이 같다는 것은 모두 음위(陰位)임을 이르고, 자리가 다르다는 것은 멀고 가까움이 똑같지 않음을 이른다. 사(四)는 군주인 오(五)와 가까우므로 두려움이 많다. 유(柔)는 멀리 있는 것이 이롭지 않으나 〈군주의 자리와 거리가 먼〉 이(二)가 칭찬이 많음은 유(柔)로서 중(中)하기 때문이다.

三與五 同功而異位하여 **三多凶**하고 **五多功**은 **貴賤之等也**일새니 **其柔**는 **危**하고 **其剛**은 **勝耶**인저

삼(三)과 오(五)는 공(功)이 같으나 자리가 달라 삼(三)은 흉함이 많고 오(五)는 공이 많음은 귀(貴)·천(賤)의 차등 때문이니, 유(柔)는 위태롭고 강(剛)은 이겨낼 것이다.

本義 | 三五는 同陽位而貴賤不同이라 然以柔居之則危요 唯剛則能勝之라

삼(三)과 오(五)는 똑같이 양위(陽位)인데 귀·천이 똑같지 않다. 그러나 유(柔)로서 〈이 자리에〉 거하면 위태롭고 오직 강(剛)은 이겨낼 수 있는 것이다.

右는 **第九章**이라

이상은 제9장이다.

易之爲書也 廣大悉備하여 **有天道焉**하며 **有人道焉**하며 **有地道焉**하니 **兼三才而兩之**라 **故六**이니 **六者**는 **非他也**라 **三才之道也**니

《주역》의 책이 광대하여 모두 구비해서 천도(天道)가 있고 인도(人道)가 있고 지도(地道)가 있으니, 삼재(三才)를 겸하여 두 번 하였다. 그러므로 육획(六畫)이니, 육획은 다름이 아니라 삼재의 도이니,

本義 | 三畫에 已具三才어늘 重之라 故六이니 而以上二爻爲天이요 中二爻爲人이요 下二爻爲地라

세 획(畫)에 삼재(三才)가 이미 갖추어졌는데 이것을 거듭하였으므로 육획이니, 위의 두 효(爻)는 천(天)이 되고, 가운데 두 효는 인(人)이 되고, 아래의 두 효는 지(地)가 된다.

道有變動이라 **故曰爻**요 **爻有等**이라 **故曰物**이요 **物相雜**이라 **故曰文**이요 **文不當**이라 **故吉凶生焉**하니라

도(道)가 변동함이 있으므로 효(爻)라 말하였고, 효가 차등이 있으므로 물(物)이라 말하였고, 물건이 서로 뒤섞이므로 문(文)이라 말하였고, 문

이 자리에 마땅하지 않으므로 길 · 흉이 생겨나는 것이다.

本義 | 道有變動은 謂卦之一體라 等은 謂遠近貴賤之差라 相雜은 謂剛柔之位相間이요 不當은 謂爻不當位라

도가 변동함이 있다는 것은 괘의 한 체(體)를 이른다. '등(等)'은 원(遠) · 근(近)과 귀(貴) · 천(賤)의 차등을 이른다. 서로 뒤섞인다는 것은 강(剛) · 유(柔)의 자리가 서로 사이함을 이르고, 마땅하지 않다는 것은 효(爻)가 자리에 마땅하지 않음을 이른다.

右는 第十章이라

이상은 제10장이다.

易之興也 其當殷之末世, 周之盛德耶인저 當文王與紂之事邪인저 是故로 其辭危하여 危者를 使平하고 易(이)者를 使傾하니 其道甚大하여 百物을 不廢하나 懼以終始하면 其要无咎리니 此之謂易之道也라

역이 일어남은 아마도 은(殷)나라 말기와 주(周)나라의 덕이 성할 때를 당했을 것이다. 문왕(文王)과 주(紂)의 일을 당했을 것이다. 그러므로 그 말이 위태로워, 위태롭게 여기는 자를 평안하게 하고 쉽게 여기는 자를 기울게 하였으니, 그 도(道)가 매우 커서 온갖 일을 폐하지 않으나 두려워하여 끝마치고 시작하면〈시종 두려워하면〉 그 요결(要結)은 허물이 없을 것이니, 이것을 일러 역(易)의 도라 한다.

本義 | 危懼故로 得平安하고 慢易則必傾覆이니 易之道也라

위태롭게 여기고 두려워하므로 평안함을 얻고, 태만하고 쉽게 여겨 함부로 하면 반드시 기울고 전복되니, 이것이 역의 도이다.

右는 第十一章이라

이상은 제11장이다.

… 傾 : 기울 경 亹 : 힘쓸 미

夫乾은 **天下之至健也**니 **德行**이 **恒易**(이)**以知險**하고 **夫坤**은 **天下之至順也**니 **德行**이 **恒簡以知阻**하나니

건(乾)은 천하의 지극히 굳셈이니 덕행이 항상 쉬움으로써 험함을 알고, 곤(坤)은 천하의 지극히 순함이니 덕행이 항상 간략함으로써 막힘을 안다.

本義 | 至健則所行无難이라 故易요 至順則所行不煩이라 故簡이라 然其於事에 皆有以知其難而不敢易以處之也라 是以로 其有憂患이면 則健者는 如自高臨下而知其險하고 順者는 如自下趨上而知其阻하나니 蓋雖易而能知險이면 則不陷於險矣요 旣簡而又知阻면 則不困於阻矣라 所以能危能懼하여 而无易者之傾也니라

지극히 굳세면 행하는 바가 어려움이 없으므로 쉽고, 지극히 순하면 행하는 바가 번거롭지 않으므로 간략하다. 그러나 그 일에 있어 모두 그 어려움을 알아 감히 함부로 대처하지 않는다. 이 때문에 우환이 있으면 굳센 자는 마치 높은 곳에서 아래를 임하듯 하여 그 험함을 알고, 순한 자는 아래에서 위로 달려가듯 하여 그 막힘을 아니, 비록 쉬우나 능히 험함을 알면 험함에 빠지지 않고, 이미 간략하면서도 또 막힘을 알면 막힘에 곤궁하지 않는다. 이 때문에 능히 위태롭게 여기고 두려워하여, 쉽게 여겨 함부로 하는 자의 경복(傾覆)됨이 없는 것이다.

能說(열)**諸心**하며 **能研諸(侯之)慮**하여 **定天下之吉凶**하며 **成天下之亹**(미)**亹者**니

마음에 기쁘며 생각에 연구하여 천하의 길 · 흉을 정하며, 천하의 힘써야 할 일을 이루니,

本義 | 侯之二字는 衍이라 說諸心者는 心與理會니 乾之事也요 研諸慮者는 理因慮審이니 坤之事也라 說諸心이라 故有以定吉凶이요 研諸慮라 故有以成亹亹라

'후지(侯之)' 두 글자는 연문(衍文)이다. 마음에 기쁘다는 것은 마음이 이치와 더불어 맞음이니 건(乾)의 일이요, 생각에 연구한다는 것은 이치가 생각으로 인하여 살펴짐이니 곤(坤)의 일이다. 마음에 기쁘기 때문에 길 · 흉을 결정할 수 있고, 생각에 연구하기 때문에 힘써야 할 일을 이룰 수 있는 것이다.

是故로 **變化云爲**에 **吉事有祥**이라 **象事**하여 **知器**하며 **占事**하여 **知來**하나니

그러므로 변화하고 운위(云爲;말하고 일함)함에 길한 일에 상서로움이 있다. 그리하여 일을 형상하여 기물(器物)을 알며, 일을 점쳐 미래를 아니,

本義 | 變化云爲라 故象事면 可以知器요 吉事有祥이라 故占事면 可以知來라

변화하고 운위(云爲)하므로 일을 형상하면 기물을 알 수 있고, 길한 일에 상서로움이 있으므로 일을 점치면 미래를 알 수 있는 것이다.

天地設位에 **聖人**이 **成能**하니 **人謀鬼謀**에 **百姓**이 **與能**[135] 하나니라

하늘과 땅이 자리를 베풂에 성인(聖人)이 능함(공(功))을 이루니, 사람에게 도모하고 귀신에게 도모함에 백성이 능함에 참예한다.

本義 | 天地設位에 而聖人作易하여 以成其功하니 於是에 人謀鬼謀에 雖百姓之愚라도 皆得以與其能이라

하늘과 땅이 자리를 베풂에 성인이 역(易)을 지어 그 공(功)을 이루니, 이에 사람에게 도모하고 귀신에게 도모함에 비록 백성의 어리석은 자라도 모두 그 능함에 참여할 수 있는 것이다.

八卦는 **以象告**하고 **爻彖**은 **以情言**하니 **剛柔雜居**에 **而吉凶**을 **可見矣**라

팔괘(八卦)는 상(象)으로써 고(告)하고 효(爻)와 단(彖)은 정(情)으로써 말해주니, 강(剛)·유(柔)가 뒤섞여 있음에 길·흉을 볼 수 있는 것이다.

本義 | 象은 謂卦畫이요 爻彖은 謂卦爻辭라

상(象)은 괘획(卦畫)을 이르고, 효(爻)와 단(彖)은 괘사(卦辭)와 효사(爻辭)를 이른다.

······

135 與能 : 퇴계는 "예(與;참예)하여 능히 하나니라"로 해석하였다. 《經書釋義》

變動은 **以利言**하고 **吉凶**은 **以情遷**이라 **是故**로 **愛惡**(오)**相攻而吉凶生**하며 **遠近相取而悔吝生**하며 **情僞相感而利害生**하나니 **凡易之情**이 **近而不相得**이면 **則凶或害之**하며 **悔且吝**하나니라

변동은 이로움으로써 말하고, 길·흉은 정(情)으로써 옮겨간다[바뀐다]. 이 때문에 사랑함과 미워함이 서로 공격하여 길·흉이 생기며, 멀고 가까움이 서로 취하여 회(悔)·린(吝)이 생기며, 진정(眞情)과 거짓이 서로 감응하여 이(利)·해(害)가 생기나니, 무릇 역(易)의 정(情)은 가까우면서도 서로 맞지 못하면 흉하거나 혹은 해로우며, 뉘우치고 또 부끄럽다.

本義 | 不相得은 謂相惡(오)也니 凶害悔吝이 皆由此生이라

'불상득(不相得)'은 서로 미워함을 이르니, 흉(凶)과 해(害), 회(悔)와 린(吝)이 모두 이로 말미암아 생기는 것이다.

將叛者는 **其辭慙**하고 **中心疑者**는 **其辭枝**하고 **吉人之辭**는 **寡**하고 **躁人之辭**는 **多**하고 **誣善之人**은 **其辭游**하고 **失其守者**는 **其辭屈**하니라

장차 배반할 자는 그 말이 부끄럽고, 중심이 의심스러운 자는 그 말이 산만하고, 길(吉)한 사람의 말은 적고, 조급한 사람의 말은 많고, 선(善)을 모함하는 사람은 그 말이 왔다갔다 하고, 그 지킴을 잃은 자는 그 말이 비굴하다.

本義 | 卦爻之辭 亦猶是也라

괘사(卦辭)와 효사(爻辭) 또한 이와 같다.

右는 **第十二章**이라

이상은 제12장이다.

설괘전(說卦傳)

昔者聖人之作易也에 幽贊於神明而生蓍하고

옛날 성인이 역(易)을 지을 적에 그윽히(은밀히) 신명을 도와 시초(蓍草)를 내었고,

本義 | 幽贊神明은 猶言贊化育[136]이라 龜筴傳曰 天下和平하고 王道得이면 而蓍莖長丈이요 其叢生이 滿百莖이라하니라

'유찬신명(幽贊神明)'은 화육(化育)을 돕는다는 말과 같다. 《사기(史記)》〈귀책전(龜筴傳)〉에 "천하가 화평하고 왕도(王道)가 제대로 되면 시초(蓍草) 줄기가 일장(一丈;10척(尺))이 되고, 무더기로 백 개가 난다." 하였다.

參(참)天兩地[137]而倚數하고

하늘에 참고하고 땅에 견주어(비교하여) 수(數)를 의지하고,

本義 | 天圓地方하니 圓者는 一而圍三이니 三各一奇라 故參天而爲三이요 方者는 一而圍四니 四合二偶라 故兩地而爲二하니 數皆倚此而起라 故揲蓍三變之末

136 贊化育 : 화육(化育)은 천지의 조화(造化)로 만물을 생육(生育)함을 이른다. 《중용장구》 22장에 "오직 천하에 지극히 성실한 분이어야 능히 자기의 본성을 다 할 수 있으니……능히 물건의 본성을 다할 수 있으면 천지의 화육을 도울 수 있고 천지의 화육을 도울 수 있으면 천지와 참예할 수 있다.〔惟天下之至誠, 爲能盡其性……能盡物之性, 則可以贊天地之化育, 可以贊天地之化育, 則可以與天地參矣.〕"라고 보이는바, 화육을 돕는다는 것은 수리사업(水利事業)을 하여 관개(灌漑)하고 불을 이용하여 따뜻하게 하는 따위라 한다.

137 參天兩地 : 주자(朱子)는 參의 음을 칠(七)·남(南)의 반절(反切)이라 하여 '참'으로 읽어야 함을 밝혔고, 소주(小註)에는 "참천(參天)은 하늘로써 참고하는 것이요, '양지(兩地)'는 땅에 견주어 보는 것이다.〔參天者, 參之以三; 兩地者, 兩之以二也.〕"라 하였는데, 호산(壺山) 박문호(朴文鎬)는 "양(兩)은 비(比;나란히 함)와 같다.〔兩, 猶比也.〕" 하였다.《詳說》

이 其餘三奇則三三而九요 三偶則三二而六이요 兩二一三則爲七이요 兩三一二則爲八이라

하늘은 둥글고 땅은 네모진 바, 둥근 것은 하나에 둘레가 셋이니, 셋은 각각 한 기(奇)이므로 하늘에 참고하여 셋이 되고, 네모진 것은 하나에 둘레가 넷이니, 넷은 두 우(偶)를 합한 것이므로 땅에 견주어 둘이 되었으니, 수(數)가 모두 이에 의거하여 시작되었다. 그러므로 시초(蓍草)를 세어 세 번 변한 뒤에 그 나머지가 기(奇)가 셋이면 3이 3이어서 9(노양)이고, 우(偶)가 셋이면 3이 2여서 6(노음)이며, 2가 둘이고 3이 하나이면 7(소양)이고, 3이 둘이고 2가 하나이면 8(소음)이다.

觀變於陰陽而立卦하고 **發揮於剛柔而生爻**하니

음·양에서 변(變)을 보아 괘를 세우고, 강(剛)·유(柔)에서 발휘하여 효(爻)를 낳으니,

和順於道德而理於義하며 **窮理盡性**하여 **以至於命**하니라

도덕(道德)에 화순(和順)하고 의(義)에 맞게 하며, 이치를 궁구하고 성(性)을 다하여 명(命)에 이른다.

本義 | 和順은 從容无所乖逆이니 統言之也요 理는 謂隨事得其條理니 析言之也라 窮天下之理하고 盡人物之性하여 而合於天道하니 此는 聖人作易之極功也라

'화순(和順)'은 종용(從容)하여 어그러지고 거스르는 바가 없는 것이니 통합하여 말한 것이요, '리(理)'는 일에 따라 그 조리에 맞음을 이르니 나누어 말한 것이다. 천하의 이치를 궁구하고 인(人)·물(物)의 성(性)을 다하여 천도(天道)에 합하니, 이는 성인이 역(易)을 지은 지극한 공(功)이다.

右는 **第一章**이라

이상은 제1장이다.

··· 贊 : 도울 찬 筴 : 산대 책 叢 : 떨기 총 莖 : 줄기 경

昔者聖人之作易也는 **將以順性命之理**라 **是以**로 **立天之道曰陰與陽**이요 **立地之道曰柔與剛**이요 **立人之道曰仁與義**[138]니 **兼三才而兩之**라 **故**로 **易**이 **六畫而成卦**하고 **分陰分陽**하며 **迭用柔剛**이라 **故**로 **易**이 **六位而成章**하니라

옛날에 성인(聖人)이 역(易)을 지음은 장차 성명(性命)의 이치를 순히 하려고 해서였다. 이 때문에 하늘의 도(道)를 세움은 음과 양이요, 땅의 도를 세움은 유(柔)와 강(剛)이요, 사람의 도를 세움은 인(仁)과 의(義)이니, 삼재(三才)를 겸하여 두 번 하였기 때문에 역이 여섯 번 그음에 괘가 이루어졌고, 음으로 나뉘고 양으로 나뉘며 유(柔)와 강(剛)을 차례로 쓰기 때문에 역(易)이 여섯 자리에 문장(文章;문채)을 이룬 것이다.

本義 | 兼三才而兩之는 總言六畫이요 又細分之하면 則陰陽之位가 間雜而成文章也라

삼재(三才)를 겸하여 두 번 했다는 것은 여섯 획을 총괄하여 말한 것이요, 또 이를 세세히 나누면 음 · 양의 자리가 사이에 뒤섞여 문장을 이룬 것이다.

右는 **第二章**이라

이상은 제2장이다.

天地定位하며 **山澤通氣**하며 **雷風相薄**하며 **水火不相射**(석)하여 **八卦相錯**하니

천(天)과 지(地)가 자리를 정(定)하고 산(山)과 택(澤)이 기(氣)를 통하며, 뢰(雷)와 풍(風)이 서로 부딪히고 수(水)와 화(火)가 서로 해치지 않아, 팔괘(八卦)가 서로 교착(交錯)하니,

••••••

138 立天之道曰陰與陽……立人之道曰仁與義 : 음(陰)·양(陽)은 기(氣)로써 말하였고, 유(柔)와 강(剛)은 질(質)로써 말하였고, 인(仁)과 의(義)는 인간의 덕(德)으로써 말하였다.

〈伏羲八卦方位之圖〉

本義 | 邵子曰 此는 伏羲八卦之位니 乾南坤北이요 離東坎西며 兌居東南이요 震居東北이며 巽居西南이요 艮居西北이라 於是에 八卦相交而成六十四卦하니 所謂先天之學也라

소자(邵子)가 말씀하였다. "이는 복희(伏羲) 팔괘(八卦)의 자리이니, 건(乾)은 남쪽에 있고 곤(坤)은 북쪽에 있으며, 리(離)는 동쪽에 있고 감(坎)은 서쪽에 있으며, 태(兌)는 동남쪽에 거하고 진(震)은 동북쪽에 거하며, 손(巽)은 서남쪽에 거하고 간(艮)은 서북쪽에 거하였다. 이에 팔괘가 서로 사귀어 64괘를 이루었으니, 이른바 선천(先天)의 학(學)이라는 것이다."

數往者는 **順**이요 **知來者**는 **逆**이라 **是故**로 **易**은 **逆數也**라

지나간 것을 셈은 순(順)이요 미래를 앎은 역(逆)이다. 그러므로 역(易)은 거슬러서 세는 것이다.

本義 | 起震而歷離、兌하여 以至於乾은 數已生之卦也요 自巽而歷坎、艮하여 以至於坤은 推未生之卦也[139]라 易之生卦는 則以乾、兌、離、震、巽、坎、

••••••

139 起震而歷離兌……推未生之卦也 : 앞의 복희 팔괘 방위도(伏羲八卦方位圖)를 기준하여 말

••• 薄 : 부딪힐 박 錯 : 갈마들 착 熯 : 말릴 한 麗 : 걸릴 리 圜 : 둥글 환 瘠 : 수척할 척

艮、坤爲次라 故皆逆數也라

진(震)에서 시작하여 리(離)·태(兌)를 지나 건(乾)에 이름은 이미 생겨난 괘〔已生之卦〕를 세는 것이요, 손(巽)으로부터 감(坎)·간(艮)을 지나 곤(坤)에 이름은 아직 생기지 않은 괘〔未生之卦〕를 미루는 것이다. 역(易)이 괘를 낳음은 건·태·리·진·손·감·간·곤으로 차례를 하였기 때문에 모두 거슬러 세는 것이다.

右는 第三章이라

이상은 제3장이다.

雷以動之하고 風以散之하고 雨以潤之하고 日以烜(훤)之하고 艮以止之하고 兌以說之하고 乾以君之하고 坤以藏之하나니라

우레로써 동하고, 바람으로써 흩고, 비로써 적시고, 해로써 따뜻하게 하고, 간(艮)으로써 그치고, 태(兌)로써 기쁘게 하고, 건(乾)으로써 군주 노릇 하고, 곤(坤)으로써 감춘다.

本義 | 此는 卦位相對니 與上章同이라

이는 괘의 자리가 상대함이니, 상장(上章)과 같다.

••••••

한 것으로, 천체(天體)는 오른쪽으로 돌아 시계 방향의 반대로 돌기 때문에 건일(乾一), 태이(兌二), 리삼(離三), 진사(震四)의 순서로 된 것을 순(順)이라 하여 이생지괘(已生之卦)라 하고, 곤팔(坤八), 간칠(艮七), 감육(坎六), 손오(巽五)의 순서로 된 것을 역(逆)이라 하여 미생지괘(未生之卦)라 한다. 이것은 복희 육십사괘 방위도(伏羲六十四卦方位圖)의 밖에 있는 원도(圓圖)와 안에 있는 방도(方圖)를 살펴보면 더욱 자세히 알 수 있는바, 원도는 위의 팔괘도(八卦圖)를 확대한 것으로 왼쪽은 역시 순(順)으로 되어 있고 오른쪽은 역(逆)으로 되어 있으며, 방도는 곤(坤)이 첫 번째에 있고 건(乾)이 끝에 있어 완전히 역으로 되어 있다. 이에 대하여 주자(朱子)는 다음과 같이 설명하였다.

"원도의 왼쪽에 진(震 ☳)의 초(初)로부터는 동지(冬至)가 되고 리(離 ☲)와 태(兌 ☱)의 중간은 춘분(春分)이 되고 건(乾 ☰)의 끝에 이르면 하지(夏至)가 되는데 모두 나아가 이생지괘(已生之卦)를 얻었으니, 금일(今日)로부터 작일(昨日)을 세는 것과 같으므로 '지나간 것을 셈은 순(順)이다.'라고 말한 것이다. 그리고 오른쪽에 손(巽 ☴)의 초(初)로부터는 하지가 되고 감(坎 ☵)과 간(艮 ☶)의 중간은 추분(秋分)이 되고 곤(坤 ☷)의 끝에 이르면 동지가 되는데 모두 나아가 미생지괘(未生之卦)를 얻었으니, 금일로부터 내일을 미리 계산하는 것과 같으므로 '미래를 앎은 역(逆)이다.'라고 말한 것이다. 그러나 역(易)이 본래 만들어진 것은 그 선후(先後)와 시종(始終)이 횡도(橫圖) 및 원도(圓圖)의 오른쪽 순서와 같을 뿐이므로 '역(易)은 거슬러서 세는 것이다.'라고 말한 것이다."

右는 **第四章**이라

이상은 제4장이다.

帝出乎震하여 **齊乎巽**하고 **相見乎離**하고 **致役乎坤**[140]하고 **說言乎兌**하고 **戰乎乾**하고 **勞乎坎**하고 **成言乎艮**[141]하니라

상제(上帝)가 진(震)에서 나와 손(巽)에서 깨끗하고 리(離)에서 서로 만나보고 곤(坤)에서 일하고(길러지고), 태(兌)에서 기뻐하고, 건(乾)에서 싸우고, 감(坎)에서 위로받고, 간(艮)에서 이룬다.

本義 | 帝者는 天之主宰라 邵子曰 此卦位는 乃文王所定이니 所謂後天之學也라

'제(帝:상제)'는 하늘의 주재(主宰)이다. 소자(邵子)가 말씀하였다. "이 괘의 자리는 바로 문왕이 정한 것이니, 이른바 후천(後天)의 학(學)이란 것이다."

〈文王八卦方位之圖〉

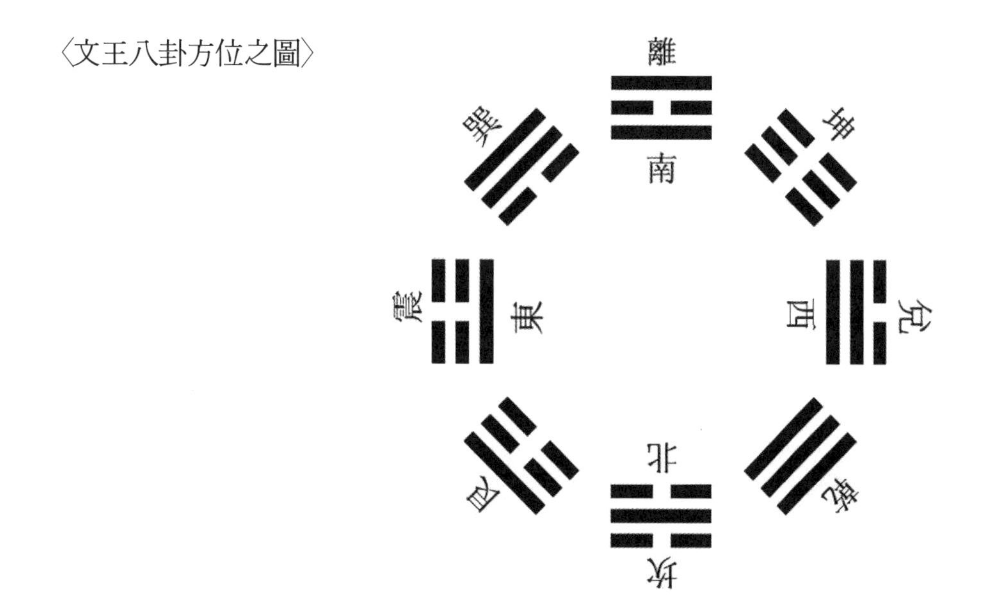

140 致役乎坤 : 퇴계는 '곤(坤)에 역(役)을 치(致)하고'로 해석하고 "역(役)은 양(養;길러줌)이다." 하였다.

141 說言乎兌……成言乎艮 : 퇴계는 "언(言) 자는 허자(虛字)이기 때문에 주(註)에서 말하지 않은 듯하다. 그렇지 않다면 마땅히 '태(兌)에 열(說)함을 이르고……간(艮)에 성(成)함을 이른다.'로 해석해야 할 것이다." 하였다.《經書釋義》

萬物이 **出乎震**하니 **震**은 **東方也**라 **齊乎巽**은 **巽**은 **東南也**니 **齊也者**는 **言萬物之潔齊也**라 **離也者**는 **明也**니 **萬物**이 **皆相見**할새니 **南方之卦也**니 **聖人**이 **南面而聽天下**하여 **嚮明而治**하니 **蓋取諸此也**라 **坤也者**는 **地也**니 **萬物**이 **皆致養焉**할새 **故**로 **曰致役乎坤**이라 **兌**는 **正秋也**니 **萬物之所說也**일새 **故**로 **曰說言乎兌**라 **戰乎乾**은 **乾**은 **西北之卦也**니 **言陰陽相薄(迫)也**라 **坎者**는 **水也**니 **正北方之卦也**니 **勞卦也**니 **萬物之所歸也**일새 **故**로 **曰勞乎坎**이라 **艮**은 **東北之卦也**니 **萬物之所成終而所成始也**일새 **故**로 **曰成言乎艮**이라

만물이 진(震)에서 나오니, 진은 동방(東方)이다. 손(巽)에서 깨끗하다는 것은 손은 동남(東南)이니, 제(齊)는 만물이 깨끗함을 말한 것이다. 리(離)는 밝음이니, 만물이 모두 서로 만나보기 때문이니, 남방(南方)의 괘이다. 성인이 남면(南面)하여 천하를 다스려서 밝은 곳을 향해 다스림은 여기에서 취한 것이다. 곤(坤)은 땅이니, 만물이 모두 기름을 이루므로(길러지므로) 곤에서 일한다 한 것이다. 태(兌)는 바로 가을이니, 만물이 기뻐하는 바이므로 태에서 기뻐한다 하였다. 건(乾)에서 싸운다는 것은 건은 서북(西北)의 괘이니, 음·양이 서로 부딪힘을 말한 것이다. 감(坎)은 물이니, 바로 북방(北方)의 괘이니 위로받는 괘이니, 만물이 돌아가는 바이므로 감(坎)에서 위로받는다 한 것이다. 간(艮)은 동북(東北)의 괘이니, 만물이 종(終)을 이루고 시(始)를 이루는 것이므로 간(艮)에서 이룬다 한 것이다.

本義 | 上言帝하고 此言萬物之隨帝以出入也라

위에서는 상제(上帝)를 말하고 여기서는 만물이 상제를 따라 출입함을 말하였다.

右는 **第五章**이라

이상은 제5장이다.

本義 | 此章所推卦位之說은 多未詳者라

이 장(章)에 미룬바 괘위(卦位)의 말은 자세하지 못한 부분이 많다.

··· 齊 : 깨끗할 제 逮 : 미칠 체 陷 : 빠질 함 麗 : 걸릴 리, 붙을 리

神也者는 **妙萬物而爲言者也**니 **動萬物者 莫疾乎雷**하고 **撓萬物者莫疾乎風**하고 **燥萬物者莫熯**(한)**乎火**하고 **說萬物者 莫說乎澤**하고 **潤萬物者莫潤乎水**하고 **終萬物, 始萬物者 莫盛乎艮**하니 **故**로 **水火相逮**하며 **雷風不相悖**하며 **山澤通氣然後**에 **能變化**하여 **旣成萬物也**하니라

신(神)이란 만물(萬物)을 신묘하게 함을 말한 것이니, 만물을 동함은 우레보다 빠름이 없고, 만물을 흔듦은 바람보다 빠름이 없고, 만물을 건조시킴은 불보다 더함이 없고, 만물을 기쁘게 함은 택(澤;윤택하게 함)보다 더함이 없고, 만물을 적심은 물보다 더함이 없고, 만물을 끝마치고 만물을 시작함은 간(艮)보다 성함이 없다. 그러므로 물과 불이 서로 미치며, 우레와 바람이 서로 어그러지지 않으며, 산(山)과 택(澤)이 기(氣)를 통한 뒤에야 능히 변화하여 만물을 이루는 것이다.

本義 | 此는 去乾坤而專言六子하여 以見神之所爲라 然其位序亦用上章之說하니 未詳其義라

이는 건(乾)·곤(坤)을 빼고 오로지 육자(六子)만을 말하여 신(神)의 하는 바를 나타낸 것이다. 그러나 그 위치와 차례는 또한 상장(上章)의 말을 따랐는데 그 뜻은 자세하지 않다.

右는 **第六章**이라

이상은 제6장이다.

乾은 **健也**요 **坤**은 **順也**요 **震**은 **動也**요 **巽**은 **入也**요 **坎**은 **陷也**요 **離**는 **麗**(리)**也**요 **艮**은 **止也**요 **兌**는 **說也**라

건(乾)은 굳셈이요, 곤(坤)은 순함이요, 진(震)은 동함이요, 손(巽)은 들어감이요, 감(坎)은 빠짐이요, 리(離)는 걸림이요, 간(艮)은 그침이요, 태(兌)는 기뻐함이다.

本義 | 此는 言八卦之性情이라

이는 팔괘(八卦)의 성정(性情)을 말한 것이다.

右는 第七章이라

이상은 제7장이다.

乾爲馬요 坤爲牛요 震爲龍이요 巽爲鷄요 坎爲豕요 離爲雉요 艮爲狗요 兌爲羊이라

건(乾)은 말이 되고, 곤(坤)은 소가 되고, 진(震)은 용이 되고, 손(巽)은 닭이 되고, 감(坎)은 돼지가 되고, 리(離)는 꿩이 되고, 간(艮)은 개가 되고, 태(兌)는 양(羊)이 된다.

本義 | 遠取諸物에 如此라

멀리 물건에서 취함에 이와 같은 것이다.

右는 第八章이라

이상은 제8장이다.

乾爲首요 坤爲腹이요 震爲足이요 巽爲股요 坎爲耳요 離爲目이요 艮爲手요 兌爲口라

건(乾)은 머리가 되고, 곤(坤)은 배가 되고, 진(震)은 발이 되고, 손(巽)은 다리가 되고, 감(坎)은 귀가 되고, 리(離)는 눈이 되고, 간(艮)은 손이 되고, 태(兌)는 입이 된다.

本義 | 近取諸身에 如此라

가까이 자기 몸에서 취함에 이와 같은 것이다.

右는 第九章이라

이상은 제9장이다.

··· 雉 : 꿩 치 腹 : 배 복 股 : 넓적다리 고 瘠 : 수척할 척 駁 : 얼룩말 박

乾은 **天也**라 **故**로 **稱乎父**요 **坤**은 **地也**라 **故**로 **稱乎母**요 **震**은 **一索而得男**이라 **故**로 **謂之長男**이요 **巽**은 **一索而得女**라 **故**로 **謂之長女**요 **坎**은 **再索而得男**이라 **故**로 **謂之中男**이요 **離**는 **再索而得女**라 **故**로 **謂之中女**요 **艮**은 **三索而得男**이라 **故**로 **謂之少男**이요 **兌**는 **三索而得女**라 **故**로 **謂之少女**라

건(乾 ☰)은 하늘이므로 부(父)라 칭하고, 곤(坤 ☷)은 땅이므로 모(母)라 칭하고, 진(震 ☳)은 곤(坤 ☷)에서 첫 번째로 구하여 남(男)을 얻었으므로 장남(長男)이라 이르고, 손(巽 ☴)은 건(乾 ☰)에서 첫 번째로 구하여 녀(女)를 얻었으므로 장녀(長女)라 이르고, 감(坎 ☵)은 곤에서 두 번째로 구하여 남(男)을 얻었으므로 중남(中男)이라 이르고, 리(離 ☲)는 건에서 두 번째로 구하여 녀(女)를 얻었으므로 중녀(中女)라 이르고, 간(艮 ☶)은 곤에서 세 번째로 구하여 남(男)을 얻었으므로 소남(少男)이라 이르고, 태(兌 ☱)는 건에서 세 번째로 구하여 녀(女)를 얻었으므로 소녀(少女)라 이르는 것이다.

本義 | **索**은 **求也**니 **謂揲蓍以求爻也**라 **男女**는 **指卦中一陰一陽之爻而言**이라

색(索)은 구함이니, 시초(蓍草)를 세어 효(爻)를 구함을 이른다. 남(男)과 여(女)는 괘 안의 한 음과 한 양의 효를 가리켜 말한 것이다.

右는 **第十章**이라

이상은 제10장이다.

乾은 **爲天**, **爲圜**, **爲君**, **爲父**, **爲玉**, **爲金**, **爲寒**, **爲冰**, **爲大赤**, **爲良馬**, **爲老馬**, **爲瘠**(척)**馬**, **爲駁**(박)**馬**, **爲木果**라

건(乾)은 하늘이 되고, 둥근 것이 되고, 군주가 되고, 아버지가 되고, 옥(玉)이 되고, 금(金)이 되고, 추위가 되고, 얼음이 되고, 큰(진한) 적색이 되고, 좋은 말이 되고, 늙은 말이 되고, 수척한 말이 되고, 얼룩말이 되고, 나무의 과일이 된다.

本義 | 荀九家[142]엔 此下에 有爲龍, 爲直, 爲衣, 爲言이라

순구가(荀九家)에는 이 아래에 용(龍)이 되고, 곧음이 되고, 옷이 되고, 말이 된다는 내용이 있다.

坤은 **爲地, 爲母, 爲布, 爲釜, 爲吝嗇**(린색), **爲均, 爲子母牛, 爲大輿, 爲文, 爲衆, 爲柄**이요 **其於地也**에 **爲黑**이라

곤(坤)은 땅이 되고, 어머니가 되고, 삼베가 되고, 가마솥이 되고, 인색함(아낌)이 되고, 균등함이 되고, 새끼를 많이 기른 어미 소가 되고, 큰 수레가 되고, 문(文)이 되고, 무리가 되고, 자루가 되며, 땅에 있어서는 흑색이 된다.

本義 | 荀九家엔 有爲牝, 爲迷, 爲方, 爲囊(낭), 爲裳, 爲黃, 爲帛, 爲漿이라

순구가(荀九家)에는 암컷이 되고, 혼미함이 되고, 네모짐이 되고, 주머니가 되고, 치마가 되고, 황색이 되고, 명주베가 되고, 음료가 된다는 내용이 있다.

震은 **爲雷, 爲龍, 爲玄黃, 爲旉**(부), **爲大塗, 爲長子, 爲決躁, 爲蒼莨竹, 爲萑葦**(환위)요 **其於馬也**에 **爲善鳴, 爲馵**(주)**足, 爲作足, 爲的顙**이요 **其於稼也**에 **爲反生**이요 **其究爲健**이요 **爲蕃鮮**이라

진(震)은 우레가 되고, 용(龍)이 되고, 검정색과 황색이 되고, 꽃이 되고, 큰 길이 되고, 장자(長子)가 되고, 결단하기를 조급히 함이 되고, 푸른 대나무가 되고, 갈대가 되며, 말에 있어서는 울기를 잘함이 되고, 왼발이 흼이 되고, 발 빠름이 되고, 이마가 흼이 되며, 곡식에 있어서는 껍질을 뒤집어쓰고 나옴이 되며, 궁극에는 굳셈이 되고, 번성하고 고움이 된다.

本義 | 荀九家엔 有爲玉, 爲鵠, 爲鼓라

순구가에는 옥(玉)이 되고, 고니가 되고, 북이 된다는 내용이 있다.

······

142 荀九家 : 후한(後漢) 때의 역학자인 순상(荀爽)의 《구가역(九家易)》을 이른다.

··· 吝 : 인색할 린 嗇 : 인색할 색 旉 : 꽃 부 莨 : 초우엉 랑 萑 : 갈대 환 葦 : 갈대 위 馵 : 왼쪽뒷발흰말 주 的 : 밝을 적 顙 : 이마 상 鵠 : 고니 곡

巽은 **爲木, 爲風, 爲長女, 爲繩直, 爲工, 爲白, 爲長, 爲高, 爲進退, 爲不果, 爲臭**요 **其於人也**에 **爲寡髮, 爲廣顙, 爲多白眼, 爲近利市三倍**요 **其究爲躁卦**라

손(巽)은 나무가 되고, 바람이 되고, 장녀(長女)가 되고, 먹줄이 곧음이 되고, 공장(工匠)이 되고, 백색이 되고, 길이 되고, 높음이 되고, 진퇴(進退)가 되고, 과단성 없음이 되고, 나쁜 냄새가 되며, 사람에게 있어서는 머리털이 적음이 되고, 이마가 넓음이 되고, 눈에 흰자위가 많음이 되고, 이익을 가까이 함이 세 배의 폭리를 남기고 매매함이 되며, 궁극에는 조급한 괘가 된다.

本義 | 荀九家엔 有爲楊, 爲鸛(관)이라

순구가에는 버드나무가 되고, 황새가 된다는 내용이 있다.

坎은 **爲水, 爲溝瀆, 爲隱伏, 爲矯輮**(교유), **爲弓輪**이요 **其於人也**에 **爲加憂, 爲心病, 爲耳痛, 爲血卦**[143], **爲赤**이요 **其於馬也**에 **爲美脊, 爲亟**(극)**心, 爲下首, 爲薄蹄, 爲曳**(예)요 **其於輿也**에 **爲多眚**(생)이요 **爲通, 爲月, 爲盜**요 **其於木也**에 **爲堅多心**이라

감(坎)은 물이 되고, 도랑이 되고, 숨음이 되고, 교유(矯輮 : 곧게 바로잡거나 휨)가 되고, 활과 바퀴가 되며, 사람에게 있어서는 근심을 더함이 되고, 마음의 병이 되고, 귀가 아픔이 되고, 혈괘(血卦)가 되고, 적색이 되며, 말에 있어서는 등마루가 아름다움이 되고, 성질이 급함이 되고, 머리를 아래로 떨굼이 되고, 발굽이 얇음이 되고, 끄는 것이 되며, 수레에 있어서는 하자가 많음이 되고, 통함이 되고, 달이 되고, 도둑이 되며, 나무에 있어서는 단단하고 속이 많음이 된다.

••••••

143 血卦 : 사계(沙溪)는 "리화(離火)는 사람의 몸에 있어 기(氣)가 되고 감수(坎水)는 사람의 몸에 있어 혈(血)이 되기 때문에 혈괘(血卦)라고 한 것이다." 하였다. 《經書辨疑》

••• 溝 : 도랑 구 瀆 : 도랑 독 矯 : 바로잡을 교 輮 : 휠 유 亟 : 급할 극 蹄 : 발굽 제 眚 : 하자 생

本義 | 荀九家엔 有爲宮[144], 爲律, 爲可, 爲棟, 爲叢棘, 爲狐, 爲蒺藜, 爲桎梏이라

순구가에는 궁성(宮聲)이 되고, 율(律)이 되고, 가(可)함이 되고, 기둥이 되고, 총생(叢生)하는 가시나무가 되고, 여우가 되고, 질려(蒺藜)가 되고, 질곡(桎梏)이 된다는 내용이 있다.

離는 **爲火, 爲日, 爲電, 爲中女, 爲甲胄, 爲戈兵**이요 **其於人也**에 **爲大腹**이요 **爲乾卦, 爲鱉**(별), **爲蟹, 爲蠃(螺), 爲蚌**(방), **爲龜**요 **其於木也**에 **爲科上槁**[145]라

리(離)는 불이 되고, 해가 되고, 번개가 되고, 중녀(中女)가 되고, 갑주(甲胄)가 되고, 창과 병기가 되며, 사람에게 있어서는 배가 큰 사람이 되고, 건괘(乾卦)가 되고, 자라가 되고, 게가 되고, 소라가 되고, 조개가 되고, 거북이 되며, 나무에 있어서는 가운데가 비고 위가 마름이 된다.

本義 | 荀九家엔 有爲牝牛라

순구가(荀九家)에는 암소가 된다는 내용이 있다.

艮은 **爲山, 爲徑路, 爲小石, 爲門闕, 爲果蓏**(라), **爲閽寺**(혼시), **爲指, 爲狗, 爲鼠, 爲黔喙**(검훼)**之屬**이요 **其於木也**에 **爲堅多節**이라

간(艮)은 산(山)이 되고, 작은 길(오솔길)이 되고, 작은 돌이 되고, 문궐이 되고, 과일과 풀의 열매가 되고, 내시(內侍)가 되고, 손가락이 되고, 개가 되고, 쥐가 되고, 부리가 검은 짐승의 등속이 되며, 나무에 있어서는 단단하고 마디가 많음이 된다.

······

144 有爲宮 : 사계는 "궁(宮)은 오성(五聲;궁(宮)·상(商)·각(角)·치(徵)·우(羽)) 중의 궁이다." 하였다.《經書辨疑》

145 爲科上槁 : 사계는 "과(科)는 나무의 가지이고 뿌리이고 떨기인데, 장자(張子)는 '물이 흘러 구덩이를 채운다.〔水流盈科〕'의 과(科) 자로 보았다." 하였다.《經書辨疑》

··· 狐 : 여우 호 胄 : 갑옷 주 鱉 : 자라 별 蟹 : 게 해 蠃 : 소라 라(螺同) 蚌 : 조개 방 槁 : 마를 고 蓏 : 풀열매 라 閽 : 문지기 혼 黔 : 검을 검 喙 : 부리 훼

本義 | 荀九家엔 有爲鼻, 爲虎, 爲狐라

순구가에는 코가 되고, 범이 되고, 여우가 된다는 내용이 있다.

兌는 **爲澤, 爲少女, 爲巫, 爲口舌, 爲毁折, 爲附決**이요 **其於地也**에 **爲剛鹵**[146]요 **爲妾, 爲羊**이라

태(兌)는 못이 되고, 소녀(少女)가 되고, 무당이 되고, 입과 혀가 되고, 훼손함이 되고, 붙었다가 떨어짐이 되며, 땅에 있어서는 강로(剛鹵;짠맛이 강한 갯벌)가 되며, 첩이 되고, 양(羊)이 된다.

本義 | 荀九家엔 有爲常[147], 爲輔頰이라

순구가에는 상(常)이 되고, 보협(輔頰;뺨과 볼)이 된다는 내용이 있다.

右는 **第十一章**이라

이상은 제11장이다.

本義 | 此章은 廣八卦之象이나 其間에 多不可曉者요 求之於經에도 亦不盡合也라

이 장(章)은 팔괘의 상(象)을 넓혔으나 그 사이에 이해할 수 없는 것이 많으며, 경문(經文)에 찾아보아도 모두 부합하지는 않는다.

••••••

146 爲剛鹵 : 사계는 "강(剛)은 금(金)이고 노(鹵)는 소금이다." 하였다. 《經書辨疑》 금은 쇠로 단단하기 때문에 '강로'라 한 것이다.

147 有爲常 : 사계는 "상(常)은 심상(尋常)의 상이다." 하였다. 심(尋)은 8척(尺)이고 상(常)은 심의 곱절인 1장(丈) 6척(尺)을 이르는바, 심과 상은 모두 길이가 크게 길지 않으므로 사물 중에 보통의 것을 이르는 말로 쓰인다.

••• 鹵 : 염밭 로 輔 : 광대뼈 보 頰 : 뺨 협

서괘전(序卦傳)

이 〈서괘전〉은 처음부터 끝까지 이어져 있었는데, 역자가 너무 지루하다고 생각되어 자의에 따라 단락을 나누었음을 밝혀둔다.

有天地然後에 **萬物生焉**하니 **盈天地之間者唯萬物**이라 **故受之以屯**하니 **屯者**는 **盈也**니 **屯者**는 **物之始生也**라 **物生必蒙**이라 **故受之以蒙**하니 **蒙者**는 **蒙也**니 **物之穉也**라 **物穉不可不養也**라 **故受之以需**하니 **需者**는 **飮食之道也**라

하늘〔乾〕과 땅〔坤〕이 있은 뒤에 만물이 생겨나니, 하늘과 땅의 사이에 가득한 것이 만물이다. 그러므로 준(屯)으로써 받았으니, 준은 가득함이니 준은 물건(초목)이 처음 나온 것이다. 물건이 나오면 반드시 어리므로 몽(蒙)으로써 받았으니, 몽은 어림이니, 물건이 어린 것이다. 물건이 어리면 기르지 않을 수 없으므로 수(需)로써 받았으니, 수는 음식의 도(道)이다.

飮食必有訟이라 **故受之以訟**하고 **訟必有衆起**라 **故受之以師**하고 **師者**는 **衆也**니 **衆必有所比**라 **故受之以比**하고 **比者**는 **比也**니 **比必有所畜**이라 **故受之以小畜**하고 **物畜然後**에 **有禮**라 **故受之以履**하고 **履而泰然後**에 **安**이라 **故受之以泰**하고

음식은 반드시 분쟁〔訟〕이 있으므로 송(訟)으로써 받았고, 분쟁은 반드시 여럿이 일어남이 있으므로 사(師)로써 받았고, 사(師)는 무리이니 무리는 반드시 친한 바가 있으므로 비(比)로써 받았고, 비(比)는 친함이니 친하면 반드시 모이는 바가 있으므로 소축(小畜)으로써 받았고, 물건이 모인 뒤에 예(禮)가 있으므로 리(履)로써 받았고, 예를 행하여 형통한 뒤에 편안하므로 태(泰)로써 받았다.

本義 | 鼂氏云 鄭无而泰二字라

조씨(鼂氏:조열지(晁說之))가 이르기를 "정씨본(鄭氏本:권현의 주석서)에는 '이태(而泰)'라는 두 글자가 없다." 하였다.

泰者는 **通也**니 **物不可以終通**이라 **故受之以否**(비)하고 **物不可以終否**라 **故受之以同人**하고 **與人同者**는 **物必歸焉**이라 **故受之以大有**하고 **有大者**는 **不可以盈**이라 **故受之以謙**하고

태(泰)는 통함이니 사물은 끝내 통할 수만은 없으므로 비(否)로써 받았고, 사물은 끝내 비색(否塞)할 수만은 없으므로 동인(同人)으로써 받았고, 남과 함께 하는 자는 물건이 반드시 돌아오므로 대유(大有)로써 받았고, 큰 것을 소유한 자는 가득한 체해서는 안 되므로 겸(謙)으로써 받았고,

有大而能謙이면 **必豫**라 **故受之以豫**하고 **豫必有隨**라 **故受之以隨**하고 **以喜隨人者**는 **必有事**라 **故受之以蠱**하고 **蠱者**는 **事也**니 **有事而後**에 **可大**라 **故受之以臨**하고

큰 것을 소유하고도 능히 겸손하면 반드시 즐거우므로 예(豫)로써 받았고, 즐거우면 반드시 따름이 있으므로 수(隨)로써 받았고, 기쁨으로써 남을 따르는 자는 반드시 일이 있으므로 고(蠱)로써 받았고, 고(蠱)는 일이니, 일이 있은 뒤에 커질 수 있으므로 림(臨)으로써 받았고,

臨者는 **大也**니 **物大然後**에 **可觀**이라 **故受之以觀**하고 **可觀而後**에 **有所合**이라 **故受之以噬嗑**하고 **嗑者**는 **合也**니 **物不可以苟合而已**라 **故受之以賁**하고 **賁者**는 **飾也**니 **致飾然後**에 **亨則盡矣**라 **故受之以剝**하고 **剝者**는 **剝也**니 **物不可以終盡**이니 **剝**이 **窮上反下**라 **故受之以復**하고

림(臨)은 큼이니 물건이 커진 뒤에 볼 만하므로 관(觀)으로써 받았고, 볼 만한 뒤에 합함이 있으므로 서합(噬嗑)으로써 받았고, 합(嗑)은 합함이니 물건은 구차히 합할 뿐일 수 없으므로 비(賁)로써 받았고, 비(賁)는 꾸밈이니 꾸밈을 지극히 한 뒤에 형통하면 다하므로 박(剝)으로써 받았

고, 박(剝)은 깎여서 다하는 것인바 사물은 끝내 다할 수만은 없으니, 박(剝)은 위에서 다하면 아래로 돌아오기 때문에 복(復)으로써 받았고,

復則不妄矣라 **故受之以无妄**하고 **有无妄然後**에 **可畜**이라 **故受之以大畜**하고 **物畜然後**에 **可養**이라 **故受之以頤**하고 **頤者**는 **養也**니 **不養則不可動**이라 **故受之以大過**하고 **物不可以終過**라 **故受之以坎**하고 **坎者**는 **陷也**니 **陷必有所麗**(리)라 **故受之以離**하니 **離者**는 **麗也**라

돌아오면 망령되지 않으므로 무망(无妄)으로써 받았고, 무망(无妄)이 있은 뒤에 크게 모일 수 있으므로 대축(大畜)으로써 받았고, 물건이 크게 모인 뒤에 기를 수 있으므로 이(頤)로써 받았고, 이(頤)는 기름이니 기르지 않으면 동할 수 없으므로 대과(大過)로써 받았고, 사물은 끝내 지나칠 수만은 없으므로 감(坎)으로써 받았고, 감(坎)은 빠짐이니 빠지면 반드시 걸리는 바가 있으므로 리(離)로써 받았으니, 리(離)는 걸림이다.

本義 | 右는 上篇이라

이상은 상편(上篇)이다.

有天地然後에 **有萬物**하고 **有萬物然後**에 **有男女**하고 **有男女然後**에 **有夫婦**하고 **有夫婦然後**에 **有父子**하고 **有父子然後**에 **有君臣**하고 **有君臣然後**에 **有上下**하고 **有上下然後**에 **禮義有所錯**니라

하늘과 땅이 있은 뒤에 만물이 있고, 만물이 있은 뒤에 남(男)·녀(女)가 있고, 남·녀가 있은 뒤에 부(夫)·부(婦)가 있고, 부·부가 있은 뒤에 부(父)·자(子)가 있고, 부·자가 있은 뒤에 군(君)·신(臣)이 있고, 군·신이 있은 뒤에 상(上)·하(下)가 있고, 상·하가 있은 뒤에 예의(禮義)가 둘 곳이 있는 것이다.

夫婦之道는 **不可以不久也**라 **故受之以恒**하고 **恒者**는 **久也**니 **物不**

可以久居其所라 故受之以遯하고 遯者는 退也니 物不可以終遯이라 故受之以大壯하고 物不可以終壯이라 故受之以晉하고 晉者는 進也니 進必有所傷이라 故受之以明夷하고

부 · 부(함(咸))의 도(道)는 오래하지 않을 수 없으므로 항(恒)으로써 받았고, 항(恒)은 오래함이니 물건은 한 곳에 오랫동안 머물 수만은 없으므로 돈(恒)으로써 받았고, 돈(恒)은 물러감이니 물건은 끝내 물러갈 수만은 없으므로 대장(大壯)으로써 받았고, 물건은 끝내 장성할 수만은 없으므로 진(恒)으로써 받았고, 진(恒)은 나아감이니 나아가면 반드시 상(傷)하는 바가 있으므로 명이(明夷)로써 받았고,

夷者는 傷也니 傷於外者는 必反其家라 故受之以家人하고 家道窮必乖라 故受之以睽하고 睽者는 乖也니 乖必有難이라 故受之以蹇하고 蹇者는 難也니 物不可以終難이라 故受之以解하고 解者는 緩也니 緩必有所失이라 故受之以損하고 損而不已면 必益이라 故受之以益하고 益而不已면 必決이라 故受之以夬하고 夬者는 決也니 決必有所遇라 故受之以姤하고 姤者는 遇也니 物相遇而後에 聚라 故受之以萃하고

이(夷)는 상함이니 밖에서 상한 자는 반드시 그 집으로 돌아오므로 가인(家人)으로써 받았고, 가도(家道)는 궁하면 반드시 어그러지므로 규(睽)로써 받았고, 규(睽)는 어그러짐이니 어그러지면 반드시 어려움이 있으므로 건(蹇)으로써 받았고, 건(蹇)은 어려움이니 물건은 끝내 어려울 수만은 없으므로 해(解)로써 받았고, 해(解)는 느슨해짐이니 느슨해지면 반드시 잃는 바가 있으므로 손(損)으로써 받았고, 덜고 그치지 않으면 반드시 더하므로 익(益)으로써 받았고, 더하고 그치지 않으면 반드시 터지므로 쾌(夬)로써 받았고, 쾌(夬)는 터짐이니 터지면(갈라지면) 반드시 만나는 바가 있으므로 구(姤)로써 받았고, 구(姤)는 만남이니 물건이 서로 만난 뒤에 모이므로 췌(萃)로써 받았고,

萃者는 聚也니 聚而上者를 謂之升이라 故受之以升하고 升而不已면 必困이라 故受之以困하고 困乎上者는 必反下라 故受之以井하고 井道不可不革이라 故受之以革하고 革物者莫若鼎이라 故受之以鼎하고 主器者莫若長子라 故受之以震하고

췌(萃)는 모임이니 모여서 올라감을 승(升)이라 이르므로 승(升)으로써 받았고, 올라가고 그치지 않으면 반드시 곤(困)하므로 곤(困)으로써 받았고, 위에 곤한 자는 반드시 아래로 돌아오므로 정(井)으로써 받았고, 우물의 도(道)는 변혁하지 않을 수 없으므로 혁(革)으로써 받았고, 물건을 변혁함은 솥 만함이 없으므로 정(鼎)으로써 받았고, 기물을 주관하는 자는 장자(長子)만한 자가 없으므로 진(震)으로써 받았고,

震者는 動也니 物不可以終動하여 止之라 故受之以艮하고 艮者는 止也니 物不可以終止라 故受之以漸하고 漸者는 進也니 進必有所歸라 故受之以歸妹하고 得其所歸者는 必大라 故受之以豐하고 豐者는 大也니 窮大者는 必失其居라 故受之以旅하고 旅而无所容이라 故受之以巽하고 巽者는 入也니 入而後에 說之라 故受之以兌하고

진(震)은 동함이니 물건은 끝내 동할 수만은 없어 멈추므로 간(艮)으로써 받았고, 간(艮)은 멈춤이니 물건은 끝내 멈출 수만은 없으므로 점(漸)으로써 받았고, 점(漸)은 나아감이니 나아가면 반드시 돌아오는 바가 있으므로 귀매(歸妹)로써 받았고, 돌아갈 곳을 얻은 자는 반드시 커지므로 풍(豐)으로써 받았고, 풍(豐)은 큼이니 큼을 궁극히 하는 자는 반드시 그 거처를 잃으므로 려(旅)로써 받았고, 나그네가 되면 용납할 곳이 없으므로 손(巽)으로써 받았고, 손(巽)은 들어감이니 들어간 뒤에 기뻐하므로 태(兌)로써 받았고,

兌者는 說也니 說而後에 散之라 故受之以渙하고 渙者는 離也니 物不可以終離라 故受之以節하고 節而信之라 故受之以中孚하고 有

其信者는 **必行之**라 **故受之以小過**하고 **有過物者**는 **必濟**라 **故受之以旣濟**하고 **物不可窮也**라 **故受之以未濟**하여 **終焉**하니라

태(兌)는 기뻐함이니 기뻐한 뒤에 흩어지므로 환(渙)으로써 받았고, 환(渙)은 떠남이니 물건은 끝내 떠날 수만은 없으므로 절(節)로써 받았고, 절제하여 믿으므로 중부(中孚)로써 받았고, 자신하는 마음이 있는 자는 반드시 결행하므로 소과(小過)로써 받았고, 남보다 지나침이 있는 자는 반드시 이루므로 기제(旣濟)로써 받았고, 사물은 궁극히 할 수만은 없으므로 미제(未濟)로써 받아 끝마친 것이다.

本義 | 右는 下篇이라

이상은 하편(下篇)이다.

잡괘전(雜卦傳)

이 〈잡괘전〉은 주자의 《본의》와 소주(小註)가 있는 곳에서 단락을 나누었으나 큰 뜻이 없으므로 나머지는 역자의 뜻에 따라 단락을 나누었다.

乾剛坤柔요 **比樂師憂**라 **臨、觀之義**는 **或與或求**라

건(乾)은 강(剛)하고 곤(坤)은 유(柔)하고, 비(比)는 즐겁고 사(師)는 근심한다. 림(臨)과 관(觀)의 뜻은 혹은 내가 가서 상대하고 혹은 상대방이 와서 구하는 것이다.

本義 | 以我臨物曰與요 物來觀我曰求라 或曰 二卦互有與求之義라

나로써 남에게 임함을 '여(與)'라 하고, 남이 와서 나를 봄을 '구(求)'라 한다. 혹자는 "두 괘가 서로 여(與)와 구(求)의 뜻이 있다." 한다.

屯은 **見**(현)**而不失其居**요 **蒙**은 **雜而著**라

준(屯)은 나타나나 그 거처를 잃지 않고, 몽(蒙)은 뒤섞이나 드러난다.

本義 | 屯은 震遇坎이니 震은 動이라 故見이요 坎은 險不行也라 蒙은 坎遇艮이니 坎은 幽昧요 艮은 光明也라 或曰 屯은 以初言이요 蒙은 以二言이라

준(屯)은 진(震 ☳)이 감(坎 ☵)을 만난 것이니 진은 동하므로 나타나고, 감은 험하여 가지 못한다. 몽(蒙)은 감(坎 ☵)이 간(艮 ☶)을 만난 것이니, 감은 어둡고 간은 광명(光明)하다. 혹자는 "준(屯)은 초(初)로써 말하였고, 몽(蒙)은 이(二)로써 말한 것이다." 한다.

震은 **起也**요 **艮**은 **止也**라 **損、益**은 **盛衰之始也**라 **大畜**은 **時也**요 **无妄**은 **災也**라

진(震)은 일어남이요, 간(艮)은 그침이다. 손(損)과 익(益)은 성(盛)·쇠

(衰)의 시작이다. 대축(大畜)은 때이고, 무망(无妄)은 재앙이 오는 것이다.

本義 | 止健者는 時有適然이라 无妄而災自外至라

건(健)을 그침은 때에 마침 그러함이 있는 것이다. 무망(无妄)은 잘못함이 없는데 재앙이 밖으로부터 오는 것이다.

萃는 **聚而升**은 **不來也**라 **謙**은 **輕而豫**는 **怠也**라

췌(萃)는 모임이요 승(升)은 오지 않음이다. 겸(謙)은 자기를 가벼이 여기는 것이요 예(豫)는 태만히 하는 것이다.

噬嗑은 **食也**요 **賁**는 **无色也**라

서합(噬嗑)은 먹는 것이요, 비(賁)는 색이 없는 것이다.

本義 | 白受采라

백색(白色)이 채색을 받는다.

兌는 **見**(현)**而巽**은 **伏也**라

태(兌)는 나타남이요 손(巽)은 엎드림이다.

本義 | 兌는 陰外見이요 巽은 陰內伏이라

태(兌)는 음(陰)이 밖으로 나타난 것이요, 손(巽)은 음이 안에 엎드려 있는 것이다.

隨는 **无故也**요 **蠱則飭也**라

수(隨)는 연고가 없는 것이요, 고(蠱)는 삼가는 것이다.

本義 | 隨前无故요 蠱後當飭이라

따르기 전에는 연고가 없고, 일이 있은 뒤에는 마땅히 삼가야 하는 것이다.

剝은 **爛也**요 **復**은 **反也**라 **晉**은 **晝也**요 **明夷**는 **誅也**라

박(剝)은 물크러짐이요, 복(復)은 돌아옴이다. 진(晉)은 낮이요, 명이(明夷)는 〈밝음이〉 상(傷)함이다.

本義 | 誅는 傷也라

'주(誅)'는 상(傷)함이다.

井은 **通而困**은 **相遇也**라

정(井)은 통함이요, 곤(困)은 서로 만남이다.

本義 | 剛柔相遇而剛見揜也라

강(剛)과 유(柔)가 서로 만나는데 강(剛)이 가리움을 당한 것이다.

咸은 **速也**요 **恒**은 **久也**라

함(咸)은 속(速)함이요 항(恒)은 오램이다.

本義 | 咸速恒久라

함(咸)은 속하고 항(恒)은 오래함이다.

渙은 **離也**요 **節**은 **止也**라 **解**는 **緩也**요 **蹇**은 **難也**라

환(渙)은 떠남이요, 절(節)은 그침이다. 해(解)는 느슨해짐이요, 건(蹇)은 어려움이다.

睽는 **外也**요 **家人**은 **內也**라 **否**、**泰**는 **反其類也**라 **大壯則止**요 **遯則退也**라

규(睽)는 밖이요, 가인(家人)은 안이다. 비(否)와 태(泰)는 그 류(類)를 뒤집어 놓은 것이다. 대장(大壯)은 멈춤이요, 돈(遯)은 물러감이다.

本義 | 止는 謂不進이라

지(止)는 나아가지 않음을 이른다.

··· 飭 : 삼갈 칙 爛 : 문드러질 란 揜 : 가릴 엄

大有는 **衆也**요 **同人**은 **親也**라 **革**은 **去故也**요 **鼎**은 **取新也**라 **小過**는 **過也**요 **中孚**는 **信也**라

대유(大有)는 많음이요, 동인(同人)은 친함이다. 혁(革)은 옛 것을 버림이요, 정(鼎)은 새 것을 취함이다. 소과(小過)는 과함이요, 중부(中孚)는 믿음이다.

豐은 **多故**요 **親寡**는 **旅也**라

풍(豐)은 연고(친구)가 많음이요, 친한 사람이 적음은 려(旅)이다.

本義 | 旣明且動하니 其故多矣라

〈풍은〉 이미 밝고 또 동하니, 연고가 많은 것이다.

離는 **上而坎**은 **下也**라

리(離)는 〈불이〉 올라감이요, 감(坎)은 〈물이〉 내려감이다.

本義 | 火는 炎上이요 水는 潤下라

불은 불타 올라가고, 물은 적셔주고 내려가는 것이다.

小畜은 **寡也**요 **履**는 **不處也**라

소축(小畜)은 적음이요, 리(履)는 한 곳에 머물지 않는 것이다.

本義 | 不處는 行進之義라

불처(不處)는 걸어서 나아가는 뜻이다.

需는 **不進也**요 **訟**은 **不親也**라 **大過**는 **顚也**라 **姤**는 **遇也**니 **柔遇剛也**요 **漸**은 **女歸**니 **待男行也**라 **頤**는 **養正也**요 **旣濟**는 **定也**라

수(需)는 나아가지 않음이요, 송(訟)은 친하지 않음이다. 대과(大過)는 넘어짐이요, 구(姤)는 만남이니 유(柔)가 강(剛)을 만남이요, 점(漸)은 여자가 시집감이니, 남자를 기다려 가는 것이다. 이(頤)는 바름을 기름이

요, 기제(旣濟)는 정(定)함이다.

歸妹는 **女之終也**요 **未濟**는 **男之窮也**라 **夬**는 **決也**라 **剛決柔也**니 **君子道長**이요 **小人道憂也**라

귀매(歸妹)는 여자의 종(終)이요, 미제(未濟)는 남자(男子)의 궁(窮)함이다. 쾌(夬)는 터놓음이다. 강(剛)이 유(柔)를 터놓는 것이니, 군자의 도(道)가 자라나고 소인의 도가 근심스럽다.

本義 | 自大過以下는 卦不反對하니 或疑其錯簡이나 今以韻協之면 又似非誤하니 未詳何義라

대과(大過)로부터 이하는 괘가 반대되지 않으니, 혹 착간(錯簡)인 듯 의심스러우나 이제 운자(韻字)로 맞추어보면 또 오류(誤謬)가 아닌 듯하니, 무슨 뜻인지 자세하지 않다.

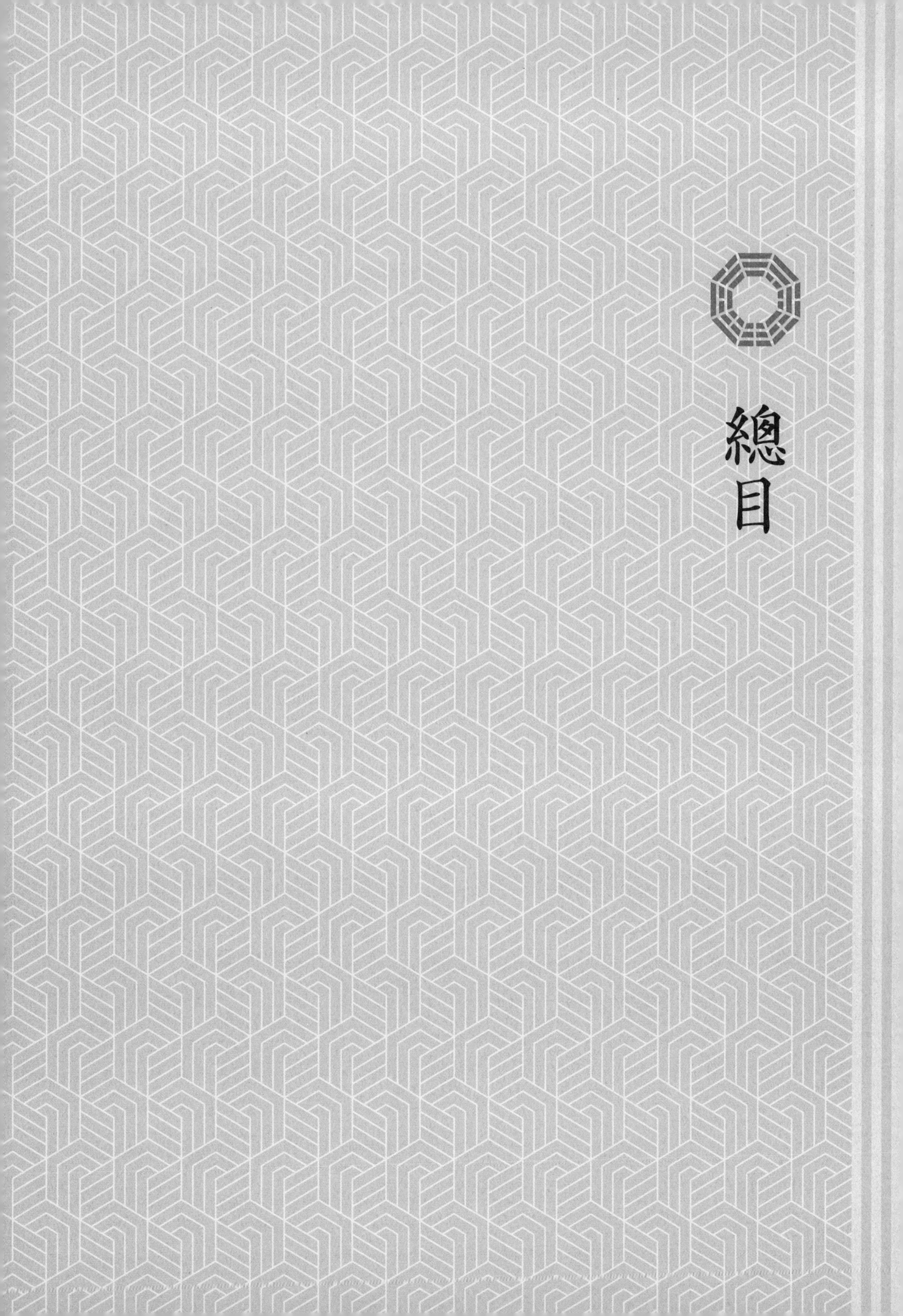

總目

역본의도(易本義圖)

하도지도(河圖之圖)

南

東

西

北

낙서지도(洛書之圖)

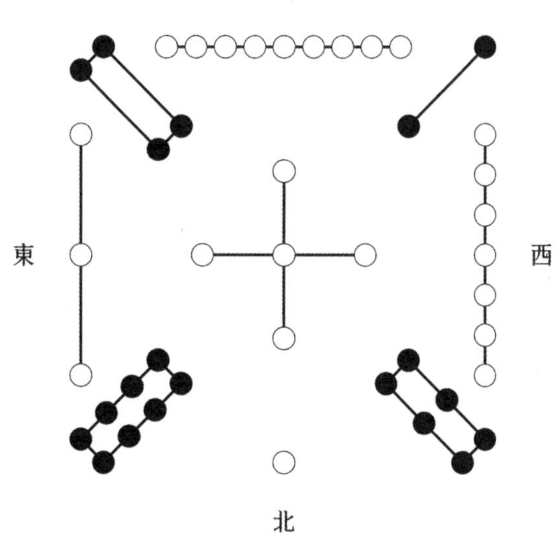

右는 繫辭傳曰 河出圖하고 洛出書어늘 聖人則(칙)之라하고 又曰 天一, 地二, 天三, 地四, 天五, 地六, 天七, 地八, 天九, 地十이니 天數五요 地數五니 五位相得而各有合하니 天數는 二十有五요 地數는 三十이라 凡天地之數 五十有五니 此所以成變化而行鬼神也라하니 此河圖之數也라 洛書는 蓋取龜象이라 故로 其數 戴九履一, 左三右七, 二四爲肩, 六八爲足이니라

이상은 〈계사전〉에 이르기를 "하수(河水; 황하)에서 도(圖)가 나오고 낙수(洛水; 낙하)에서 서(書)가 나오자, 성인(聖人)이 이를 본받았다." 하였고, 또 이르기를 "천(天)이 1이고 지(地)가 2이며, 천(天)이 3이고 지(地)가 4이며, 천(天)이 5이고 지(地)가 6이며, 천(天)이 7이고 지(地)가 8이며, 천(天)이 9이고 지(地)가 10이니, 천(天)의 수(數)가 다섯이고 지(地)의 수(數)가 다섯이다. 다섯 자리가 서로 맞고 각각 합함이 있는 바, 천(天)의 수(數)는 25이고 지(地)의 수(數)는 30이다. 그리하여 무릇 천지(天地)의 수(數)가 55이니, 이것이 변화(變化)를 이루고 귀신(鬼神)을 행한다." 하였으니, 이는 하도(河圖)의 수(數)이다.

낙서(洛書)는 거북의 상(象)을 취하였다. 그러므로 그 수(數)가 9를 위에 이고 1을 아래에 밟고 있으며, 좌(左)는 3이고 우(右)는 7이며, 2와 4는 어깨가 되고, 6과 8은 발이 되었다.

蔡元定曰: 圖書之象은 自漢孔安, 劉歆, 關朗子明과 有北宋康節先生邵雍堯夫로 皆謂如此러니 至劉牧하여 始兩易其名에 而諸家因之라 故今復之하여 悉從其舊하노라

채원정(蔡元定)이 말하였다. "한(漢)나라의 공안국(孔安國)과 유흠(劉歆), 관랑 자명(關朗子明), 북송(北宋)의 강절선생 소옹 요부(康節先生邵雍堯夫)는 모두 위와 같이 말씀하였는데, 유목(劉牧)에 이르러 처음으로 그 이름(하도와 낙서)을 바꿨는데, 제가(諸家)가 이것을 따랐다. 그러므로 이제 회복하여 모두 그 옛날의 이름을 따랐다.

【附錄】 孔安國曰 河圖者는 伏羲氏王天下에 龍馬出河어늘 遂則(칙)其文하여 以畫八卦하시고 洛書者는 禹治水時에 神龜負文而列於背호되 有數至九어늘 禹遂因

而第之하여 以成九類[1]하시니라

공씨(孔氏;공안국(孔安國))가 말하였다.

"하도(河圖)는 복희씨(伏羲氏)가 천하에 왕노릇할 적에 용마(龍馬)가 황하(黃河)에서 나오자 마침내 그 문양(文様)을 본받아 팔괘(八卦)를 그었고, 낙서(洛書)는 우왕(禹王)이 홍수를 다스릴 적에 등에 문양이 있는 신구(神龜)가 낙수에서 나왔는데 등에 나열되어 있는 수(數)가 9까지 있으므로 우왕이 마침내 이것을 인해 차례로 나열하여 구류(九類;구주(九疇))를 이루었다."

○ 劉歆曰 伏羲氏繼天而王하여 受河圖而畫之하시니 八卦是也요 禹治洪水에 賜洛書어늘 法而陳之하시니 九疇是也라 河圖、洛書 相爲經緯하고 八卦、九章이 相爲表裏하니라

유씨(劉氏;유흠(劉歆))가 말하였다.

"복희씨가 하늘을 이어 왕노릇하여 하도를 받아 이것을 그었으니 팔괘(八卦)가 이것이며, 우왕이 홍수를 다스릴 적에 하늘이 낙서를 내려주시므로 이것을 본받아 진열하니 구주(九疇)가 이것이다. 하도와 낙서는 서로 경(經)과 위(緯)가 되고, 팔괘와 구장(九章;구주(九疇))은 서로 표(表)와 리(裏)가 된다."

○ 關朗曰 河圖之文은 七前六後, 八左九右며 洛書之文은 九前一後, 三左七右요 四前左二前右, 八後左六後右니라

1 九類:구류(九類)는 아홉 가지 종류로《서경》의 홍범구주(洪範九疇)를 가리킨다. 홍범은 나라를 다스리는 큰 법이란 뜻이며, 구주는 아홉 가지 무리(종류)란 뜻으로 옛날 우왕(禹王)이 홍수를 다스릴 때에 낙수(洛水)에서 거북이 나왔는데 그 등에 1에서 9까지의 점이 그려져 있었다 한다. 우왕은 이것을 보고 홍범구주를 만들었다 하는데, 첫 번째는 수(水)·화(火)·목(木)·금(金)·토(土)의 오행(五行)이고, 두 번째는 모(貌)·언(言)·시(視)·청(聽)·사(思)의 오사(五事)이며, 세 번째는 사(食)·화(貨)·사(祀)·사공(司空)·사도(司徒)·사구(司寇)·빈(賓)·사(師)의 팔정(八政)이고, 네 번째는 세(歲)·월(月)·일(日)·성신(星辰)·역수(曆數)의 오기(五紀)이며, 다섯 번째는 황극(皇極)이고, 여섯 번째는 정직(正直)·강극(剛克)·유극(柔克)의 삼덕(三德)이며, 일곱 번째는 우(雨)·제(霽)·몽(蒙)·역(驛)·극(克)·정(貞)·회(悔)의 계의(稽疑)이고, 여덟 번째는 우(雨)·양(暘)·오(燠)·한(寒)·풍(風)·시(時)의 서징(庶徵)이며, 아홉 번째는 수(壽)·부(富)·강녕(康寧)·유호덕(攸好德)·고종명(考終命)의 오복(五福)과 흉단절(凶短折)·병(病)·우(憂)·빈(貧)·악(惡)·약(弱)의 육극(六極)이다.

관씨(關氏:관랑(關朗))가 말하였다.

"하도의 문양은 7이 앞에 있고 6이 뒤에 있으며, 8이 왼쪽에 있고 9가 오른쪽에 있으며, 낙서의 문양은 9가 앞에 있고 1이 뒤에 있으며, 3이 왼쪽에 있고 7이 오른쪽에 있으며, 4가 앞의 왼쪽에 있고 2가 앞의 오른쪽에 있으며, 8이 뒤의 왼쪽에 있고 6이 뒤의 오른쪽에 있다."

○ 邵子曰 圓者는 星也니 曆紀之數 其肇於此乎인저 方者는 土也니 畫州井地之法이 其放於此乎인저 蓋圓者는 河圖之數요 方者는 洛書之文이라 故로 羲、文因之而造易하시고 禹、箕敍之而作範也하시니라

소자(邵子:소옹(邵雍))가 말하였다.

"둥근 것은 별이니, 역기(曆紀:책력)의 수(數)가 여기에서 시작되었을 것이다. 네모난 것은 땅이니, 주(州)를 구획하여 정지(井地:정전(井田))를 만든 법이 이것을 따랐을 것이다. 둥근 것은 하도(河圖)의 수(數)이고 네모진 것은 낙서(洛書)의 문양이다. 그러므로 복희(伏羲)와 문왕(文王)이 이것을 따라 역(易)을 만들고 우왕(禹王)과 기자(箕子)가 차례로 이것을 펴서 홍범(洪範)을 지으셨다."

○ 朱子曰 天地之間에 一氣而已니 分而爲二하면 則爲陰陽하여 而五行造化와 萬物始終이 无不管於是焉이라 故로 河圖之位는 一與六共宗而居乎北하고 二與七爲朋而居乎南하고 三與八同道而居乎東하고 四與九爲友而居乎西하고 五與十相守而居乎中하니 蓋其所以爲數者 不過一陰一陽, 一奇一偶하여 以兩其五行而已라 所謂天者는 陽之輕淸而位乎上者也요 所謂地者는 陰之重濁而位乎下者也라 陽數奇故로 一、三、五、七、九 皆屬乎天하니 所謂天數五也요 陰數偶故로 二、四、六、八、十이 皆屬乎地하니 所謂地數五也라 天數、地數 各以類而相求하니 所謂五位之相得者[2] 然也라 天以一生水而地以六成之하고 地以二生火而天以七成之하고 天以三生木而地以八成之하고 地以四生金而天以九成之하고

······

2 所謂五位之相得者:〈계사전 상〉 9장(章)에 보이는바, 오위(五位:다섯 자리)가 서로 맞는다〔五位之相得〕는 것은 1과 2, 3과 4, 5와 6, 7과 8, 9와 10이 서로 맞음을 말한다.

··· 曆:책력 력 肇:비로소 조 歆:공경할 흠

天以五生土而地以十成之하니 此又其所謂各有合焉者也[3]라 積五奇而爲二十五하고 積五偶而爲三十하며 合是二者而爲五十有五하니 此河圖之全數니 皆夫子之意而諸儒之說也라 至於洛書하여는 雖夫子之所未言이나 然其象其說이 已具於前하니 有以通之하면 則劉歆所謂經緯, 表裏者를 可見矣리라

주자가 말씀하였다.

"천지(天地)의 사이에는 한 기(氣, 온전한 기, 근본적인 기)가 있을 뿐이니, 나뉘어 둘이 되면 음(陰)·양(陽)이 되어서 오행(五行)의 조화(造化)와 만물(萬物)의 시종(始終)이 여기에 관섭(管攝)되지 않음이 없다. 그러므로 하도의 위치(자리)는 1과 6이 종(宗)을 함께 하여 북쪽에 있고, 2와 7이 벗이 되어 남쪽에 있고, 3과 8이 도(道)를 함께 하여 동쪽에 있고, 4와 9가 벗이 되어 서쪽에 있고, 5와 10이 서로 지켜서 중앙에 있으니, 그 수(數)가 된 것은 한 음과 한 양, 한 기(奇)와 한 우(偶)가 오행(五行)을 두 번함에 불과할 뿐이다.

이른바 천(天)이라는 것은 양이 가볍고 맑아서 위에 위치한 것이며, 이른바 지(地)라는 것은 음이 무겁고 탁하여 아래에 위치한 것이다. 양수(陽數)는 기수(奇數; 홀수)이기 때문에 1·3·5·7·9가 모두 천(天)에 속하니 이른바 '천(天)의 수(數)가 다섯'이라는 것이며, 음수(陰數)는 우수(偶數; 짝수)이기 때문에 2·4·6·8·10이 모두 지(地)에 속하니 이른바 '지(地)의 수(數)가 다섯'이라는 것이다. 천(天)의 수(數)와 지(地)의 수(數)가 각각 종류로써 서로 구하니, 이른바 '다섯 자리가 서로 맞는다.'는 것이 그러한 것이다.

천(天)이 1로써 수(水)를 낳으면 지(地)가 6으로써 수를 완성하고(이루고), 지(地)가 2로써 화(火)를 낳으면 천(天)이 7로써 화를 완성하고, 천(天)이 3으로써 목(木)을 낳으면 지(地)가 8로써 목을 완성하고, 지(地)가 4로써 금(金)을 낳으면 천(天)이 9로써 금을 완성하고, 천(天)이 5로써 토(土)를 낳으면 지(地)가 10으로써 토를 완성하니, 이는 또 이른바 '각각 합함이 있다.'는 것이다.

다섯 기수(奇數, 1·3·5·7·9)를 모으면 25가 되고 다섯 우수(偶數, 2·4·6·8·10)를 모으면 30이 되며 이 두 가지를 합치면 55가 되니, 이는 하도의 온전한 수

3 此又其所謂各有合焉者也 : 1과 6이 합하여 수(水)를 생성(生成)하고, 2와 7이 화(火)를, 3과 8이 목(木)을, 4와 9가 금(金)을, 5와 10이 토(土)를 생성함을 말한다.

(數)이니, 모두 공자의 뜻이며 제유(諸儒)들의 말씀이다.

낙서에 이르러는 비록 공자께서 말씀하지 않았으나 그 상(象)과 그 말이 이미 앞에 갖추어져 있으니, 이것을 달통함이 있으면 유흠(劉歆)의 이른바 '경(經)·위(緯)가 되고 표(表)·리(裏)가 된다.'는 것을 알 수 있을 것이다."

或曰 河圖、洛書之位與數 所以不同은 何也오 曰 河圖는 以五生數로 統五成數하여 而同處其方하니 蓋揭其全以示人하여 而道其常數之體也요 洛書는 以五奇數로 統四偶數하여 而各居其所하니 蓋主於陽以統陰하여 而肇其變數之用也니라

혹자가 묻기를 "하도와 낙서의 위치와 수(數)가 똑같지 않음은 어째서인가?" 하기에 내(주자)가 다음과 같이 대답하였다.

"하도는 다섯 개의 생수(生數:1, 3, 5, 7, 9)로 다섯 개의 성수(成數:2, 4, 6, 8, 10)를 통솔하여 함께 같은 방위에 있으니, 온전함을 게시하여 사람들에게 보여주어 상수(常數:일정한 수)의 체(體)를 말한 것이고, 낙서는 다섯 개의 기수(奇數:1, 3, 5, 7, 9)로 네 개의 우수(偶數:2, 4, 6, 8)를 통솔하여 각각 그 방소에 있으니, 양(陽)을 주장하여 음(陰)을 통솔해서 변수(變數:변하는 수)의 용(用)을 시작한 것이다."

曰 其皆以五居中者는 何也오 曰 凡數之始는 一陰一陽而已矣라 陽之象은 圓하니 圓者는 徑一而圍三이요 陰之象은 方하니 方者는 徑一而圍四라 圍三者는 以一爲一이라 故로 參(참)其一陽而爲三하고 圍四者는 以二爲一이라 故로 兩其一陰而爲二하니 是所謂參天兩地者也[4]라 三二之合이면 則爲五矣니 此河圖、洛書之數 所以皆以五爲中也니라 然이나 河圖는 以生數爲主라 故其中之所以爲五者 亦具五生數之象焉하니 其下一點은 天一之象也요 其上一點은 地二之象也요 其左一點은 天三之象也요 其右一點은 地四之象也요 其中一點은 天五之象也라 洛書는 以奇數爲主라 故其中之所以爲五者 亦具五奇數之象焉하니 其下一點은 亦天一之

······

4 所謂參天兩地者也 : 참(參)과 양(兩)은 3과 2를 더한다는 뜻이다. 참천양지(參天兩地)는 〈설괘전(說卦傳)〉에 보이는바, 천원지방(天圓地方)의 학설에 따라 둥근 하늘에서 3을 취하고 네모진 땅에서 2를 취하여 5가 되었음을 말한다. 원(圓)은 그 비율에 있어 직경이 1이면 둘레는 3이 조금 넘으므로 3을 그대로 취하고, 방(方:네모)은 직경이 1이면 둘레는 4가 되지만 가로와 세로의 1면만 재면 전체를 알 수 있으므로 2를 취한 것이다.

··· 揭 : 들 게 徑 : 지름길 경 柰 : 어찌 내

象也요 其左一點은 亦天三之象也요 其中一點은 亦天五之象也요 其右一點은 則天七之象也요 其上一點은 則天九之象也라 其數與位 皆三同而二異[5]하니 蓋陽不可易而陰可易이니 成數雖陽이나 固亦生之陰也일새라

"하도와 낙서가 모두 5를 중앙에 놓은 것은 어째서인가?"

"무릇 수(數)의 시초는 한 음(陰)과 한 양(陽)일 뿐이다. 양의 상(象)은 둥그니 둥근 것은 지름이 1에 둘레가 3이며, 음의 상(象)은 네모지니 네모진 것은 지름이 1에 둘레가 4이다. 둘레가 3인 것은 1을 1로 삼기 때문에 한 양을 더하여 3이 되고, 둘레가 4인 것은 2를 1로 삼기 때문에 한 음을 더하여 2가 되니, 이는 이른바 '하늘에서 3을 취하고 땅에서 2를 취했다.'는 것이다. 3과 2가 합하면 5가 되니, 이는 하도와 낙서의 수(數)가 모두 5를 중앙으로 삼은 이유이다.

그러나 하도는 생수(生數)를 위주로 하기 때문에 중앙의 5가 또한 다섯 생수의 상(象)을 갖추고 있으니, 아래에 있는 한 점은 천일(天一)의 상(象)이고 위에 있는 한 점은 지이(地二)의 상이며, 왼쪽에 있는 한 점은 천삼(天三)의 상이고 오른쪽에 있는 한 점은 지사(地四)의 상이며, 중앙에 있는 한 점은 천오(天五)의 상이다. 낙서는 기수(奇數)를 위주로 하기 때문에 중앙의 5가 또한 다섯 기수의 상을 갖추고 있으니, 아래에 있는 한 점은 또한 천일(天一)의 상이고 왼쪽에 있는 한 점은 천삼(天三)의 상이며, 중앙에 있는 한 점은 또한 천오(天五)의 상이고 오른쪽에 있는 한 점은 천칠(天七)의 상이며, 위에 있는 한 점은 천구(天九)의 상이다. 그(하도와 낙서) 수(數)와 위치가 모두 셋(1, 3, 5)은 같으나 둘(2, 4)은 다르니, 양은 바뀔 수가 없으나 음은 바뀔 수가 있는 것이며, 성수(成數:7, 9)는 비록 양이나 진실로 낳은 것(2, 4)이 음이기 때문이다."

曰 中央之五는 固爲五數之象矣어니와 然則其爲數也 奈何오 曰 以數言之하면 則通乎一圖하니 由內及外에 固各有積實可紀之數矣라 然이나 河圖之一、二、

······

5 其數與位 皆三同而二異 : 삼(三)은 1·3·5를 가리키고 이(二)는 2와 4를 가리킨다. 하도와 낙서에 양수(陽數)가 자리한 중앙과 왼쪽 그리고 아래쪽은 5·3·1로 똑같지만 음수(陰數)가 자리한 위쪽과 오른쪽은 서로 다름을 말한 것이다. 즉 하도는 2와 4인데 반하여 낙서는 4와 2로 자리 바꿈을 하였다.

三、四는 各居其五象本方[6]之外하고 而六、七、八、九、十者 又各因五而得數하여 以附于其生數之外하며 洛書之一、三、七、九도 亦各居其五象本方之外하고 而二、四、六、八者 又各因其類하여 以附于奇數之側하니 蓋中者爲主而外者爲客이요 正者爲君而側者爲臣이니 亦各有條而不紊也니라

"중앙의 5는 진실로 다섯 수(數)의 상(象)이 된다. 그렇다면 그 수는 어떠한 것인가?"

"수(數)로써 말하면 한 도(圖)에 통하니, 안으로부터 밖에 이르기까지 진실로 각기 적실(積實;쌓아 실을 이룸)하여 기록할 만한 수가 있다. 그러나 하도의 1·2·3·4는 각각 오상(五象) 본방(本方)의 밖에 있고 6·7·8·9·10은 또 각각 5로 인하여 수(數)를 얻어서 생수(生數)의 밖에 붙어 있으며, 낙서의 1·3·7·9 또한 각각 오상 본방의 밖에 있고 2·4·6·8이 또한 각각 그 류(類)를 따라 기수(奇數)의 곁에 붙어 있으니, 중앙은 주(主)가 되고 밖에 있는 것은 객(客)이 되며 바른 자리에 있는 것은 군(君)이 되고 곁에 있는 것은 신(臣)이 되니, 또한 각각 조리가 있어 문란하지 않다."

曰 其多寡之不同은 何也닛고 曰 河圖는 主全이라 故極於十하여 而奇偶之位均하니 論其積實然後에 見其偶贏(영)而奇乏也요 洛書는 主變이라 故로 極於九하여 而其位與實이 皆奇贏而偶乏也하니 必皆虛其中也然後에 陰陽之數 均於二十而无偏爾니라

"많고 적음이 똑같지 않음은 어째서인가?"

"하도는 온전함을 주장하기 때문에 10에 지극하여 기수(奇數)와 우수(偶數)의 위치가 고르니, 그 적실(積實)을 논한 뒤에야 우수(30)가 남고 기수(25)가 부족함을 볼 수 있으며, 낙서는 변함을 주장하기 때문에 9에 지극하여 위치와 적실이 모두 기수(25)가 남고 우수(20)가 부족하니, 반드시 모두 중앙을 비운 뒤에야 음과 양의 수가 똑같이 20이 되어서 편벽됨이 없게 된다."

······

6 五象本方 : 오상(五象)은 하도와 낙서의 중앙에 있는 다섯 개의 점을 이르며, 본방(本方)은 동·서·남·북의 본래 방위를 이른다.

··· 紊 : 문란할 문 贏 : 남을 영 乏 : 부족할 핍 旋 : 돌 선

曰 其序之不同은 何也오 曰 河圖는 以生出之次言之하면 則始下, 次上, 次左, 次右하여 以復(복)于中而又始于下也요 以運行之次言之하면 則始東, 次南, 次中, 次西, 次北하여 左旋一周而又始于東也[7]라 其生數之在内者는 則陽居下左而陰居上右也요 其成數之在外者는 則陰居下左而陽居上右也라 洛書之次는 其陽數則首北, 次東, 次中, 次西, 次南이요 其陰數則首西南, 次東南, 次西北, 次東北也니 合而言之하면 則首北, 次西南, 次東, 次東南, 次中, 次西北, 次西, 次東北而究于南也하고 其運行則水克火, 火克金, 金克木, 木克土하여 右旋一周而土復克水也하니 是亦各有說矣니라

"차례가 똑같지 않음은 어째서인가?"

"하도는 출생(出生)한 차례로 말하면 아래(1)에서 시작하여, 다음은 위(2), 다음은 왼쪽(3), 다음은 오른쪽(4)으로 해서 중앙(5)으로 돌아갔다가 다시 아래에서 시작하며, 운행(運行)하는 순서로 말하면 동쪽(3)에서 시작하여, 다음은 남쪽(2), 다음은 중앙(5), 다음은 서쪽(4), 다음은 북쪽(1)으로 해서 왼쪽으로 한 바퀴를 돌아 다시 동쪽에서 시작한다. 안에 있는 생수(生數)는 양(陽)이 아래와 왼쪽에 있고 음(陰)이 위와 오른쪽에 있으며, 밖에 있는 성수(成數)는 음이 아래와 왼쪽에 있고 양이 위와 오른쪽에 있다.

낙서의 차례는 양수(陽數)는 북쪽을 첫 번째로 하여, 다음은 동쪽, 다음은 중앙, 다음은 서쪽, 다음은 남쪽이며, 음수(陰數)는 서남쪽을 첫 번째로 하여, 다음은 동남쪽, 다음은 서북쪽, 다음은 동북쪽이니, 합하여 말하면 북쪽을 첫 번째로 하여, 다음은 서남쪽, 다음은 동쪽, 다음은 동남쪽, 다음은 중앙, 다음은 서북쪽, 다음은 서쪽, 다음은 동북쪽으로 해서 남쪽에 이르며, 운행은 1의 수(水)는 2의 화(火)를 이기고 화(火)는 4의 금(金)을 이기고 금(金)은 3의 목(木)을 이기고 목(木)은 5의 토(土)를 이겨서 오른쪽으로 한 바퀴를 돌아 토(土)가 다시 수(水)를 이기니,

••••••

7 以運行之次言之……又始于東也 : 운행의 차례란 춘(春)·하(夏)·추(秋)·동(冬)을 말한 것이다. 천간(天干)을 가지고 말하면 갑(甲)·을(乙)의 동방 목(東方木)은 봄이고 병(丙)·정(丁)의 남방 화(南方火)는 여름이고 무(戊)·기(己)의 중앙 토(中央土)는 음력 계하(季夏)인 6월에 해당하고 경(庚)·신(辛)의 서방 금(西方金)은 가을이고 임(壬)·술(戌)의 북방 수(北方水)는 겨울이다. 이는 목생화(木生火), 화생토(火生土), 토생금(土生金), 금생수(金生水)의 오행 상생(五行相生)의 원리를 따른 것이다.

이 또한 각기 설(이론)이 있는 것이다.”

曰 其七、八、九、六之數不同은 何也오 曰 河圖는 六、七、八、九 旣附於生數之外矣니 此는 陰陽老少進退饒乏之正也라 其九者는 生數一、三、五之積也라 故自北而東, 自東而西하여 以成于四之外하고 其六者는 生數二、四之積也라 故自南而西, 自西而北하여 以成于一之外하며 七則九之自西而南者也요 八則六之自北而東者也니 此又陰陽老少互藏其宅之變也[8]라 洛書之縱橫十五而七、八、九、六이 迭爲消長하고 虛五分十而一含九, 二含八, 三含七, 四含六하니 則參伍錯綜[9]하여 无適而不遇其合焉하니 此는 變化无窮之所以爲妙也니라

"7·8·9·6의 수(數)가 똑같지 않음은 어째서인가?"

"하도는 6·7·8·9가 이미 생수(生數)의 밖에 붙어 있으니, 이는 음과 양의 노(老)와 소(少)가 나아가고 물러남과 남고 부족함의 바름이다. 9는 생수(生數)의 1·3·5가 모인 것이므로 북쪽〔1〕으로부터 동쪽〔3〕으로 가고 동쪽으로부터 서쪽〔4〕으로 가서 4의 밖에 이루어지고, 6은 생수(生數)의 2와 4가 모인 것이므로 남쪽〔2〕으로부터 서쪽〔4〕으로 가고 서쪽으로부터 북쪽〔1〕으로 가서 1의 밖에 이루

8 陰陽老少進退饒乏之正也……陰陽老少互藏其宅之變也 : 퇴계(退溪)는 이에 대하여 다음과 같이 말씀하였다. "양(陽)은 7(소양(少陽))에서 9(노양(老陽))로 나아가고 음(陰)은 8(소음(少陰))에서 6(노음(老陰))으로 물러나며, 노양수(老陽數)인 9는 소음수(少陰數)인 8보다 많고 소양수(少陽數)인 7은 노음수(老陰數)인 6보다 많으므로 말한 것이다. 노양수인 9는 노양의 자리인 1에서 이루어지지 않고 노음의 자리인 4에서 이루어지며, 노음수인 6은 노음의 자리인 4에서 이루어지지 않고 노양의 자리인 1에서 이루어지니, 이는 노양과 노음이 서로 그 집에 감추는 변화이다. 9가 서쪽으로부터 남쪽으로 가서 소양의 7을 이루니 이는 양으로서 물러나는 것이요, 6이 북쪽으로부터 동쪽으로 가서 소음의 8을 이루니 이는 음으로서 나아가는 것이며, 또 모두 서로 자리를 바꾸어 이루니 이는 소양과 소음이 서로 그 집에 감추는 변화이다. 정(正)은 노양·노음과 소양·소음의 떳떳한 본수(本數)를 가지고 말한 것이며, 변(變)은 노양과 노음에 있어서는 생수(生數)가 쌓임으로 인하여 이루어졌고, 소양과 소음은 또 노양과 노음으로부터 와서 이루어졌으니, 이는 정(正)과 변(變)의 구별이다."《계몽전의(啓蒙傳義)》
위에 '생수(生數)가 쌓임으로 인하여 이루어졌다.'는 것은 생수는 1·2·3·4·5를 가리키는 바, 1·3·5가 합하여 노양수(老陽數)인 9가 이루어졌고, 2·4가 합하여 노음수(老陰數)인 6이 이루어졌으므로 말한 것이다.

9 參伍錯綜 : 참오(參伍)는 3으로도 세어보고 5로도 세어보아 이리저리 대조하여 참조하는 것이며, 착종(錯綜) 역시 이리저리 종합하는 것으로 〈계사전 상〉 10장(章)의 '參伍以變 錯綜其數'의 주(註)에 자세히 보인다.

··· 饒 : 남을 요, 넉넉할 요 迭 : 번갈을 질 隅 : 귀퉁이 우 稽 : 상고할 계

어지며, 7은 9가 서쪽으로부터 남쪽으로 간 것이고, 8은 6이 북쪽으로부터 동쪽으로 간 것이니, 이는 또 음과 양의 노(老)와 소(少)가 서로 그 집에 감추는 변화이다.

낙서(洛書)는 가로와 세로의 수(數)가 15인데 7 · 8 · 9 · 6이 번갈아 소장(消長)이 되며 중앙의 5를 비우고 10으로 나누어 1이 9를 머금고 2가 8을 머금고 3이 7을 머금고 4가 6을 머금으니, 참오(參伍)하고 착종(錯綜)하여 가는 곳마다 그 합(合;10)을 만나지 않음이 없으니, 이것이 변화가 무궁하여 묘함이 되는 이유이다."

然則聖人之則之也는 奈何오 日 則河圖者는 虛其中이요 則洛書者는 總其實也라 河圖之虛五與十者는 太極也요 奇數二十, 偶數二十者는 兩儀也요 以一二三四로 爲六七八九者는 四象也[10]요 析四方之合하여 以爲乾、坤、離、坎하고 補四隅之空하여 以爲兌、震、巽、艮者는 八卦也라 洛書之實은 其一은 爲五行이요 其二는 爲五事요 其三은 爲八政이요 其四는 爲五紀요 其五는 爲皇極이요 其六은 爲三德이요 其七은 爲稽疑요 其八은 爲庶徵이요 其九는 爲福、極[11]이니 其位與數 尤曉然矣니라

"그렇다면 성인(聖人)이 본받았다는 것은 어떤 것인가?"

"하도는 중앙을 비웠고 낙서는 실수(實數)를 총괄하였다. 하도에 5와 10을 중앙에 두어 비운 것은 태극(太極)이고, 기수(奇數 1 · 3 · 7 · 9) 20과 우수(偶數 2 · 4 · 6 · 8) 20은 양의(兩儀)이며, 1 · 2 · 3 · 4로 6 · 7 · 8 · 9를 만든 것은 사상(四象)이고, 사방(四方)의 합(合)을 나누어 건(乾) · 곤(坤) · 리(離) · 감(坎)을 만들고 사우(四隅)의 빈 곳을 메워서(보전해서) 태(兌) · 진(震) · 손(巽) · 간(艮)을 만든 것은 팔괘(八卦)이다.

낙서의 실제는 첫 번째는 오행(五行)이고 두 번째는 오사(五事)이고 세 번째는 팔정(八政)이고 네 번째는 오기(五紀)이고 다섯 번째는 황극(皇極)이고 여섯 번째는 삼덕(三德)이고 일곱 번째는 계의(稽疑)이고 여덟 번째는 서징(庶徵)이고 아홉 번

10 以一二三四……四象也 : 사상(四象)이 태어난 순서는 태양이 1번, 소음이 2번, 소양이 3번, 태음이 4번이며, 사상의 고유번호는 태양은 9, 소음은 8, 소양은 7, 태음은 6인바, 이 역시 1과 9, 2와, 8, 3과 7, 4와 6을 합하면 각각 모두 10이 된다.

11 洛書之實……爲福極 : 복극(福極)은 홍범구주(洪範九疇)의 조목으로 오복(五福)과 육극(六極)으로 이 내용은 위의 구류(九類) 주(註)에 자세히 보인다.

째는 오복(五福)과 육극(六極)이니, 위치와 수(數)가 더욱 분명하다."

曰 洛書而虛其中五면 則亦太極也요 奇偶各居二十이면 則亦兩儀也요 一、二、三、四而含九、八、七、六하여 縱橫十五而互爲七、八、九、六이면 則亦四象也요 四方之正으로 以爲乾坤離坎하고 四隅之偏으로 以爲兌、震、巽、艮이면 則亦八卦也라 河圖之一六爲水, 二七爲火, 三八爲木, 四九爲金, 五十爲土는 則固洪範之五行이요 而五十五者는 又九疇之子目也니 是則洛書固可以爲易이요 而河圖亦可以爲範矣니 又安知圖之不爲書, 書之不爲圖也耶아

"낙서에서 중앙의 5를 비우면(빼면) 또한 태극이고, 기수와 우수가 각각 20을 차지하면 또한 양의(兩儀)이며, 1·2·3·4가 9·8·7·6을 머금어서 종횡(縱橫)으로 15가 되어 서로 7·8·9·6이 되면 또한 사상(四象)이고, 사방(四方)의 정위(正位)로 건(乾)·곤(坤)·리(離)·감(坎)을 삼고 사우(四隅)의 편위(偏位;기운자리)로 태(兌)·진(震)·손(巽)·간(艮)을 삼으면 또한 팔괘(八卦)이다.

하도의 1·6이 수(水)가 되고 2·7이 화(火)가 되고 3·8이 목(木)이 되고 4·9가 금(金)이 되고 5·10이 토(土)가 됨은 진실로 홍범의 오행(五行)이며, 55는 또 구주(九疇)의 자목(子目;세목(細目))이다. 이는 낙서가 신실로 역(易)이 될 수 있고 하도 또한 홍범이 될 수 있는 것이니, 또 어찌 하도가 낙서가 되지 않고 낙서가 하도가 되지 않음을 알겠는가."

曰 是其時雖有先後하고 數雖有多寡나 然其爲理則一而已라 但易은 乃伏羲之先得乎圖而初无所待於書요 範則大禹之所獨得乎書而未必追考於圖爾라 且以河圖而虛十이면 則洛書四十有五之數也요 虛五면 則大衍五十之數也요 積五與十이면 則洛書縱橫十五之數也요 以五乘十하고 以十乘五하면 則又皆大衍之數也요 洛書之五 又自含五면 則得十而通爲大衍之數矣요 積五與十이면 則得十五而通爲河圖之數矣니 苟明乎此하면 則橫斜曲直이 无所不通이니 而河圖、洛書 又豈有先後彼此之間哉아

"때는 비록 선후(先後)가 있고 수(數)는 비록 다과(多寡)가 있으나 이치가 됨은 하나일 뿐이다. 다만 역(易)은 복희가 먼저 하도에서 얻어서 애당초 낙서를 필요로 함이 없었고, 홍범은 대우(大禹)가 홀로 낙서에서 얻어서 굳이 하도에 추고(追

••• 偏 : 치우칠 편 寡 : 적을 과 斜 : 기울 사 疇 : 무리 주 它 : 다를 타(他同)

考)하지 않았을 뿐이다.

또 하도에서 10을 비우면 낙서의 45의 수(數)이고, 5를 비우면 대연(大衍)의 50의 수(數)이다. 그리고 5와 10을 모으면 낙서의 종횡(縱橫) 15의 수이며, 5를 10으로 곱하고 10을 5로 곱하면 또 모두 대연(大衍;50)의 수이다.

낙서의 5가 또 스스로 5를 머금고 있으면 10이 되어 통하여 대연(大衍)의 수(數)가 되며, 5와 10을 모으면 15가 되어 통하여 하도의 수가 되니, 진실로 이것을 잘 안다면 횡사(橫斜)와 곡직(曲直)이 통하지 않는 바가 없을 것이니, 하도와 낙서가 또 어찌 선후(先後)와 피차(彼此)의 간격이 있겠는가."

○ 西山蔡氏曰 古今傳記에 自孔安國、劉向父子、班固는 皆以爲河圖授羲하고 洛書錫禹라하고 關子明、邵康節은 皆以爲十爲河圖하고 九爲洛書라하니 蓋大傳에 旣陳天地五十有五之數하고 洪範에 又明言天乃錫禹洪範九疇로되 而九宮之數[12]는 戴九履一하고 左三右七하고 二四爲肩하고 六八爲足하니 正龜背之象也라 唯劉牧意見은 以九爲河圖하고 十爲洛書하여 託言出於希夷라하니 旣與先儒舊說不合이요 又引大傳하여 以爲二者 皆出於伏羲之世라하니 其易置圖書는 竝无明驗이라 但謂伏羲兼取圖書는 則易範之數 誠相表裏하니 爲可疑耳나 其實은 天地之理 一而已矣니 雖時有古今先後之不同이나 而其理則不容有二也라 故로 伏羲但據河圖以作易하시니 則不必預見洛書로되 而已逆與之合矣요 大禹但據洛書以作範하시니 則亦不必追考河圖로되 而已暗與之符矣라 其所以然者는 何哉오 誠以此理之外에 无復它理故也니라

서산채씨(西山蔡氏;채원정(蔡元定))가 말하였다.

"고금(古今)의 전해오는 기록에 공안국(孔安國)과 유향(劉向) 부자(父子;유향과 유흠(劉歆))와 반고(班固)는 모두 '하도는 하늘이 복희(伏羲)에게 주었고 낙서는 하늘이 우왕(禹王)에게 주었다.' 하였고, 관자명(關子明;관랑(關朗))과 소강절(邵康節)은 모두 '10을 하도라 하고 9를 낙서라 한다.' 하였다.

《대전(大傳;계산전)》에 이미 천지(天地) 55의 수를 나열하였고, 〈홍범〉에 또 '하

12 九宮之數 : 구궁(九宮)은 낙서의 수인바 1에서부터 9까지 있으므로 구궁이라 한 것이며, 중앙을 중궁이라 한다.

늘이 마침내 우왕에게 홍범 구주(洪範九疇)를 주었다.'고 분명히 말하였는데, 구궁(九宮)의 수는 9를 위에 이고 1을 아래에 밟으며 왼쪽은 3이고 오른쪽은 7이며 2와 4가 어깨가 되고 6과 8이 발이 되니, 이는 바로 거북 등의 상(象)이다.

오직 유목(劉牧)의 의견은 9를 하도라 하고 10을 낙서라 하면서 희이(希夷;진단(陳摶))에게서 나왔다고 칭탁하여 말하는데 이미 선유(先儒)들의 구설(舊說)과 합하지 않으며, 또 《대전》을 인용하여 '하도와 낙서 두 가지가 모두 복희의 세대에 나왔다.' 하니, 하도와 낙서를 바꿔 놓은 것은 모두 분명한 증거가 없다. 다만 '복희가 하도와 낙서를 겸하여 취했다.'고 말한 것은 역(易)과 〈홍범〉의 수(數)가 진실로 서로 표리가 되니 의심스러울 만하나, 그 실제는 천지의 이치가 하나일 뿐이니, 비록 때는 고금(古今)과 선후(先後)의 다름(차이)이 있으나 이치는 두 가지가 있을 수 없는 것이다. 그러므로 복희는 다만 하도만을 근거하여 역(易)을 지으셨으니, 또한 굳이 낙서를 미리 보지 않았으나 이미 미리 서로 부합된 것이고, 대우(大禹)는 다만 낙서만을 근거하여 〈홍범〉을 지으셨으니, 그렇다면 또한 굳이 하도를 추고(追考)하지 않았으나 이미 은연중에 서로 부합된 것이다. 이러한 까닭은 어째서인가? 진실로 이 이치의 밖에 다시 다른 이치가 없기 때문이다.

然不特此耳라 律呂有五聲、十二律而其相乘之數 究於六十하고 日名有十幹、十二支而其相乘之數 亦究於六十하니 二者皆出於易之後요 其起數又各不同이나 然與易之陰陽策數老少 自相配合[13]하여 皆爲六十者로 无不若合符契也라 下至運氣、參同、太一之屬[14]하여는 雖不足道나 然亦无不相通하니 蓋自然之理也

••••••

13 易之陰陽策數老少 自相配合 : 노양수(老陽數)는 9인데 시초를 4개씩 아홉 번을 떼어내면 4×9는 36으로 13책(策)이 남아 노양효(老陽爻)가 되며, 소음수(少陰數)는 8인데 시초를 4개씩 여덟 번을 떼어내면 4×8은 32로 17책이 남아 소음수가 되며, 소양수(少陽數)는 7인데 시초를 4개씩 일곱 번을 떼어내면 4×7은 28로 21책이 남아 소양효(少陽爻)가 되며, 노음수(老陰數)는 6인데 시초를 4개씩 여섯 번을 떼어내면 4×6은 24로 25책이 남아 노음효(老陰爻)가 되므로 말한 것이다.

14 運氣參同太一之屬 : 운기(運氣)는 오운(五運)·육기(六氣)로 오운은 갑(甲)·기(己)는 토(土)가 되고 을(乙)·경(庚)은 금(金)이 되고 병(丙)·신(辛)은 수(水)가 되고 정(丁)·임(壬)은 목(木)이 되고 무(戊)·계(癸)는 화(火)가 되어 갑년(甲年)과 기년(己年)에는 토운(土運)이 통솔함을 이르며, 육기는 자(子)·오(午)는 소음 군화(少陰君火)이고 축(丑)·미(未)는 태음 습토(太陰濕土)이며, 인(寅)·신(申)은 소양 상화(少陽相火)이고, 묘(卯)·유(酉)는 양명 조금(陽明燥金)이며, 진(辰)·술

라 假令今世에 復有圖、書者出이라도 其數亦必相符하리니 可謂伏羲有取於今日而作易乎아 大傳所謂河出圖, 洛出書, 聖人則之者는 亦汎言聖人作易, 作範이 其原皆出於天之意니 如言以卜筮者尙其占과 與莫大乎蓍龜之類[15]니 易之書豈有龜與卜之法乎아 亦言其理無二而已爾니라

그러나 이 뿐만이 아니다. 율(律)·려(呂)에는 오성(五聲)과 십이율(十二律)이 있는데 그 상승(相乘;서로 곱함)한 수(數)가 60에 이르고, 날짜의 명칭은 십간(十干)과 십이지(十二支)가 있는데 상승(相乘)한 수가 또한 60에 이르니, 두 가지는 모두 역(易)의 뒤에 나왔고 수(數)를 일으키는 방법이 또 각각 똑같지 않으나 역의 음·양의 책수(策數)와 노(老)·소(少)가 서로 배합되어 모두 60이 되는 것과 부절(符節)을 합한 것처럼 똑같지 않음이 없다. 아래로 운기(運氣)와 참동(參同), 태일(太一) 등에 이르러는 비록 말할 것이 못되나 또한 서로 통하지 않음이 없으니, 이는 자연의 이치이다.

가령 지금 세상에 다시 하도와 낙서가 나온다 하더라도 그 수(數)가 또한 반드시 서로 부합될 것이니, 복희가 오늘날에 취하여 역을 지었다고 이를 수 있겠는가. 《대전(大傳)》에 이른바 '하수(河水)에서 하도가 나오고 낙수(洛水)에서 낙서가 나오자 성인(聖人)이 본받았다.'는 것은 또한 성인이 역을 짓고 〈홍범〉을 지은 것이 그 근원이 모두 하늘에서 나온 뜻을 범연히 말한 것이다. 예컨대 '이로써 복서(卜筮)하는 자는 그 점(占)을 숭상한다.'는 것과 '시초와 거북점보다 더 큰 것이 없다.'고 말한 것과 같은 따위이니, 《주역》 책에 어찌 거북과 거북점을 치는 법이 있겠는가. 또한 그 이치가 두 가지가 없음을 말한 것일 뿐이다."

○ 朱子曰 世傳一至九數者는 爲河圖요 一至十數者는 爲洛書라하여 正是反而置之하니 予於啓蒙에 辨之詳矣로라 近讀大戴禮明堂篇하니 言其制度에 有曰

(戌)은 태양 한수(太陽寒水)이고 사(巳)·해(亥)는 궐음 풍목(厥陰風木)으로 이 여섯 기운이 기후를 주관한다고 한다. 참동(參同)은 후한(後漢)의 위백양(魏伯陽)이 지은 《참동계(參同契)》로 역(易)의 효상(爻象)을 응용하여 도가(道家)의 수양하는 방법을 설명한 책이며, 태일(太一)은 태을(太乙)이라고도 하는바 태극(太極)을 가리킨 것으로 술수의 한 가지인데 구궁(九宮)을 응용하여 길흉을 점치는 것이다.

15 以卜筮者尙其占 與莫大乎蓍龜之類 : 이 두 구(句)는 모두 〈계사전 상〉에 보인다.

二九四, 七五三, 六一八이어늘 鄭氏註云 法龜文也[16]라하니 得此一證하면 則漢人固以此九數者로 爲洛書矣니라

주자가 말씀하였다.

"세상에 전하기를 1부터 9의 수(數)에 이르는 것을 하도라 하고 1부터 10의 수(數)에 이르는 것을 낙서라 하여 정반대로 놓았으니, 내가《역학계몽(易學啓蒙)》에서 상세히 변론하였다. 근간에《대대례(大戴禮)》의〈명당(明堂)〉을 읽어보니, 그 제도를 말한 내용에 2·9·4와 7·5·3, 6·1·8이라고 한 것이 있었는데, 정씨(鄭氏;정현(鄭玄))의 주(註)에 '이는 거북 등의 문양을 본받은 것이다.' 하였으니, 이 한 가지 증거를 보면 한(漢)나라 사람들도 진실로 이 아홉 수(數)를 낙서라고 한 것이다."

又曰 夫以河圖、洛書로 爲不足信은 自歐陽公以來로 已有此說이나 然終无奈顧命、繫辭、論語에 皆有是言[17]이요 而諸儒所傳二圖之數가 雖有交互나 而无乖戾하고 順數、逆推에 縱橫曲直이 皆有明法하니 不可得而破除也라 至如河圖하여는 與易之天一至地十者合이요 而載天地五十有五之數하니 則固易之所自出也며 洛書는 與洪範之初一至次九者合이요 而具九疇之數하니 則固洪範之所自出也라 繫辭에 雖不言伏羲受河圖以作易이나 然所謂仰觀俯察, 近取遠取[18]가 安知河圖非其中之一事耶아 大抵聖人制作所由는 初非一端이나 然其法象之規模는

······

16 近讀大戴禮明堂篇……法龜文也 : 퇴계는 2·9·4, 7·5·3, 6·1·8을 각각 세 자씩 연결하여 읽어야 함을 강조하고 "이는 낙서(洛書)를 가로로 잘라 셋으로 만들어 말한 것으로 낙서의 구궁(九宮)을 본떠 명당(明堂)의 제도를 만든 것이다." 하였다.《啓蒙傳義》
구문(龜文)은 거북의 등에 있는 문양으로 곧 낙서를 가리키는 바, 낙서의 구궁(九宮)을 가로로 잘라 좌(左)에서 우(右)로 볼 경우 4·9·2, 3·5·7, 8·1·6의 순서로 되어 있는데, 여기서는 우에서 좌로 보기 때문에 위와 같이 말한 것이다.

17 顧命繫辭論語 皆有是言 :《서경》의〈고명(顧命)〉에 "天球河圖在東序"라고 보이며,〈계사전 상〉에 "河出圖, 洛出書"라고 보이며,《논어》〈자한(子罕)〉에 "鳳鳥不至 河不出圖"라고 보이므로 말한 것이다.

18 仰觀俯察 近取遠取 :〈계사전 하〉에 "복희씨가 천하에 왕 노릇하실 적에 우러러서는 하늘에서 상(象)을 취하고 굽어서는 땅에서 법을 취하였으며……가까이는 자기 몸에서 취하고 멀리서는 물건에서 취하였다.〔伏犧氏之王天下也, 仰則觀象於天, 俯則觀法於地……近取諸身, 遠取諸物.〕"라고 보인다.

··· 歐 : 성 구 顧 : 돌아볼 고 乖 : 어그러질 괴 戾 : 어그러질 려 俯 : 구부릴 부 鴻 : 클 홍(洪通)

必有最親切處하니 如鴻荒之世, 天地之間에 陰陽之氣 雖各有象이나 然初未嘗有數也러니 至於河圖之出然後에 五十有五之數 奇偶生成을 粲然可見하니 此其所以深發聖人之獨智니 又非汎然氣象之所可得而擬也라 是以로 仰觀俯察하고 遠求近取하여 至此而後에 兩儀、四象、八卦之陰陽奇偶를 可得而言하니 雖繫辭所論聖人作易之由者非一이나 而不害其得此而後決也니라

또 말씀하였다.

"이 하도와 낙서를 믿을 것이 못된다는 것은 구양공(歐陽公;구양수(歐陽脩)) 이래로 이미 이러한 말이 있었다. 그러나 끝내 《서경》의 〈고명(顧命)〉과 《주역》의 〈계사전〉과 《논어》에 모두 이에 대한 말이 있음을 어쩔 수가 없으며, 제유(諸儒)들이 전한 바 두 도(圖;하도지도와 낙서지도)의 수(數)가 비록 서로 바뀜은 있으나 어긋남이 없고, 순(順)으로 세어보거나 역(逆)으로 미루어봄에 종횡(縱橫)과 곡직(曲直)이 모두 분명한 법이 있으니, 이것을 깨뜨려 버릴 수가 없다.

하도로 말하면 《주역》 〈계사전〉의 천일(天一)로부터 지십(地十)에 이른다는 것과 합하며 천지(天地) 55의 수(數)가 실려 있으니, 진실로 역(易)은 여기에서 나온 것이다. 그리고 낙서는 《서경》 〈홍범〉의 초일(初一)로부터 차구(次九)에 이른다는 것과 합하며 구주(九疇)의 수(數)가 갖추어져 있으니, 진실로 〈홍범〉은 여기에서 나온 것이다.

〈계사전〉에 비록 '복희가 하도를 받아 역(易)을 지었다.'고 말하지 않았으나 이른바 '우러러 천문을 보고 굽어 지리를 살피며 가까이는 자기 몸에서 취하고 멀리는 물건에서 취한다.'는 것이, 하도가 이 가운데의 한 가지 일이 아닌 줄을 어찌 알겠는가.

대저 성인(聖人)이 제작(制作)할 적에 말미암은(원리를 삼은) 것은 애당초 한 가지만이 아니었으나 그 법(法)과 상(象)의 규모는 반드시 가장 친절한(가까운) 부분이 있었을 것이다. 예컨대 홍황(鴻荒)의 세대에는 천지의 사이에 음양의 기운이 비록 각각 상(象)은 있었으나 당초에는 일찍이 수(數)가 없었는데, 하도가 나온 뒤에야 55의 수(數)의 기우(奇偶)와 생성(生成)을 분명히 볼 수 있는 것과 같으니, 이는 성인만의 독특한 지혜를 깊이 발휘한 것이다. 또 범연한 기상으로 모의(摸擬)할 수 있는 것이 아니다.

이 때문에 위로 하늘(천문)을 우러러보고 아래로 땅(지리)을 굽어 살피며 멀리서는 물건에서 구하고 가까이는 자기 몸에서 취하여 이(하도)에 이른 뒤에야 양의(兩儀)·사상(四象)·팔괘(八卦)의 음양(陰陽)과 기우(奇偶)를 말할 수 있었으니, 비록 〈계사전〉에 논한 바 성인이 역(易)을 지을 적에 말미암은 것이 한 가지가 아니나 이것(하도)을 얻은 뒤에 결행했다고 말해도 무방할 것이다."

又曰 以大傳之文詳之하면 河圖、洛書는 蓋皆聖人所取以爲八卦者요 而九疇亦幷出焉이라 今以其象觀之하면 則虛其中者는 所以爲易也요 實其中者는 所以爲洪範也니 其所以爲易者 已具於前段矣요 所以爲洪範은 則河圖、九疇之象과 洛書五行之數 有不可誣者하니 恐不得以其出於緯書[19]而略之也니라

또 말씀하였다.

"《대전(大傳)》의 글을 가지고 살펴보면 하도와 낙서는 모두 성인이 취하여 팔괘를 만든 것이며, 구주 또한 함께 나온 것이다. 이제 그 상(象)을 가지고 관찰해 보면 중앙을 비운 것은 역(易)을 만든 것이고 중앙을 채운 것은 〈홍범〉을 만든 것이니, 역을 만든 것은 이미 앞 단락에 갖추었고 〈홍범〉을 만든 것은 하도·구주의 상(象)과 낙서 오행(五行)의 수(數)가 속일 수 없으니, 위서(緯書)에서 나왔다고 하여 소략히 할 수 없을 듯하다.

○ 古人做易에 其巧를 不可言이라 太陽數九요 少陰數八이요 少陽數七이요 太陰數六이니 初亦不知其數如何恁地요 元來只是十數라 太陽居一하니 除了本身하면 便是九箇요 少陰居二하니 除了本身하면 便是八箇요 少陽居三하니 除了本身하면 便是七箇요 太陰居四하니 除了本身하면 便是六箇라 這處를 都不曾有人見得이니라

옛사람이 역(易)을 지음에 그 교묘함을 이루 말할 수가 없다. 태양(太陽)의 수는 9이고 소음(少陰)의 수는 8이며 소양(少陽)의 수는 7이고 태음(太陰)의 수는 6이니, 처음에는 또한 그 수가 어찌하여 이렇게 되었는지 알지 못하였고 원래 다만 10이

••••••

19 緯書 : 위서(緯書)는 경서(經書)와 대칭대는 말로 경전 해석에 가탁해서 신비로운 예언을 한 책이다. 육경(六經)에 모두 위서가 있는데 여기서는 역(易)의 위서인 《건착도(乾鑿度)》 등을 가리킨 것이다.

••• 幷 : 아우를 병 段 : 조각 단 緯 : 가로 위 做 : 지을 주

었다. 그런데 태양은 1(첫번째)에 있으니 본신(本身)을 제하면 곧 9가 되고, 소음은 2에 있으니 본신을 제하면 곧 8이 되며, 소양은 3에 있으니 본신을 제하면 곧 7이 되고, 태음은 4에 있으니 본신을 제하면 곧 6이 된다. 그런데 이러한 부분을 모두 일찍이 아는 사람이 없었다."

問老陽、少陰、少陽、老陰이 除了本身一二三四하면 便是九八七六之數니 今觀啓蒙컨대 陽進陰退之說도 也是如此니이다 曰 他進退도 亦是如此하니 不是人去强教他進退라 但是以十言之하면 則如前說大故分曉요 若以十五言之하면 則九便對六하고 七便對八하니 曉得時에 這(저)物事 也好則劇[20]이니라

"노양(老陽)·소음(少陰)·소양(少陽)·노음(老陰)이 본신(本身)의 1·2·3·4를 제하면 곧 9·8·7·6의 수이니, 지금 《역학계몽》을 보건대 양(陽)은 나아가고 음(陰)은 물러간다는 말도 이와 같습니다." 하고 묻자, 다음과 같이 대답하였다.

"《역학계몽》의 나아가고 물러감도 또한 이와 같으니, 이는 사람이 억지로 나아가게 하고 물러가게 한 것이 아니다. 다만 10을 가지고 말하면 앞에서 말한 것처럼 매우 분명하며, 만약 15를 가지고 말하면 9는 곧 6과 상대가 되고 7은 곧 8과 상대가 되니, 이것을 깨달았을 때에는 이 일이 또한 칙극(則劇)처럼 좋다."

○ 問看河圖上此數 控定了한대 曰 天地只是不會說일새 倩他聖人出來說이라 若天地自會說話인댄 想更說得好在리라 如河圖、洛書는 便是天地畫出底니라

하도의 위에 이 수(數)를 공정(控定 배정)한 것을 보는 방법을 묻자, 다음과 같이 대답하였다.

"천지가 다만 말을 할 수 없으므로 성인(聖人)을 빌어 말씀한 것이다. 만약 천지가 스스로 말할 수 있었다면 생각건대 더 좋게 말씀하였을 것이다. 하도와 낙서 같은 것은 곧 천지가 진리를 그려낸 것이다."

······

20 則劇 : 칙극(則劇)은 연극하는 사람을 이른다. 사계(沙溪) 김장생(金長生)은 송(宋)나라 양태후(楊太后)가 어려서 궁중에 들어가 칙극(則劇:광대놀이)하는 어린아이가 되었음을 밝히고 "칙극은 마땅히 놀이의 이름일 것이니, 지금의 연화대(蓮花隊)와 같은 따위이다." 하였다.

··· 控 : 제할 공 倩 : 고용할 청

○ 謂甘叔懷曰 曾看河圖洛書數否아 无事時好看이요 且得自家心流轉得動이니라

〈주자가〉 감숙회(甘叔懷)에게 다음과 같이 말씀하였다.

"일찍이 하도와 낙서의 수(數)를 보았는가? 일이 없을 때에 보는 것이 좋으며, 또 자신의 마음이 유전(流轉)하여 생동(生動)함을 알 수 있을 것이다."

복희팔괘차서지도(伏羲八卦次序之圖)

八	七	六	五	四	三	二	一	
坤	艮	坎	巽	震	離	兌	乾	卦八
太陰		少陽		少陰		太陽		象四
陰				陽				儀兩
太極								

右는 繫辭傳曰 易有太極하니 是生兩儀하고 兩儀生四象하고 四象生八卦라하니 邵子曰 一分爲二하고 二分爲四하고 四分爲八也라하니라 說卦傳曰 易은 逆數也라하니 邵子曰 乾一, 兌二, 離三, 震四, 巽五, 坎六, 艮七, 坤八이니 自乾至坤은 皆得未生之卦하니 若逆推四時[21]之比也라 後六十四卦次序倣此라하니라

이상은 〈계사전〉에 이르기를 "역(易)에 태극(太極)이 있으니, 이것이 양의(兩儀)를 낳고 양의가 사상(四象)을 낳고 사상이 팔괘(八卦)를 낳았다." 하였는데, 소자(邵子)는 말씀하기를 "하나가 나누어져 둘이 되고 둘이 나누어져 넷이 되고 넷이 나누어져 여덟이 되었다." 하였다. 〈설괘전(說卦傳)〉에 이르기를 "역은 역수(逆數)이다." 하였는데, 소자(邵子)는 말씀하기를 "건(乾)이 1이고 태(兌)가 2이

21 逆推四時 : 사시는 봄·여름·가을·겨울로 예를 들면 봄에서 앞으로 올 여름과 가을과 겨울을 추측하는 따위와 같다.

고 리(離)가 3이고 진(震)이 4이고 손(巽)이 5이고 감(坎)이 6이고 간(艮)이 7이고 곤(坤)이 8이니, 건(乾)으로부터 곤(坤)까지는 모두 아직 생기지 않은 괘를 얻은 것이니, 사시(四時)를 역추(逆推)하는 비유와 같다. 뒤의 64괘의 차서도 이와 같다." 하였다.

黑白之位는 本非古法이로되 但今欲易曉하여 且爲比以寓之耳니 後六十四卦次序倣比하니라

흑백의 자리는 본래 옛법이 아니나 다만 지금 알기 쉽게 하려 하여 우선 이 흑·백을 만들어 붙였을 뿐이니, 뒤의 육사사괘차서(六十四卦次序)도 이와 같다.

【附錄】 朱子曰 太極者는 象數未形而其理已具之稱이요 形器已具而其理无朕之目이니 在河圖、洛書엔 皆虛中之象也라 太極之判하여 始生一奇一偶而爲一畫者二면 是爲兩儀니 其數則陽一而陰二니 在河圖、洛書하면 則奇偶是也라 兩儀之上에 各生一奇一偶而爲二畫者四면 是謂四象이니 其位則太陽一, 少陰二, 少陽三, 太陰四요 其數則太陽九, 少陰八, 少陽七, 太陰六이니 以河圖言之하면 則六者는 一而得於五者也요 七者는 二而得於五者也요 八者는 三而得於五者也요 九者는 四而得於五者也며 以洛書言之하면 則九者는 十分一之餘也요 八者는 十分二之餘也요 七者는 十分三之餘也요 六者는 十分四之餘也라 四象之上에 各生一奇一偶而爲三畫者八이면 於是에 三才略具[22]而有八卦之名矣니 其位則乾一, 兌二, 離三, 震四, 巽五, 坎六, 艮七, 坤八이라 在河圖하면 則乾、坤、離、坎이 分居四實하고 兌、震、巽、艮이 分居四虛[23]하며 在洛書하면 則乾、坤、離、坎이 分居四方하고 兌、震、巽、艮이 分居四隅也니라

주자가 말씀하였다.

22 三才略具 : 삼재(三才)는 천(天)·지(地)·인(人)을 가리키는 바, 3획괘의 팔괘에 초효(初爻)는 지(地), 중효(中爻)는 인(人), 상효는 천(天)이며, 팔괘를 소성괘(小成卦), 64괘를 대성괘(大成卦)라 하므로 팔괘에 삼재가 간략히 갖추어졌다고 한 것이다. 6획괘(畫卦)인 64괘 역시 초효와 이효(二爻)는 지, 삼효(三爻)와 사효(四爻)는 인, 오효(五爻)와 상효(上爻)는 천이다.

23 分居四虛 : 복희 팔괘방위지도(伏羲八卦方位之圖)에 의한 것으로 동·서·남·북을 사실(四實, 四方)이라 하고 네 귀퉁이를 사허(四虛, 四隅)라 한 것이다.

••• 判 : 나눌 판 朕 : 조짐 짐 混 : 뒤섞일 혼, 기운덩어리질 혼 淪 : 빠질 륜 裏 : 속 리

"태극(太極)은 상(象) · 수(數)가 아직 나타나지 않았으나 그 이치가 이미 갖추어져 있는 것의 명칭이고, 형기(形器)가 이미 갖추어져 있으나 그 이치가 조짐이 없는 것의 조목이니, 하도와 낙서에 있어서는 모두 중앙을 비운 상(象)이다.

태극이 나뉘어 처음으로 한 기(奇)와 한 우(偶)를 낳아서 한 획이 된 것이 둘이면 이것이 양의(兩儀)이니, 그 수(數)는 양(陽)은 1이고 음(陰)은 2이니, 하도와 낙서에 있어서는 기(奇)와 우(偶)가 이것이다.

양의의 위에 각각 한 기(奇)와 한 우(偶)를 낳아서 2획이 된 것이 넷이면 이것을 사상(四象)이라 하니, 그 위치는 태양(太陽)이 1(첫번째)이고 소음(少陰)이 2이고 소양(少陽)이 3이고 태음(太陰)이 4이며, 그 수(數)는 태양이 9이고 소음이 8이고 소양이 7이고 태음이 6이니, 하도를 가지고 말하면 6은 1이 5를 얻은 것이고 7은 2가 5를 얻은 것이고 8은 3이 5를 얻은 것이고 9는 4가 5를 얻은 것이며, 낙서를 가지고 말하면 9는 10에서 1을 뺀 나머지이고 8은 10에서 2를 뺀 나머지이고 7은 10에서 3을 뺀 나머지이고 6은 10에서 4를 뺀 나머지이다.

사상(四象)의 위에 각각 한 기(奇)와 한 우(偶)를 낳아서 3획이 된 것이 여덟이면 이에 삼재(三才)가 대략 갖추어져 팔괘(八卦)의 명칭이 있게 되니, 그 위치는 건(乾)이 1(첫번째)이고 태(兌)가 2이고 리(離)가 3이고 진(震)이 4이고 손(巽)이 5이고 감(坎)이 6이고 간(艮)이 7이고 곤(坤)이 8이다. 하도에 있어서는 건(乾) · 곤(坤) · 리(離) · 감(坎)이 나뉘어 네 실(實)한 자리에 있고 태(兌) · 진(震) · 손(巽) · 간(艮)이 나뉘어 네 빈 자리에 거하며, 낙서에 있어서는 건 · 곤 · 이 · 감이 나뉘어 사방(四方)에 있고 태 · 진 · 손 · 간이 나뉘어 사우(四隅:네 귀퉁이)에 있다."

○ 問易有太極是生兩儀, 兩儀生四象, 四象生八卦한대 日 此太極은 却是爲畫卦說이라 當未畫卦前엔 太極이 只是一箇混淪底道理라 裏面에 包含陰陽、剛柔、奇偶하여 无所不有러니 及畫一奇一偶하여 是生兩儀하고 再於一奇畫上加一奇하면 此是陽中之陽이요 又於一奇畫上加一偶하면 此是陽中之陰이요 又於一偶上加一奇하면 此是陰中之陽이요 又於一偶上加一偶하면 此是陰中之陰이니 是謂四象이라 所謂八卦者는 一象上에 有兩卦하여 每象에 各添一奇一偶하면 便是八卦니라 或說一爲儀요 二爲象이요 三爲卦라 四象은 如春夏秋冬, 金木水火, 東西南北이 无不可推矣니라

역(易)에 태극이 있으니, 이것이 양의(兩儀)를 낳고 양의가 사상(四象)을 낳고 사상이 팔괘를 낳는 이치를 묻자, 다음과 같이 대답하였다.

"이 태극은 바로 괘를 그은 것을 가지고 말한 것이다. 괘를 긋기 전에는 태극은 다만 하나의 혼륜(混淪; 천지가 개벽되기 이전의 순수한 원리(元理) 곧 태극(太極))한 도리였다. 그 이면(裏面)에 음양과 강유(剛柔)와 기우(奇偶)를 포함하여 갖추고 있지 않은 것이 없었는데, 한 기(奇)와 한 우(偶)를 긋자 이것이 양의를 낳은 것이다. 다시 한 기(奇)의 획 위에 한 기(奇)를 가하면 이것은 양(陽) 가운데의 양(노양)이며, 또 한 기(奇)의 획 위에 한 우(偶)를 가하면 이것은 양 가운데의 음(소음)이고, 또 한 우(偶)의 획 위에 한 기(奇)를 가하면 이것은 음 가운데의 양(소양)이며, 또 한 우(偶)의 획 위에 한 우(偶)를 가하면 이것은 음 가운데의 음(노음)이니, 이것을 사상이라 이른다.

이른바 팔괘란 것은 한 상(象)의 위에 두 괘가 있어서 상(象)마다 각각 한 기(奇)와 한 우(偶)를 더하면 곧 팔괘가 되는 것이다. 혹자는 말하기를 '1은 양의가 되고 2는 사상이 되고 3은 팔괘가 된다.'고 한다. 사상은 춘 · 하 · 추 · 동과 금(金) · 목(木) · 수(水) · 화(火)와 동 · 서 · 남 · 북 등 미루지 못할 것이 없다."

복희팔괘방위지도(伏羲八卦方位之圖)

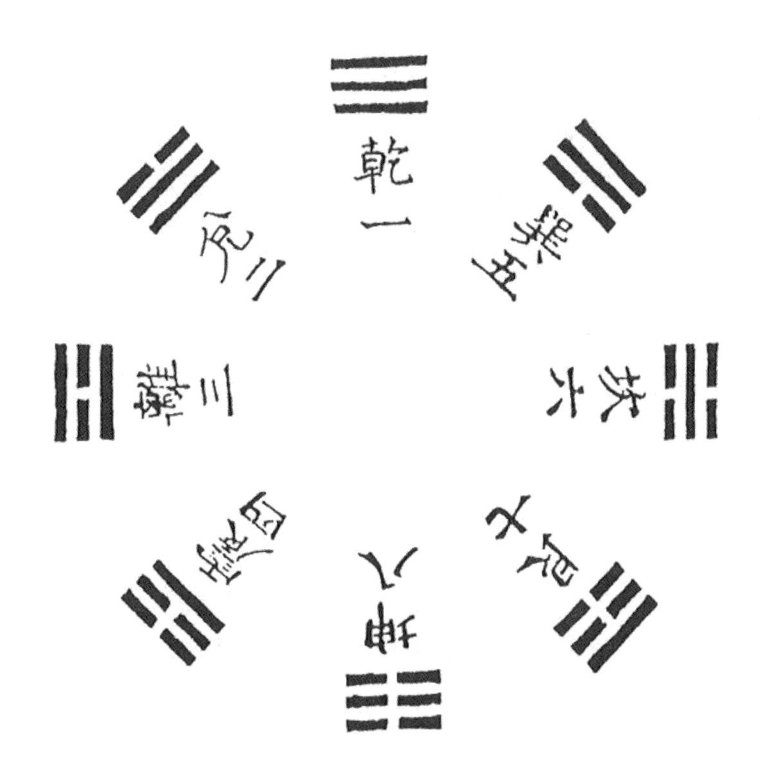

右는 說卦傳曰 天地定位하며 山澤通氣하며 雷風相薄하며 水火不相射(석)하여 八卦相錯하니 數往者는 順이요 知來者는 逆이라하니 邵子曰 乾南, 坤北, 離東, 坎西, 震東北, 兌東南, 巽西南, 艮西北하니 自震至乾은 爲順이요 自巽至坤은 爲逆[24]이라 後六十四卦方位倣此라하니라

이상은 〈설괘전〉에 이르기를 "천(天, 乾)·지(地, 坤)가 자리를 정하고 산(山, 艮)·택(澤, 兌)이 기운을 통하고 뢰(雷, 震)·풍(風, 巽)이 서로 부딪치고 수(水, 坎)·화(火, 離)가 서로 해치지 아니하여 팔괘가 서로 교착(交錯)하니, 지나간 것을 셈은 순(順)이요 올 것(미래)을 앎은 역(逆)이다." 하였는데, 소자(邵子)는 말씀하

24 自震至乾爲順 自巽至坤爲逆 : 팔괘의 방위는 우선(右旋:오른쪽으로 돎)을 원칙으로 하여 8(坤)에서는 7(艮)·6(坎)·5(巽)의 순서로 되어 역방향이므로 말한 것이다.

기를 "건(乾)은 남(南)이고 곤(坤)은 북(北)이며 리(離)는 동(東)이고 감(坎)은 서(西)이며 진(震)은 동북이고 태(兌)는 동남이며 손(巽)은 서남이고 간(艮)은 서북이니, 진(震)으로부터 건(乾)에 이르기까지는 순(順)이 되고, 손(巽)으로부터 곤(坤)에 이르기까지는 역(逆)이 된다. 뒤의 64괘의 방위도 이와 같다." 하였다.

【附錄】 邵子曰 乾坤縱而六子橫[25]은 易之本也라 又曰 震은 始交陰而陽生하고 巽은 始消陽而陰生하며 兌는 陽長也요 艮은 陰長也니 震、兌는 在天之陰也요 巽、艮은 在地之陽也라 故로 震、兌는 上陰而下陽하고 巽、艮은 上陽而下陰이라 天은 以始生言之라 故陰上而陽下하니 交泰之義也요 地는 以旣成言之라 故陽上而陰下하니 尊卑之位也라 乾坤은 定上下之位하고 坎、離는 列左右之門하니 天地之所闔闢이요 日月之所出入이니 春夏秋冬, 晦朔弦望[26], 晝夜長短, 行度盈縮이 莫不由乎此矣니라

소자(邵子)가 말씀하기를 "건(乾)・곤(坤)이 종(縱)으로 있고 육자(六子)가 횡(橫)으로 있는 것이 역(易)의 근본이다."라고 하고, 또 다음과 같이 말씀하였다.

"진(震)은 처음으로 음(陰)과 사귀어 양(陽)이 생긴 것이고 손(巽)은 처음으로 양을 사라지게 하여 음이 생긴 것이며, 태(兌)는 양이 자라는 것이고 간(艮)은 음이 자라는 것이니, 진(震)과 태(兌)는 하늘에 있는 음이고 손(巽)과 간(艮)은 땅에 있는 양이다. 그러므로 진(震)과 태(兌)는 위가 음이고 아래가 양이며, 손(巽)과 간(艮)은 위가 양이고 아래가 음인 것이다. 천(天)은 처음 낳은 것을 가지고 말하였기 때문에 음이 위에 있고 양이 아래에 있으니 교태(交泰;음과 양이 사귀어 통태(通泰)함)의 뜻이며, 지(地)는 이미 완성된 것을 가지고 말하였기 때문에 양이 위에 있고 음이 아래에 있으니, 존비(尊卑)의 위치이다.

······

25 乾坤縱而六子橫：복희팔괘방위도(伏羲八卦方位圖)에서 건(乾)은 위에 있고 곤(坤)은 아래에 있어 종(縱)을 이루고 나머지 여섯 괘는 횡으로 배열되어 있는바, 건은 부(父), 곤은 모(母)에 해당하고 진(震)은 장남(長男), 감(坎)은 중남(中男), 간(艮)은 소남(少男)이며, 손(巽)은 장녀(長女), 리(離)는 중녀(中女), 태(兌)는 소녀(少女)여서 3남 3녀이므로 육자(六子;여섯 자식)라고 한 것이다.

26 晦朔弦望：회(晦)는 그믐이고 삭(朔)은 초하루이며, 현(弦)은 상현(上弦)과 하현(下弦)으로 나누는바, 상현은 음력 8일경의 반원(半圓)의 달을 이르고 하현은 23일 반원의 달을 이르며, 망(望)은 보름이다. 현(弦)은 활처럼 굽어있는 반달 모양으로, 상현은 위가 둥글고 하현은 아래가 둥근 것이다.

··· 晦 : 그믐 회 朔 : 초하루 삭 弦 : 반달 현 望 : 보름 망 縮 : 줄어들 축 排 : 배열할 배

건(乾)·곤(坤)은 상하(上下)의 자리를 정하고 감(坎)·리(離)는 좌우(左右)의 문을 나열하였으니, 천(天)·지(地)가 닫히고 열리는 것이며 일(日)·월(月)이 나가고 들어오는 것이니, 춘·하·추·동과 회(晦)·삭(朔)·현(弦)·망(望)과 주야(晝夜)의 길고 짧음과 행도(行度;해와 달의 운행하는 도수(度數))의 차고 기욺이 여기에 말미암지 않음이 없다."

又曰 此一節은 明伏羲八卦也라 八卦相錯者는 明交相錯而成六十四也라 數往者順은 若順天而行이면 是左旋也니 皆已生之卦也라 故云數往也요 知來者逆[27]은 若逆天而行이면 是右行也니 皆未生之卦也라 故云知來也라하니 夫易之數는 由逆而成矣라 此一節은 直解圖意하니 若逆知四時之謂也니라

또 말씀하였다.

"이 한 절(節)은 복희의 팔괘(八卦)를 밝힌 것이다. 팔괘가 서로 교착(交錯)한다는 것은 서로 뒤섞여 64괘를 이룸을 밝힌 것이다. '지나간 것을 셈은 순(順)이다.'라는 것은 만약 하늘을 순히 하여 운행하면 이는 왼쪽으로 도는 것이니, 이는 모두 이미 생긴 괘이므로 지나간 것을 센다고 하였고, '올 것을 앎은 역(逆)이다.'라는 것은 만약 하늘을 거슬러 운행하면 이는 오른쪽으로 가는 것이니, 이는 모두 아직 생기지 않은 괘이므로 올 것을 안다고 하였으니, 역(易)의 수(數)는 역(逆)으로 말미암아 이루어졌다. 이 한 절(節)은 곧바로 하도의 뜻을 해석한 것이니, 사시(四時)를 역(逆)으로 안다고 이르는 것과 같다."

○ 朱子答董銖曰 所問先天圖曲折은 細詳圖意컨대 若自乾一로 橫排至坤八하면 此則全是自然이라 故說卦云 易은 逆數也라하니라 若如圓圖면 則須如此라야 方見陰陽消長次第[28]니 雖自稍涉安排나 然亦莫非自然之理라 自冬至夏至는 爲順이니 蓋與前逆數者相反이요 自夏至冬至는 爲逆이니 蓋與前逆數者同이라 其左右는

······

27 數往者順……知來者逆 : 〈설괘전〉에 보이는 내용으로, 진(震 4)에서 리(離 3)·태(兌 2)·건(乾 1)까지는 좌선(左旋)으로 지나간 것을 셈에 해당하고, 손(巽 5)에서 감(坎 6)·간(艮 7)·곤(坤 8)까지는 우선(右旋:시계방향)으로 미래를 앎에 해당한다.

28 若如圓圖……方見陰陽消長次第 : 복희육십사괘방위도(伏羲六十四卦方位圖)를 횡으로 배열하면 건(乾)에서 곤(坤)까지의 음과 양이 자라고 없어지는 형상을 볼 수 있음을 가리킨 것이다.

與今天文說左右不同하니 蓋從中而分하면 其初가 若有左右之勢爾니라 又曰 易逆數也는 以康節說이라야 方可通이라 但方圖則一向皆逆이요 若以圓圖看하면 又只是一半逆[29]이니 不知如何로라

주자가 동수(董銖)에게 다음과 같이 대답하였다.

"질문한 선천도(先天圖)의 곡절은 도(圖)의 뜻을 자세히 살펴보건대 만약 건일(乾一)로부터 횡으로 배열하여 곤팔(坤八)에 이르면 이는 완전히 자연스러운 것이다. 그러므로 〈설괘전〉에 '역(易)은 역수(逆數)이다.'라고 하였다. 그리고 만약 원도(圓圖)와 같이 하면 모름지기 이와 같이 하여야 비로소 음·양이 소장(消長)하는 차례를 볼 수 있으니, 비록 다소 안배를 하였으나 또한 자연의 이치 아님이 없다.

동지(冬至)로부터 하지(夏至)까지는 순(順)이 되니 앞의 역수(逆數)와 상반되고, 하지로부터 동지까지는 역(逆)이 되니 앞의 역수와 같다. 그 좌(左)·우(右)는 지금 천문가(天文家)들이 말하는 좌·우와 똑같지 않으니, 가운데로부터 나누면 처음에는 좌·우의 세(勢)가 있는 듯하다."

또 말씀하였다.

"역(易)이 역수라는 것은 강절(康節)의 말씀으로 보아야 비로소 통할 수 있다. 다만 방도(方圖)는 한결같이 모두 역(逆)이고, 만약 원도(圓圖)로 보면 또 다만 반(半)만 역(逆)이니, 어찌된 것인지 알 수 없다."

○ 西山蔡氏曰 其法은 自子中至午中은 爲陽이니 初四爻는 皆陽이요 中前二爻는 皆陰이요 後二爻는 皆陽이요 上一爻는 爲陰이요 二爻는 爲陽이요 三爻는 爲陰이요 四爻는 爲陽이라 自午中至子中은 爲陰이니 初四爻는 皆陰이요 中前二爻는 爲陽이요 後二爻는 爲陰이요 上一爻는 爲陽이요 二爻는 爲陰이요 三爻는 爲陽이요 四爻는 爲陰[30]이라 在陽中엔 上二爻는 則先陰而後陽하니 陽生於陰也요 在陰中엔 上二

29 但方圖則一向皆逆……又只是一半逆 : 복희육십사괘방위도에서 방도(方圖)는 곤(坤)에서 시작하여 건(乾)에서 끝났으므로 한결같이 역(逆)이라 하였고, 원도(圓圖)는 중앙의 건(乾)에서 왼쪽으로 돌아 복(復)까지는 순(順)이고 곤(坤)에서 구(姤)까지는 역(逆)이므로 말한 것이다.

30 自午中至子中……四爻爲陰 : 자중(子中:동지)은 복희팔괘방위도(伏羲八卦方位圖)에 있어 곤(坤)이 있는 곳을 가리키고 오중(午中:하지)은 건(乾)이 있는 곳을 가리키는 바, 자중으로부터 오중까지는 진(震)·리(離)·태(兌)·건(乾)의 순서로 배열되어 있는데, 이들 네 괘(卦)의 초효(初爻)

爻는 則先陽而後陰하니 陰生於陽也라 其序始震終坤者는 以陰陽消息爲數也일새니라

서산채씨(西山蔡氏;채원정(蔡元定))가 말하였다.

"그 법(法)은 자(子)의 중(中;동지)으로부터 오(午)의 중(中;하지)까지는 양(陽)이 되니, 처음 네 효(爻;진(震)·리(離)·태(兌)·건(乾))는 모두 양이며, 가운데의 앞 두 효(진(震)·리(離))는 모두 음(陰)이고 뒤의 두 효(태(兌)·건(乾))는 모두 양이며, 위의 첫 번째 효(진(震))는 음이고 두 번째 효(리(離))는 양이며, 세 번째 효(태(兌))는 음이고 네 번째 효(건(乾))는 양이다. 오(午)의 중(中)으로부터 자(子)의 중(中)까지는 음이 되니, 처음 네 효(손(巽)·감(坎)·간(艮)·곤(坤)의 초효)는 모두 음이며, 가운데의 앞 두 효(손(巽)·감(坎))는 양이고 뒤의 두 효(간(艮)·곤(坤))는 음이며, 위의 첫 번째 효(爻;손(巽))는 양이고 두 번째 효(감(坎))는 음이며, 세 번째 효(간(艮))는 양이고 네 번째 효(곤(坤))는 음이다.

양 가운데에 있을 때에는 위의 두 효가 먼저는 음이고 뒤에는 양이니 양이 음에서 생긴 것이며, 음 가운데에 있을 때에는 위의 두 효가 먼저는 양이고 뒤에는 음이니 음이 양에서 생긴 것이다. 그 차례가 진(震)에서 시작하여 곤(坤)에서 끝난 것은 음·양의 소식(消息;사라지고 불어남)을 가지고 수(數)를 삼았기 때문이다."

••••••

는 모두 양효(陽爻)이며, 진과 리의 중효(中爻)는 모두 음효(陰爻)이고 태와 건의 중효는 모두 양효이며 다음의 상효(上爻)는 음효(陰爻)와 양효가 번갈아 있다. 오중으로부터 자중까지는 손(巽)·감(坎)·간(艮)·곤(坤)의 순서로 배열되어 있는데, 이들 네 괘(卦)의 초효는 모두 음효이며, 손과 감의 중효는 모두 양이고 간과 곤의 중효는 모두 음효이며, 다음의 상효는 양효와 음효가 번갈아 있으므로 말한 것이다.

복희육십사괘차서지도(伏羲六十四卦次序之圖)

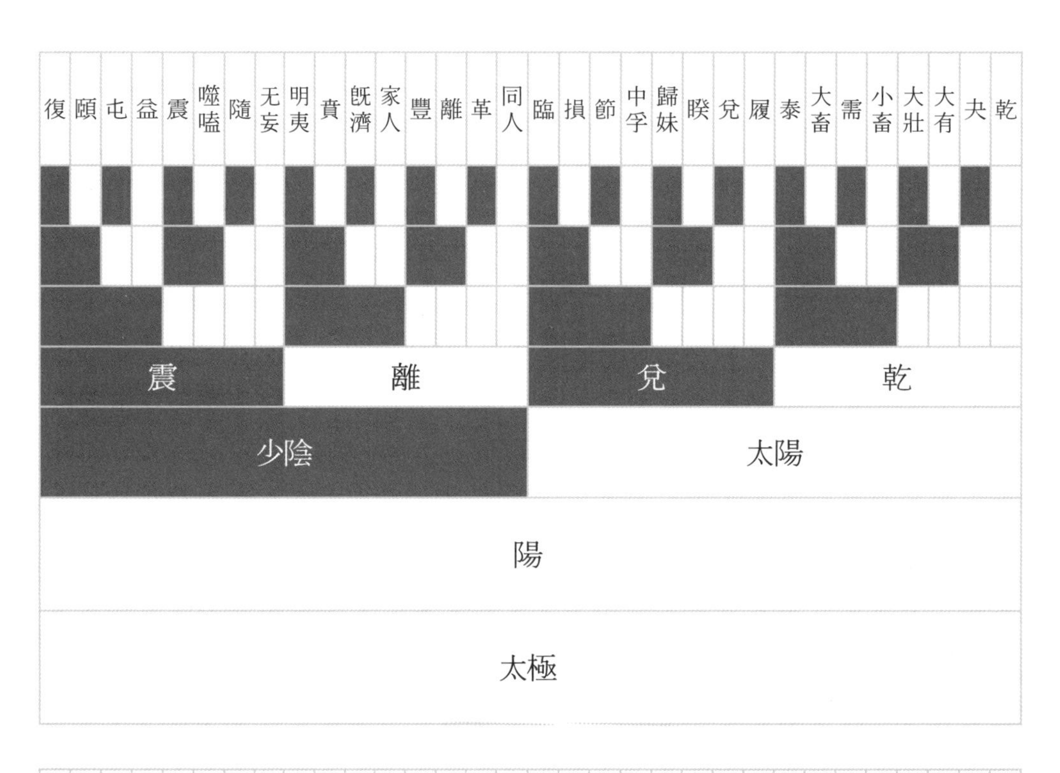

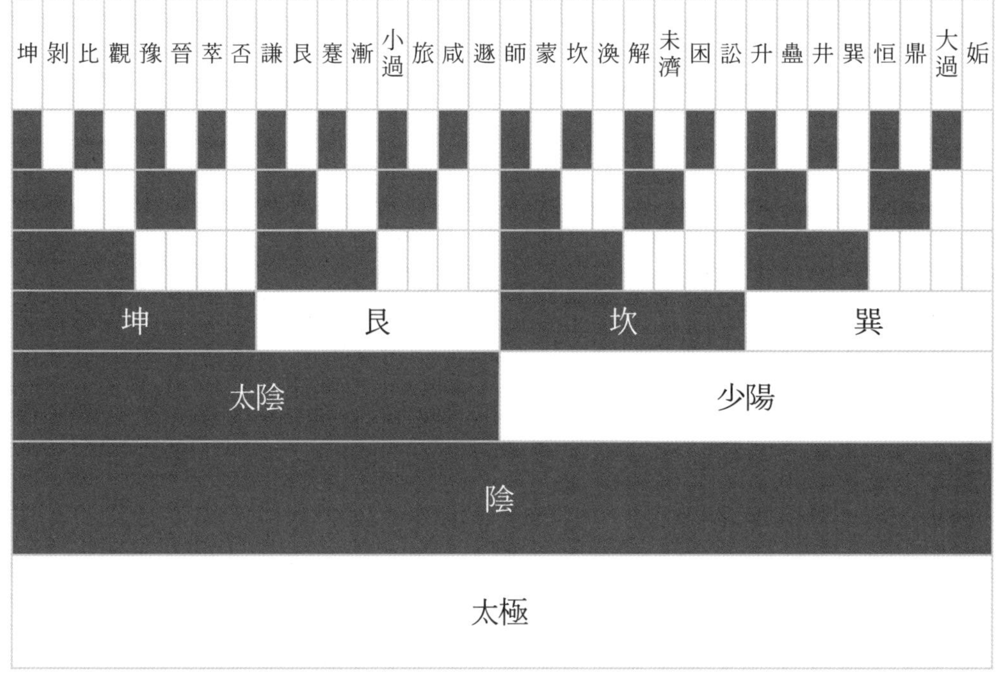

* 횡서(橫書)로 바꾸었음

	乾	夬	大有	大壯	小畜	需	大畜	泰	履	兌	睽	歸妹	中孚	節	損	臨	同人	革	離	豐	家人	既濟	賁	明夷	无妄	隨	噬嗑	震	益	屯	頤	復
六十四																																
三十二																																
十六																																
八卦	乾								兌								離								震							
四象	太陽																少陰															
兩儀	陽																															
	太極																															

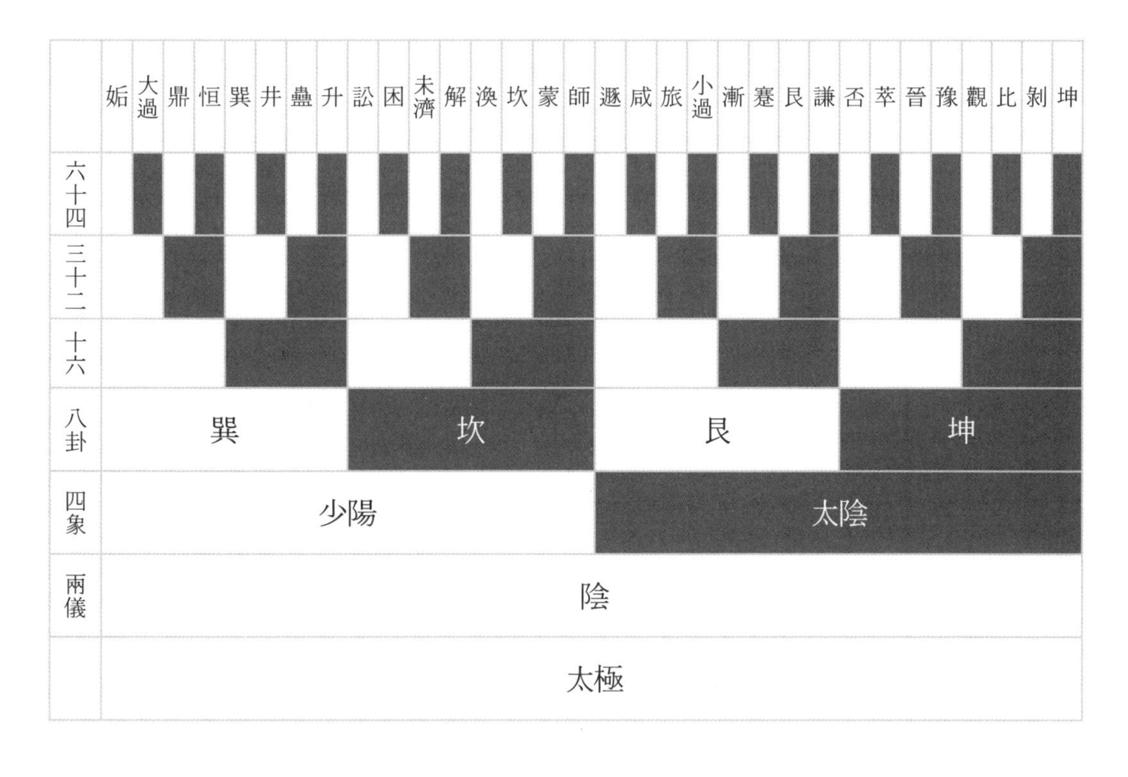

右前八卦次序圖는 卽繫辭傳所謂八卦成列者요 此圖는 卽其所謂因而重之者也라 故로 下三畫은 卽前圖之八卦요 上三畫은 則各以其序重之하고 而下卦因亦各衍而爲八也라 若逐爻漸生하면 則邵子所謂八分爲十六하고 十六分爲三十二하고 三十二分爲六十四者니 尤見法象自然之妙也니라

이상 앞의 팔괘차서도(八卦次序圖)는 곧 〈계사전〉의 이른바 '팔괘가 열을 이루었다.'는 것이며, 이 도(圖)는 곧 이른바 '인하여 거듭하였다.'는 것이다. 그러므로 아래의 세 획은 곧 앞 도(圖)의 팔괘이며, 위의 세 획은 각각 〈건(乾)·태(兌)·리(離)·진(辰)의〉 순서대로 거듭한 것이고, 아래의 괘는 또한 각각 부연하여 8을 만든 것이다. 만약 효(爻)마다 점점 생겨나면 소자(邵子)의 이른바 '8이 나뉘어 16이 되고 16이 나뉘어 32가 되고 32가 나뉘어 64가 되었다.'는 것이니, 더욱 법(法)과 상(象)의 자연한 묘리(妙理)를 볼 수 있다.

【附錄】 朱子曰 易有太極, 是生兩儀, 兩儀生四象, 四象生八卦此一節은 乃孔子發明伏羲畫卦自然之形體次第니 最爲切要라 古今說者에 惟康節、明道二先生이 爲能知之라 故로 康節之言曰 一分爲二하고 二分爲四하고 四分爲八하고 八分爲十六하고 十六分爲三十二하고 三十二分爲六十四하니 猶根之有幹, 幹之有枝하여 愈大則愈少하고 愈細則愈繁이라하고 而明道先生以爲加一倍法이라하시니 其發明孔子之言이 又可謂最切要矣로다

주자가 말씀하였다.

"'역(易)에 태극(太極)이 있으니, 이것이 양의(兩儀)를 낳고 양의가 사상(四象)을 낳고 사상이 팔괘를 낳는다.'는 이 한 절(節)은 바로 공자께서 복희가 괘를 그은 자연의 형체(形體)와 차례를 발명하신 것이니, 가장 간절하고 긴요하다. 고금(古今)에 설명한 분들 중에 오직 강절(康節)과 명도(明道) 두 선생이 이것을 아셨다. 그러므로 강절의 말씀에 이르기를 '1이 나뉘어 2가 되고 2가 나뉘어 4가 되고 4가 나뉘어 8이 되고 8이 나뉘어 16이 되고 16이 나뉘어 32가 되고 32가 나뉘어 64가 되었으니, 뿌리에 줄기가 있고 줄기에 가지가 있는 것과 같아서 더욱 커질수록 더욱 작아지고 더욱 작아질수록 더욱 많아진다.'고 하였으며, 명도선생은 이것을 '일배(一倍:곱)를 더하는 법(法)이다.' 하셨으니, 공자의 말씀을 발명함이 또

••• 漸 : 점점 점 幹 : 줄기 간 愈 : 더욱 유 繁 : 많을 번

가장 간절하고 긴요하다 할 것이다.

蓋以河圖、洛書論之하면 太極者는 虛中之象也요 兩儀者는 陰陽奇偶之象也며 四象者는 河圖之一合六, 二合七, 三合八, 四合九요 洛書之一含九, 二含八, 三含七, 四含六也며 八卦者는 河圖四實四虛之數요 洛書四正四隅之位也[31]라 以卦畫言之하면 太極者는 象數未形之全體也요 兩儀者는 ⚊爲陽而⚋爲陰이니 陽數一而陰數二也요 四象者는 陽之上에 生一陽이면 則爲⚌而謂之太陽이요 生一陰이면 則爲⚍而謂之少陰이요 陰之上에 生一陽이면 則爲⚎而謂之少陽이요 生一陰이면 則爲⚏而謂之太陰也라 四象旣立이면 則太陽居一而含九요 少陰居二而含八이요 少陽居三而含七이요 太陰居四而含六이니 此는 六、七、八、九之數所由定也라 八卦者는 太陽之上에 生一陽하면 則爲☰而名乾이요 生一陰하면 則爲☱而名兌며 少陰之上에 生一陽하면 則爲☲而名離요 生一陰하면 則爲☳而名震이며 少陽之上에 生一陽이면 則爲☴而名巽이요 生一陰이면 則爲☵而名坎이며 太陰之上에 生一陽이면 則爲☶而名艮이요 生一陰이면 則爲☷而名坤이니 康節先天之說에 所謂乾一, 兌二, 離三, 震四, 巽五, 坎六, 艮七, 坤八者 蓋謂此也라 至於八卦之上에 又各生一陰一陽이면 則爲四畫者十有六이니 經雖无文이나 而康節所謂八分爲十六者此也요 四畫之上에 又各生一陰一陽이면 則爲五畫者三十有二니 經雖无文이나 而康節所謂十六分爲三十二者此也요 五畫之上에 又各生一陰一陽이면 則爲六畫之卦 六十有四而八卦相重하여 又各得乾一, 兌二, 離三, 震四, 巽五, 坎六, 艮七, 坤八之次하니 其在圖可見矣니라

하도와 낙서를 가지고 논하면 태극은 중앙을 비운 상(象)이고 양의(兩儀)는 음·양의 기(奇)·우(偶)의 상(象)이며 사상(四象)은 하도에 1이 6을, 2가 7을, 3이 8을, 4가 9를 합한 것이며, 낙서(洛書)에 1이 9를, 2가 8을, 3이 7을, 4가 6을 포함

31 河圖四實四虛之數 洛書四正四隅之位也 : 앞의 복희팔괘차서도에서 주자는 "하도에 있으면 건(乾)·곤(坤)·리(離)·감(坎)이 나누어 네 실한 방위〔四實〕에 거하고 태(兌)·진(震)·손(巽)·간(艮)이 나누어 네 허한 방위〔四虛〕에 거하며 낙서에 있으면 건·곤·리·감이 나누어 네 방위에 거하고 태·진·손·간이 나누어 네 귀퉁이에 거한다." 하였다. 사실(四實)은 상(上)과 하(下), 좌(左)와 우(右)를 가리키며, 사허(四虛)는 상·하와 좌·우의 사이에 있는 것으로 곧 건·곤·리·감의 사정(四正)은 실이고 태·진·손·간의 사우(四隅)는 허이다.

한 것이며, 팔괘는 하도의 사실(四實) · 사허(四虛)의 수(數)이고 낙서의 사정(四正) · 사우(四隅)의 위치이다.

괘를 그은 것을 가지고 말하면 태극은 상수(象數)가 아직 나타나기 이전의 전체이며 양의는 ⚊가 양이 되고 ⚋가 음이 되니, 양의 수는 1이고 음의 수는 2이며, 사상(四象)은 양의 위에 한 양을 낳으면 ⚌가 되어 태양(太陽)이라 이르고 한 음을 낳으면 ⚍가 되어 소음(少陰)이라 이르며, 음의 위에 한 양을 낳으면 ⚎가 되어 소양(少陽)이라 이르고 한 음을 낳으면 ⚏가 되어 태음(太陰)이라 이른다. 사상이 이미 확립되면 태양이 1에 거하여 9를 포함하고 소음이 2에 거하여 8을 포함하고 소양이 3에 거하여 7을 포함하고 태음이 4에 거하여 6을 포함하니, 이는 6 · 7 · 8 · 9의 수가 말미암아 정해진 것이다.

팔괘는 태양의 위에 한 양을 낳으면 ☰가 되어 건(乾)이라 이름하고 한 음을 낳으면 ☱가 되어 태(兌)라 이름하며, 소음의 위에 한 양을 낳으면 ☲가 되어 리(離)라 이름하고 한 음을 낳으면 ☳가 되어 진(震)이라 이름하며, 소양의 위에 한 양을 낳으면 ☴가 되어 손(巽)이라 이름하고 한 음을 낳으면 ☵가 되어 감(坎)이라 이름하며, 태음의 위에 한 양을 낳으면 ☶가 되어 간(艮)이라 이름하고 한 음을 낳으면 ☷가 되어 곤(坤)이라 이름하니, 강절(康節)의 선천설(先天說)에 이른바 '건(乾)이 1이고 태(兌)가 2이고 리(離)가 3이고 진(震)이 4이고 손(巽)이 5이고 감(坎)이 6이고 간(艮)이 7이고 곤(坤)이 8이다.'란 것은 이를 말한 것이다.

팔괘의 위에 또 각각 한 음과 한 양을 낳게 되면 4획이 된 것이 16개이니, 경(經)에는 비록 글이 없으나 강절의 이른바 '8이 나뉘어 16이 되었다.'는 것이 이것이다. 4획의 위에 또 각각 한 음과 한 양을 낳으면 5획이 된 것이 32개이니, 경(經)에는 비록 글이 없으나 강절의 이른바 '16이 나뉘어 32가 되었다.'는 것이 이것이다. 5획의 위에 또 각각 한 음과 한 양을 낳으면 6획의 괘가 64개가 되어 팔괘가 서로 거듭하여(겹쳐져) 또 각각 건(乾)이 1이고 태(兌)가 2이고 리(離)가 3이고 진(震)이 4이고 손(巽)이 5이고 감(坎)이 6이고 간(艮)이 7이고 곤(坤)이 8인 차례를 얻게 되니, 도(圖)에서 이것을 볼 수 있다.

○ 天地之間이 莫非太極陰陽之妙라 聖人이 仰觀俯察하고 遠求近取하시니 固有超然而默契於心矣라 故로 自兩儀未分하여 渾然太極으로 而兩儀, 四象, 六十四

··· 默 : 침묵할 묵 契 : 합할 계 模 : 모사할 모(摸通) 渾 : 덩어리 혼 挨 : 밀칠 애 截 : 자를 절

卦之理 已粲然於其中이요 太極分而兩儀면 則太極은 固太極이요 兩儀는 固兩儀也며 兩儀分而四象이면 則兩儀又爲太極이요 而四象又爲兩儀矣라 自是而推하면 四而八이요 八而十六이요 十六而三十二요 三十二而六十四하여 以至於有百千萬億之无窮하니 雖見(현)於模畫은 若有先後而出於人爲나 然其已定之形과 已成之勢는 固已具於渾然之中하여 而不容毫髮思慮作爲於其間也니라

천지(天地)의 사이에 태극과 음양의 묘리(妙理) 아닌 것이 없다. 성인(聖人)이 우러러 천문(天文)을 보고 굽어 지리(地理)를 살피며 멀리는 물건에게서 구하고 가까이는 자기 몸에서 취하였으니, 진실로 초연히 마음에 묵계(默契)함이 있었다. 그러므로 양의가 나뉘지 않아 혼연(渾然)한 태극일 때로부터 양의, 사상, 64괘의 이치가 이미 이 가운데에 찬란하게 갖추어져 있었고, 태극이 나뉘어 양의가 되면 태극은 진실로 태극이고 양의는 진실로 양의이며, 양의가 나뉘어 사상이 되면 양의는 또 태극이 되고 사상은 또 양의가 된다. 이로부터 미루어 나가면 4에서 8이 되고 8에서 16이 되고 16에서 32가 되고 32에서 64가 되어 백 · 천 · 만 · 억의 무궁함에 이르니, 비록 모획(模畫)에 나타난 것은 선후(先後)가 있어 인위(人爲)에서 나온 듯하나 이미 정해진 형체(形體)와 이미 이루어진 세(勢)는 진실로 태극의 혼연(渾然)한 가운데에 이미 갖추어져 있어서 털끝만큼의 사려(思慮)나 작위(作爲)함도 이 사이에 용납하지 않는다."

○ 答袁樞曰 要見得聖人作易根原의 直截分明인댄 不如且看卷首橫圖라 自始初止有兩畫時로 漸次看起하여 以至生滿六畫之後면 其先後多寡旣有次第하고 而位置分明하여 不費辭說이라 於此看得하면 方見六十四卦 全是天理自然挨排出來라 聖人이 只是見得分明하여 便只依本畫出이요 元不曾用一毫智力添助시니라

주자가 원추(袁樞)에게 다음과 같이 답하였다.

"성인(聖人)이 역(易)을 지은 근원의 직절(直截)하고 분명함을 보고자 한다면 우선 《주역》 책 머리의 횡도(橫圖)를 보는 것만 못하다. 처음에 다만 음(--)과 양(—) 두 획(畫)이 있을 때로부터 점차 보아서 6획을 낳아 가득한 뒤에 이르면 선후(先後)와 다과(多寡)가 이미 차례가 있고 위치가 분명하여 굳이 말할 필요가 없다. 여기에서 관찰하여 터득하면 비로소 64괘가 완전히 천리(天理)여서 자연히 배열되어 나

온 것임을 볼(알) 것이다. 성인이 다만 이것을 봄이 분명하여 다만 근본에 따라 그려냈을 뿐이요, 원래 일찍이 한 털끝만치라도 사람의 지혜와 힘을 써서 더하거나 돕지 않았다."

○ 問四爻、五爻者는 何所主名이니잇고 曰 一畫爲儀요 二畫爲象이요 三畫爲卦니 則八卦備矣라 此上에 若旋次各加陰、陽一畫하여 則積至三重하여 再成八卦者八이면 方有六十四卦之名이라 若徑以八卦로 徧加乎一卦之上이면 則亦如其位而得名焉이로되 方其四畫之時엔 未成外卦라 故로 不得而名之耳니라 又曰 第四畫者는 以八卦爲太極而復生之兩儀也요 第五畫者는 八卦之四象也요 第六畫者는 八卦之八卦也니라

"사효(四爻)와 오효(五爻)는 무엇을 가지고 주장하여 이름하였습니까?" 하자, 주자는 다음과 같이 대답하였다.

"첫 번째 획(畫)이 양의가 되고 두 번째 획이 사상이 되고 세 번째 획이 팔괘가 되니, 이렇게 되면 팔괘가 갖추어진다. 이 위에 만약 다시 차례로 각각 음(--) · 양(—)의 한 획씩을 가(加)하여 쌓여서 세 번 거듭함에 이르러 다시 팔괘를 이룬 것이 8개가 되면 비로소 64괘의 명칭이 있게 된다. 만약 곧바로 팔괘를 가지고 두루 한 괘의 위에 가(加)하면 또한 그 위치와 같이 되어 명칭을 얻으나, 네 번째 획을 그었을 때에는 아직 외괘(外卦)를 이루지 않았으므로 이름할 수가 없을 뿐이다."

또 다음과 같이 말씀하였다.

"제4획은 팔괘를 태극으로 삼아 다시 낳은 양의이고 제5획은 팔괘의 사상이며 제6획은 팔괘의 팔괘인 것이다."

○ 又詩曰 또 시에 다음과 같이 말씀하였다.

諸儒談易謾紛紛하니 "제유(諸儒)들이 역(易)을 말하기를 분분히 하니,
只見繁枝不見根이라 다만 번다한 지엽일 뿐 근본을 보지 못하였네.

••• 謾 : 부질없을 만 逞 : 펼 영 喫 : 먹을 끽 悠 : 아득히멂 유 挺 : 빼어날 정 摶 : 엉길 단

觀象徒勞推互體[32]요	상(象)을 봄에 한갓 수고롭게 호체(互體)를 미룰 뿐이요,
玩辭亦是逞空言이라	말(글)을 살핌에 또한 빈 말을 늘어놓을 뿐이라오.
須知一本能雙幹이라야	모름지기 한 뿌리가 두 줄기임을 알아야,
始信千兒與萬孫이라	비로소 천 아들과 만 손자임을 믿게 될 것이다.
喫緊包犧爲人意를	포희(包犧)의 사람을 위한 긴요한 뜻을
悠悠千古向誰論고	유유(悠悠)한 천고에 뉘를 향하여 의논할꼬."

32 互體 : 일명 호괘(互卦)라고도 하는바, 육효(六爻) 중에 초효(初爻)와 상효(上爻)를 빼고 가운데에 있는 네 효(爻)를 보아 3획괘를 만들어 상(象)과 덕(德)을 살펴봄을 이른다. 예를 들어 관괘(觀卦 ䷓)의 경우 이효(二爻)에서 사효(四爻)까지를 취하면 곤(坤 ☷)이 되고, 삼효(三爻)에서 오효(五爻)까지를 취하면 간(艮 ☶)이 되는 바, 상·하의 두 체(體)를 서로 바꾸어 만들기 때문에 이름한 것이다.

복희육십사괘방위지도(伏羲六十四卦方位之圖)

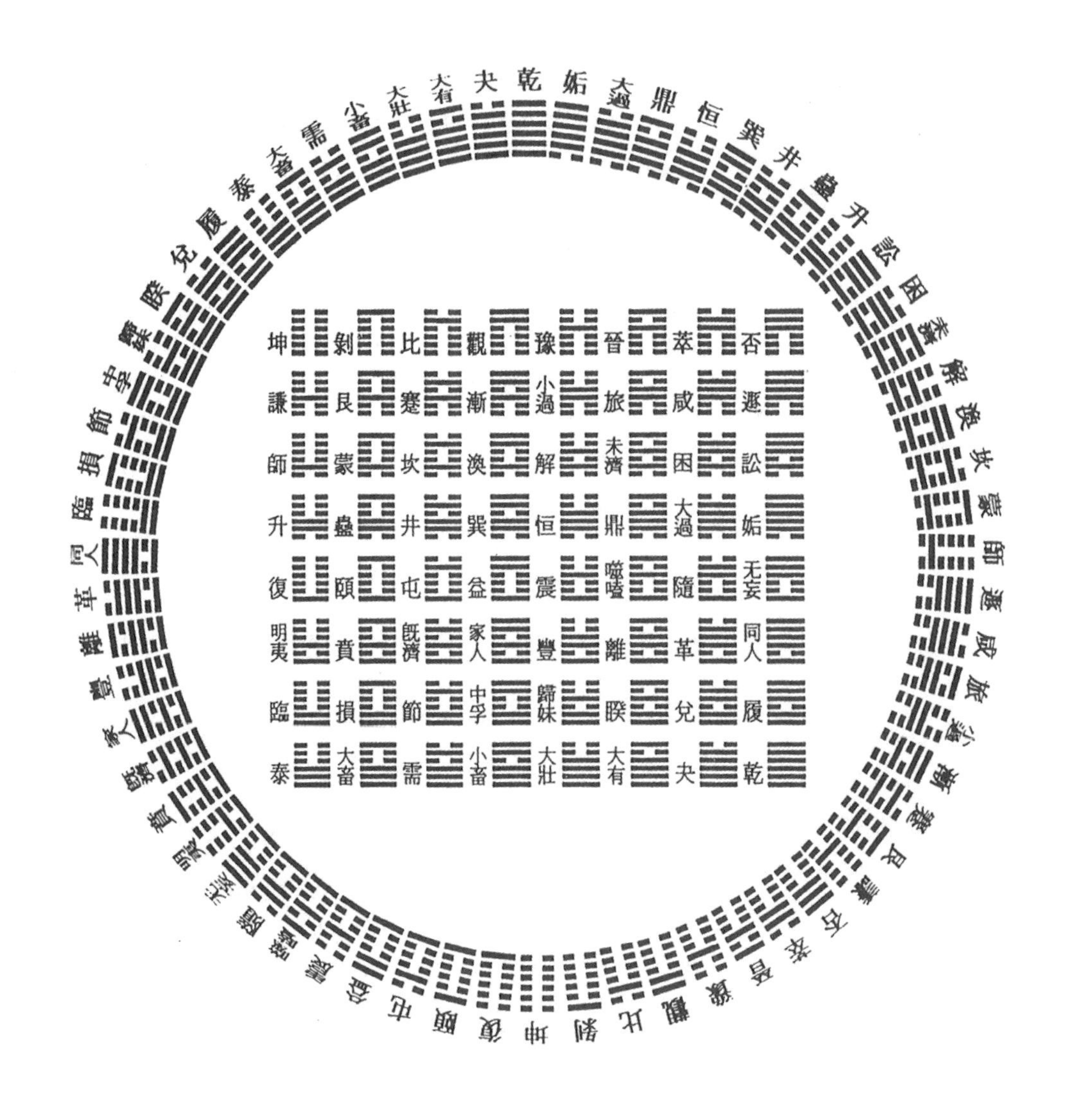

右伏羲四圖는 其說이 皆出於邵氏하니 蓋邵氏는 得之李之才挺之하고 挺之는 得之穆脩伯長하고 伯長은 得之華山希夷先生陳摶圖南者[33]하니 所

······

33 蓋邵氏……希夷先生陳摶圖南者 : 소씨(邵氏)는 북송(北宋)의 역학자(易學者)인 강절(康節) 소옹(邵雍)으로 특히 상수학(象數學)에 밝았으며, 이지재(李之才)는 자(字)가 정지(挺之)로 목수(穆脩)를 사사하여 도(圖)·서(書) 상수(象數)의 변화에 통달하였다. 목수는 자가 백장(伯長)으로

謂先天之學也라 此圖圓布者는 乾盡午中하고 坤盡子中하며 離盡卯中하고 坎盡酉中하여 陽生於子中하여 極於午中하고 陰生於午中하여 極於子中하여 其陽在南하고 其陰在北하며 方布者는 乾始於西北하고 坤盡於東南하여 其陽在北하고 其陰在南하니 此二者는 陰陽對待之數라 圓於外者는 爲陽이요 方於中者는 爲陰이니 圓者는 動而爲天이요 方者는 靜而爲地者也니라

이상 복희(伏羲)의 네 도(圖)는 그 해설이 모두 소씨(邵氏)에게서 나왔으니, 소씨는 이지재 정지(李之才挺之)에게서 얻었고 정지는 목수 백장(穆脩伯長)에게서 얻었고 백장은 화산(華山) 희이선생(希夷先生) 진단 도남(陳摶圖南)에게서 얻었으니, 이른바 선천학(先天學)이라는 것이다. 이 도식에 둥글게 분포된 것은 건(乾)이 오(午)의 가운데에서 다하고 곤(坤)이 자(子)의 가운데에서 다하며, 리(離)가 묘(卯)의 가운데에서 다하고 감(坎)이 유(酉)의 가운데에서 다하여, 양(陽)이 자(子)의 가운데에서 생겨 오(午)의 가운데에서 지극하고 음(陰)이 오(午)의 가운데에서 생겨 자(子)의 가운데에서 지극하여, 양은 남쪽에 있고 음은 북쪽에 있다. 네모지게 분포된 것은 건(乾)이 서북에서 시작되고 곤(坤)이 동남에서 다하여, 양이 북쪽에 있고 음이 남쪽에 있으니, 이 두 가지는 음 · 양이 대대(對待)한 수(數)이다. 밖에 둥근 것은 양이 되고 가운데에 네모난 것은 음이 되니, 둥근 것은 동하여 하늘이 되고 네모난 것은 고요하여 땅이 된다.

【附錄】 邵子曰 太極旣分이면 兩儀立矣요 陽上交於陰하고 陰下交於陽하면 而四象生矣요 陽交於陰하고 陰交於陽하면 而生天之四象하고 剛交於柔하고 柔交於剛하면 而生地之四象하여 八卦相錯而後에 萬物生焉이라 是故로 一分爲二요 二分爲四요 四分爲八이요 八分爲十六이요 十六分爲三十二요 三十二分爲六十四니 猶根之有幹하고 幹之有枝하여 愈大則愈少하고 愈細則愈繁이라 是故로 乾以分之하고 坤以翕之하고 震以長之하고 巽以消之하니 長則分하고 分則消하고 消則翕也라 乾、坤은 定位也요 震、巽은 一交也요 兌、離、坎、艮은 再交也라 故로 震은

••••••

고문(古文)에 밝았으며, 진단(陳摶)은 자가 도남(圖南)이고 부요자(扶搖子)라고 자호(自號)하였으며 송 태조(宋太祖)로부터 희이선생(希夷先生)이라는 칭호를 하사받았다.

••• 翕 : 합할 흡 浸 : 점점 침 孕 : 애기밸 잉

陽少而陰尚多也요 巽은 陰少而陽尚多也며 兌、離는 陽浸多也요 坎、艮은 陰浸多也니라

소자(邵子)가 말씀하였다.

"태극이 이미 나뉘면 양의(兩儀)가 서고, 양(陽)이 위로 음(陰)과 사귀고 음이 아래로 양과 사귀면 사상(四象)이 생기며, 양이 음과 사귀고 음이 양과 사귀면 하늘의 사상을 낳고, 강(剛)이 유(柔)와 사귀고 유(柔)가 강(剛)과 사귀면 땅의 사상을 낳아 팔괘가 서로 교착(交錯)한 뒤에 만물이 생겨난다. 이 때문에 1이 나뉘어 2가 되고 2가 나뉘어 4가 되고 4가 나뉘어 8이 되고 8이 나뉘어 16이 되고 16이 나뉘어 32가 되고 32가 나뉘어 64가 되니, 뿌리에 줄기가 있고 줄기에 가지가 있는 것과 같아서 〈뿌리와 줄기가〉 더욱 커질수록 〈가지와 잎이〉 더욱 작아지고 더욱 세세해질수록 더욱 많아진다.

이 때문에 건(乾)으로써 나누고 곤(坤)으로써 모으며 진(震)으로써 〈양을〉 자라게 하고 손(巽)으로써 〈양을〉 사라지게 하니, 자라면 나뉘고 나뉘면 사라지며 사라지면 합한다. 건(乾)·곤(坤)은 천(天)·지(地)의 자리를 정한 것이고 진(震)·손(巽)은 양과 음이 첫 번째로 사귄 것이고 태(兌)·리(離)·감(坎)·간(艮)은 두 번째로 사귄 것이다. 그러므로 진(震)은 양이 적어서 음이 아직 많고 손(巽)은 음이 적어서 양이 아직 많으며, 태(兌)·리(離)는 양이 점점 많아지고 감(坎)·간(艮)은 음이 점점 많아지는 것이다."

又曰 無極之前엔 陰含陽也요 有象之後엔 陽分陰也라 陰爲陽之母하고 陽爲陰之父라 故로 母孕長男而爲復하고 父生長女而爲姤라 是以로 陽起於復而陰起於姤也니라

또 말씀하였다.

"무극(無極) 이전에는 음이 양을 포함하고 상(象)이 있은 뒤에는 양이 음을 나누었다. 음은 양의 어머니가 되고 양은 음의 아버지가 된다. 그러므로 어머니(곤(坤))가 장남(진(震))을 잉태하여 복괘(復卦 ䷗)가 되고 아버지(건(乾))가 장녀(손(巽))를 낳아 구괘(姤卦 ䷫)가 되었다. 이 때문에 양은 복괘(復卦)에서 일어나고(시작되고) 음은 구괘(姤卦)에서 일어나는 것이다."

又曰 陽在陰中이면 陽逆行하고 陰在陽中이면 陰逆行하며 陽在陽中하고 陰在陰中이면 則皆順行하니 此는 眞至之理니 按圖可見矣니라

또 말씀하였다.

"양이 음 가운데에 있으면 양이 역행하고 음이 양 가운데에 있으면 음이 역행하며, 양이 양 가운데에 있고 음이 음 가운데에 있으면 모두 순행하니, 이는 진실하고 지극한 이치이니, 도식을 살펴보면 알 수 있다."

又曰 復至乾은 凡百一十有二陽이요 姤至坤은 凡八十陽이며 姤至坤은 凡百一十有二陰이요 復至乾은 凡八十陰이니라

또 말씀하였다.

"복괘(復卦)로부터 건괘(乾卦)까지는 모두 112양효(陽爻)이고 구괘(姤卦)로부터 곤괘(坤卦)까지는 모두 80양효이며 구괘로부터 곤괘까지는 모두 112음효(陰爻)이고 복괘로부터 건괘까지는 모두 80음효이다."

又曰 坎離者는 陰陽之限也라 故로 離當寅, 坎當申而數常踰之者는 陰陽之溢也라 然用數는 不過乎中也[34]니라

또 말씀하였다.

"감(坎)·리(離)는 음·양의 한계이다. 그러므로 리(離)는 인(寅)에 해당하고 감(坎)은 신(申)에 해당하는데, 수(數)가 항상 넘는 것은 음양이 넘치기 때문이다. 그

34 坎離者……不過乎中也 : 이에 대하여 대전본(大全本)에 옥제호씨(玉齋胡氏;호방평(胡方平))는 다음과 같이 설명하였다. "감(坎)·리(離)가 '음·양의 한계'라고 한 것은 인(寅)·신(申)을 가지고 말한 것이다. 사시(四時)를 기준하여 말하면 봄은 양(陽)인데 인(寅;정월(正月))에서 시작하니 이는 리(離)가 인(寅)에 해당하여 양의 한계가 되는 것이요, 가을은 음(陰)인데 신(申;칠월(七月))에서 시작하니 이는 감이 신(申)에 해당하여 음의 한계가 되는 것이다. '수(數)가 항상 넘는다.'는 것은 리(離)가 비록 인에 해당하지만 묘중(卯中)에서 다하고 감(坎)이 비록 신에 해당하지만 유중(酉中)에서 다하니, 이는 인·신의 한계가 음·양의 넘침이 되는 것이다. '수(數)를 쓰는 것은 중(中)에서 지나지 않는다.'는 것은 인(寅)·신(申)을 취하고 묘(卯)·유(酉)를 취하지 않는 것이다. 양이 비록 자위(子位;동지(冬至))에서 생기지만 땅 위로 나오지 못하다가 인(寅;정월)이 되어서야 따뜻한 기운이 비로소 용사(用事)하고, 음이 비록 오위(午位;하지(夏至))에서 생기지만 양을 해치지 못하다가 신(申;칠월(七月))이 되어서야 차가운 기운이 비로소 용사하니, 이는 이른바 '수를 사용함은 그대로 인·신의 가운데를 넘지 않는다.'는 것이다."

踰 : 넘을 유 溢 : 넘칠 일 吟 : 읊을 음 鈞 : 고를 균 窟 : 굴 굴 躡 : 밟을 섭

러나 수(數)를 쓰는 것은 중(中)에 지나지 않는다."

又大易吟曰	또 대역음(大易吟, 주역의 괘상을 읊음)에 말씀하였다.

天地定位에	"하늘[☰]과 땅[☷]이 자리를 정함에
否泰反類요	비(否 ䷋)와 태(泰 ䷊)가 류(類)를 반대로 하였고,
山澤通氣에	산(山 ☶)과 택(澤 ☱)이 기운을 통함에
損咸見義라	손(損 ䷨)과 함(咸 ䷞)이 뜻을 나타내었다.
風雷相薄에	풍(風 ☴)과 뢰(雷 ☳)가 서로 부딪침에
恒益起意요	항(恒 ䷟)과 익(益 ䷩)이 뜻을 일으키고,
水火相射하면	물[☵]과 불[☲]이 서로 해치면
旣濟未濟라	기제(旣濟 ䷾)와 미제(未濟 ䷿)가 된다.
四象[35]相交하여	사상(四象)이 서로 사귀어
成十六事하고	십육가지 일이 이루어지고,
八卦相盪하여	팔괘(八卦)가 서로 뒤섞여
爲六十四하나니라	육십사괘가 되었다."

又詩曰	또 시(詩)에 말씀하였다.

耳目聰明男子身이니	"이목 총명한 남자의 몸으로 태어나니
洪鈞[36]賦予不爲貧이라	홍균(洪鈞)의 부여함 가난하지 않네.
須探月窟方知物이니	모름지기 월굴(月窟)을 더듬어야 사물을 알 수 있으니,
未躡天根豈識人[37]가	천근(天根)을 밟지 않고 어찌 인간을 알리오.

······

35 四象 : 사계(沙溪)는 "하늘의 사상과 땅의 사상을 말한 것으로 팔괘를 가리킨 것이다." 하였다. 《經書辨疑》

36 洪鈞 : 홍균(洪鈞)은 크고 고르게 나누어 준다는 뜻으로 하늘을 가리킨다.

37 須探月窟方知物 未躡天根豈識人 : 월굴(月窟)은 달이 있는 굴이라는 뜻으로 음(陰)이 시작하는 구괘(姤卦 ䷫)를 가리키고 천근(天根)은 하늘의 뿌리라는 뜻으로 양(陽)이 시작하는 복괘(復卦 ䷗)를 가리키는 바, 음·양의 소장(消長)은 천지와 인물의 생성원리(生成原理)가 되므로 말한

乾遇巽時觀月窟이요　건(乾 ☰)이 손(巽 ☴)을 만날 때에 월굴(䷫)을 보고
地逢雷處見天根이라　지(地 ☷)가 뢰(雷 ☳)를 만난 곳에 천근(䷗)을 볼 수 있다
天根月窟閒來往하니　천근과 월굴이 이 사이에 왕래하니,
三十六宮都是春[38]　삼십육궁(宮)이 모두 봄이라오."

○ 朱子曰 圓圖는 乾在南, 坤在北하고 方圖는 坤在南, 乾在北이라 乾位는 陽畫之聚爲多하고 坤位는 陰畫之聚爲多하니 此는 陰陽之各以類而聚也니 亦莫不有自然之法象焉이니라

○ 주자가 말씀하였다.

"원도(圓圖)는 건괘(乾卦)가 남쪽에 있고 곤괘(坤卦)가 북쪽에 있으며 방도(方圖)는 곤괘가 남쪽에 있고 건괘가 북쪽에 있다. 건괘의 자리는 양획(陽畫)의 모임이 많고 곤괘의 자리는 음획(陰畫)의 모임이 많은데, 이는 음 · 양이 각기 류(類)로써 모인 것이니, 또한 자연의 법(法)과 상(象)이 있지 않음이 없다."

又曰 圓圖는 象天하여 一順一逆하여 流行中有對待하니 如震八卦는 對巽八卦之類[39]요 方圖는 象地하여 有逆无順하여 定位中有對待하여 四角相對하니 如乾八卦는 對坤八卦之類니 此則方圓圖之辨也라 圓圖象天者는 天圓而動하여 包乎地外하고 方圖象地者는 地方而靜하여 囿乎天中하니 圓圖者는 天道之陰陽이요 方圖者는 地道之柔剛이라 震、離、兌、乾은 爲天之陽, 地之剛이요 巽、坎、艮、坤은

••••••

것이다.

38 三十六宮都是春 : 36궁(宮)은 64괘(卦)를 가리킨다. 팔괘(八卦) 중에 건(乾 ☰) · 곤(坤 ☷) · 감(坎 ☵) · 리(離 ☲)의 네 괘는 상 · 하를 바꿔놓아도 변치 않는 반면 나머지 네 괘는 모두 변하는바, 진(震 ☳)은 간(艮 ☶)이 되고 손(巽 ☴)은 태(兌 ☱)가 된다. 그러므로 진과 간을 하나로, 손과 태를 하나로 보아 팔괘를 6괘로 칠 경우 6×6은 36이 되므로 말한 것이며, '모두 봄이다.'라고 한 것은 봄의 온화한 원기(元氣)가 유행함을 말한 것이다.

39 如震八卦 對巽八卦之類 : 진(震)의 여덟 괘는 진(☳)이 하체(下體)에 있는 복(復 ䷗) · 리(頤 ䷚) · 준(屯 ䷂) · 익(益 ䷩) · 진(震 ䷲) · 서합(噬嗑 ䷔) · 수(隨 ䷐) · 무망(无妄 ䷘)의 여덟 괘를 가리키며, 손(巽)의 여덟 괘는 손(巽 ☴)이 하체에 있는 구(姤 ䷫) · 대과(大過 ䷛) · 정(鼎 ䷱) · 항(恒 ䷟) · 손(巽 ䷸) · 정(井 ䷯) · 고(蠱 ䷑) · 승(升 ䷭)의 여덟 괘를 가리키는 바, 진(震)의 여덟 괘는 원도(圓圖)의 좌변하단(左邊下端)에, 손(巽)의 여덟 괘는 우변하단(右邊下端)에 위치해 있으므로 말한 것이다.

••• 囿 : 갇힐 유 底 : 밑 저 這 : 이것 저

爲天之陰, 地之柔라 地道는 承天而行하니 以地之柔剛으로 應天之陰陽은 同一理也라 特在天者는 一逆一順하니 卦氣所以運이요 在地者는 惟主乎逆하니 卦畫所以成耳니라

또 다음과 같이 말씀하였다.

"원도(圓圖)는 하늘을 형상하여 한 번 순(順)하고 한 번 역(逆)하여 유행하는 가운데에 대대(對待;상대)가 있으니, 예컨대 진(震)의 여덟 괘가 손(巽)의 여덟 괘와 상대가 된 류(類)이다. 방도(方圖)는 땅을 형상하여 역(逆)만 있고 순(順)은 없어서 정해진 자리 가운데에 대대(對待)가 있어 사각(四角)이 상대가 되니, 예컨대 건(乾)의 여덟 괘가 곤(坤)의 여덟 괘와 상대가 된 류(類)이다. 이것이 방도와 원도의 구분이다. 원도가 하늘을 형상함은 하늘은 둥글고 동(動)하여 땅 밖을 싸고 있으며, 방도가 땅을 형상함은 땅은 네모나고 정(靜)하여 하늘 가운데에 갇혀 있으니, 원도는 천도(天道)의 음·양이고 방도는 지도(地道)의 유(柔)·강(剛)이다.

진(震)·리(離)·태(兌)·건(乾)은 하늘의 양과 땅의 강(剛)이 되며, 손(巽)·감(坎)·간(艮)·곤(坤)은 하늘의 음과 땅의 유(柔)가 된다. 지도(地道)는 하늘을 받들어 행하니, 땅의 유(柔)와 강(剛)으로 하늘의 음과 양에 응함은 똑같은 이치이다. 다만 하늘에 있는 것은 한 번 역(逆)하고 한 번 순(順)하니 괘의 기운이 운행되는 이유이며, 땅에 있는 것은 오직 역(逆)을 주장하니 괘의 획(畫)이 이루어진 이유이다."

○ 問邵子云 先天之學은 心法也니 圖皆從中起라 萬化萬事生于心이라하니 何也오 曰 其中白處는 便是太極이요 三十二陰, 三十二陽은 便是兩儀요 十六陰, 十六陽底는 便是四象이요 八陰八陽底는 便是八卦니라 又曰 萬物萬化 皆從這裏流出하니 是心法이 皆從中起也니라

"소자(邵子)가 이르기를 '선천학(先天學)은 심법(心法;마음을 수양하는 방법)이니, 도식이 모두 이 가운데로부터 시작되었다.

만화(萬化)와 만사(萬事)가 마음에서 생겼다.' 하였으니, 무슨 말입니까?" 하고 묻자, 주자가 다음과 같이 대답하였다.

"가운데의 흰 부분은 곧 태극(太極)이며, 32음(陰)과 32양(陽)은 곧 양의(兩儀)이며, 16음과 16양은 곧 사상(四象)이며, 8음과 8양은 곧 팔괘(八卦)이다."

또 말씀하였다.

"만물(萬物)과 만화(萬化)가 모두 이 속에서 흘러나왔으니, 이는 심법(心法)이 모두 이 가운데로부터 시작된 것이다."

問 圖雖無文이나 吾終日言之에 不離乎是는 何也오 曰 先天圖今所寫者是라 以一歲之運言之하면 若大而古今十二萬九千六百年[40]도 亦只是這圈子요 小而一日十二時도 亦只是這圈子니 都從復上推起去니라

"도식에는 비록 글이 없으나 내 종일토록 말함에 여기에서 벗어나지 않는다고 말한 것은 무엇입니까?" 하고 묻자, 다음과 같이 대답하였다.

"선천도(先天圖)에 지금 쓰여 있는 것이 이것이다. 한 해의 운행으로 말하면 크게는 고금의 12만 9천 6백 년도 다만 이 범위이며 작게는 하루 12시도 다만 이 범위이니, 모두 복괘(復卦)로부터 미루어 간 것이다."

又曰 以月言之하면 自坤而震은 月之始生初三日也요 至兌則月之上弦初八日也요 至乾則月之望十五日也요 至巽則月之始虧十八日也요 至艮則月之下弦二十三日也요 至坤則月之晦三十日也니라

또 말씀하였다.

"달을 가지고 말하면 곤괘(坤卦)로부터 진괘(震卦)까지는 달이 처음 생겨나는 초사흘이고 태괘(兌卦)에 이르면 달이 상현(上弦)인 초8일이며, 건괘(乾卦)에 이르면 달이 보름인 15일이고 손괘(巽卦)에 이르면 달이 처음 기우는 18일이며, 간괘(艮卦)에 이르면 달이 하현(下弦)인 23일이고 곤괘에 이르면 달이 그믐인 30일이다."

又曰 一日은 有一日之運하고 一歲는 有一歲之運하여 大而天地之終始와 小而人物之生死와 遠而古今之世變이 皆不外乎此하니 只是一箇盈虛消息之理라 如納

40 古今十二萬九千六百年 : 일원(一元)의 기간을 이른다. 운회설(運會說)에 의하면 1원에는 자(子)·축(丑)·인(寅)·묘(卯)의 12회(會)가 있고 1회는 1만 8백 년이 있는데, 자회(子會)에는 하늘이 열리고 축회(丑會)에는 땅이 열리고 인회(寅會)에는 인(人)·물(物)이 태어나며, 술회(戌會)와 해회(亥會)에는 하늘과 땅이 모두 없어졌다가 다시 자회와 축회가 되면 천(天)·지(地)가 다시 개벽된다 하는 바, 소강절(邵康節)의 《황극경세(皇極經世)》에 자세히 보인다.

甲法[41]에 乾納甲壬, 坤納乙癸, 離納己, 坎納戊, 巽納辛, 震納庚, 兌納丁, 艮納丙도 亦是此니라

또 말씀하였다.

"하루에는 하루의 운행이 있고 한 해에는 한 해의 운행이 있어서 크게는 천지의 시종(始終)과 작게는 인물의 생사(生死)와 멀리는 고금의 세변(世變)이 모두 여기에서 벗어나지 않으니, 다만 하나의 영허(盈虛)와 소식(消息)의 이치일 뿐이다. 예를 들면 납갑법(納甲法)에 건(乾)에는 갑(甲)·임(壬)을 넣고 곤(坤)에는 을(乙)·계(癸)를 넣고 리(離)에는 기(己)를 넣고 감(坎)에는 무(戊)를 넣고 손(巽)에는 신(辛)을 넣고 진(震)에는 경(庚)을 넣고 태(兌)에는 정(丁)을 넣고 간(艮)에는 병(丙)을 넣는 것도 이것이다.

○ 易은 訓變易하고 又訓交易하니 是博易之義니 觀先天圖하면 便可見이라 東邊一畫陰은 便對西邊一畫陽하니 蓋東一邊은 本皆是陽이요 西一邊은 本皆是陰이며 東邊陰畫은 本皆是自西邊來요 西邊陽畫은 都是自東邊來라 姤在西는 是東邊五畫陽過來요 復在東은 是西邊五畫陰過來하여 互相博易而成이니 易之變이 雖多般이나 然此是第一變이니라

역(易)은 변역(變易)이라 훈(訓;풀이)하고 또 교역(交易)이라 훈(訓)하니, 박역(博易;교역)의 뜻이니, 선천도(先天圖)를 보면 곧 이것을 알 수 있다. 동쪽 가의 한 획의 음(陰)은 곧 서쪽 가의 한 획의 양(陽)과 상대하였으니, 동쪽 일변(一邊)은 본래 모두 양이고 서쪽 일변(一邊)은 본래 모두 음이며, 동쪽 가의 음획(陰畫)은 본래 모두 서쪽 가로부터 왔고 서쪽 가의 양획(陽畫)은 모두 동쪽 가로부터 왔다. 구괘(姤卦)가 서쪽에 있는 것은 동쪽 가의 5획의 양에서 왔고, 복괘(復卦)가 동쪽에 있는 것은 서쪽 가의 5획의 음에서 와서 서로 박역(博易)하여 이루어졌으니, 역(易)의 변화가 비록 여러 가지이나 이것이 제일의 변화이다."

又曰 陽中有陰하고 陰中有陽하여 兩邊交易하여 各各相對하니 其實은 非此往彼

41 如納甲法 : 십간(十干)을 가지고 팔괘에 나누어 넣음을 이른다.

來요 只是其象如此라 然聖人當初에 亦不恁地思量이요 只是畫一箇陰, 畫一箇陽에 每箇便生兩箇라 就一箇陽上에 又生一箇陽, 一箇陰하고 就一箇陰上에 又生一箇陰, 一箇陽하여 只管恁地去하면 自一爲二, 二爲四, 四爲八, 八爲十六, 十六爲三十二, 三十二爲六十四하여 旣成에 便如此齊整하니 皆是天地本然之妙元如此라 但略假聖人手하여 畫出來니라

또 말씀하였다.

"양 가운데에 음이 있고 음 가운데에 양이 있어서 양쪽이 교역하여 각각 상대하였으니, 그 실제는 이것이 가고 저것이 온 것이 아니요, 다만 그 상(象)이 이와 같을 뿐이다. 그러나 성인(聖人)도 당초에는 이렇게 생각하지 않고 다만 한 개의 음을 긋고 한 개의 양을 그음에 한 개마다 두 개를 낳았다. 한 개의 양 위에 나아가 또 한 개의 양과 한 개의 음을 낳고, 한 개의 음 위에 나아가 또 한 개의 음과 한 개의 양을 낳아서, 다만 이렇게 가면 저절로 1이 2가 되고 2가 4가 되고 4가 8이 되고 8이 16이 되고 16이 32가 되고 32가 64가 되었다. 그리하여 이미 이루어짐에 곧 이와 같이 가지런히 정돈되니, 이는 모두 천지(天地) 본연(本然)의 묘리(妙理)가 원래 이와 같은 것이다. 다만 조금 성인(聖人)의 손을 빌어서 그어냈을 뿐이다."

○ 問先天圖 有自然之象數하니 伏羲當初亦知其然否아 日 也不見得如何라 但橫圖는 據見(현)在底畫하여 較自然이요 圓圖는 便是就這中間拗做兩截하여 恁地轉來底是奇요 恁地轉去底是偶니 有些造作하여 不甚依他元初畫底라 伏羲當初에 也只見太極下面에 有箇陰陽하여 便知得一生二하고 二又生四하고 四又生八하여 恁地推去에 做成這物事요 不覺成來却如此齊整이시니라

"선천도(先天圖)에 자연의 상(象)과 수(數)가 있으니, 복희(伏羲)가 당초에 또한 이와 같음을 알았습니까?" 하고 묻자, 다음과 같이 대답하였다.

"복희도 어떠한지 보지 못하였을 것이다. 다만 횡도(橫圖)는 현재의 획에 의거하여 비교적 자연스럽고, 원도(圓圖)는 곧 이 중간에 나아가 둘로 만들어서 이렇게 바뀌어 온 것은 기(奇)이고 저렇게 바뀌어 간 것은 우(偶)이니, 약간의 조작이 있어 원초(元初)에 그은 것을 심하게 따르지는 않았다. 복희가 당초에 또한 태극의 하면(下面)에 이러한 음·양이 있는 것을 보고서 곧 1이 2를 낳고 2가 또 4를

••• 恁 : 이러할 임 拗 : 꺾을 요 旦 : 아침 단 該 : 포함할 해

낳고 4가 또 8을 낳아서 이렇게 미루어 감에 이러한 사물이 이루어짐은 알았고, 이루어짐에 곧 이처럼 가지런히 정돈될 줄은 깨닫지 못하셨다."

○ 答葉永卿曰 先天之說은 此須先將六十四卦하여 作一橫圖하면 則震、巽、復、姤 正在中間하니 先自震、復却行하여 以至於乾하고 乃自巽、姤而順行하여 以至於坤하면 便成圓圖로되 而春夏秋冬, 晦朔弦望, 晝夜昏旦이 皆有次第하니 此作圖之大指也라 又左方百九十二爻는 本皆陽이요 右方百九十二爻는 本皆陰이니 乃以對望하여 交相博易而成이라 此圖를 若不從中起以向兩端하고 而但從頭至尾하면 則此等類皆不可通矣니 試用此意推之하면 當自見得也리라

주자가 섭영경(葉永卿)에게 다음과 같이 대답하였다.

"선천(先天)의 설은 모름지기 먼저 64괘를 가지고 한 횡도(橫圖)를 만들면 진(震 ☳)·손(巽 ☴)·복(復 ☳)·구(姤 ☴)가 바로 중간에 있으니, 먼저 진(震)·복(復)으로부터 역행하여 건(乾 ☰)에 이르고 마침내 손(巽)·구(姤)로부터 순행하여 곤(坤 ☷)에 이르면 곧 원도(圓圖)가 이루어지는 바, 춘(春)·하(夏)·추(秋)·동(冬)과 그믐·초하루·상현(上弦)·하현(下弦)과 보름, 낮·밤·저녁·아침이 모두 차례가 있으니, 이것이 도식을 만든 큰 뜻이다. 또 왼쪽에 있는 192효(爻)는 본래 모두 양(陽)이었고 오른쪽에 있는 192효는 본래 모두 음(陰)이었으니, 마침내 마주 대하고 바라보아 서로 박역(博易)하여 이루어진 것이다. 이 도식을 만약 중앙으로부터 시작하여 양끝으로 향하여 가지 않고, 다만 머리(처음)부터 꼬리(끝)까지만 이른다면 이러한 것들이 모두 통할 수 없으니, 한번 이러한 뜻을 가지고 미루어보면 마땅히 스스로 알게 될 것이다.

○ 先天은 乃伏羲本圖요 非康節所自作이니 雖无言語나 而所該甚廣이라 凡今易中一字一義 无不自其中流出者니라

선천(先天)은 바로 복희(伏羲)의 본도(本圖)이고 강절(康節)이 스스로 만든 것이 아니니, 비록 언어는 없으나 포괄한 바가 매우 넓다. 이제 무릇 역(易) 가운데의 한 글자와 한 뜻이 이 가운데로부터 흘러나오지 않은 것이 없다."

○ 問先天圖與太極圖不同은 如何오 曰 中間虛者는 便是太極이라 他圖는 說從

中起하니 今不合方圖在中間塞일새 却待取出放外니라 他兩邊生者는 卽是陰根陽, 陽根陰이니 這箇는 有對하고 從中出者는 无對하니라

"선천도(先天圖)가 태극도(太極圖)와 똑같지 않은 것은 어째서입니까?" 하고 묻자, 다음과 같이 대답하였다.

"중간이 빈 것이 곧 태극이다. 이 도(圖)는 설명이 중앙으로부터 시작되었으니, 이제 방도(方圖)가 중간에 있어 가로막을 수 없으므로 취하여 밖으로 내보낸 것이다. 저(선천도) 양쪽 가에서 생겨 나온 것은 〈태극도〉의 음이 양에 뿌리하고 양이 음에 뿌리한 것이니, 이것은 대(對)가 있고 중앙으로부터 나온 것은 대가 없다."

○ 問先天圖에 如何移出方圖在下오 曰 是某挑出이니라

"선천도에 어찌하여 방도(方圖)를 옮겨내어 아래에 두었습니까?"하고 묻자, "이것은 내가 도출해낸 것이다." 하고 대답하였다.

문왕팔괘차서지도(文王八卦次序之圖)

	母坤				父乾			
	☷				☰			
兌離巽	兌少女	離中女	巽長女		艮少男	坎中男	震長男	艮坎震
	☱	☲	☴		☶	☵	☳	
	得坤上爻	得坤中爻	得坤下爻		得乾上爻	得乾中爻	得乾下爻	

右는 見說卦라

이상은 〈설괘전〉에 보인다.

【附錄】 朱子曰 坤求於乾하여 得其初九而爲震이라 故曰一索而得男이요 乾求於坤하여 得其初六而爲巽이라 故曰一索而得女며 坤再求而得乾之九二하여 以爲坎이라 故曰再索而得男이요 乾再求而得坤之六二하여 以爲離라 故曰再索而得女며 坤三求而得乾之九三하여 以爲艮이라 故曰三索而得男이요 乾三求而得坤之六三하여 以爲兌라 故曰三索而得女[42]니라 又曰 乾索於坤而得女하고 坤索於乾

42 一索而得男……三索而得女 : 이 내용은 〈설괘전〉 끝에 자세히 보인다. 진(震)·감(坎)·간(艮)

而得男하니 初間畫卦時엔 不是恁地요 只是畫卦後에 便見有此象耳니라

주자가 말씀하였다.

"곤(坤☷)이 건(乾☰)에게 구하여 건의 초구(初九)를 얻어 진(震☳)이 되었으므로 '첫 번째 구하여 남자를 얻었다.'고 말하였으며, 건(乾)이 곤(坤)에게 구하여 곤(坤)의 초육(初六)을 얻어 손(巽☴)이 되었으므로 '첫 번째 구하여 여자를 얻었다.'고 말하였다. 곤(坤)이 두 번째 구하여 건(乾)의 구이(九二)를 얻어 감(坎☵)이 되었으므로 '두 번째 구하여 남자를 얻었다.'고 말하였으며, 건(乾)이 두 번째 구하여 곤(坤)의 육이(六二)를 얻어 리(離☲)가 되었으므로 '두 번째 구하여 여자를 얻었다.'고 말하였다. 곤(坤)이 세 번째 구하여 건(乾)의 구삼(九三)을 얻어 간(艮☶)이 되었으므로 '세 번째 구하여 남자를 얻었다.'고 말하였으며, 건(乾)이 세 번째 구하여 곤(坤)의 육삼(六三)을 얻어 태(兌☱)가 되었으므로 '세 번째 구하여 여자를 얻었다.'고 말하였다."

또 말씀하였다.

"건(乾)이 곤(坤)에게 구하여 여자를 얻고 곤이 건에게 구하여 남자를 얻었으니, 처음 괘를 그을 때에는 이렇지 않았고, 다만 괘를 그은 뒤에 곧 이러한 상(象)이 있음을 발견하게 된 것이다."

의 3남이 곤(坤)에서 얻어지고 손(巽)·리(離)·태(兌)의 3녀가 건(乾)에서 얻어짐은, 양은 음에서 뿌리하고 음은 양에서 뿌리한다.[陽根陰, 陰根陽.]의 원리에서 나온 것으로 주렴계(周濂溪)의 〈태극도(太極圖)〉에 자세히 보인다.

문왕팔괘방위지도(文王八卦方位之圖)

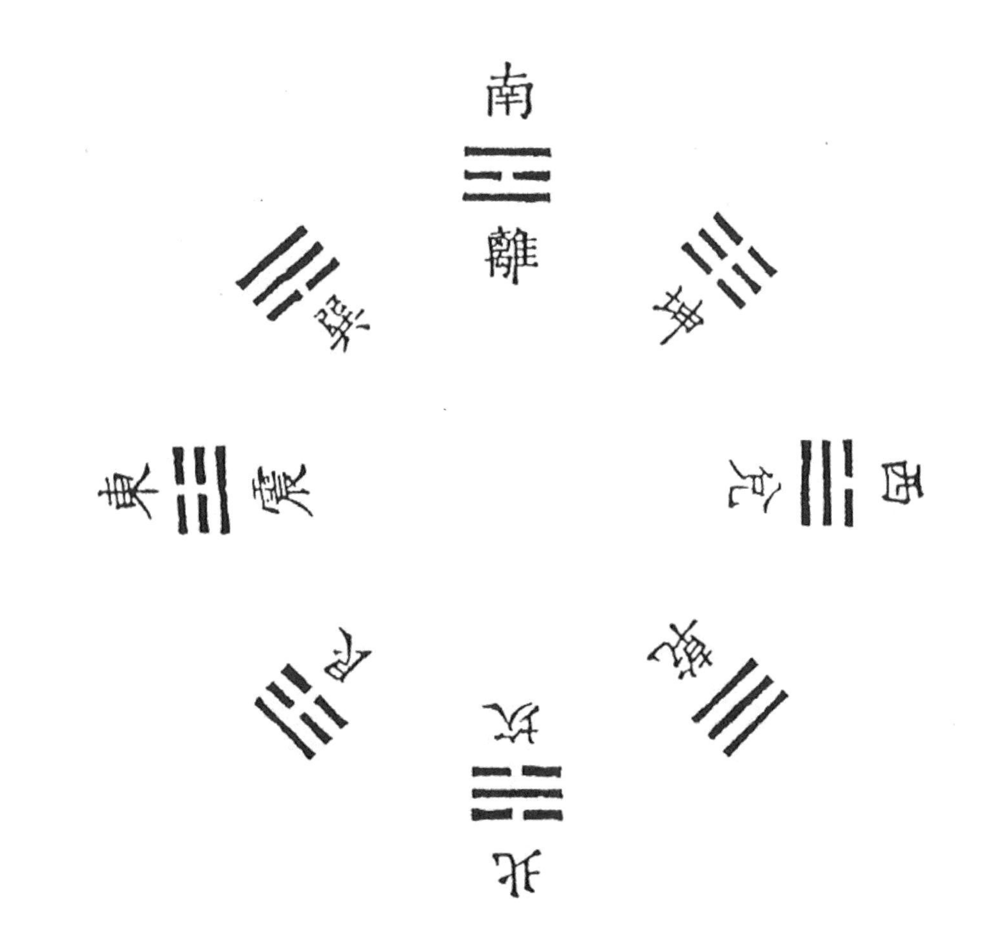

右는 見說卦라 邵子曰 此는 文王八卦니 乃入用之位니 後天之學也라

이상은 〈설괘전〉에 보인다. 소자(邵子)가 말씀하기를 "이는 문왕(文王)의 팔괘이니, 바로 실용에 들어간 자리이니, 후천(後天)의 학(學)이다." 하였다.

【附錄】 邵子曰 至哉라 文王之作易也여 其得天地之用乎인저 故로 乾坤交而爲泰하고 坎離交而爲旣濟也라 乾生於子하고 坤生於午하고 坎終於寅하고 離終於申하여 以應天之時也하며 置乾於西北하고 退坤於西南하여 長子用事而長女代母하고 坎、離得位而兌、艮爲偶하여 以應地之方也하니 王者之法이 其盡於是矣니라

소자(邵子)가 말씀하였다.

"지극하다. 문왕(文王)이 역(易)을 지으심이여. 천지(天地)의 용(用)을 얻었다 할 것이다. 그러므로 건(乾 ☰)·곤(坤 ☷)이 사귀어 태(泰 ䷊)가 되고, 감(坎 ☵)·리(離 ☲)가 사귀어 기제(旣濟 ䷾)가 되었다.

건(乾)은 자(子;정북(正北))에서 생기고 곤(坤)은 오(午;정남(正南))에서 생기며 감(坎)은 인(寅;동쪽)에서 끝나고 리(離)는 신(申;서쪽)에서 끝나 하늘의 때에 응하며, 건을 서북(西北)에 두고 곤을 서남(西南)에 물러나게 하여 장자(長子;진(震))가 용사(用事)하고 장녀(長女;손(巽))가 어머니를 대신하며, 감(坎)·리(離)가 지위(정북과 정남)를 얻고 태(兌)·간(艮)이 짝이 되어 땅의 모난 것에 응하니, 왕자(王者)의 법(法)이 여기에서 다하였다."

又曰 易者는 一陰一陽之謂也니 震、兌는 始交者也라 故로 當朝夕之位하고 坎、離는 交之極者也라 故로 當子午之位하고 巽、艮은 不交而陰陽猶雜也라 故로 當用中之偏하고 乾坤은 純陽、純陰也라 故로 當不用之位也니라

또 말씀하였다.

"역(易)은 한 번 음(陰)하고 한 번 양(陽)함을 이르니, 진(震)·태(兌)는 처음 사귄 것이므로 조(朝)·석(夕)의 자리에 해당하고, 감(坎)·리(離)는 사귐이 지극한 것이므로 자(子)·오(午)의 자리에 해당하고, 손(巽)·간(艮)은 사귀지 않았는데도 음·양이 서로 섞였으므로 중(中)을 쓰는 자리의 한쪽에 해당하고, 건(乾)·곤(坤)은 순양(純陽)·순음(純陰)이므로 쓰지 않는 자리에 해당한 것이다."

又曰 兌、離、巽은 得陽之多者也요 艮、坎、震은 得陰之多者也라 是以爲天地用也며 乾極陽이요 坤極陰이라 是以不用也니라 又曰 震、兌橫而六卦縱은 易之用也니라

또 말씀하였다.

"태(兌)·리(離)·손(巽)은 양(陽)을 얻음이 많고 간(艮)·감(坎)·진(震)은 음(陰)을 얻음이 많다. 이 때문에 천지(天地)의 쓰임이 된 것이며, 건(乾)은 극양(極陽)이고 곤(坤)은 극음(極陰)이다. 이 때문에 쓰이지 않는 것이다."

또 말씀하였다.

"진(震)·태(兌)가 횡으로 있고 나머지 여섯 괘가 종으로 있는 것은 역(易)의 용(用)이다."

○ 朱子答袁樞曰 來喻에 謂冬春爲陽하고 夏秋爲陰이라하니 以文王八卦論之하면 則自西北之乾으로 以至東方之震은 皆父與三男之位也요 自東南之巽으로 以至西方之兌는 皆母與三女之位也라 故로 坤、蹇、解卦之彖辭에 皆以東北爲陽方하고 西南爲陰方하니 然則謂冬春爲陽하고 夏秋爲陰도 亦是一說이라 但說卦에 又以乾爲西北하니 則陰有不盡乎西요 以巽爲東南하니 則陽有不盡乎東이니 此亦以來書之說推之하면 而說卦之文이 適與彖辭로 相爲表裏하니 亦可以見此圖之出於文王也라 但此自是一說이니 與他說十二卦之類[43]로 各不相通耳니라

주자가 원추(袁樞)에게 다음과 같이 대답하였다.

"보내온 편지에 '겨울과 봄은 양(陽)이요 여름과 가을은 음(陰)이다.' 하였으니, 문왕(文王)의 팔괘(八卦)를 가지고 논하면 서북의 건(乾)으로부터 동방의 진(震)에 이르기까지는 모두 아버지와 세 아들의 자리이며, 동남의 손(巽)으로부터 서방의 태(兌)에 이르기까지는 모두 어머니와 세 딸의 사리이다. 그러므로 곤괘(坤卦 ☷)·건괘(蹇卦 ䷦)·해괘(解卦 ䷧)의 단사(彖辭)에 모두 동북을 양방(陽方)이라 하고 서남을 음방(陰方)이라 하였으니, 그렇다면 '겨울과 봄은 양이요 여름과 가을은 음이다.'라고 하는 것 또한 한 가지 설이 된다.

다만 〈설괘전〉에 또 건(乾)을 서북이라 하였으니 음은 서쪽에 다하지 않음이 있고, 손(巽)을 동남이라 하였으니 양은 동쪽에 다하지 않음이 있는 것이다. 이 또한 보내온 편지의 말을 가지고 미루어보면 〈설괘전〉의 글이 마침 단사(彖辭)와 서로 표리(表裏)가 되니, 또한 이 도식이 문왕에게서 나왔음을 알 수 있다. 다만 이

······

43 他說十二卦之類 : 12괘는 12벽괘(辟卦)를 가리킨 것으로 주장이 되는 괘를 12개월에 배합함을 이른다. 즉 일양(一陽)이 처음 생기는 동짓달(11월)의 복괘(復卦 ䷗)로부터 시작하여 12월은 이양(二陽)의 림괘(臨卦 ䷒), 정월은 삼양(三陽)의 태괘(泰卦 ䷊), 2월은 사양(四陽)의 대장괘(大壯卦 ䷡), 3월은 오양(五陽)의 쾌괘(夬卦 ䷪), 4월은 순양(純陽)인 건괘(乾卦 ䷀)이며, 다시 일음(一陰)이 처음 생기는 하지(夏至 5월)의 구괘(姤卦 ䷫)로부터 시작하여 6월은 이음(二陰)의 돈괘(遯卦 ䷠), 7월은 삼음(三陰)의 비괘(否卦 ䷋), 8월은 사음(四陰)의 관괘(觀卦 ䷓), 9월은 오음(五陰)의 박괘(剝卦 ䷖), 10월은 순음(純陰)의 곤괘(坤卦 ䷁)로 순환한다.

것은 따로 한 가지 설이 되니, 다른 12괘를 설명한 류(類)와는 각각 서로 통하지 않는다."

又曰 據邵氏說하면 先天者는 伏羲所畫之易也요 後天者는 文王所演之易也라 伏羲之易은 初无文字하고 只有一圖하여 以寓其象數로되 而天地萬物之理와 陰陽始終之變이 具焉하고 文王之易은 卽今之周易이요 而孔子所爲作傳者是也라 孔子旣因文王之易하사 以作傳하시니 則其所論이 固當專以文王之易爲主라 然不推本伏羲始畫之易하고 只從中半說起하면 不識向上根原矣라 故로 十翼之中에 如八卦成列하여 因而重之와 太極、兩儀、四象、八卦而天地、山澤、雷風、水火之類는 皆本伏羲畫卦之意라 而某於啓蒙原卦畫一篇에 亦分兩義하여 伏羲在前하고 文王在後하니 必欲知聖人作易之本인댄 則當考伏羲之畫이요 若只欲知今易書文義인댄 則但求之文王之經, 孔子之傳이면 足矣니 兩者初不相妨이요 而亦不可以相雜也니라

또 다음과 같이 말씀하였다.

"소씨(邵氏)의 말을 근거하면 선천(先天)은 복희(伏羲)가 괘를 그은 역(易)이고 후천(後天)은 문왕이 부연한 역이다. 복희의 역은 애당초 문자가 없었고 다만 한 도식만 있어 상(象)과 수(數)를 여기에 붙였는데, 천지(天地) 만물의 이치와 음양(陰陽) 종시(終始)의 변화가 모두 갖추어져 있으며, 문왕의 역은 곧 지금의 《주역》인데, 공자께서 위하여 전(傳:십익)을 지은 것이 이것이다.

공자께서 이미 문왕의 역을 따라 전(傳)을 지으셨으니, 논한 것이 진실로 오로지 문왕의 역을 위주로 하셔야 할 것이다. 그러나 복희가 처음 괘를 그은 역(易)을 미루어 근본하지 않고 다만 중반(中半)에서부터 말을 시작하면 위를 향한 근원을 알지 못한다. 그러므로 십익(十翼)의 가운데에 '팔괘가 열(列)을 이루었는데 이를 인하여 거듭하였다.'는 것과 태극(太極)·양의(兩儀)·사상(四象)·팔괘(八卦)와 천지(天地)·산택(山澤)·뢰풍(雷風)·수화(水火)의 류(類)는 모두 복희가 괘를 그은 뜻을 근본한 것이다. 나는 《역학계몽(易學啓蒙)》의 〈원괘획(原卦畫)〉 한 편에서 또한 두 뜻을 나누어 복희의 역을 앞에 두고 문왕의 역을 뒤에 두었으니, 반드시 성인(聖人)이 역(易)을 지은 근본을 알려고 한다면 마땅히 복희의 획을 상고하여야 할 것이요, 만약 다만 지금의 《주역》의 글뜻을 알고자 한다면 다만 문왕의 경(經)

과 공자의 전(傳)에서 찾으면 충분하니, 두 가지는 애당초 서로 방해되지 않고 또한 서로 뒤섞일 수도 없다."

又曰 自初未有畫時로 說到六畫滿處者는 邵子所謂先天之學也요 卦成之後에 各因一義推說은 邵子所謂後天之學也니 如繫辭、說卦三才、六位[44]之說은 卽所謂後天者也라 先天、後天이 既各自爲一義요 而後天說中에 取義又多不同이로되 彼此自不相妨하니 不可執一而廢百也니라

또 다음과 같이 말씀하였다.

"처음에 괘획(卦畫)이 있지 않았을 때로부터 6획이 가득찬 곳까지 설명한 것은 소자(邵子)의 이른바 선천(先天)의 학(學)이요, 괘가 이루어진 뒤에 각각 한 가지 뜻을 인하여 미루어 말한 것은 소자의 이른바 후천(後天)의 학(學)이니, 〈계사전〉과 〈설괘전〉에 삼재(三才)와 육위(六位;효의 여섯자리)에 대한 설명 같은 것은 곧 이른바 후천이라는 것이다. 선천과 후천이 이미 각각 별도로 한 뜻이 되고, 후천설(後天說) 가운데에도 뜻을 취한 것이 또 많이 다르나 피차가 서로 방해되지 않으니, 한 가지를 고집하여 백 가지를 버려서는 안 된다."

○ 西山蔡氏曰 伏羲八卦는 是數之自然이요 文王八卦는 乃是見(현)之於用이니라 或謂先天은 乃模寫天地所以然하니 純乎天理者也요 後天은 乃整頓天地所當然之理하니 參以人事라하니 此意固好라 然先天이 豈非人事며 後天이 亦是天理之自然이로되 顧有明體致用之不同이니 二者不可相无라 故로 夫子釋帝出乎震一章에 又以先天으로 說六子之用也하시고 邵子는 以帝出乎震으로 爲文王所定[45]이

44 三才六位 : 삼재(三才)는 천(天)·지(地)·인(人)으로, 〈계사전 하(繫辭傳下)〉에 "《주역》의 책이 광대(廣大)하여 모두 구비해서 천도(天道)가 있으며 인도(人道)가 있으며 지도(地道)가 있으니, 삼재를 겸하여 두 번 하였다. 그러므로 6획이니, 6은 다른 것이 아니요, 삼재의 도(道)이다."라고 보이며, 육위(六位)는 육효의 여섯 자리로, 〈설괘전〉에 "삼재를 겸하여 두 번 하였다. 그러므로 《주역》이 여섯 번 그음에 괘를 이르며, 음으로 나뉘고 양으로 나뉘고 번갈아 유(柔)와 강(剛)을 쓴다. 그러므로 《주역》이 여섯 자리에 문장(문채)을 이룬다.[易六位而成章]"라고 보인다.

45 夫子釋帝出乎震一章……爲文王所定 : 이 내용은 〈설괘전〉에 보이는데, 앞에서는 복희의 선천(先天)으로 말하였고 뒤에서는 문왕의 후천(後天)으로 말하였는바, 〈설괘전〉은 공자가 지었다 하므로 이렇게 말한 것이다.

라 今觀連山首艮하여 以萬物成終成始하니 恐古亦有此矣로라

서산채씨가 말하였다.

“복희의 팔괘는 수(數)의 자연이요, 문왕의 팔괘는 바로 용(用)에 나타난 것이다. 혹자는 이르기를 ‘선천(先天)은 천지의 소이연(所以然)을 모사하였으니 천리(天理)에 순수한 것이요, 후천(後天)은 천지의 소당연(所當然)의 이치를 정돈하였으니 인사(人事)를 참작한 것이다.’ 하니, 이 뜻이 진실로 좋다. 그러나 선천이 어찌 인사가 아니겠으며 후천 또한 천리(天理)의 자연스러운 것인데 다만 체(體)를 밝히고 용(用)을 다하는 차이가 있을 뿐이니, 두 가지가 서로 없을 수 없다. 그러므로 부자(夫子 : 공자)는 ‘제출호진(帝出乎震)’ 한 장(章)을 설명할 적에 또 선천으로 육자(六子)의 쓰임을 말씀하였고, 소자(邵子)는 ‘제출호진’을 문왕이 정한 것이라 하였으니, 이제 연산역(連山易)을 보면 간괘(艮卦)를 첫 번째로 놓아서 만물이 종(終)을 이루고 시(始)를 이루었는 바, 옛날에도 이것이 있었던 듯하다.”

괘변도(卦變圖)

*횡서(橫書)로 바꾸었으며, 뒤에 원본을 덧붙임

彖傳에 或以卦變으로 爲說하니 今作此圖하여 以明之라 蓋易中之一義요 非畫卦作易之本指也니라

〈단전(彖傳)〉에 혹 괘변(卦變)으로써 설명한 것이 있으므로 지금 이 그림을 만들어 밝혔다. 《주역》 가운데의 한 뜻이고, 괘를 긋고 역(易)을 지은 본 뜻은 아니다.

① 凡一陰一陽之卦各六이니 皆自復、姤而來라

무릇 한 음과 한 양의 괘가 각각 여섯이니, 모두 복(復)·구(姤)에서 왔다.

復	師	謙	豫	比	剝
姤	同人	履	小畜	大有	夬

② 凡二陰二陽之卦 各十有五니 皆自臨、遯而來라

무릇 두 음과 두 양의 괘가 각각 15이니, 모두 림(臨)·돈(遯)에서 왔다.

臨	明夷	震	屯	頤			遯	訟	巽	鼎	大過
	升	解	坎	蒙				无妄	家人	離	革
		小過	蹇	艮					中孚	睽	兌
			萃	晉						大畜	需
				觀							大壯

③ 凡三陰三陽之卦各二十이니 皆自泰、否而來라

무릇 세 음과 세 양의 괘가 각각 20이니, 모두 태(泰)·비(否)에서 왔다.

		泰	歸妹	節	損			否	漸	旅	咸
			豊	旣濟	賁				渙	未濟	困
				隨	噬嗑					蠱	井
					益						恒
			恒	井	蠱				益	噬嗑	隨
				困	未濟					賁	旣濟
					渙						豊
				咸	旅					損	節
					漸						歸妹
					否						泰

④ 凡四陰四陽之卦各十有五니 皆自大壯、觀而來라(二陰二陽圖已見前이라)

무릇 네 음과 네 양의 괘가 각각 15이니, 모두 대장(大壯)·관(觀)에서 왔다. (두 음과 두 양의 도식은 이미 앞에 보인다.)

			大壯	需	大畜				觀	晉	萃
				兌	睽					艮	蹇
					中孚						小過
				革	離					蒙	坎
					家人						解
					无妄						升
				大過	鼎					頤	屯
					巽						震
					訟						明夷
					遯						臨

⑤ 凡五陰五陽之卦各六이니 皆自夬、剝而來라(一陰一陽圖已見前이라)

무릇 다섯 음과 다섯 양의 괘가 각각 여섯이며, 모두 쾌(夬)·박(剝)에서 왔다.

(한 음과 한 양의 도식은 이미 앞에 보인다.)

䷪	䷍	䷈	䷉	䷌	䷫
夬	大有	小畜	履	同人	姤
䷖	䷇	䷏	䷎	䷆	䷗
剝	比	豫	謙	師	復

卦變圖彖傳或以卦變爲說今作此圖以明之葢易中之一義非畫卦作易之本指也

凡一陰一陽之卦各六皆自復姤而來五陰五陽卦同圖異

剝 比 豫 謙 師 復

夬 大有 小畜 履 同人 姤

凡二陰二陽之卦各十有五皆自臨遯而來四陰四陽卦同圖異

頤 屯 震 明夷 臨

蒙 坎 解 升

艮 蹇 小過

晉 萃

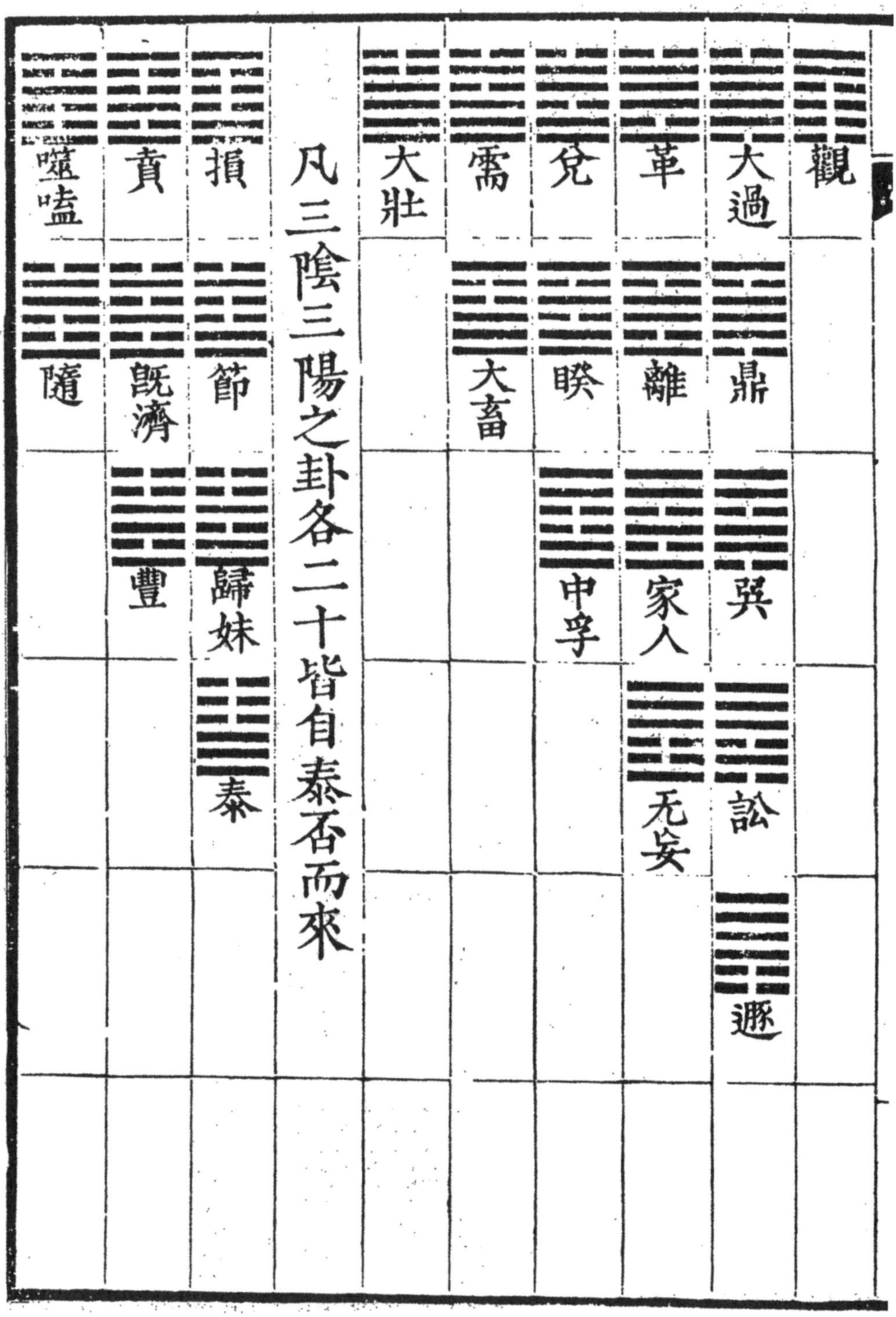

觀

大過 鼎 巽 訟 遯

革 離 家人 无妄

兌 睽 中孚

需 大畜

大壯

凡三陰三陽之卦各二十皆自泰否而來

損 節 歸妹 泰

賁 既濟 豐

噬嗑 隨

井	困	咸	否	漸	旅	渙	未濟	蠱	益
蠱	未濟	旅			咸		困	井	
	渙	漸						恒	
		否							

恒	隨	既濟	豐	節	歸妹	泰
	噬嗑	賁		損		
	益					

凡四陰四陽之卦各十有五皆自大壯觀而來二陰二陽圖已見前

大畜	睽
需	兌
大壯	

中孚 離 家人 无妄 鼎 巽 訟 遯 萃 蹇

革 大過 晉 艮

觀

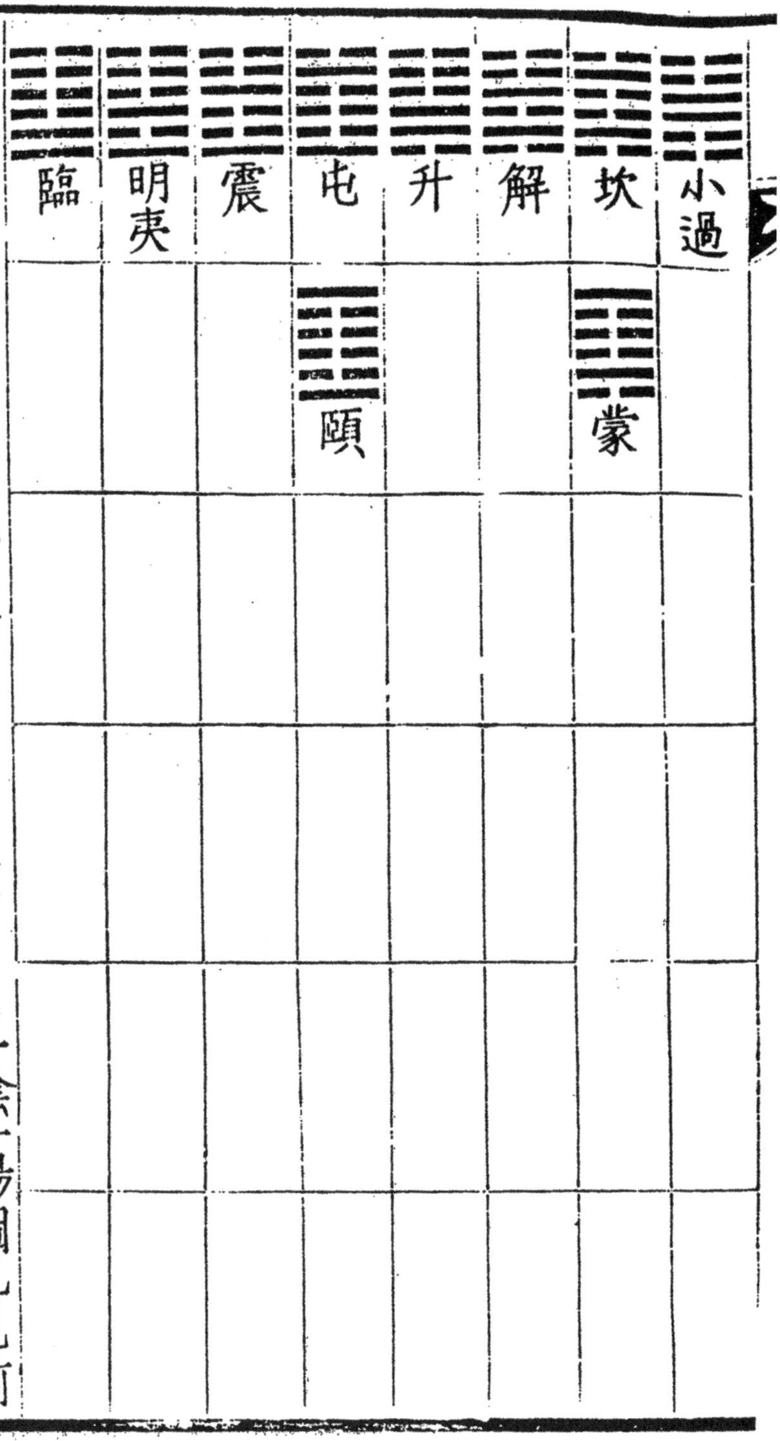

小過 坎 解 升 屯 震 明夷 臨

蒙 頤

凡五陰五陽之卦各六皆自夬剝來一陰一陽圖已見前

大有 夬

小畜 履 同人 姤 比 豫 謙 師 復

剝

右는 易之圖九라 有天地自然之易하며 有伏羲之易하며 有文王、周公之易하며 有孔子之易하니 自伏羲以上으로는 皆无文字하고 只有圖畫하여 最宜深玩하니 可見作易本原精微之意요 文王以下는 方有文字하니 卽今之周易이라 然讀者亦宜各就本文消息이요 不可便以孔子之說로 爲文王之說也니라

이상은 역(易)의 도식 아홉 번째이다. 천지 자연의 역(易)이 있고 복희(伏羲)의 역이 있고 문왕(文王)·주공(周公)의 역이 있고 공자(孔子)의 역이 있으니, 복희 이전에는 모두 문자가 없고 다만 획을 그린 것만 있어서 가장 깊이 완미하기가 좋으니, 이렇게 하여야 역을 지은 본원의 정미(精微)한 뜻을 볼 수 있으며, 문왕 이후에는 비로소 문자가 있었으니, 곧 지금의 《주역》이다. 그러나 읽는 자가 또한 각기 본문(本文)을 가지고 소식(消息;이리저리 연구함)해야 할 것이요, 곧 공자의 말씀을 문왕의 말씀으로 여겨서는 안 된다.

【附錄】 董銖問 近略考卦變컨대 以彖辭考之하면 說卦變者 凡九卦니 蓋言成卦之由하니 凡彖辭는 不取成卦之由하면 則不言所變之爻라 程子는 專以乾坤言變卦나 然只是上下兩體皆變者可通이요 若只一體變者則不通이라 兩體變者는 凡七卦니 隨、蠱、賁、咸、恒、漸、渙이 是也요 一體變者는 兩卦니 訟、无妄이 是也라 七卦中에 取剛來下柔, 剛上柔下之類者는 可通이요 至一體變者하면 則以來爲自外來라 故로 說得有礙라 大凡卦變은 須觀兩體上下爲變이라야 方知其所由以成之卦니이다

동수(董銖)가 물었다.

"근간에 괘변(卦變)을 대략 상고해보니, 단사(彖辭)를 가지고 살펴보면 괘변을 말한 것이 모두 아홉 괘인 바, 성괘(成卦)의 이유를 말하였으니, 무릇 단사는 성괘의 이유를 취하지 않았으면 변한 바의 효(爻)를 말하지 않았습니다. 정자(程子)는 오로지 건(乾)·곤(坤)을 가지고 괘변을 말씀하였으나 다만 상·하의 두 체(體)가 모두 변한 것이라야 통할 수 있고 만약 다만 한 체만 변하였으면 통하지 않습니다.

두 체가 변한 것은 모두 일곱 괘이니 수(隨䷐)·고(蠱䷑)·비(賁䷕)·함(咸䷞)·항(恒䷟)·점(漸䷴)·환(渙䷺)이 이것이며, 한 체만 변한 것은 두 괘이니 송(訟

☰) · 무망(无妄 ☰)이 이것입니다. 일곱 괘 중에 강(剛)이 와서 유(柔)에게 낮추거나 강(剛)이 올라가고 유(柔)가 내려온 것을 취한 류(類)는 통할 수 있으나, 한 체만 변한 것에 이르러는 온 것을 〈정자는〉 밖으로부터 왔다고 하였습니다. 그러므로 설명이 막힘이 있습니다. 대체로 괘변은 모름지기 상 · 하 두 체가 변한 것을 보아야 비로소 말미암아 이루어진 괘를 알 수 있습니다."

朱子曰 便是此處說得有礙라 且程傳賁卦所云 豈有乾坤重而爲泰하고 又自泰而變爲賁之理리오하시니 若其說果然이면 則所謂乾坤變而爲六子와 八卦重而爲六十四가 皆由乾坤而變者리니 其說이 不得而通矣라 蓋有則俱有니 自一畫而二요 二而四요 四而八而八卦成이요 八而十六이요 十六而三十二요 三十二而六十四而重卦備라 故로 有八卦則有六十四矣니 此康節所謂先天者也라 若震一索而得男以下는 乃是已有此卦了에 就此卦生出此義니 皆所謂後天之學也라 今所謂卦變者는 亦是有卦之後에 聖人見得有此象이라 故로 發於彖辭하시니 安得謂之乾坤重而爲是卦하면 則更不可變而爲他卦耶리오 若論先天하면 一卦亦无요 既畫之後에 乾一, 兌二, 離三, 震四로 至坤居末하니 又安有乾坤變而爲六子之理리오 凡今易中所言은 皆是後天之易耳라 以此로 見得康節先天、後天之說이 最爲有功이로라

주자는 다음과 같이 대답하였다.

"곧 이러한 부분이 설명이 막힌다. 또 《정전(程傳)》의 비괘(賁卦)에 '어찌 건(乾) · 곤(坤)이 거듭하여 태괘(泰卦)가 되고 또 태괘로부터 변하여 비괘(賁卦)가 될 리가 있겠는가.' 하셨으니, 만약 이 말씀이 과연 옳다면 이른바 '건 · 곤이 변하여 육자(六子)가 되었다.'는 것과 '팔괘가 거듭하여 64괘가 되었다.'는 것이 모두 건 · 곤으로 말미암아 변한 것일 것이니, 그 말씀이 통할 수 없다.

있으면 함께 있는 것이니, 한 획으로부터 2가 되고 2에서 4가 되고 4에서 8이 되어 팔괘가 이루어지고, 8에서 16이 되고 16에서 32가 되고 32에서 64가 되어 중괘(重卦:64괘)가 갖추어졌다. 그러므로 팔괘가 있으면 64괘가 있는 것이니, 이는 강절(康節)의 이른바 선천(先天)이라는 것이다. 진(震)이 첫 번째 구하여 남자를 얻었다는 것과 같은 것 이하는 바로 이미 이 괘가 있음에 이 괘를 가지고 이러한 뜻을 만들어 낸 것이니, 모두 이른바 후천(後天)의 학(學)이라는 것이다.

이제 이른바 '괘변(卦變)'이라는 것 또한 이 괘가 있은 뒤에 성인(聖人)이 이러한 상(象)이 있음을 보신 것이다. 그러므로 단사(彖辭)에 말씀하신 것이니, 어찌 '건·곤이 거듭하여 이 괘가 되었으면 다시 변하여 딴 괘가 될 수 없다.'고 말할 수 있겠는가. 만약 선천(先天)을 논한다면 한 괘도 없으며, 이미 괘를 그은 뒤에는 건(乾)이 1, 태(兌)가 2, 리(離)가 3, 진(震)이 4로부터 끝에 있는 곤(坤)에 이르니, 또 어찌 건·곤이 변하여 육자가 될 리가 있겠는가. 무릇 지금 《주역》 가운데에 말한 것은 모두 후천(後天)의 역(易)이다. 이로써 강절의 선천·후천의 말씀이 가장 공(功)이 있음을 아노라."

○ 太極、兩儀、四象、八卦者는 伏羲畫卦之法也니 說卦의 天地定位로 至坤以藏之는 以見伏羲所畫八卦之位也요 帝出乎震以下는 文王이 卽伏羲已成之卦하여 而推其義類之辭也라 如卦變圖의 剛來柔進之類는 亦是就卦已成後에 用意推說하여 以見此爲自彼卦而來耳요 非眞先有彼卦而後에 方有此卦也라 古註에 說賁卦自泰卦而來라한대 先儒非之하여 以爲乾坤合而爲泰하니 豈有泰復變爲賁之理리오하니 殊不知若論伏羲畫卦면 則六十四卦一時俱了하여 雖乾坤이라도 亦无能生諸卦之理요 若如文王、孔子之說이면 則縱橫曲直이 反覆相生하여 无所不可라 要在看得活絡하여 无所拘泥하면 則无不通耳니라

"태극(太極)·양의(兩儀)·사상(四象)·팔괘(八卦)는 복희가 괘를 그은 법이니, 〈설괘전〉의 '천지정위(天地定位)'로부터 '곤이장지(坤以藏之)'에 이르기까지는 복희가 그은 팔괘의 자리를 나타낸 것이요, '제출호진(帝出乎震)' 이하는 문왕이 복희가 이미 만들어 놓은 괘를 가지고 그 의(義)와 류(類)를 미루어 말씀한 것이다. 예컨대 괘변도(卦變圖)에 강(剛)이 오고 유(柔)가 나아갔다는 류(類)와 같은 것은 또한 괘가 이미 이루어진 뒤에 뜻을 미루어 말씀하여 이 괘가 저 괘로부터 왔음을 나타냈을 뿐이요, 참으로 먼저 저 괘가 있은 뒤에 비로소 이 괘가 있다는 것이 아니다.

고주(古註)에 비괘(賁卦)가 태괘(泰卦)로부터 왔다고 설명하였는데, 선유(先儒;이천)가 이를 비판하여 이르기를 "건·곤이 합하여 태괘가 되었으니, 어찌 태괘가 다시 변하여 비괘가 될 리가 있겠는가." 하였으니, 만약 복희가 괘를 그은 것으로 논한다면 64괘가 모두 일시에 완료되어 비록 건·곤이라도 여러 괘를 낳을 이치가 없고, 만약 문왕과 공자의 말씀과 같다면 종횡(縱橫)과 곡직(曲直)이 반복하여 상

생(相生)해서 불가함이 없음을 전혀 알지 못한 것이다. 요컨대 융통성 있게 보아 구애되거나 집착하는 바가 없음에 달려있으니, 이렇게 하면 통하지 않음이 없다."

○ 伊川은 不取卦變之說하여 至柔來而文剛, 剛自外來而爲主於內[46] 諸處에 皆牽强說了하고 王輔嗣卦變은 又變得不自然이러니 某之說은 却覺得有自然氣象하여 只是換了一爻라 非是聖人이 合下作卦如此요 自是卦成了에 自然有此象이니라

"이천(伊川)은 괘변(卦變)의 설을 취하지 아니하여 유(柔)가 와서 강(剛)을 문식했다는 것과 강(剛)이 밖으로부터 와서 안에 주(主)가 되었다는 것과 같은 여러 부분에 있어 모두 견강부회하여 설명하였고, 왕보사(王輔嗣;왕필(王弼))의 괘변은 또 변함이 자연스럽지 못하였는데, 나(주자)의 말은 자연스러운 기상이 있음을 깨달아 다만 한 효(爻)만 바꿀 뿐이다. 이는 성인(聖人)이 합하(合下;당초) 괘를 만들 때에 이와 같이 한 것이 아니요, 본래 괘가 이루어진 뒤에 자연히 이러한 상(象)이 있는 것이다."

○ 朱漢上易卦變은 只變到三爻而止하여 於卦辭에 多有不通處러니 某更推盡去하여 方通이라 如无妄의 剛自外來而爲主於內는 只是初剛이 自訟二移下來요 晉의 柔進而上行은 只是五柔自觀四挨上去니 此等類는 按漢上卦變이면 則通不得이니라

"주한상(朱漢上)의《주역》괘변(卦變)은 다만 변함이 세 효(爻)에만 그쳐서 괘사(卦辭)에 통하지 않는 부분이 많이 있었는데, 내가 다시 미루어 다해서 비로소 통하게 되었다. 예컨대 무망괘(无妄卦)의 강(剛)이 밖으로부터 와서 안에 주(主)가 되었다는 것과 같은 것은 다만 초효(初爻)의 강이 송괘(訟卦)의 이효(二爻)로부터 옮겨온 것이며, 진괘(晉卦)의 유(柔)가 나아가 위로 갔다는 것은 다만 오효(五爻)의 유(柔)가 관괘(觀卦)의 사효(四爻)로부터 차례로 올라간 것이니, 이러한 류(類)는 주한상의 괘변을 살펴보면 통하지 않는다."

······

46 柔來而文剛 剛自外來而爲主 : 유래이문강(柔來而文剛)은 비괘(賁卦 ䷕) 〈상전(象傳)〉의 내용이고, 강자외래이위주어내(剛自外來而爲主於內)는 무망괘(无妄卦 ䷘) 〈상전〉의 내용이다.

··· 絡 : 이을 락 泥 : 빠질 니 挨 : 밀칠 애

○ 卦有兩樣生하여 有從兩儀、四象加倍生來底하고 有卦中互換自生一卦底하니 互換成卦는 不過換兩爻라 這般變卦는 伊川破之로되 及到那剛來而得中하여는 却推不行이라 大率在就義理上看하면 不過如剛自外來而得中, 分剛上而文柔[47] 等處看이요 其餘는 多在占處用也라 賁變節之象은 這雖无緊要나 然後面에 有數處彖辭하니 不如此看이면 无來處하여 解不得이니라

"괘에는 두 모양의 생겨남이 있어서 양의(兩儀)와 사상(四象)으로부터 배(倍)를 더하여 생겨난 것이 있고, 괘 가운데에 호환(互換)하여 따로 한 괘를 낳은 것이 있으니, 호환(互換)하여 괘를 이룬 것은 두 효(爻)를 바꿈에 불과하다. 이러한 변괘(變卦)는 이천(伊川)이 설파하셨으나 강(剛)이 와서 중(中)을 얻었다는 곳에 이르러서는 미루어 갈 수가 없다. 대체로 의리상에 나아가 보아야 할 곳은 강(剛)이 밖으로부터 와서 중을 얻었다는 곳과 강(剛)을 나누어 위로 올라가 유(柔)를 문식했다는 곳 등과 같은 부분을 봄에 불과하고, 그 나머지는 대부분 점치는 곳에서 활용한다. 비괘(賁卦 ䷕)가 절괘(節卦 ䷻)로 변한 상(象)은 비록 긴요한 것은 없으나 후면에 여러 곳의 단사(彖辭)가 있으니, 이처럼 보지 않으면 온 곳(내력)이 없어서 해석할 수가 없다."

47 剛自外來而得中 分剛上而文柔 : 강자외래이득중(剛自外來而得中)은 손괘(巽卦) 〈상전〉의 내용이고 분강상이문유(分剛上而文柔)는 비괘(賁卦) 〈상전〉의 내용이다.

역설강령(易說綱領)

◎ 程子曰 上天之載 無聲無臭하니 其體則謂之易이요 其理則謂之道요 其用則謂之神이니라

정자(程子)가 말씀하셨다.

"상천(上天)의 일은 소리도 없고 냄새도 없으니, 그 체(體)는 역(易)이라 이르고 그 이치는 도(道)라 이르고 그 용(用)은 신(神)이라 이른다.

○ 陰陽闔闢이 便是易이니 一闔一闢을 謂之變이니라

음(陰)·양(陽)이 닫히고 열림이 곧 역(易)이니, 한번 닫히고 한번 열림을 변(變)이라 이른다.

○ 命之曰易이면 便有理하니 若安排定이면 則更有甚(삼)理리오 天地陰陽之變이 便如二扇磨하여 升降、盈虛、剛柔가 初未嘗停息이라 陽常盈하고 陰常虧라 故로 便不齊하니 譬如磨旣行이면 齒都不齊요 旣不齊면 便生出萬變이라 故로 物之不齊는 物之情也어늘 而莊周는 强要齊物[48]이나 然而物終不齊也라 堯夫有言 泥空終是著(착)이요 齊物到頭爭이라하니라

명명하여 역(易)이라 하였으면 곧 이치가 있는 것이니, 만약 안배하여 정한다면 다시 무슨 이치가 있겠는가. 천지 음양의 변화는 곧 두 짝의 맷돌과 같아서 승(升)·강(降)과 영(盈)·허(虛)와 강(剛)·유(柔)가 애당초 일찍이 멈추거나 쉰 적이 없다. 양(陽)은 항상 가득차고 음(陰)은 항상 부족하다. 그러므로 똑같지 않으

······

48 莊周强要齊物 : 장주가 〈제물론(齊物論)〉을 지은 것을 가리킨다. 〈제물론〉에 대해 당대(唐代) 이전의 주석가들은 시비(是非)와 미추(美醜)라는 편견의 세계를 떠나 모든 사물이 동등한 가치를 지니는 만물제동(萬物齊同)을 주장한다는 의미로 이해했으나, 송대(宋代) 이후로는 세속의 온갖 논의(論議)와 시비를 가지런히 통일시킨다는 의미에서 '物論을 齊한다'의 뜻으로 풀이하였으며, 지금은 대체로 物論을 통일시킨다는 뜻으로 해석한다. 그러나 여기서는 전자를 근거하여 말한 것이다.

··· 甚 : 무엇 삼 扇 : 짝 선, 부채 선 磨 : 갈 마, 맷돌 마

니, 비유하면 맷돌이 이미 돌면 이〔齒〕가 모두 똑같이 맞지 않고, 이미 똑같이 맞지 않으면 〈물건이 가루가 되어〉 곧 만 가지 변화를 내는 것과 같다. 그러므로 물건이 똑같지 않음은 물건의 실정인데 장주(莊周)는 억지로 물건을 똑같게 하고자 하였다. 그러나 물건은 끝내 똑같을 수가 없는 것이다. 요부(堯夫:소강절(邵康節))가 말씀하기를 '공(空)에 빠지면 끝내 집착하게 되고, 물건을 똑같게 하려 하면 이르는 곳마다 다투게 된다.〔泥空終是著 齊物到頭爭〕' 하였다.

○ 易中엔 只言反復、往來、上下하니라

역(易) 가운데에는 다만 반복하고 오고감과 오르내림을 말하였다.

○ 作易者는 自天地幽明으로 至于昆蟲草木微細히 無不合하니라

역(易)을 지은 자는 천지의 유명(幽明)으로부터 곤충과 초목의 미세한 것에 이르기까지 부합되지 않음이 없다.

○ 聖人之道는 如河圖、洛書[49]하여 其始는 止於畫上에 便出義러니 後之人이 既重卦하고 又繫辭하나 求之에 未必得其理니라

성인(聖人)의 도(道)는 비유하면 하도(河圖)·낙서(洛書)와 같아 처음에는 다만 획 위에서 곧 뜻을 말해내었는데, 후세 사람들이 괘를 거듭하고 말을 달았으나 구함에 반드시 그 이치를 알지는 못하였다."

○ 因見賣兎者하시고 曰 聖人이 見河圖、洛書而畫八卦라 然何必圖、書리오 只看此兎라도 亦可作八卦하니 數便此中可起라 古聖人이 只取神物之至著者耳시니 只如樹木에도 亦可見數[50]니라

······

49 河圖洛書 : 퇴계(退溪)는 도(圖)와 서(書)의 구별에 대하여 "용마(龍馬)의 등 털에 둥근 모양이 있어 별의 모습과 같으므로 도라고 칭하였고, 거북의 등껍질이 갈라져 문자(文字)와 같으므로 서라고 칭하였다." 하고, "이는 임천오씨(臨川吳氏;오징(吳澄))의 말이다." 하였다.《계몽전의(啓蒙傳疑)》

50 因見賣兎者……亦可見數 : 이 내용은《이정유서(二程遺書)》권(卷)18〈유원승수편(劉元承手編)〉에 보인다.

토끼를 파는 자를 보시고는 정자가 말씀하셨다.

"성인이 하도·낙서를 보고 팔괘를 그었다. 그러나 하필 하도·낙서 뿐이겠는가. 다만 이 토끼만 보고도 팔괘를 만들 수 있으니, 수(數)가 곧 이 가운데에서 일어날(시작될) 수 있는 것이다. 옛 성인이 다만 지극히 드러난 신물(神物;시초(蓍草)와 거북껍질)을 취하셨을 뿐이니, 다만 수목(樹木) 같은 것에서도 수(數)를 볼 수 있다."

○ 張閎中[51]이 問易之義 本起於數잇가 日 謂義起於數則非也라 有理而後有象하고 有象而後有數하니 易은 因象以知數하니 得其義하면 則象數在其中矣라 必欲窮象之隱微하고 盡數之毫忽인댄 乃尋流逐末이라 術家之所尙이요 非儒者之所務也니 管輅、郭璞之學[52]이 是也니라 又日 理无形也라 故로 因象以明理하고 理見乎辭矣니 則可由辭以觀象이라 故로 日得其義하면 則象數在其中矣라하니라

장굉중(張閎中)이 "역(易)의 뜻이 본래 수(數)에서 생겼습니까?" 하고 묻자, 정자가 다음과 같이 대답하셨다.

"의(義;의의(意義))가 수(數)에서 생겼다고 생각하면 잘못이다. 이치가 있은 뒤에 상(象)이 있고 상(象)이 있은 뒤에 수(數)가 있으니, 역(易)은 상(象)으로 인하여 수(數)를 아는 것이니, 그 의(義)를 알면 상과 수는 이 가운데에 있는 것이다. 반드시 상의 은미함을 다하고 수의 세미함을 다하고자 한다면 이는 바로 말류(末流)를 찾고 지엽을 좇는 것이니, 술가(術家)에서 숭상하는 것이요 유가(儒家)에서 힘쓰는 것이 아닌 바, 관로(管輅)와 곽박(郭璞)의 학문이 이러한 것이다."

또 말씀하였다.

"이치는 형체가 없기 때문에 상(象)으로 인하여 이치를 밝혔으며, 이치는 말〔글〕에 나타나니, 말로 인하여 상을 볼 수 있다. 그러므로 그 의(義)를 알면 상과 수가 이 가운데에 있다고 한 것이다."

······

51 張閎中 : 《이락연원록(伊洛淵源錄)》에 "장굉중(張閎中)의 이름과 자(字)는 자세하지 않고, 그에게 답한 글이 있으니 문집에 보인다.〔不詳其名字, 有答書見文集.〕"라고 보인다.

52 管輅郭璞之學 : 관로(管輅)는 삼국시대 위(魏)나라 사람으로 자는 공명(公明)인데 풍각(風角)과 점상술(占相術)에 밝았으며, 곽박(郭璞)은 진(晉)나라의 역술가로 점을 잘 쳤다.

··· 兎 : 토끼 토 閎 : 클 굉 輅 : 수레 로 璞 : 옥덩이 박

○ 謂堯夫日 知易數爲知天가 知易理爲知天가하시니 堯夫云 還須知易理爲知天이라하니라

〈이천(伊川)이〉 요부(堯夫:소옹)에게 말씀하시기를 “역(易)의 수(數)를 아는 것을 하늘을 안다고 하는가? 역(易)의 리(理)를 아는 것을 하늘을 안다고 하는가?” 하시니, 요부는 “모름지기 역의 리(理)를 알아야 하늘을 안다고 한다.” 하였다.

○ 尹焞이 問 易乾、坤二卦면 斯可矣니잇가 日 聖人이 設六十四卦, 三百八十四爻로되 後世에 尙不能了하니 乾、坤二卦로 豈能盡也리오 旣而요 日 子以爲何人分上事오 對日 聖人分上事니이다 日 若聖人分上事면 則乾、坤二卦亦不須니 況六十四卦乎아

윤돈(尹焞)이 “역(易)은 건(乾) · 곤(坤) 두 괘이면 됩니까?” 하고 묻자, 〈이천이〉 대답하시기를 “성인(聖人)이 64괘와 384효(爻)를 만들어 놓았는데도 후세에서는 오히려 다 알지 못하니, 건 · 곤 두 괘로 어찌 다할 수 있겠는가.” 하셨다. 이윽고 말씀하시기를 “자네는 어떤 사람의 신분에 해당하는 일을 물은 것인가?” 하시자, 대답하기를 “성인의 신분에 해당하는 일입니다.” 하였다. 이에 다음과 같이 말씀하였다.

“만약 성인의 신분에 해당하는 일이라면 건 · 곤 두 괘도 필요 없으니, 하물며 64괘이겠는가.”

○ 看易엔 且要知時라 凡六爻 人人有用하여 聖人은 自有聖人用하고 賢人은 自有賢人用하고 衆人은 自有衆人用하고 學者는 自有學者用하고 君有君用하고 臣有臣用하여 无所不通이니라

“역(易)을 볼 적에는 우선 때를 알아야 한다. 무릇 여섯 효(爻)는 사람마다 쓰임(용도)이 있어서 성인(聖人)은 본래 성인의 쓰임이 있고 현인(賢人)은 본래 현인의 쓰임이 있고 중인(衆人)은 본래 중인의 쓰임이 있고 배우는 자는 본래 배우는 자의 쓰임이 있고 군주는 군주의 쓰임이 있고 신하는 신하의 쓰임이 있어 통하지 않는 것이 없다.

○ 觀易에 須看時然後에 觀逐爻之才니라 一爻之間에 常包函(含)數意어늘 聖人이 常取其重者而爲之辭로되 亦有易中에 言之已多일새 取其未嘗言者하시니 亦不

必重事라 又有且言其時하고 不及其爻之才하니 皆臨時參考호되 須先看卦라야 乃看得繫辭니라

역(易)을 볼 때에는 모름지기 때를 보아야 하고 그런 뒤에는 효(爻)마다의 재질을 보아야 한다. 한 효의 사이에는 항상 몇 가지의 뜻이 포함되어 있는데 성인(聖人)은 항상 그중에 중요한 것을 취하여 말씀하셨으나, 또《주역》가운데에 말한 것이 이미 많으므로 일찍이 말씀하지 않은 것을 취한 경우가 있으니, 또한 반드시 중요한 일은 아니다. 또 우선 그 때만 말씀하고 효의 재질을 언급하지 않은 경우가 있으니, 모두 때에 따라 참고하여야 하나 모름지기 먼저 괘를 보아야 괘에 붙인 말(괘사)을 알 수가 있다.

○ 大抵卦爻始立에 義旣具하니 卽聖人이 別起義以錯綜之라 如春秋時已前엔 旣已立例러니 到近後來하여는 書得全別一般事라 便書得別有意思하니 若依前例觀之하면 殊失之也니라

대저 괘(卦) · 효(爻)가 처음 섬에 의(義)가 이미 갖추어져 있으니, 이는 바로 성인(聖人)이 별도로 의(뜻)를 일으켜서 착종(錯綜;이리저리 종합함)하였다. 예컨대 춘추시대 이전에 이미 예(例)를 세워 놓았었는데, 후래에 이르러는 글이 완전히 일반(一般;일종(一種))의 일과 달라져서 글에 별도의 뜻이 있게 되었으니, 만약 이전의 예(例)에 의거하여 보면 자못 뜻을 잃게 된다.

○ 凡看書에 各有門庭하니 詩、易、春秋는 不可逐句看이요 尙書、論語는 可以逐句看이라 聖人用意深處 全在繫辭요 詩、書는 乃格言이니라

무릇 책을 볼 때에는 각각 문정(門庭)이 있으니,《시경(詩經)》·《역경(易經)》·《춘추(春秋)》는 글귀마다 하나하나 볼 수 없고,《상서(尙書)》와《논어(論語)》는 글귀마다 하나하나 볼 수 있다. 성인이 뜻을 씀이 깊은 부분은 완전히〈계사전〉에 있고,《시경》과《서경》은 바로 격언(格言;지극한 말씀)이다.

○ 古之學者 皆有傳授하니 如聖人作經은 本欲明道라 今人이 若不先明義理하면 不可治經이니 蓋不得傳授之意云爾라 如繫辭는 本欲明易이니 若不先求卦義하면 則看繫辭不得이니라

옛날의 배우는 자들은 모두 전수(傳授)함이 있었으니, 성인이 경(經)을 지은 것은 본래 도(道)를 밝히고자 해서였다. 지금 사람들이 만약 먼저 의리(義理)를 밝게 알지 못하면 경을 다룰 수가 없으니, 이는 전수한 뜻을 알지 못해서이다. 〈계사전〉은 본래 역(易)을 밝히고자 한 것이니, 만약 먼저 괘의 뜻을 찾지 않는다면 〈계사전〉을 볼 수 없는 것과 같다.

○ 易學은 後來에 曾子、子夏煞(쇄)到上面也하시니라

역학(易學)은 후래에 증자(曾子)와 자하(子夏)가 가장 높은 경지에 이르렀다.

○ 由孟子하면 可以觀易이니라

맹자를 따르면 역(易)을 볼 수 있다.

○ 今時人은 看易에 皆不識得易是何物이요 只就上穿鑿이라 若念得不熟與인댄 就上添一德이라도 亦不覺多하고 就上減一德이라도 亦不覺少하리니 譬如不識此亓(기)子하면 若減一隻脚이라도 不覺是少하고 添一隻脚이라도 亦不知是多하나니 若識則自添減不得也니라

지금 세상 사람들은 역(易)을 볼 때에 모두 역이 어떠한 것인지 알지 못하고 다만 그 위에 나아가 천착(穿鑿)한다. 만약 생각함이 익숙하지 못하다면 그 위에 나아가 한 덕(德)을 더하더라도 많아짐을 깨닫지 못하고, 그 위에 나아가 한 덕을 줄이더라도 적어짐을 깨닫지 못할 것이니, 비유하면 이 책상[亓子]을 모르면 만약 한 짝의 다리를 줄이더라도(없애더라도) 이것이 적어졌음을 깨닫지 못하고, 한 짝의 다리를 더하더라도 이것이 많아졌음을 모르는 것과 같으니, 만약 안다면 자연 더하거나 빼지 못할 것이다.

○ 易은 須是默識心通이니 只窮文義하면 徒費力이니라

역(易)은 모름지기 묵묵히 알고 마음으로 통하여야 하니, 다만 글뜻만을 연구한다면 한갓 힘만 허비할 뿐이다."

◎ 朱子曰 聖人作易之初엔 蓋是仰觀俯察하여 見得盈乎天地之間이 无非一陰一

••• 煞 : 내릴 쇄(殺同) 亓 : 책상 기 隻 : 외짝 척 脚 : 다리 각 纔 : 겨우 재, 조금 재

陽之理하시니 有是理則有是象하고 有是象則其數 便自在這裏하니 非特河圖、洛書爲然이라 蓋所謂數者는 秪是氣之分限節度處니 得陽必奇하고 得陰必偶라 凡物皆然이로되 而圖、書爲特巧而著耳라 於是에 聖人이 因之而畫卦하시니 其始也엔 只是畫一奇以象陽하고 畫一偶以象陰而已라 但才(纔)有兩則便有四하고 才有四則便有八하며 又從而再倍之하면 便是十六이니 蓋自其无朕之中으로 而无窮之數已具하여 不待安排而其勢有不容已者라 卦畫旣立이면 便有吉凶在裏하니 蓋是陰陽往來 交錯於其間하면 其時則有消長之不同하니 長者便爲主요 消者便爲客이며 事則有當否(부)之或異하니 當者便爲善이요 否者便爲惡이니 卽其主客善惡之辨하여 而吉凶見(현)矣라 故曰 八卦定吉凶이라하니라 吉凶旣決定而不差면 則以之立事而大業自此生矣니 此는 聖人作易하사 敎民占筮하여 而以開天下之愚하여 以定天下之志하고 以成天下之事者如此라 但自伏羲而上으로는 只有此六畫이요 而未有文字可傳이러니 到文王、周公하여 乃繫之以辭라 故曰 聖人設卦觀象하여 繫辭焉而明吉凶이라하니라

주자(朱子)가 말씀하였다.

"성인이 역(易)을 지은 시초에는 우러러 하늘을 관찰하고 굽어 땅을 살펴서 천지 사이에 가득한 것이 모두 한 양과 한 음의 이치 아님이 없음을 보셨으니, 이치가 있으면 상(象)이 있고 상이 있으면 수(數)가 곧 이 속에 있으니, 비단 하도·낙서만이 그러한 것이 아니다. 이른바 수(數)라는 것은 다만 기(氣)의 분한(分限)과 절도(節度)가 있는 부분이니, 양을 얻으면 반드시 기(奇)가 되고 음을 얻으면 반드시 우(偶)가 된다. 모든 사물이 다 그렇지만 하도와 낙서가 특별히 정교하고 잘 드러난다.

이에 성인이 이로 인하여 괘를 그으셨으니, 처음에는 다만 한 기(奇)를 그어 양을 상징하고 한 우(偶)를 그어 음을 상징하였을 뿐이었다. 다만 조금이라도 둘이 있으면 곧 넷이 있고 조금이라도 넷이 있으면 곧 여덟이 있으며 또 따라서 다시 배(倍)를 하면 곧 열여섯이 되니, 이는 조짐이 없는 가운데로부터 무궁한 수(數)가 이미 갖추어져 굳이 안배(安排)하지 않아도 그 형세가 그칠 수 없는 것이다.

괘의 획(畫)이 이미 확립되면 곧 길·흉이 이 속에 있다. 이는 음과 양이 왕래하여 그 사이에서 뒤섞이면 이때에는 사라지고 자라남의 똑같지 않음이 있으니 자라나는 것이 주(主)가 되고 사라지는 것이 객(客)이 되며, 일에는 마땅하고 마땅

하지 않음의 혹 다름이 있으니 마땅한 것이 선(善)이 되고 마땅하지 않은 것이 악(惡)이 되니, 주(主)·객(客)과 선(善)·악(惡)의 구분에 나아가 길·흉이 나타난다. 그러므로 '팔괘가 길흉을 정한다.'고 말한 것이다.

길흉이 결정되어 어그러지지 않으면 이로써 일을 세워서 대업(大業)이 이로부터 생기게 되니, 이는 성인이 역(易)을 지어 백성들에게 점서(占筮)를 가르쳐 천하의 어리석은 사람들을 개도(開導)해서 천하의 뜻을 정하고 천하의 일을 이루어지게 함이 이와 같은 것이다.

다만 복희 이전에는 오직 여섯 획만이 있을 뿐이고 전할 만한 문자(文字)가 없었는데, 문왕(文王)과 주공(周公)에 이르러 비로소 말(글)을 달았다. 그러므로 〈계사전 상〉에 '성인이 괘를 만들고 상(象)을 관찰하여 말을 달아서 길흉을 밝혔다.'고 한 것이다.

蓋是卦之未畫也엔 因觀天地自然之法象而畫이요 及其旣畫也하여는 一卦自有一卦之象하니 象은 謂有箇形似也라 故로 聖人이 卽其象而命之名이라 以爻之進退而言은 則如剝、復之類요 以其形之肖似而言은 則如鼎、井之類니 此是伏羲卽卦體之全하여 而立箇名이 如此라 及文王하여 觀卦體之象而爲之彖辭하시고 周公이 視卦爻之變而爲之爻辭하시니 而吉凶之象이 益著矣니라

이 괘를 긋기 전에는 천지 자연의 법(法)·상(象)을 보고서 괘(卦)·효(爻)를 그었는데, 이미 괘를 그음에 이르러는 한 괘에는 본래 한 괘의 상(象)이 있으니, 상은 형체와 유사함이 있음을 이른다. 그러므로 성인이 그 상(象)에 나아가 괘의 이름을 명명(命名)하였다. 효(爻)의 나아가고 물러감을 가지고 말한 것은 박괘(剝卦 ䷖)와 복괘(復卦 ䷗)와 같은 류(類)이며, 형체의 유사함을 가지고 말한 것은 정괘(鼎卦 ䷱)와 정괘(井卦 ䷯)와 같은 류(類)이니, 이는 복희가 괘체(卦體) 전체를 가지고 이름을 붙인 것이 이와 같은 것이다. 문왕에 이르러 괘체의 상을 보고 단사(彖辭)를 만드시고 주공은 괘의 효가 변함을 보고 효사(爻辭)를 만드시니, 길·흉의 상(象)이 더욱 드러나게 되었다.

大率天下之道는 只是善惡而已라 但所居之位不同하고 所處之時旣異로되 而其幾甚微하여 只爲天下之人이 不能曉會일새 所以聖人이 因此占筮之法以曉人하사

使人居則觀象玩辭하고 動則觀變玩占하여 不迷於是非得失之途케하시니 所以是書를 夏、商、周皆用之라 其所言이 雖不同하고 其辭를 雖不可盡見이나 然皆太卜之官이 掌之하여 以爲占筮之用이라 有所謂繇(주)辭者하니 左氏所載에 尤可見古人用易處라 蓋其所謂象者는 皆是假此衆人共曉之物하여 以形容此事之理하여 使人知所取舍(捨)而已라 故로 自伏羲而文王、周公이 雖自略而詳이나 所謂占筮之用則一이니 蓋卽那占筮之中하여 而所以處置是事之理가 便在那裏了라故로 其法이 若粗淺이나 而隨人賢愚하여 皆得其用이라 蓋文王이 雖是有定象, 有定辭나 皆是虛說此箇地頭에 合是如此處置요 初不黏著(점착)物上이라 故로 一卦一爻足以包無窮之事하니 不可只以一事指定說이라 他裏面에도 也有指一事說處하니 如利建侯, 利用祭祀之類요 其他는 皆不是指一事說이니 此所以見易之爲用이 無所不該하고 無所不徧하니 但看人如何用之耳라 到得夫子하여는 方始純以理言하시니 雖未必是羲、文本意나 而事上說理는 亦是如此라 但不可便以夫子之說로 爲文王之說也니라

대체로 천하의 도(道)는 오직 선(善)과 악(惡)일 뿐이다. 다만 거한 바의 위치가 똑같지 않고 처한 바의 때가 이미 다른데, 그 기미가 매우 은미하여 다만 천하 사람들이 이것을 자세히 알지 못한다. 이 때문에 성인이 이 점서(占筮)하는 법(法)으로 인하여 사람들을 깨우쳐서 사람들로 하여금 거(居)할 때에는 상(象)을 보고 말(괘사와 효사)을 살펴보며, 동(動)할 때에는 괘-효의 변함을 보고 점(占)을 살펴보아서 시비(是非)와 득실(得失)의 길에 혼미하지 않게 하셨으니, 이 때문에 이 책을 하(夏)·상(商)·주(周)가 모두 쓴 것이다. 그 말한 내용이 비록 똑같지 않고 그 글을 비록 다 볼 수 없으나 모두 태복(太卜)의 관원이 관장하여 점서(占筮)에 활용하였다. 이른바 주사(繇辭;괘사)라는 것이 있으니, 《춘추좌씨전》의 기록에서 더욱 옛사람이 역(易)을 활용한 부분을 볼 수 있다.

이른바 상(象)이란 것은 모두 여러 사람들이 함께 알 수 있는 사물을 빌어서 이 일의 이치를 형용하여 사람들로 하여금 취사(取捨)할 바를 알게 하였을 뿐이다. 그러므로 복희로부터 문왕과 주공에 이르기까지 비록 간략함에서 상세하게 되었으나 이른바 점서(占筮)의 쓰임은 똑같으니, 이 점서의 가운데에 나아가 이 일을 처치하는 도리가 곧 이 속에 들어 있다. 그러므로 그 방법이 거칠고 천근(淺近)한 듯하나 사람의 현우(賢愚)에 따라 모두 그 쓰임을 얻는 것이다.

··· 繇 : 점괘 주 那 : 이나 黏 : 붙일 점 著 : 붙일 착 徧 : 두루 변(편)

문왕은 비록 정(定)한 상(象)이 있고 정한 글이 있으나 모두 이러한 곳에서는 마땅히 이와 같이 처치(조치)해야 한다는 것을 가설(假說)했을 뿐이요, 애당초 사물에 고착된 것이 아니었다. 그러므로 한 괘(卦)와 한 효(爻)가 무궁한 일들을 충분히 포함할 수 있으니, 다만 한 가지 일을 가지고 지정하여 말할 수 없다.

저 이면(裏面)에 또한 한 가지 일을 지정하여 말한 곳이 있으니, 예를 들면 '제후(諸侯)를 세움이 이롭다.'는 것과 '제사(祭祀)에 씀이 이롭다.'는 류(類)와 같은 것이고, 그 나머지는 모두 한 가지 일을 지정하여 말한 것이 아니다. 여기에서 역(易)의 쓰임이 포함하지 않는 바가 없고 두루하지 않는 바가 없음을 볼 수 있으니, 다만 사람이 어떻게 쓰느냐를 볼 뿐이다.

부자(夫子)에 이르러는 비로소 순전히 이치(의리)로써 말씀하셨으니, 비록 반드시 복희와 문왕의 본의(本意)는 아니나 일에서 이치를 말씀한 것은 또한 이와 같다. 다만 부자의 말씀을 문왕의 말씀으로 여겨서는 안 된다."

○ 天地之間에 別有甚(삼)事리오 只是陰與陽兩箇字로되 看是甚麽(삼마)物事 都離不得이라 只就身上體看컨대 才(纔)開眼하면 不是陰이면 便是陽이니 密拶(찰)拶在這裏하여 都不著得別物事라 不是仁이면 便是義요 不是剛이면 便是柔며 只自家要做向前이면 便是陽이요 才收退면 便是陰이며 意思才動이면 便是陽이요 才靜이면 便是陰이니 未消別看이요 只是一動一靜이 便是陰陽이라 伏羲只因此畫卦하여 以示人하시니 若只就一陰一陽이면 又不足以該衆理일새 於是에 錯綜爲六十四卦, 三百八十四爻하니 初只是許多卦爻러니 後來聖人이 又繫許多辭在下라 如他書는 則元有這事라야 方說出這箇道理어니와 易則未曾有此事로되 先假託都說在這裏하니라 又曰 陰陽은 是氣니 才有此理하면 便有此氣하고 才有此氣하면 便有此理라 天下萬事萬物이 何者不出於此理며 何者不出於陰陽이리오

천지의 사이에 별도로 무슨 일이 있겠는가. 다만 음(陰)과 양(陽) 두 글자가 있을 뿐인데, 이 어떤 물건이든 모두 여기에서 떠날 수가 없음을 보아야 한다. 다만 자신의 몸을 가지고 체험(體驗)해 보면, 잠시 눈을 뜨면 음이 아니면 곧 양이니, 빽빽이 이 속에 붙어 있어 다른 사물은 모두 붙어 있을 수가 없다. 인(仁)이 아니면 곧 의(義)이고 강(剛)이 아니면 곧 유(柔)이며, 다만 자신이 앞으로 향하고자 하면 곧 양이고 잠시 거두어 물러가면 음이며, 의사(意思)가 잠시 동(動)하면 곧 양이

••• 麽 : 무엇 마 拶 : 마주칠 찰 託 : 의탁할 탁 模 : 본뜰 모, 모사할 모

고 잠시 정(靜)하면 곧 음이니, 별도로 볼 것이 없고 다만 한 번 동하고 한 번 정함이 곧 음 · 양일 뿐이다.

복희는 다만 이것을 인하여 괘를 그어 사람들에게 보여주셨으니, 만약 다만 한 음과 한 양에 나아가면 또 여러 이치를 포괄할 수 없으므로 이에 착종(錯綜)하여 64괘와 384효를 만들었으니, 처음에는 다만 허다한 괘와 효 뿐이었는데, 후래(後來)에 성인(聖人)이 또 허다한 말씀을 그 아래에 붙인 것이다. 예컨대 다른 책은 원래 이러한 일이 있어야 비로소 이러한 도리를 말하였는데, 역(易)은 일찍이 이러한 일이 있지 않은데도 먼저 가탁하여 모두 그 안에 설명해 놓았다."

또 말씀하였다.

"음 · 양은 기(氣)이니, 잠시 이 리(理)가 있으면 곧 이 기(氣)가 있으며 잠시 이 기(氣)가 있으면 곧 이 리(理)가 있다. 천하의 만사(萬事) 만물(萬物)이 어느 것인들 이 리(理)에서 나오지 않았으며 어느 것인들 음 · 양에서 나오지 않았겠는가."

○ 易은 只是陰陽錯綜하여 交換代易이라 莊生曰 易以道陰陽이라하니 不爲无見이니 如奇偶、剛柔는 便只是陰陽做了易이니라

역(易)은 다만 음양이 착종하여 교환하고 대역(代易:대신하여 바뀜)하였다. 장생(莊生;장주)이 말하기를 "역(易)으로써 음양을 말하였다." 하였으니, 소견이 없는 것이 아니다. 기(奇) · 우(偶)와 강(剛) · 유(柔)와 같은 것은 곧 다만 음 · 양이 역(易)을 만든 것이다.

○ 易은 是陰陽屈伸하여 隨時變易이라 大抵古今에 有大闔闢、小闔闢[53]이어늘 今人은 說易에 都無着(著)摸일새 聖人이 便於六十四卦에 只以陰陽奇偶로 寫出來하시고 至於所以爲陰陽, 爲古今하여는 乃是此道理니라

역(易)은 음 · 양이 굴신(屈伸)하여 때에 따라 변역하는 것이다. 대체로 고금(古今)에는 큰 여닫힘과 작은 여닫힘이 있는데, 지금 사람들은 역(易)을 말할 때에 모두 종잡을 수가 없으므로 성인이 곧 64괘에서 다만 음 · 양의 기우(奇偶)만 가지고

······

53 大闔闢 小闔闢 : 합벽은 닫히고 열리는 것으로 음·양의 변화를 가리키는바, 대합벽은 우주의 무궁한 변화를 가리키고 소합벽은 동(動)·정(靜)의 기틀을 가리킨다.

써내셨고, 음양이 되고 고금이 된 까닭에 이르러는 이것이 바로 도리(道理)이다.

○ 龜山이 過黃亭詹季魯家러니 季魯問易한대 龜山이 取一張紙하여 畵(화)箇圈子하여 用墨塗其半하고 云這便是易이라하니 此說이 極好라 易은 只是一陰一陽이 做出許多般樣이니라

구산(龜山 : 양시(楊時))이 황정(黃亭) 첨계로(詹季魯)의 집을 방문하였는데, 계로(季魯)가 역(易)을 묻자, 구산이 한 장의 종이를 가져다가 동그라미를 그린 다음 먹으로 그 반을 칠하고 말씀하기를 "이것이 곧 역이다." 하였으니, 이 말씀이 매우 좋다. 역은 다만 한 음과 한 양이 허다한 모양을 만들어내는 것이다.

○ 潔靜精微之謂易[54]이니 自是不惹(야)着事요 只懸空說一樣道理하니 不比似他書의 各着事上說이라 所以後來道家取之하여 與老子爲類하니 便是老子說話도 也不就事上說이니라 又日 潔靜精微는 是不犯手니라

깨끗하고 고요하고 정미한 것을 역(易)이라 이르니, 이는 어떤 일에 고착되어 있지 않고 다만 한 가지의 도리를 가공(架空)하여 말하였으니, 다른 책에서 각각 어떤 일에 고착하여 설명한 것과는 견줄 수 없다. 이 때문에 뒤에 도가(道家)가 취하여 《노자(老子)》와 같은 부류로 만들었으니, 《노자》의 말도 일 위에 나아가 말하지 않았다.

또 말씀하였다. "깨끗하고 고요하고 정미하다는 것은 사람의 손을 대지 않는 것이다."

○ 問卦下之辭爲彖辭어늘 左傳에 以爲繇辭는 何也오 日 此只是彖辭라 故로 孔子日 知(智)者觀其彖辭면 則思過半矣라하시니라 如元亨利貞은 乃文王所繫卦下之辭니 以斷一卦之吉凶이라 此名彖辭니 彖은 斷也니 陸氏音中語所謂彖之經也요 大哉乾元以下는 孔子釋經之辭니 亦謂之彖이니 所謂彖之傳也라 爻下之辭에

······

54 潔靜精微之謂易 : 결정정미(潔靜精微)는 깨끗하고 고요하고 정미한 것으로 《예기(禮記)》〈경해(經解)〉에 보이는 공자의 말씀인데, 육경(六經)의 가르침을 말씀하면서 "그 나라 국도(國都)에 들어가 보아 결정정미함은 《주역》의 가르침이다."라고 하였다.

··· 詹 : 볼 첨 塗 : 바를 도 樣 : 모양 양 惹 : 끌 야 緼 : 쌓일 온 傍 : 곁 방

如潛龍勿用은 乃周公所繫之辭니 以斷一爻之吉凶也며 天行健, 君子以自彊不息은 所謂大象之傳이요 潛龍勿用, 陽在下也는 所謂小象之傳이니 皆孔子所作也라 天尊地卑以下는 孔子所述繫辭之傳이니 通論一經之大體凡例하여 无經可附일새 而自分上繫下繫也라 左氏所謂繇字從系하니 疑亦是言繫辭니 繫辭者는 於卦下에 繫之以辭也라

"괘 아래의 말을 단사(彖辭)라 하는데, 《춘추좌씨전》에서는 주사(繇辭)라고 한 것은 어째서입니까?" 하고 묻자, 다음과 같이 대답하였다.

"이는 다만 단사이다. 그러므로 공자가 말씀하시기를 '지혜로운 자가 이 단사를 보면 생각함이 반을 넘을 것이다.'라고 하신 것이다. 예컨대 '원형이정(元亨利貞)'은 바로 문왕이 괘 아래에 다신 말씀이니, 한 괘의 길·흉을 결단한 것이다. 이것을 단사(彖辭)라 이름하는데 단(彖)은 결단함이니, 육씨(陸氏;육덕명(陸德明))의 음(音;오경음의(五經音義)) 가운데의 말에 이른바 단(彖)의 경(經;단사(彖辭;괘사))이라는 것이며, '대재건원(大哉乾元)' 이하는 공자가 경(經)을 해석한 말씀인데 또한 단(彖)이라 이르니, 이른바 단(彖)의 전(傳;단전)이라는 것이다.

효(爻) 아래의 말에 '잠룡물용(潛龍勿用)'과 같은 것은 바로 주공이 다신 말〔글〕이니 한 효(爻)의 길·흉을 결단한 것이며, '천행건 군자이사강불식(天行健, 君子以自彊不息.)'은 이른바 대상(大象)의 전(傳)이고 '잠룡물용 양재하야(潛龍勿用, 陽在下也.)'는 이른바 소상(小象)의 전이니, 모두 공자가 지으신 것이다. '천존지비(天尊地卑)' 이하는 공자가 기술한 계사(繫辭)의 전(傳;계사전)이니, 경(經) 전체의 대체(大體)와 범례(凡例)를 통론한 것이어서 경(經)에 붙일 만한 데가 없으므로 상계(上繫)·하계(下繫;계사 상전(繫辭上傳)·하전(下傳))로 나눈 것이다. 좌씨(左氏)가 말한 주(繇)자는 계(系)를 따랐으니, 의심컨대 또한 계사를 말한 듯하니, 계사는 괘 아래에 말을 단 것이다."

○ 通書云 聖人之精을 畫卦以示하고 聖人之縕을 因卦以發이라하니 精은 是聖人本意요 縕은 是偏傍帶來道理라 如易有太極, 是生兩儀, 兩儀生四象, 四象生八卦는 是聖人本意底요 如文言、繫辭等孔子之言은 皆是因而發底니 不可一例作重看이니라

《통서(通書)》에 이르기를 "성인의 정(精)을 괘를 그어 보여주고 성인의 온축(縕

蓄)을 괘로 인하여 발명하였다." 하였으니, 정(精)은 성인의 본의(本意)이고 온(縕)은 여기에 부수(附隨)된 도리이다. 예컨대 "역(易)에 태극(太極)이 있으니, 이것이 양의(兩儀)를 낳고 양의가 사상(四象)을 낳고 사상이 팔괘(八卦)를 낳았다."는 것과 같은 것은 성인의 본의이고, 〈문언전〉과 〈계사전〉 등과 같은 공자의 말씀은 모두 인하여 발명한 것이니, 일례(一例)로 중하게 보아서는 안 된다.

○ 易之有象은 其取之有所從하고 其推之有所用하니 非苟爲寓言也라 然兩漢諸儒는 必欲究其所從하니 則既滯泥而不通이요 王弼以來는 直欲推其所用하니 則又疎略而無據하니 二者는 皆失之一偏하여 而不能闕其所疑之過也라 且以一端論之컨대 乾之爲馬와 坤之爲牛는 說卦에 有明文矣요 馬之爲健과 牛之爲順은 在物에 有常理矣로되 至於案文責卦하여는 若屯之有馬而無乾하고 離之有牛而無坤하며 乾之六龍則或疑於震하고 坤之牝馬則當反爲乾하니 是皆有不可曉者라 是以로 漢儒求之說卦而不得일새 則遂相與創爲互體、變卦、五行、納甲、飛伏之法[55]하여 參互以求하여 而幸其偶合하니 其說雖詳이나 然其不可通者는 終不可通이요 其可通者도 又皆傅會穿鑿하여 而非有自然之勢라 雖其一二之適然而無待於巧說者는 爲若可信이나 然上無所關於義理之本源하고 下無所資於人事之訓戒하니 則又何必苦心極力하여 以求於此而欲必得之哉아

역(易)에 상(象)이 있음은 그 취함이 소종래(所從來)가 있고 그 미룸이 활용하는 바가 있으니, 구차하게 우언(寓言)으로 한 것이 아니다. 그러나 양한(兩漢)의 제유(諸儒)들은 반드시 그 소종래를 연구하고자 하였으니 이미 막혀서 통하지 못하고, 왕필(王弼) 이후는 다만 그 활용하는 것만을 미루고자 하였으니 또 소략하여 근거

••••••

55 互體變卦五行納甲飛伏之法 : 호체(互體)는 호괘(互卦)를 이르며 변괘(變卦)는 어떤 괘가 어느 괘에서 변한 것으로 곧 괘변(卦變)을 이른다. 납갑(納甲)은 천간(天干)을 나누어 팔괘에 넣는 것으로, 건(乾)에 갑(甲)·임(壬)을, 곤(坤)에 을(乙)·계(癸)를, 진(震)에 경(庚)을, 손(巽)에 신(辛)을, 감(坎)에 무(戊)를, 리(離)에 기(己)를, 간(艮)에 병(丙)을, 태(兌)에 정(丁)을 넣음을 이른다. 이것은 원래 한대(漢代)의 역학자(易學者)인 경방(京房)의 《역전(易傳)》에서 나온 것이라 하는 바, 후세에 복서가(卜筮家)들이 간지(干支)와 괘효(卦爻), 오행(五行)과 오방(五方)을 가지고 서로 배합함은 여기에서 기인한 것이라 한다. 비복(飛伏) 역시 경방의 《역전》에서 나온 것으로 괘에 나타난 것을 비(飛), 괘에 나타나지 않은 것을 복(伏)이라 하며, 비를 미래, 복을 과거라 하여 이것으로 길·흉을 점친다.

••• 滯 : 막힐 체 創 : 창안할 창 傅 : 덧붙일 부 穿 : 뚫을 천 鑿 : 뚫을 착

함이 없으니, 두 가지는 모두 한 쪽에 잘못되어서 그 의심스러운 것을 빼놓지(제쳐놓지) 못한 잘못이다.

우선 한 가지를 가지고 논한다면 건(乾)이 말〔馬〕이 됨과 곤(坤)이 소〔牛〕가 됨은 〈설괘전〉에 분명한 글이 있고, 말의 굳셈과 소의 순함은 물건에 있어 떳떳한 이치이다. 그러나 글을 상고하고 괘를 찾아봄에 이르러는 준괘(屯卦)에는 말이 있으나 건(乾)이 없고, 리괘(離卦)에는 소가 있으나 곤(坤)이 없으며, 건괘(乾卦)의 육룡(六龍)은 혹 진괘(震卦)인가 의심스럽고, 곤괘(坤卦)의 빈마(牝馬)는 마땅히 도리어 건(乾)이 될 듯하니 이는 모두 깨달을 수 없는 점이다.

이 때문에 한유(漢儒)들이 〈설괘전〉에서 찾았으나 얻지 못하였으므로 마침내 호체(互體)·변괘(變卦)·오행(五行)·납갑(納甲)·비복(飛伏)의 법(法)을 창조하여 서로 찾아 우연히 부합하기를 바랐으니, 그 말이 비록 상세하나 통할 수 없는 것은 끝내 통할 수 없고, 통할 수 있는 것도 모두 견강부회(牽强附會)하고 천착(穿鑿)하여 자연의 형세가 아니다. 비록 한두 가지가 우연히 맞아서 공교로운 말이 필요 없는 것은 믿을 만한 듯하나, 위로는 의리의 본원(本源)에 관계되는 바가 없고 아래로는 인사(人事)의 훈계에 도움 되는 바가 없으니, 또 하필 고심(苦心)하고 힘을 다해서 이것을 연구하여 반드시 알고자 하겠는가.

故로 王弼曰 義苟應健이면 何必乾이라야 乃爲馬며 爻苟合順이면 何必坤이라야 乃爲牛리오하고 而程子亦曰 理無形也라 故假象以顯義라하시니 此其所以破先儒膠固支離之失하여 而開後學玩辭玩占之方이 則至矣라 然觀其意하면 又似直以易之取象으로 無復有所自來하여 但如詩之比興, 孟子之譬喻而已니 如此면 則是說卦之作이 爲无所與於易이요 而近取諸身과 遠取諸物者도 亦剩語矣라 故로 疑其說이 亦若有未盡者라 因竊論之컨대 以爲易之取象은 固必有所自來하여 而其爲說이 必已具於太卜之官이러니 顧今에 不可復考하니 則姑闕之하고 而直據辭中之象하여 以求象中之意하여 使足以爲訓戒而決吉凶을 如王氏、程子與吾本義之云者면 其亦可矣라 固不必深求其象之所自來나 然亦不可謂假設而遽欲忘之也니라

그러므로 왕필(王弼)이 말하기를 "뜻이 만일 건(健)이라면 하필 건(乾)이어야 비로소 말〔馬〕이 되며, 효(爻)가 만일 순(順)이라면 하필 곤(坤)이어야 비로소 소〔牛〕

••• 膠 : 교착 교 譬 : 비유할 비 遽 : 급할 거, 갑자기 거

가 되겠는가." 하였고, 정자(程子)도 말씀하시기를 "이치는 형체가 없으므로 상(象)을 빌어 뜻을 나타냈다." 하셨으니, 이는 선유(先儒)들의 고루하고 지리(支離)한 잘못을 깨뜨려 후학(後學)들에게 글을 살피고 점을 보는 방법을 개도해 줌이 지극한 것이다.

그러나 그 뜻을 관찰해보면 또 다만 역(易)에서 상(象)을 취한 것을 다시는 유래한 바가 없어서 다만 시(詩)의 비(比)·흥(興)과 맹자의 비유와 같이 여길 뿐인 듯하니, 이와 같다면 〈설괘전〉을 지은 것이 역(易)과 관계되는 바가 없고, '가까이는 자기 몸에서 취하고 멀리는 물건에서 취했다.'는 것도 또한 쓸데없는 말이 된다. 그러므로 그 말이 또한 미진함이 있는 듯하다.

인하여 적이 논하건대 역(易)에서 상(象)을 취한 것은 진실로 반드시 유래한 바가 있어 그 해설이 반드시 이미 태복(太卜)의 관원에게 갖추어져 있었는데, 다만 지금에는 다시 상고할 수 없으니, 우선 이것은 빼놓고(제쳐놓고) 다만 말[辭] 가운데 상을 근거하여 상 가운데의 뜻을 찾아, 훈계로 삼고 길·흉을 결단하기를 왕씨(王氏)와 정자(程子)와 내가《본의(本義)》에서 말한 것처럼 하면 또한 가(可)할 것이다. 진실로 굳이 상(象)의 유래를 깊이 찾을 것이 없으나 또한 상을 가설(假設)했다고 생각하여 대번에 잊고자 해서도 안 될 것이다.

○ 伏羲畫八卦하시니 只此數畫이 該盡天下萬物之理라 學者於言上會得者는 淺하고 於象上會得者는 深이어늘 王輔嗣, 伊川은 皆不信象하니 如今에 却不敢如此說이요 只可說道不及見這箇了며 且從象以下說은 免得穿鑿이라 某嘗作易象說하니 大率以簡治繁이요 不以繁御簡이로라

복희(伏羲)가 팔괘(八卦)를 그으셨으니, 다만 이 몇 획이 천하 만물의 이치를 다 포함하였다. 배우는 자가 말[辭]에서 이해하는 것은 얕고 상(象)에서 이해하는 것은 깊은데, 왕보사(王輔嗣:왕필)와 이천(伊川)은 모두 상을 믿지 않았으니, 지금에 감히 이처럼 (상을 몰랐다고) 말하지는 못하겠고 다만 '이러한 것을 미처 보지 못하였다고 말하고, 또 상으로부터 이하의 말씀은 천착함을 면했다.'고 말할 수 있겠다. 내 일찍이 역(易)의 상에 대한 해설을 지었는데, 대체로 간략함으로써 번다함을 다스렸고 번다함으로써 간략함을 다스리지는 않았다.

○ 易之象이 似有三樣이라 有本畫自有之象하니 如奇畫象陽, 偶畫象陰이 是也요 有實取諸物之象하니 如乾、坤、六子를 以天、地、雷、風之類象之 是也요 有只是聖人이 以意自取那象來하여 明是義者하니 如白馬翰如, 載鬼一車之類[56] 是也니라

역(易)의 상(象)은 세 가지가 있는 듯하다. 본획(本畫)에 본래 가지고 있는 상(象)이 있으니 기(奇)의 획은 양(陽)을 상징하고 우(偶)의 획은 음(陰)을 상징하는 것과 같은 것이 이것이며, 실제로 여러 물건의 상을 취한 것이 있으니 건(乾)·곤(坤)과 육자(六子)를 천(天)·지(地)·뇌(雷)·풍(風)의 류(類)로 상징한 것과 같은 것이 이것이며, 다만 성인이 자신의 뜻으로 저 상을 취하여 이 뜻을 밝힌 것이 있으니 '백마가 나는 듯하다.〔白馬翰如.〕'는 것과 '귀신을 한 수레에 가득히 실었다.〔載鬼一車.〕'는 것과 같은 류(類)가 이것이다.

○ 看易에 若是靠定象去看이면 便滋味長이요 若只恁地懸空看이면 也沒甚(삼)意思니라 又曰 說易에 得其理면 則象數在其中하니 固是如此나 然泝流以觀하면 却須先見象數的當下落이라야 方說得理 不走作이니 不然하여 事無實證이면 則虛理易差也리라

역(易)을 볼 적에 만약 정해진 상(象)에 의거하여 보면 곧 재미가 많아지며, 만약 다만 이렇게 공중에 매달아 놓고(허황하게) 보면 또한 아무런 의미가 없을 것이다.

또 말씀하였다.

"역(易)을 설명할 적에 그 이치를 알면 상(象)과 수(數)가 이 가운데에 들어 있으니, 진실로 이와 같이 하여야 하지만 흐름을 거슬러 관찰할 경우에는 모름지기 먼저 상과 수(數)가 적당하게 놓여 있음을 보아야 비로소 이치를 말한 것이 다른 데로 달려가지 않게 되니, 그렇지 아니하여 일에 실증(實證)이 없으면 공허한 이치라서 잘못되기가 쉬울 것이다."

••••••

56 白馬翰如 載鬼一車之類 : 백마한여(白馬翰如)는 백마가 나는 듯이 달려가는 것으로 비괘(賁卦) 육사 효사(六四爻辭)에 보이며, 재귀일거(載鬼一車)는 귀신을 수레에 가득히 실었다는 뜻으로 없는 것을 있는 것으로 착각한다는 뜻인데 규괘(睽卦) 상구 효사(上九爻辭)에 보인다.

••• 翰 : 날아갈 한 靠 : 붙을 곡 泝 : 거슬러올라갈 소

○ 上古之時엔 民心昧然하여 不知吉凶所在라 故로 聖人作易하여 教之卜筮하여 吉則行之하고 凶則避之하시니 此是開物成務之道라 故로 繫辭云 以通天下之志하며 以定天下之業하며 以斷天下之疑라하니 正謂此也라 初但有占而無文하여 往往如今人用火珠林起課者[57] 相似하여 但用其爻하고 而不用其辭하니 則知古人占不待辭而後見吉凶이라 至孔子하여는 又恐人不知其所以然이라 故로 又復逐爻解之하사 謂此爻所以吉者는 謂以中正也요 此爻所以凶者는 謂不當位也를 明言之하사 使人易曉爾라 至如文言之類하여는 却又就上面發明道理하시니 非是聖人本意니 知此라야 方可學易이니라

상고(上古)시대에는 백성들의 마음이 어두워서 길 · 흉의 소재를 알지 못하였다. 그러므로 성인이 역(易)을 만들어 복서(卜筮)를 가르쳐서 길하면 행하고 흉하면 피하게 하셨으니, 이것이 물건을 열어주고 일을 이루어준 방도이다. 그러므로 〈계사전〉에 이르기를 "천하의 뜻을 통하고 천하의 업(業)을 정하고 천하의 의심을 결단한다." 하였으니, 바로 이것을 말한 것이다.

처음에는 다만 점(占)만 있고 글이 없어서 왕왕 지금 사람들이 화주림(火珠林)을 가지고 점을 치는 것과 서로 유사해서 다만 그 효(爻)만 쓰고 그 말(글)은 쓰지 않았으니, 옛 사람들은 점을 칠 때에 굳이 말을 기다린 뒤에 길 · 흉을 보지(알지) 않았음을 알 수 있다. 공자에 이르러는 또 사람들이 그 소이연(所以然)을 모를까 두려워하셨다. 그러므로 또다시 효마다 해석하여 이 효가 길한 까닭은 중정(中正)하기 때문이요, 이 효가 흉한 까닭은 자리가 합당하지 않기 때문이라고 분명히 말씀하여 사람들로 하여금 깨닫기 쉽게 한 것이다. 〈문언전〉과 같은 류(類)에 이르러는 또 그 상면(上面)에 나아가 도리를 발명하였으니, 이것은 성인이 역을 지은 본의가 아니다. 이러한 것을 알아야 비로소 역(易)을 배울 수 있다.

○ 聖人一部易은 皆是假借虛設之辭니 蓋緣天下之理 若正說出이면 便只作一件用일새라 唯以象言하면 則當卜筮之時에 看是甚(삼)事都來應得이니라

성인의 한 부(部)의 역(易)은 모두 빌어서 가설(假設)한 말씀이니, 이는 천하의

57 火珠林起課者 : 화주림(火珠林)은 동전(銅錢)으로 시초(蓍草)를 대신하여 점치는 방법이며, 기과(起課)는 점치는 것을 이른다.

이치를 만약 곧바로 말하면 곧 다만 한 가지 쓰임만 되기 때문이다. 오직 상(象)으로써 말하면 복서(卜筮)할 때에 무슨 일이든 모두 응용할 수 있음을 볼 것이다.

○ 上古之易은 方是利用厚生이러니 周易에 始有正德意[58]라 如利貞은 是敎人利於貞正이요 貞吉은 是敎人貞正則吉이며 至孔子하여는 則說得道理又多하시니라

상고(上古)의 역(易)은 막 이용(利用)·후생(厚生)이었는데 《주역》에 비로소 정덕(正德)의 뜻이 있게 되었다. 예컨대 '이정(利貞)'은 사람들에게 정정(貞正)함이 이로움을 가르친 것이고 '정길(貞吉)'은 사람들에게 정정(貞正)하면 길함을 가르친 것이며, 공자에 이르러는 도리를 설명한 것이 더욱 많으시다.

○ 易은 只是設箇卦象하여 以明吉凶而已요 更無他說이니라 又曰 易은 是箇有道理底卦影[59]이니 易以卜筮作이나 許多理 便也在裏하니라

역(易)은 다만 괘상(卦象)을 만들어 길·흉을 밝혔을 뿐이요, 다시 다른 말(이론)이 없다.

또 말씀하였다.

"역은 도리가 있는 괘영(卦影)이니, 역은 복서(卜筮)하기 위하여 만든 것이나 허다한 도리가 곧 또한 이 가운데에 들어있다."

○ 易은 本卜筮之書라 後人이 以爲止於卜筮러니 至王弼用老莊解하여는 後人이 便只以爲理而不以爲卜筮라하니 亦非라 想當初伏羲畫卦之時에 偶見得一是陽, 二是陰하여 從而畫放하시니 那裏엔 只是陽爲吉, 陰爲凶이요 无文字러니 後에 文王이 見其不可曉故로 爲之作彖辭하시고 或占得爻處에 不可曉故로 周公이 爲之作爻辭하시고 又不可曉故로 孔子爲之作十翼하시니 皆解當初之意리라 今人은 不

••••••

58 利用厚生……始有正德意 : 이용(利用)은 씀을 이롭게 하는 것이고 후생(厚生)은 생활을 후(厚)하게 하는 것이며 정덕(正德)은 덕(德)을 바루는 것으로 이 세 가지를 삼사(三事)라 하는 바, 《서경》〈대우모(大禹謨)〉에 '정덕과 이용·후생이 조화롭다〔正德利用厚生惟和.〕'라고 보인다.

59 卦影 : 괘를 그린 색깔에 따라 길·흉을 판단함을 이른다. 《부장록(拊掌錄)》에 "송(宋)나라 희령(熙寧) 연간에 촉(蜀) 지방의 역술가인 비효원(費孝元)이 《주역》으로 점을 치면서 적색과 청색으로 괘를 그어 길·흉을 구별하였는데, 이것을 괘영(卦影)이라 했다." 하였다.

看卦爻하고 而看繫辭하니 是猶不看刑統而看刑統[60]之序例也니 安能曉리오 今人이 須以卜筮之書看之라야 方得이니 不然이면 不可看易이니라

역(易)은 본래 복서(卜筮)하는 책이므로 후인(後人)들이 다만 복서하기 위한 것이라 여겼었는데, 왕필이 노(老)·장(莊)을 가지고 해석함에 이르러는 후인들이 곧 다만 도리를 위한 것이요 복서하기 위한 것이 아니라고 여기게 되었으니, 또한 잘못이다.

생각건대 당초에 복희가 괘를 그을 적에 우연히 일(一)이 양이고 이(二)가 음임을 보고서 따라서 그렸으니, 이 속에는 다만 양은 길함이 되고 음은 흉함이 될 뿐이요 문자가 없었다. 그러다가 뒤에 문왕이 이해할 수 없음을 보셨기 때문에 이를 위해 단사(彖辭)를 지으셨고, 혹 점을 쳐서 효(爻)를 얻은 곳에 이해할 수 없으므로 주공이 이를 위해 효사(爻辭)를 지으셨으며, 그래도 이해할 수 없으므로 공자가 이를 위해 십익(十翼)을 지으셨으니, 모두 당초의 뜻을 해석한 것이리라.

지금 사람들은 괘와 효를 보지 않고 계사전(繫辭傳)만을 보니, 이는 마치《형통(刑統)》을 보지 않고《형통》의 서문(序文)과 범례(凡例)만을 보는 격이니, 어찌 깨달을 수 있겠는가. 지금 사람들은 모름지기 역을 복서하는 책으로 보아야 비로소 역을 알 수 있을 것이니, 그렇지 않으면 역을 볼(알) 수 없을 것이다.

○ 易은 只是爲卜筮而作이라 故로 周禮에 分明言太卜掌三易하니 連山、歸藏、周易이라 古人은 於卜筮之官에 立之凡數人이요 秦은 去古未遠이라 故로 周易亦以卜筮라하여 得不焚이어늘 今人은 才說易是卜筮之書라하면 便以爲辱累了易이라하며 見夫子說許多道理하고 便以爲易只是說道理라하니 殊不知其言吉凶悔吝이 皆有理하여 而其教人之意 无不在也라 而今所以難理會는 時蓋緣亡了那卜筮之法이니 如太卜掌三易之法連山、歸藏、周易하여 便是別有理會周易之法이어늘 而今에 却只有上下經兩篇하여 皆不見許多法了하니 所以難理會라 今人은 却道聖人言理에 而其中因有卜筮之說이라하니 他說理後에 說從那卜筮上來做麼오

역(易)은 다만 복서하기 위하여 지은 것이다. 그러므로《주례(周禮)》에 분명히

60 刑統 : 송(宋)나라 때 통용되던 형법서(刑法書)로 당(唐)나라의《당서소의(唐書疏議)》를 모체로 삼아 당시의 칙령(勅令)·법령(法令) 등을 분류하여 만들었다.

••• 麽 : 무엇 마 岐 : 두갈래길 기 諱 : 숨길 휘

"태복(太卜)이 세 역을 관장하였으니, 연산(連山)·귀장(歸藏)·주역(周易)이다."라고 말한 것이다. 옛사람은 복서하는 관원을 세울 적에 모두 여러 명이었고, 진(秦)나라는 옛날과 거리가 멀지 않았던 까닭에 《주역》 또한 복서하는 책이라 하여 불태우지 않았었다. 그런데 지금 사람들은 조금이라도 역이 복서하는 책이라고 말하면 곧 역을 욕되게 하고 누를 끼치는 것이라고 말하며, 부자(夫子)께서 허다한 도리를 말씀한 것을 보고는 곧 이르기를 "역은 다만 도리를 말한 것이다."라고 하니, 역에서 길·흉과 회(悔)·린(吝)을 말한 것이 모두 이치가 있어서 사람을 가르친 뜻이 들어 있지 않음이 없음을 전혀 알지 못하는 것이다.

지금에 역을 이해하기 어려운 까닭은 복서하는 법이 없어졌기 때문이니, 예컨대 태복이 세 역의 법(法)인 연산·귀장·주역을 관장한 것과 같아서 별도로 《주역》을 이해하는 법이 있었는데, 지금은 다만 상경(上經)·하경(下經) 두 편만 있어 허다한 법식을 모두 볼 수 없으니, 이 때문에 이해하기 어려운 것이다. 지금 사람들은 "성인이 도리를 말씀할 적에 이 가운데에 복서하는 말이 있게 되었다."라고 말하니, 이는 저 도리를 말씀한 뒤에 이 복서(卜筮)로 인하여 무엇을 하려고 하셨겠는가.

○ 易은 只是與人卜筮하여 以決疑惑이니 若道理當爲면 固是便爲요 若道理不當爲면 自是不可做니 何用更占이리오 却是有一樣事 或吉或凶, 或兩岐道理하여 處置不得일새 所以用占이니라

역(易)은 다만 사람에게 복서하는 법을 가르쳐 주어 의혹을 결단하게 한 것이다. 만약 도리에 마땅히 해야 할 일이면 진실로 곧 해야 하고, 만약 도리에 마땅히 하지 말아야 할 일이면 본래 하지 말아야 하니, 이와 같다면 어찌 다시 점칠 것이 있겠는가. 이는 한 가지 일이 혹 길하게도 생각되고 혹 흉하게도 생각되며 혹 두 갈래 도리여서 처치(조처)할 수가 없기 때문에 점(占)을 사용하는 것이다.

○ 今學者諱言易本爲卜筮作하여 須要說做爲義理作하니 若果爲義理作時엔 何不直述一件文字 如中庸、大學之書하여 言義理以曉人하고 須得畫八卦則甚(삼)고

지금 배우는 자들은 역(易)이 본래 복서하기 위하여 지은 것이라고 말하기를

꺼려서 모름지기 의리를 설명하기 위하여 지은 것이라고 말하고자 하니, 만약 과연 의리를 설명하기 위하여 지었다고 할 경우에는 어찌하여 한 건(件)의 문자로 《중용》과 《대학》 책과 같은 것을 곧바로 기술해서 의리를 말씀하여 사람을 깨우치지 않고, 굳이 팔괘를 그어놓은 것은 무엇 때문인가.

○ 陽爻多吉하고 陰爻多凶하나 又看他所處之地位如何라 易中엔 大槪陽吉而陰凶이로되 間亦有陽凶而陰吉者는 何故오 蓋有當爲하고 有不當爲하니 若當爲而不爲하고 不當爲而爲之하면 雖陽이나 亦凶이니라

양효(陽爻)는 길함이 많고 음효(陰爻)는 흉함이 많으나 또 그 처한 바의 자리가 어떠한가를 보아야 한다. 역(易) 가운데에는 대체로 양이 길하고 음이 흉하나, 중간에는 또한 양이 흉하고 음이 길한 경우가 있음은 무슨 까닭인가? 마땅히 해야 할 것이 있고 마땅히 하지 말아야 할 것이 있기 때문이니, 만약 마땅히 해야 하는데 하지 않고 마땅히 하지 말아야 하는데 한다면 비록 양이라도 흉하다.

○ 易中엔 却是貞吉이요 不曾有不貞吉이며 都是利貞이요 不曾說利不貞이라 如占得乾卦하면 固是大亨이나 下則云利貞이라하니 蓋正則利요 不正則不利니 至理之權輿와 聖人之至敎가 寓其間矣라 大率是爲君子設이요 非小人盜賊所得竊取而用이라 橫渠云 易爲君子謀요 不爲小人謀라하시니 極好니라

역(易) 가운데에는 '정(貞)하면 길하다.'고 하였고 일찍이 '정하지 않으면 길하다.'고 한 것은 없으며, 모두 '정함이 이롭다.' 하였고 일찍이 '정하지 않은 것이 이롭다.'고 말한 것은 없다. 예컨대 점을 쳐서 건괘(乾卦)를 얻으면 진실로 크게 형통하나 아래에 '정(貞)함이 이롭다.'고 말하였으니, 바르〔貞〕면 이롭고 바르지 않으면 이롭지 않은 것이니, 지극한 이치의 권여(權輿;시초)와 성인(聖人)의 지극한 가르침이 이 사이에 붙어 있는 것이다.

대체로 이 역은 군자를 위하여 만든 것이요 소인과 도적들이 절취해서 쓸 수 있는 것이 아니다. 횡거(橫渠)가 말씀하시기를 "역은 군자를 위하여 도모한 것이요 소인을 위하여 도모한 것이 아니다." 하셨으니, 매우 좋다.

○ 易中利字는 多爲占者設이라 如利涉大川은 是利於行舟也요 利有攸往은 是利

••• 權 : 저울대 권 輿 : 수레깔판 여 寓 : 붙일 우 狐 : 여우 호 覲 : 뵐 근

於啓行也요 利用祭祀, 利用享祀는 是卜祭吉이요 田獲三狐, 田獲三品은 是卜田吉이요 公用享于天子는 是卜朝覲吉이요 利建侯는 是卜立君吉이요 利用爲依遷國은 是卜遷國吉이요 利用侵伐[61] 은 是卜侵伐吉之類니라

역(易) 가운데의 이(利) 자는 점치는 자를 위하여 베푼 것이 많다. 예컨대 '이섭대천(利涉大川)'은 배를 운행함에 이로운 것이고, '이유유왕(利有攸往)'은 계행(啓行: 길을 떠남)에 이로운 것이고, '이용제사(利用祭祀)'와 '이용향사(利用享祀)'는 제사를 점침에 길한 것이고, '전획삼호(田獲三狐)'와 '전획삼품(田獲三品)'은 사냥을 점침에 길한 것이고, '공용향우천자(公用享于天子)'는 천자의 조근(朝覲)을 점침에 길한 것이고, '이건후(利建侯)'는 군주(제후)를 세움을 점침에 길한 것이고, '이용위의천국(利用爲依遷國)'은 국도(國都)를 옮김을 점침에 길한 것이고, '이용침벌(利用侵伐)'은 침벌(侵伐)을 점침에 길한 것과 같은 류(類)이다.

○ 今人讀易에 當分爲三等看이라 伏羲之易에 如未有許多彖、象、文言說話면 方見得易之本意 只是要作卜筮用이라 如伏羲畫卦에 那裏有許多文字言語리오 只是某卦有某象하니 如乾有乾之象하고 坤有坤之象而已라 今人은 說易에 未曾明乾坤之象하고 便先說乾坤之理하니 所以說得都无情理라 及文王、周公하여 分爲六十四卦하시고 添入乾元亨利貞, 坤元亨利牝馬之貞하시니 早不是伏羲之意요 已是文王、周公이 自說出一般道理了라 然猶是就人占處說하시니 如占得乾卦면 則大亨而利於正(貞)耳라 及孔子繫易하사 作彖、象、文言하사는 則以元亨利貞으로 爲乾之四德하시니 又非文王之易矣니라

지금 사람들은 역(易)을 읽을 적에 마땅히 세 등급으로 나누어 보아야 한다. 복희의 역에 만일 허다한 〈단전(彖傳)〉·〈상전(象傳)〉·〈문언전(文言傳)〉 등의 말〔글〕이 없었다면 역의 본의가 다만 복서(卜筮)에 쓰고자 한 것임을 비로소 보게 될 것

61 利涉大川……利用侵伐 : '이섭대천(利涉大川)'은 〈수괘(需卦)〉·〈동인괘(同人卦)〉 등 8개의 괘에 보이고, '이유유왕(利有攸往)'은 〈복괘(復卦)〉·〈손괘(損卦)〉 등 9개의 괘에 보이며, '이용제사(利用祭祀)'와 '이용향사(利用享祀)'는 〈곤괘(困卦)〉 구오(九五)효와 구이(九二)효에 보이고, '전획삼호(田獲三狐)'는 〈해괘(解卦)〉 구이효에 보이며, '전획삼품(田獲三品)'은 〈손괘(巽卦)〉 육사(六四)효에 보인다. '공용향우천자(公用享于天子)'는 〈대유괘(大有卦)〉 구삼(九三)효에 보이고, '이건후(利建侯)'는 〈준괘(屯卦)〉 초구(初九)효에 보이며, '이용위의천국(利用爲依遷國)'은 〈익괘(益卦)〉 육사효에 보이고, '이용침벌(利用侵伐)'은 〈겸괘(謙卦)〉 육오(六五)효에 보인다.

이다. 복희가 괘를 그을 적에 어찌 이 속에 허다한 문자와 언어가 있었겠는가. 다만 아무 괘에는 아무 상(象)이 있었을 뿐이니, 예컨대 건괘(乾卦)는 건괘의 상이 있고 곤괘(坤卦)는 곤괘의 상이 있을 뿐이었다. 그런데 지금 사람들은 역을 설명함에 일찍이 건(乾)·곤(坤)의 상은 밝히지 않고 곧 먼저 건·곤의 이치만 말하니, 이 때문에 말하는 것이 모두 실정과 이치가 없는 것이다.

문왕과 주공에 이르러 나누어 64괘를 만드시고 '건원형이정(乾元亨利貞)'이라는 것과 '곤원형 리빈마지정(坤元亨利牝馬之貞)'이라는 것을 더 넣었으니, 이것은 복희의 뜻이 아니요, 이미 문왕과 주공이 따로 한 가지 도리를 말씀해 낸 것이다. 그러나 오히려 사람들이 점치는 곳에 나아가 말씀하였으니, 예컨대 점(占)을 쳐서 건괘를 얻으면 크게 형통하고 정(貞)함이 이롭다는 것과 같은 것이다. 공자께서 역에 말(글)을 다시어 〈단전〉·〈상전〉·〈문언전〉을 지음에 이르러는 '원형이정(元亨利貞)'을 건괘의 네 가지 덕(德)으로 삼으셨으니, 이는 또 문왕의 역이 아니다.

○ 讀易之法은 竊疑卦爻之辭는 本爲卜筮者斷吉凶而具訓戒러니 至彖、象、文言之作하여 始因其吉凶訓戒之意하여 而推說其義理以明之라 後人은 但見孔子所說義理하고 而不復推本文王、周公之本意하여 因鄙卜筮하여 以爲不足言이라하여 而其所以言者 遂遠於日用之實하여 類皆牽合委曲하여 偏主一事而言하고 无復包含該貫、曲暢旁通之妙하니 若但如此면 則聖人이 當時에 自可別作一書하여 明言義理하여 以詔後世니 何用假託卦象하여 爲此艱深隱晦之辭乎아 故로 今欲凡讀一卦一爻인댄 便如占筮所得하여 虛心以求其辭義之所指하여 以爲吉凶可否之決然後에 考其象之所以然者하고 求其理之所以然者하여 推之於事하면 使上自王公으로 下至民庶히 所以修身治國에 皆有可用이라 私竊以爲如此求之라야 似得三聖之遺意로라

《주역》을 읽는 방법은 삼가 의심(생각)하건대 괘사와 효사는 본래 복서하는 자를 위하여 길흉을 결단하고 훈계하는 말을 갖추어 놓은 것이었는데, 〈단전〉·〈상전〉·〈문언전〉을 지음에 이르러는 비로소 길흉과 훈계의 뜻을 인하여 의리를 미루어 밝힌 것인 듯하다.

후인들은 다만 공자가 말씀한 의리만 보고 다시는 문왕과 주공의 본의를 미루어 연구하지 않고는 인하여 복서를 비루하게 여겨 굳이 말할 것이 못된다고 한다.

••• 晦 : 어두울 회 竊 : 저으기 절, 도둑질할 절 怎 : 무엇 즘 杜 : 막을 두 謨 : 꾀 모 湛 : 맑을 담

그리하여 말하는 것이 마침내 일용(日用)의 실제와 거리가 멀어 대체로 모두 억지로 끌어다가 맞추고 왜곡해서 편벽되이 한 가지 일만을 주장하여 말하고, 다시는 포함하여 관통하고 곡창(曲暢)하여 사방으로 통하는 묘함이 없으니, 만약 다만 이와 같다면 성인이 당시에 스스로 따로 한 책을 지어서 의리를 분명히 말씀하여 후세를 가르쳤을 것이니, 어찌 괘(卦)·상(象)에 가탁하여 이처럼 어렵고 심오하고 은미한 말씀을 하셨겠는가.

그러므로 이제 무릇 한 괘와 한 효를 읽고자 할진댄 곧 점서(占筮)하여 얻은 것처럼 여겨서 마음을 비우고 말씀한 뜻이 가리키는 바를 찾아서 길흉과 가부(可否)를 결정한 뒤에 그 상(象)의 소이연(所以然)을 상고하고 그 이치의 소이연을 찾아서 일에 미루어야 할 것이니, 이렇게 하면 위로는 왕공(王公)으로부터 아래로는 서민(庶民)에 이르기까지 몸을 닦고 나라를 다스림에 모두 쓸 수가 있을 것이다. 사사로이 생각하건대 이와 같이 찾아야 세 성인(복희와 문왕·주공)이 남기신 뜻을 얻을(알) 듯하다.

○ 孔子之易은 非文王之易이요 文王之易은 非伏羲之易이며 伊川易傳은 自是程氏之易也라 故로 學者且依古易次第하여 先讀本文이면 則見本旨矣리라

공자의 역은 문왕의 역이 아니고 문왕의 역은 복희의 역이 아니며, 이천(伊川)의 《역전(易傳)》은 따로 정씨(程氏)의 역이다. 그러므로 배우는 자는 우선 옛《주역》의 차례에 따라 먼저 본문(경문)을 읽으면 본지(本旨)를 보게 될 것이다.

○ 看易에 須是看他未畫卦已前에 是怎(즘)生模樣이니 却就這裏하여 看他許多卦爻象數 非是杜撰이요 都是合如此라 未畫已前은 便是寂然不動이라 喜怒哀樂未發之中으로 只是箇至虛至靜而已러니 忽然在這至虛至靜之中에 有箇象하여 方說出許多象數吉凶道理하니 所以禮日 潔靜精微易教也라 蓋易之爲書 是懸空做出來라 如書는 便眞箇有這政事謀謨라야 方做出書來하고 詩는 便眞箇有這人情風俗이라야 方做出詩來로되 易은 却都无這已往底事하고 只是懸空做底라 未有爻畫之先엔 在易則渾然一理요 在人則湛然一心이며 既有爻畫이면 方見得這爻是如何, 這爻又是如何라 然而皆是就這至虛至靜中하여 做出許多象數來하니 此其所以靈이니라

역(易)을 볼 적에는 모름지기 이 괘를 긋기 이전에 어떤 모양이었는가를 보아야 하니, 이 속에 나아가 허다한 괘효(卦爻)와 상수(象數)가 두찬(杜撰:억지로 지음)한 것이 아니고, 모두 마땅히 이와 같아야 함을 보아야 한다. 괘를 긋기 이전은 곧 고요하여 움직이지 않아서 희(喜)·노(怒)·애(哀)·락(樂)이 발하지 않은 상태의 중(中)으로, 다만 지극히 허(虛)하고 지극히 정(靜)할 뿐이었는데, 홀연히 이 지극히 허하고 지극히 정한 가운데에 이러한 상(象)이 있어서 비로소 허다한 상수(象數)의 길흉과 도리를 말하였으니, 이 때문에 《예기(禮記)》〈경해(經解)〉에 "깨끗하고 고요하고 정미한 것이 역(易)의 가르침이다."라고 한 것이다.

《주역》책은 바로 가공(架空)하여 만들어낸 것이다. 예컨대 《서경》은 곧 참으로 정사(政事)와 모모(謀謨;계책)가 있어야 비로소 《서경》을 지어내었고, 《시경》은 참으로 인정(人情)과 풍속(風俗)이 있어야 비로소 《시경》을 지어내었으나, 《주역》은 모두 이왕(已往)에 이러한 일이 없었고 다만 가공하여 만들어낸 것이다. 효(爻)의 획(畫)이 있기 이전에는 역에 있어서는 혼연(渾然)한 일리(一理; 태극의 진리)이고 사람에게 있어서는 담연(湛然)한 한 마음(본체의 마음)이며, 이미 효(爻)의 획(畫)이 있게 되면 비로소 이 효는 어떠한 것이고 이 효는 또 어떠한 것인지를 볼 수 있다. 그러나 모두 지극히 허하고 지극히 정한 가운데에 나아가 허다한 상수를 지어낸 것이니, 이 때문에 신령스러운 것이다.

○ 易은 須是錯綜看이니 天下事无不出於此라 善惡、是非、得失로 以至於屈伸、消長、盛衰히 看甚(삼)事都出於此라 伏羲以前엔 不知如何占考요 至伏羲하여 將陰陽兩箇하여 畫卦以示人하여 使人於此에 占考吉凶、禍福케하시니 一畫爲陽이요 二畫爲陰이며 一畫爲奇요 二畫爲偶하여 遂爲八卦하고 又錯綜爲六十四卦하니 凡三百八十四爻라 文王이 又爲之彖辭하여 以釋其義하시니 无非陰陽消長、盛衰、屈伸之理니 聖人之所以學者는 學此而已니라

역(易)은 모름지기 착종(錯綜:이리저리 종합함)하여 보아야 하니, 천하의 일이 여기에서 나오지 않은 것이 없다. 선악(善惡)·시비(是非)·득실(得失)로부터 굴신(屈伸)·소장(消長)·성쇠(盛衰)에 이르기까지 어떤 일이든 모두 여기에서 나옴을 볼 수 있다. 복희 이전에는 어떻게 점을 쳐서 상고했는지 알 수 없고, 복희에 이르러는 음·양 두 개를 가지고 괘를 그어 사람들에게 보여주어서 사람들로 하여금 여

기에서 점을 쳐서 길흉(吉凶), 화복(禍福)을 상고하게 하였으니, 한 획이 양이 되고 두 획이 음이 되며 한 획이 기(奇)가 되고 두 획이 우(偶)가 되어 마침내 팔괘가 되고 또 착종하여 64괘가 되니, 모두 384효이다. 문왕이 또다시 단사(彖辭)를 지어 그 뜻을 해석하셨는데, 음 · 양이 소장(消長)하고 성쇠(盛衰)하고 굴신(屈伸)하는 이치 아닌 것이 없으니, 성인이 배우신 것은 이것을 배운 것일 뿐이다.

○ 易은 最難看하니 其爲書也 廣大悉備하여 包涵萬理하여 无所不有어니와 其實은 是古者卜筮書니 不必只說理요 象數亦可說이니 初不曾滯於一偏이라 某近看易하니 見得聖人이 本无許多勞攘이어늘 自是後世一向妄意增減하여 便要作一說하여 以强通其義일새 所以聖人經旨 愈見不明이라 且如解易엔 只是添虛字去하여 迎過意來라야 便得이어늘 今人은 解易에 乃去添他實字하여 却是借他做己意說了하며 又恐或者一說이 有以破之하여 其勢不得不支離更爲一說하여 以護吝之하여 說千說萬이나 與易全不相干이라 此書는 本是難看底物이니 不可將小巧去說이요 又不可將大話去說이니라

역(易)은 가장 보기가 어려우니, 책의 내용이 광대(廣大)하여 모두 갖추어져서 만 가지 이치를 포함하여 있지 않은 것이 없으나, 그 실제는 옛날에 복서하던 책이니, 반드시 다만 이치만 말한 것이 아니요, 상(象) · 수(數)도 말할 수 있는 바, 애당초 일찍이 한 쪽에 치우친 것이 아니다.

내가 근래에 역을 보니, 성인이 본래 허다한 수고로움이 없으셨는데, 이 후세로부터 한결같이 망령된 뜻으로 증감(增減)하여 곧 한 말을 지어내어 그 뜻을 억지로 통하게 하고자 하였다. 이 때문에 성인의 경지(經旨:경전의 뜻)가 더욱 밝지 못하게 됨을 보게 되었다.

또 역을 해석함에는 다만 허자(虛字)를 더하여 뜻을 맞이해 와야 비로소 알 수 있는데, 지금 사람들은 역을 해석할 적에 마침내 실자(實字)를 더하여 저것을 빌어 자기의 뜻으로 삼아 말하며, 또 혹자의 일설(一說)이 이것을 깨뜨릴까 두려워하여, 그 형세가 지리하게 다시 일설을 만들어 〈자신의 잘못된 설을〉 비호하고 아끼지 않을 수가 없어서 천 가지를 말하고 만 가지를 말하나 역과는 전혀 상관이 없다. 이 책은 본래 보기 어려운 물건이니, 작은 지혜를 가지고 말해서도 안 되며 또 큰 말을 가지고 말해서도 안 된다.

··· 涵 : 용납할 함 吝 : 아낄 린

○ 易은 難看하니 不比他書라 易說一箇物은 非眞是一箇物이니 如說龍은 非眞龍이라 若他書則眞是實이니 孝悌는 便是孝悌요 仁은 便是仁이어니와 易中엔 多有不可曉處하니라

역(易)은 보기가 어려우니, 다른 책에 견줄 수가 없다. 역(易)에 하나의 사물을 말한 것은 진실로 하나의 사물이 있는 것이 아니니, 룡(龍)을 말함은 진짜 룡이 아닌 것과 같다. 다른 책으로 말하면 참으로 진실한 것이어서 효제(孝悌)는 곧 효제이고 인(仁)은 곧 인이나, 역 가운데에는 알 수 없는 부분이 많이 있다.

○ 易은 難看하니 無箇言語可形容得이라 蓋爻辭는 是說箇影象在那裏하여 无所不包하니라

역(易)은 보기가 어려우니, 이 언어로 형용할 수가 없다. 효사(爻辭)는 영상(影象)이 이 속에 있음을 말하여 포함하지 않는 바가 없다.

○ 看易엔 須著四日看一卦니 一日은 看卦辭、彖、象하고 兩日은 看六爻하고 一日은 統看이라야 方子細니라 又曰 和靖學易에 一日只看一爻하니 此物事成一片하여 動著便都成片하리니 如何看一爻得이리오 又曰 先就乾坤二卦上하여 看得本意了면 則後面은 皆有通路니라

역(易)을 볼 때에는 모름지기 4일에 한 괘를 보아야 하니, 하루는 괘사(卦辭)와 〈단전(彖傳)〉·〈상전(象傳)〉을 보고 이틀은 여섯 효(爻)를 보고 하루는 통합하여 보아야 비로소 자세하게 볼 수 있다.

또 말씀하였다.

"화정(和靖:윤돈(尹焞))은 역을 배울 적에 하루에 다만 한 효(爻)를 보았으니, 이는 번번이 사물이 (전체가 아닌) 한쪽을 이루어서 동함에 모두 번번이 한 쪽만을 이룰 것이니, 어떻게 한 효만 볼 수 있겠는가."

또 말씀하였다.

"먼저 건(乾)·곤(坤) 두 괘 위에 나아가 본의(本意)를 보면 후면은 모두 통하는 방도가 있게 된다."

○ 易은 大概欲人恐懼修省이니 今學易엔 非必待遇事而占하여 方有所戒요 只平

居玩味하여 看他所說道理가 於自家所處地位에 合是如何라 故로 云居則觀其象而玩其辭하고 動則觀其變而玩其占이라하니 孔子所謂學易은 正是平日常常學之라 想見聖人之所讀은 異乎人之所謂讀하여 想見胸中에 洞然於易之理하여 无纖毫蔽處라 故로 云可以无大過[62] 라하시니라

역(易)은 대개 사람들로 하여금 공구(恐懼)하고 수성(修省)하게 하고자 한 것이니, 지금 역을 배울 적에는 반드시 어떠한 일을 만나 점치기를 기다려서 비로소 경계하는 바를 두는 것이 아니요, 다만 평상시에 음미하여 이 역에서 말한 도리가 자신이 처한 지위(위치)에 마땅히 어떠한가를 보아야 한다. 그러므로 이르기를 "편안히 거(居)할 때에는 상(象)을 보고 말을 살펴보며, 동(動)할 때에는 변(變)을 보고 점(占)을 살펴본다." 하였으니, 공자의 이른바 '역(易)을 배운다'는 것은 바로 평소에 항상 배우는 것이다. 상상해 보건대 성인이 읽으신 것은 일반인의 이른바 읽는다는 것과는 달라서 가슴속에 역의 이치를 통달하여 털끝만큼도 가리운 곳이 없으시리라. 그러므로 '큰 허물이 없을 수 있다.'고 말씀하신 것이다.

○ 讀易之法은 先讀正經하여 不曉면 則將彖、象、繫辭來解니라 又曰 易爻辭는 如籤辭[63] 하니라

역(易)을 읽는 법은 먼저 정경(正經:괘사와 효사)을 읽어서 깨닫지 못하면 〈단전〉·〈상전〉·〈계사전〉 등을 가져다가 풀어야 한다.

또 말씀하였다.

"역의 효사(爻辭)는 첨사(籤辭)와 같다."

○ 問易如何讀고 曰 只要虛其心하여 以求其義요 不要執己見이니 讀他書亦然이니라

••••••

62 可以无大過 : 대과(大過)는 큰 잘못이나 오류로, 공자는 일찍이 "나에게 몇 년의 수명을 빌려주어 마침내 《주역》을 배운다면 큰 허물이 없을 것이다.〔假我數年, 卒以學易, 可以無大過矣.〕" 하였으므로 말한 것이다. 《論語 述而》

63 籤辭 : 첨시(籤詩)를 이른다. 옛날 사찰이나 사당에서 점을 칠 적에 길흉을 말한 시구(詩句)를 대쪽 등에 쓰고 대통에 보관해 두었다가 추첨(抽籤)하여 여기에 적혀 있는 시구를 보고 길·흉을 점쳤는바, 이 시를 첨(籤)에 썼다 하여 첨시라 칭하였다.

••• 胸 : 가슴 흉 纖 : 가늘 섬 毫 : 털끝 호 籤 : 찌붙일 첨, 점대 첨

"역(易)을 어떻게 읽어야 합니까?" 하고 묻자, 다음과 같이 대답하였다.

"다만 마음을 비워 그 뜻을 찾으려 해야 할 것이요, 자기의 견해를 고집하지 말아야 하니, 다른 책을 읽을 때에도 그러하다."

○ 問讀易에 未能浹洽은 何也오 曰 此須是此心虛明寧靜이면 自然道理流通하여 方包羅得許多義理라 蓋易은 不比詩、書하니 他是說盡天下後世无窮无盡底事理하니 只一兩字 便是一箇道理라 又人須是經歷天下許多事變하고 讀易이라야 方知各有一理精審端正이어늘 今旣未盡經歷하니 非是此心大段虛明寧靜이면 如何見得이리오 此不可不自勉也니라 又曰 如今에 不曾經歷得許多事過하면 都自湊他道理不着이니 若便去看이라도 也卒未得他受用이니라 孔子晩而好易하시니 可見這書卒未可理會니라

"역(易)을 읽음에 능히 푹 배어들지 못하는 것은 어째서입니까?" 하고 묻자, 다음과 같이 대답하였다.

"모름지기 이 마음이 허명(虛明)하여 편안하고 고요하면 자연 도리가 유통되어 비로소 허다한 의리를 포괄하게 된다. 역(易)은 《시경》과 《서경》에 비할 수 없으니, 이 역은 천하 후세의 무궁무진한 사리(事理)를 다 말하였는바, 다만 한두 글자가 곧 하나의 도리이다. 또 사람들이 모름지기 천하의 허다한 사변(事變)을 경험하고서 역을 읽어야 비로소 사물에 각각 하나의 이치가 정밀하고 자세하고 단정함이 있음을 알 수 있는데, 이제 이미 허다한 일을 다 겪어보지 않았으니, 이 마음이 대단히 허명(虛明)하여 편안하고 고요한 자가 아니면 어떻게 볼 수 있겠는가. 이는 스스로 힘쓰지 않을 수 없는 것이다."

또 말씀하였다.

"지금에 일찍이 허다한 일을 겪어보지 않았으면 도무지 저 도리를 접할 수가 없으니, 만약 곧 가서 보더라도 끝내 받아서 쓸 수가 없을 것이다. 공자께서 만년(晩年)에 역을 좋아하셨으니, 이 책은 대번에 이해할 수 없는 것임을 알 수 있다."

○ 問易本義는 何專以卜筮爲主오 曰 且須熟讀正文이요 莫看註解하라 蓋古易은 彖、象、文言이 各在一處러니 至王弼하여 始合爲一하니 後世諸儒 遂不敢與移動이라 今難卒說이나 且須熟讀正文하면 久當自悟리라

••• 浹 : 두루 협 洽 : 두루 흡 湊 : 접할 주

"《역본의(易本義)》는 어찌 오로지 복서(卜筮)를 위주 하였습니까?" 하고 문자, 다음과 같이 대답하였다.

"우선 모름지기 정문(正文;〈단사〉와 〈효사〉)을 익숙히 읽을 것이요 주해(註解)를 보지 말라. 고역(古易)은 〈단전(彖傳)〉·〈상전(象傳)〉·〈문언전(文言傳)〉이 각각 따로 있었는데, 왕필(王弼)에 이르러 비로소 합하여 하나로 만드니, 후세의 제유(諸儒)들이 마침내 감히 바꾸지 못하였다. 지금 갑자기 말하기 어려우나 우선 모름지기 정문(正文)을 익숙히 읽으면, 오래되면 마땅히 스스로 깨닫게 될 것이다."

○ 問讀本義에 所釋卦辭를 若看得分明이면 則彖辭之義亦自明이니 只須略提破此是卦義, 此是卦象, 卦體, 卦變이요 不必更下注脚矣로이다 曰 某當初作此文字時에 正欲如此라 蓋彖傳은 本是釋經之卦辭니 若看卦辭分明이면 則彖亦可見이라 但後來에 要重整頓過러니 未及이로니 不知今所解者 能如本意否로라

"《본의(本義)》를 읽을 적에 해석한 괘사(卦辭)를 만약 분명히 본다면 〈단전(彖傳)〉의 뜻 또한 저절로 밝아질 것이니, 모름지기 대략 이것이 괘의(卦義)이고 이것이 괘상(卦象), 이것이 괘체(卦體), 이것이 괘변(卦變)이라는 것만을 제시할 것이요, 굳이 다시 주각(註脚)으로 내려갈 것이 없겠습니다." 하고 문자, 다음과 같이 대답하였다.

"내 당초 이 문자를 지을 때에 바로 이와 같이 하고자 하였다. 〈단전〉은 본래 경(經)의 괘사를 해석한 것이니, 만약 괘사를 봄이 분명하다면 〈단전〉 또한 알 수 있을 것이다. 다만 뒤에 다시 정돈하려고 하였으나 미처 하지 못하였는데, 지금 해석한 것이 본래의 뜻과 같은지는 알지 못하겠다."

又曰 某作本義에 欲將文王卦辭하여 只大綱依文王卦辭略說하고 至其所以然之故하여는 却於孔子彖辭中發之로라 且如大畜利貞, 不家食吉, 利涉大川은 只是占得大畜者 爲利正, 不家食而吉, 利於涉大川이요 至於剛上而尙賢等處하여는 乃孔子發明이라 各有所主하니 爻象亦然이라 如此면 則不失文王本意요 又可見孔子之意리라 但而今에 未暇整頓耳로라

또 말씀하였다.

"내가 《본의》를 지을 적에 문왕(文王)의 괘사(卦辭)를 가지고 다만 큰 강령은 문

왕의 괘사에 의거하여 간략히 해설하고, 그 소이연(所以然)의 연고에 이르러는 공자의 〈단전(彖傳)〉 글 가운데에서 발명하고자 하였다. 또 대축괘(大畜卦)의 '이정(利貞), 불가식길(不家食吉), 이섭대천(利涉大川)'은 다만 점(占)을 쳐서 대축괘를 얻은 자는 '바름이 이롭고 집안에서 밥을 먹지 않으면 길하고 대천(大川)을 건넘이 이롭다.'는 것이며, '강(剛)이 위에 있어 어진이를 높인다.'는 등의 부분에 이르러는 바로 공자께서 발명하신 것이니, 각각 주장하는 바가 있는 바, 효상(爻象)도 그러하다. 이와 같이 하면 문왕의 본의(本意)를 잃지 않을 것이요, 또 공자의 뜻도 볼 수 있을 것이다. 다만 지금 미처 정돈하지 못하였을 뿐이다."

○ 某解一部易은 只是作卜筮之書어늘 今人은 說得來太精了하여 更入粗不得이라 如某之說은 雖粗나 却入得精하여 精義皆在其中하니 若曉得某說이면 則曉得羲、文之易이 本是如此요 元未有許多道理在하리니 方不失易之本意리라 今未曉得聖人作易之本意하고 便先要說道理인댄 縱饒說得好라도 只是與易元不相干이니라

내가 해석한 한 부(部)의 역(易)은 다만 복서하는 책으로 만든 것인데, 지금 사람들은 말하는 것이 너무 정미(精微)해서 다시는 소략한 데에 들어갈 수가 없다. 나의 해설과 같은 것은 비록 소략하나 정미함에 들어갈 수가 있어서 정미한 뜻이 모두 이 가운데에 들어 있으니, 만약 나의 해설을 깨닫는다면 복희와 문왕의 역이 본래 이와 같고 원래 허다한 도리가 있지 않다는 것을 깨달을 것이니, 비로소 역의 본의(本意)를 잃지 않을 것이다. 이제 성인이 역을 지은 본의를 깨닫지 못하고 먼저 도리를 말하려고 하면 비록 말한 것이 좋더라도 다만 역과는 원래 상관이 없게 된다.

○ 某之易이 簡略者는 當時에 只是略搭記요 兼文義는 伊川及諸儒皆說了일새 某只就語脈中하여 略牽過這意思로라

나의 역(《본의》)이 간략한 까닭은 당시에 다만 간략히 기록하였고, 게다가 글뜻은 이천(伊川)과 제유(諸儒)들이 모두 설명하였기 때문에 나는 다만 어맥(語脈) 속에 나아가 간략히 이러한 뜻을 끌어냈을 뿐이다.

••• 縱 : 비록 종 饒 : 가령 요 籠 : 채롱 롱 障 : 막을 장

○ 近得趙子欽書하니 云 語、孟은 說極詳이어늘 易은 說太略이라하니 此는 譬如燭籠이 添一條骨이면 則障了一路明라 若能盡去其障하여 使之統體光明이면 乃更好하리니 蓋著不得詳說也니라

근간에 조자흠(趙子欽)의 편지를 얻어 보니, 이르기를 "《논어》와 《맹자》는 설명이 지극히 자세한데, 역은 설명이 너무 소략하다." 하였다. 이는 비유하건대 촛불의 채롱에 한 개의 골간(骨幹)을 더하면 한 가닥의 광명(光明)이 막히는 것과 같다. 만약 그 막은 것을 모두 제거하여 통체(統體;전체)가 광명하게 한다면 비로소 더욱 좋을 것인 바, 상세히 말할 수가 없는 것이다.

○ 看易에 先看某本義了하고 却看程傳하여 以相參考라 如未看他易하고 先看某說이면 却也易看하리니 蓋不爲他說所汨故也니라

역(易)을 볼 때에는 먼저 나의 《본의》를 보고 그런 다음 《정전(程傳)》을 보아 서로 참고해야 한다. 만일 다른 역을 보지 않고 먼저 나의 해설을 보면 도리어 보기가 쉬울 것이니, 이는 다른 말에 어지럽힘을 당하지 않기 때문이다.

상하편의(上下篇義)*

* 사계(沙溪) 김장생(金長生)은 "정자(程子)가 지은 것이다." 하였다.《經書辨疑》

乾、坤은 天地之道요 陰陽之本이라 故爲上篇之首하고 坎、離는 陰陽之成質이라 故爲上篇之終하며 咸、恒은 夫婦之道요 生育之本이라 故爲下篇之首하고 未濟는 坎、離之合이요 旣濟는 坎、離之交니 合而交則生物하니 陰陽之成功也라 故爲下篇之終하니라

건(乾 ☰)·곤(坤 ☷)은 하늘과 땅의 도(道)이고 음(陰)·양(陽)의 근본이므로 상편(上篇)의 첫머리가 되었고, 감(坎 ☵)·리(離 ☲)는 음·양의 형질을 이룬 것이므로 상편의 끝이 되었다. 함(咸 ䷞)·항(恒 ䷟)은 부(夫)·부(婦)의 도이고 낳고 기르는 근본이므로 하편(下篇)의 첫머리가 되었고, 미제(未濟 ䷿)는 감(坎 ☵)·리(離 ☲)가 합한 것이고 기제(旣濟 ䷾)는 감(坎)·리(離)가 사귄 것이니, 합하고 사귀면 만물을 낳는바 음양의 공(功)을 이룬 것이므로 하편의 끝이 되었다.

二篇之卦 旣分而後에 推其義하여 以爲之次하니 序卦 是也라 卦之分은 則以陰陽하여 陽盛者居上하고 陰盛者居下하니 所謂盛者는 或以卦, 或以爻하여 卦與爻 取義有不同이라 如剝은 以卦言則陰長陽剝也요 以爻言則陽極於上하고 又一陽이 爲衆陰主也며 如大壯은 以卦言則陽長而壯이요 以爻言則陰盛於上하니 用各於其所하여 不相害也라

상·하 두 편의 괘가 이미 나누어진 뒤에 그 뜻을 미루어 차례를 정하였으니, 〈서괘전(序卦傳)〉이 이것이다. 괘가 나누어진 것은 음·양으로 기준하여 양이 성한 것은 상편(上篇)에 있고 음이 성한 것은 하편(下篇)에 있다.

이른바 성하다는 것은 혹은 괘로써 말하고 혹은 효(爻)로써 말하여 괘와 효에 뜻을 취한 것이 똑같지 않다. 가령 박(剝 ䷖)은 괘로써 말하면 음이 자라나고 양이 깎이는 것이나 효로써 말하면 양이 위에 지극하고 또 한 양이 여러 음

의 주장이 되며, 가령 대장(大壯 ䷡)은 괘로써 말하면 양이 자라고 건장한 것이고 효로써 말하면 음이 위에서 성한 것이니, 쓰임이 각각 그 장소에 따라 서로 해롭지 않다.

乾은 父也니 莫亢焉이요 坤은 母也니 非乾이면 无與爲敵也라 故로 卦有乾者는 居上篇하고 有坤者는 居下篇이로되 而復은 陽生이요 臨은 陽長이요 觀은 陽盛이요 剝은 陽極이니 則雖有坤而居上하고 姤는 陰生이요 遯은 陰長이요 大壯은 陰盛이요 夬는 陰極이니 則雖有乾而居下하며 其餘有乾者는 皆在上篇하니 泰、否、需、訟、小畜、履、同人、大有、无妄、大畜也라

건(乾 ☰)은 아버지이니 이보다 높은 것이 없고, 곤(坤 ☷)은 어머니이니 건이 아니면 상대가 되지 않는다. 그러므로 괘에 건이 있는 것은 상편(上篇)에 있고 곤이 있는 것은 하편(下篇)에 있는데, 복(復 ䷗)은 양이 처음 생긴 것이고 림(臨 ䷒)은 양이 자라는 것이고 관(觀 ䷓)은 양이 성한 것이고 박(剝 ䷖)은 양이 지극한 것이니, 비록 곤(坤)이 있으나 상편에 있다. 구(姤 ䷫)는 음이 처음 생긴 것이고 돈(遯 ䷠)은 음이 자라는 것이고 대장(大壯 ䷡)은 음이 성한 것이고 쾌(夬 ䷪)는 음이 지극한 것이니, 비록 건(乾)이 있으나 하편에 있다. 그 나머지 건이 있는 것은 모두 상편에 있으니, 태(泰 ䷊)·비(否 ䷋)·수(需 ䷄)·송(訟 ䷅)·소축(小畜 ䷈)·리(履 ䷉)·동인(同人 ䷌)·대유(大有 ䷍)·무망(无妄 ䷘)·대축(大畜 ䷙)이다.

有坤而在上篇은 皆一陽之卦也니 卦五陰而一陽이면 則一陽爲之主라 故一陽之卦 皆在上篇하니 師、謙、豫、比、復、剝也요 其餘有坤者는 皆在下篇하니 晉、明夷、萃、升也라

곤(坤 ☷)이 있으면서 상편에 있는 것은 모두 양이 하나인 괘이다. 괘에 음이 다섯이고 양이 하나이면 한 양이 주장이 되기 때문에 양이 하나인 괘는 모두 상편에 있으니, 사(師 ䷆)·겸(謙 ䷎)·예(豫 ䷏)·비(比 ䷇)·복(復 ䷗)·박(剝 ䷖)이다. 그 나머지 곤이 있는 것은 모두 하편에 있으니, 진(晉 ䷢)·명이(明夷 ䷣)·췌(萃 ䷬)·승(升 ䷭)이다.

卦一陰五陽者는 皆有乾也요 又陽衆而盛也니 雖衆陽說於一陰이나 說之而已요 非如一陽爲衆陰主也라 王弼云 一陰이 爲之主라하니 非也라 故一陰之卦 皆在上篇하니 小畜、履、同人、大有也라

괘에 음이 하나이고 양이 다섯인 것은 모두 건(乾)이 있고 또 양이 많고 성하니, 비록 여러 양이 한 음을 기뻐하나 음을 기뻐할 따름이요 한 양이 여러 음의 주장이 되는 것과는 같지 않다. 왕필은 "한 음이 주장이 된다."라고 말하였으니, 잘못된 것이다. 그렇기 때문에 음이 하나인 괘는 모두 상편에 있으니, 소축(小畜 ䷈)·리(履 ䷉)·동인(同人 ䷌)·대유(大有 ䷍)이다.

卦二陽者는 有坤則居下篇이로되 小過는 雖無坤이나 陰過之卦也일새 亦在下篇하고 其餘二陽之卦는 皆一陽이 生於下而達於上이요 又二體皆陽이면 陽之盛也일새 皆在上篇하니 屯、蒙、頤、習坎也라 陽生於下는 謂震、坎在下하니 震은 生於下也요 坎은 始於中也며 達於上은 謂一陽至〔一作在〕上이어나 或得正位也라 生於下而上〔一作陽〕達은 陽暢之盛也요 陽生於下而不達於上하고 又陰衆而陽寡하며 復失正位는 陽之弱也니 震也, 解也요 上有陽而下无陽은 无本也니 艮也, 蹇也라 震、坎、艮은 以卦言則陽也요 以爻言則皆始變하여 微也며 而震之上, 艮之下에 无陽하고 坎則陽陷하니 皆非盛也라 惟習坎則陽上達矣라 故爲盛이니라

괘에 양이 둘인 것은 곤(坤 ☷)이 있으면 하편에 있지만 소과(小過 ䷽)는 비록 곤이 없으나 음이 지나친 괘이므로 또한 하편에 있고, 그 나머지 양이 둘인 괘는 모두 한 양이 아래에서 생겨 위에 도달한 것이고, 또 위·아래 두 체(體)가 모두 양이면 양이 성한 것이므로 모두 상편에 있으니, 준(屯 ䷂)·몽(蒙 ䷃)·리(頤 ䷚)·습감(習坎:중수감(重水坎) ䷜)이다.

양이 아래에서 생긴다는 것은 진(震 ☳)과 감(坎 ☵)이 아래에 있는 것을 말하니, 진(震)은 아래에서 생기고 감(坎)은 가운데에서 시작하며, 위에 도달한다는 것은 한 양이 위에 이르거나 혹 바른 자리〔正位〕를 얻음을 말한다. 아래에서 생겨 위에 도달함은 양의 통창(通暢)함이 성한 것이요, 양이 아래에서 생겼으나 위에 도달하지 못하고, 또 음이 많고 양이 적으며 다시 바른 자리를 잃음은 양이 약한 것이니, 진(震 ䷲)과 해(解 ䷧)이다.

위에만 양이 있고 아래에 양이 없는 것은 근본이 없는 것이니, 간(艮 ☶)과 건(蹇 ䷦)이다. 진(震 ☳)·감(坎 ☵)·간(艮 ☶)은 괘로 말하면 양이나 효(爻)로 말하면 모두 양이 처음 변하여 미약하고, 진(震)의 위와 간(艮)의 아래에는 양이 없고 감(坎)은 양이 빠졌으니 모두 양이 성한 것이 아니다. 오직 습감(習坎 ䷜)은 양이 위에 도달한 것이므로 양이 성한 것이 된다.

卦二陰者는 有乾則陽盛을 可知니 需、訟、大畜、无妄也요 无乾而爲盛者는 大過也, 離也라 大過는 陽〔一有過字〕盛於中하고 上下之陰이 弱矣라 陽居上下하면 則綱紀於陰하니 (頤)[離]是也요 陰居上下하면 不能主制於陽而反弱也라 必上下各二陰이요 中唯兩陽然後에 爲勝하니 小過是也니 大過、小過之名에 可見也라 離則二體上下皆陽이요 陰實麗(리)焉하니 陽之盛也라 其餘二陰之卦는 二體俱陰이면 陰盛也일새 皆在下篇하니 家人、睽、革、鼎、巽、兌、中孚也라

괘에 음이 둘인 것은 건(乾 ☰)이 있으면 양이 성함을 알 수 있으니, 수(需 ䷄)·송(訟 ䷅)·대축(大畜 ䷙)·무망(无妄 ䷘)이요, 건이 없으면서 성함이 되는 것은 대과(大過 ䷛)와 리(離 ䷝)이다. 대과(大過)는 양이 가운데에 성하고 상(上)·하(下)의 음이 약하다. 양이 위와 아래에 있으면 음의 기강이 되니 리(離)가 이것이요, 음이 위와 아래에 있으면 양을 주제(主制)하지 못하여 도리어 약하다. 반드시 위와 아래에 각각 두 개의 음이 있고 가운데에 오직 양이 둘인 뒤에야 이김이 되니, 소과(小過 ䷽)가 이것이니, 대과(大過)·소과(小過)의 이름에서 볼 수 있다. 리(離 ䷝)는 두 체(體)의 위와 아래가 모두 양인데 음이 실제로 가운데에 걸려 있으니, 양이 성한 것이다. 그 나머지 음이 둘인 괘는 두 체(體)가 모두 음이면 음이 성한 것이므로 모두 하편에 있으니, 가인(家人 ䷤)·규(睽 ䷥)·혁(革 ䷰)·정(鼎 ䷱)·손(巽 ䷸)·태(兌 ䷹)·중부(中孚 ䷼)이다.

卦三陰三陽者는 敵也니 則以義爲勝하니 陰陽尊卑之義와 男女長少之序는 天地之大經也라 陽少於陰而居上이면 則爲勝하니 蠱는 少陽이 居長陰上하고 賁는 少男이 在中女上하니 皆陽盛也라 坎은 雖陽卦나 而陽爲陰

所陷溺也요 又與陰卦重이면 陰盛也라 故陰陽敵而有坎者는 皆在下篇하니 困、井、渙、節、旣濟、未濟也라

괘에 음이 셋이고 양이 셋인 것은 대등한 것이니, 대등하면 의리로써 이김을 삼는바, 음양(陰陽) 존비(尊卑)의 뜻과 남녀(男女) 장소(長少)의 차례는 하늘과 땅의 큰 법이다. 양이 음보다 어리더라도 위에 있으면 이기는 것이 되니, 고(蠱䷑)는 어린 양(소양)이 큰 음(장녀)의 위에 있고, 비(賁䷕)는 소남(少男)이 중녀(中女)의 위에 있으니, 모두 양이 성한 것이다. 감(坎䷜)은 비록 양괘(陽卦)이나 양이 음에게 빠진 바가 되었고 또 음괘(陰卦)와 겹치면 음이 성한 것이다. 그러므로 음·양이 대등하면서 감(坎)이 있는 것은 모두 하편에 있으니, 곤(困䷮)·정(井䷯)·환(渙䷺)·절(節䷻)·기제(旣濟䷾)·미제(未濟䷿)이다.

或曰 一體有坎도 尙爲陽陷이어늘 二體皆坎이면 反爲陽盛은 何也닛고 曰 一體有坎은 陽爲陰所陷이요 又重於陰也며 二體皆坎은 陽生於下而達於上이요 又二體皆陽이니 可謂盛矣니라

혹자는 "한 체(體)에만 감(坎)이 있어도 오히려 양이 빠지는데 두 체(體)가 모두 감(坎)인데도 도리어 양이 성함이 됨은 어째서입니까?" 하기에, 다음과 같이 대답하였다. "한 체(體)에 감(坎)이 있는 것은 양이 음에 빠진 것이 되고 또 음괘(陰卦)와 겹치기 때문이요, 두 체가 모두 감(坎)인 것은 양이 아래에서 생겨 위에 도달한 것이고 또 두 체가 모두 양이니, 〈양이〉 성하다고 할 수 있다."

男在女上은 乃理之常이니 未爲盛也로되 若失正位而陰反居尊하면 則弱也라 故로 恒、損、歸妹、豐은 皆在下篇이라 女在男上은 陰之勝也니 凡女居上者는 皆在下篇하니 咸、益、漸、旅、困、渙、未濟也라 唯隨與噬嗑은 則男下女요 非女勝男也라 故隨之彖曰 剛來而下柔라하고 噬嗑彖曰 柔得中而上行이라하니라 長陽은 非少陰可敵이니 以長男下中少女라 故爲下之라

남(男)이 여(女)의 위에 있는 것은 떳떳한 이치이니 성함이 되지 않으나 만약 양이 바른 자리를 잃고 음이 도리어 존위(尊位)에 있으면 약함이 된다. 이 때문

에 항(恒 ䷟) · 손(損 ䷨) · 귀매(歸妹 ䷵) · 풍(豐 ䷶)이 모두 하편에 있는 것이다.

여(女)가 남(男)의 위에 있는 것은 음이 이긴 것이므로 무릇 여(女)가 위에 있는 것은 모두 하편에 있으니, 함(咸 ䷞) · 익(益 ䷩) · 점(漸 ䷴) · 여(旅 ䷷) · 곤(困 ䷮) · 환(渙 ䷺) · 미제(未濟 ䷿)이다.

오직 수(隨 ䷐)와 서합(噬嗑 ䷔)은 남(男)이 여(女)에게 낮추는 것이고 여가 남을 이긴 것이 아니다. 그러므로 수(隨)의 〈단전(彖傳)〉에 "강(剛)이 와서 유(柔)에게 낮추었다." 하였고, 서합(噬嗑)의 〈단전〉에 "유(柔)가 중(中)을 얻어 위로 올라갔다." 하였다. 큰 양(장남)은 어린 음이 대적할 수 있는 것이 아니니, 장남(長男)으로 중녀(中女)와 소녀(少女)의 아래에 있기 때문에 낮춤이 되는 것이다.

若長少敵하여 勢力侔면 則陰在上은 爲陵이요 陽在下는 爲弱이니 咸、益之類 是也라 咸亦有下女之象이로되 非以長下少也요 乃二少相感〔一作感說〕以相與하니 所以致陵也라 故로 有利貞之戒하니라 困雖女少於男이나 乃陽陷而爲陰掩하여 无相下之義也니라

만약 장(長) · 소(少)가 대등하여 세력이 비슷하면 음이 위에 있음은 양을 능멸함이 되고, 양이 아래에 있음은 양이 약함이 되니, 함(咸 ䷞) · 익(益 ䷩)과 같은 류(類)가 이것이다.

함(咸) 또한 여(女)에게 낮추는 상(象)이 있으나 장남(長男)이 소녀(少女)에게 낮추는 것이 아니고 두 젊은이(소남, 소녀)가 서로 감동하여 서로 친한 것이니, 능멸을 불러오게 된다. 이 때문에 "정(貞)함이 이롭다."는 경계가 있는 것이다. 곤(困 ䷮)은 비록 여(女)가 남(男)보다 어리나 양이 빠져서 음에게 가리워졌으니, 서로 낮추는 뜻이 없다.

小過는 二陽이 居四陰之中이면 則爲陰盛이어늘 中孚는 二陰이 居四陽之中이로되 而不爲陽盛은 何也오 曰 陽體實하니 中孚는 中虛也일새라 然則頤中四陰은 不爲虛乎아 曰 頤는 二體皆陽卦而本末皆陽이니 盛之至也요 中孚는 二體皆陰卦요 上下各二陽하여 不成本末之象하고 以其中虛라 故로 爲中孚하니 陰盛을 可知矣니라

••• 侔 : 대등할 모 掩 : 가리울 엄

"소과(小過 ䷽)는 두 양이 네 음의 가운데에 있으면 음이 성한 것이 되는데, 중부(中孚 ䷼)는 두 음이 네 양의 가운데에 있어도 양이 성한 것이 되지 않음은 어째서입니까?"

"양체(陽體)는 실(實)한데 중부(中孚)는 가운데가 비었기 때문이다."

"그렇다면 리(頤 ䷚)는 가운데에 음이 넷이니 빈 것이 아닙니까?"

"리(頤)는 상 · 하 두 체가 모두 양괘(陽卦)이고 근본과 끝이 모두 양이니 양이 성함이 지극하고, 중부(中孚 ䷼)는 두 체(體)가 모두 음괘(陰卦)이고 위와 아래가 각각 두 양이어서 근본과 끝의 상(象)을 이루지 않고 가운데가 비었기 때문에 중부(中孚)가 되었으니, 음이 성함을 알 수 있다."

오찬(五贊)

1. 역상(易象)의 근원을 밝힘[原象]

太一肇判하여	태일(太一;태극(太極))이 처음 나뉘어
陰降陽升하니	음(陰)이 내려오고 양(陽)이 올라가니
陽一以施하고	양은 하나로 베풀고
陰兩而承이라	음은 둘로 받든다
惟皇昊羲	위대하신 태호 복희씨(太昊伏羲氏)가
仰觀俯察하사	우러러 천문(天文)을 보고 굽어 지리(地理)를 살펴서
奇偶旣陳하시니	기(奇)와 우(偶)를 이미 진열하시니
兩儀斯設이라	양의(兩儀)가 이에 베풀어졌다(만들어졌다)
旣幹乃支하여	이미 줄기가 이루어짐에 가지가 생겨
一各生兩하여	하나가 각각 둘을 낳아
陰陽交錯하여	음 · 양이 서로 섞여
以立四象이라	사상(四象)을 확립하였다
奇加以奇는	기(奇)에 기(奇)를 가한 것(태양)은
曰陽之陽이요	양 가운데 양이요
奇而加偶하여	기(奇)에 우(偶)를 가하여(소음)
陽陰以章이라	양 · 음이 밝혀졌다
偶而加奇하여	우(偶)에 기(奇)를 가하여(소양)
陰內陽外하고	음이 안에 있고 양이 밖에 있으며
偶復加偶하여	우(偶)에 다시 우(偶)를 가하니(태음)
陰與陰會라	음이 음과 만나게 되었다

兩一旣分[64]에　양일(兩一 ; 두 개의 일음(一陰)·일양(一陽))이 이미 나누어짐에
一復生兩하니　일(一)이 다시 둘을 낳으니
三才在目하고　삼재(三才)가 눈앞에 나열되어 있고
八卦指掌이라　팔괘가 손바닥 위에 있게 되었다
奇奇而奇는　기(奇), 기에 기(奇)인 것은
初一日乾이요　첫 번째인 건(乾☰)이며
奇奇而偶는　기, 기에 우(偶)인 것은
兌次二焉이며　두 번째인 태(兌☱)이며
奇偶而奇는　기, 우에 기인 것은
次三日離요　세 번째인 리(離☲)이며
奇偶而偶는　기, 우에 우인 것은
四震以隨라　네 번째인 진(震☳)이 뒤따른다
偶奇而奇는　우, 기에 기인 것은
巽居次五하고　손(巽☴)이 다섯 번째에 거하고
偶奇而偶는　우, 기에 우인 것은
坎六斯覩며　감(坎☵)이 여섯 번째임을 볼 수 있으며
偶偶而奇는　우, 우에 기인 것은
艮居次七하고　간(艮☶)이 일곱 번째이고
偶偶而偶는　우, 우에 우인 것은
坤八以畢이라　곤(坤☷)이 여덟 번째로써 끝난다
初畫爲儀하고　처음 그은 것을 양의(兩儀)라 하고
中畫爲象하고　가운데에 그은 것을 사상(四象)이라 하고
上畫卦成하여　위에 그으면 팔괘(八卦)가 이루어져
人文斯朗이라　인문(人文)이 밝아졌다

······

64　兩一旣分 : '양일(兩一)'은 두 개의 일음(一陰)·일양(一陽)으로, 일음·일양은 한 음과 한 양인데, '일음과 일양이 이미 나누어짐'은 하나의 음이 나뉘어(둘이 되어서) 소양(小陽 ; ⚎)과 노음(老陰 ; ⚏)을 낳고, 하나의 양이 나뉘어 소음(小陰 ; ⚍)과 노양(老陽 ; ⚌)을 낳음, 즉 사상(四象)으로 분화됨을 말한 것이다. '양일기분'에 대한 이러한 해석은 호산(壺山) 박문호(朴文鎬)의 《주역오찬상설(周易五贊詳說)》에, '양일'에 대한 주석으로 "일음과 일양이다."라고 한 데 의거한 것이다.

因而重之하면　　이로 인하여 거듭하면
一貞八悔[65]하니　　정(貞)이 하나이고 회(悔)가 여덟이니
六十四卦　　육십사괘가
由內達外라　　안으로부터 밖에 이른다
交易爲體니　　교역(交易)하여 체(體)가 되니
往此來彼하고　　이것이 가고 저것이 오며
變易爲用이니　　변역(變易)하여 용(用)이 되니
時靜時動[66]이라　　때로 정(靜)하고 때로 동(動)한다

••••••

65　一貞八悔 : 정(貞)은 변하지 않는 괘이고 회(悔)는 변하는 괘인바, 팔괘의 건(乾 ☰) 위에 건(乾)·태(兌)·리(離)·진(震)의 순서로 가하여 64괘를 이루는데, 아래의 건은 변치 않으므로 일정(一貞)이라 하고 위에 가한 건·태·리·진의 여덟 괘는 모두 변하였으므로 팔회(八悔)라 한 것이다. 정(貞)은 바른 것이어서 변치 않고 회(悔)는 잘못을 뉘우쳐 고치므로 변함을 가리키게 되었다. 그리하여 아래에 있는 내괘(內卦)를 정(貞), 밖에 있는 외괘(外卦)를 회(悔)라 한다. 그러나 점을 쳐서 얻은 본괘(本卦)를 정(貞), 지괘(之卦)로 바뀐 것을 회(悔)라 하는바, 이것과는 뜻은 같으나 쓰임은 다른 것이다.

66　交易爲體……時靜時動 : 이에 대하여 《주자대전차의(朱子大全箚疑)》에 다음과 같이 밝히고 있다. "교역이 체가 된다는 것은 예컨대 건(乾 ☰)의 초효가 곤(坤 ☷)의 초효와 사귀어 진(震 ☳)의 체가 되니 바로 이것이 간 것이요, 곤의 초효가 건의 초효와 사귀어 손(巽 ☴)의 체가 되니 바로 저것이 온 것이니, 나머지도 이와 같다. 변역이 용(用)이 된다는 것은 점을 쳐서 얻은 괘가 변하지 않았으면 정(靜)이 되고, 변한 효가 있으면 동(動)이 되는 것과 같다.〔交易爲體, 如乾之初爻, 交坤之初爻, 爲震之體, 卽往此也; 坤之初爻, 交乾之初爻, 爲巽之體, 卽來彼也, 餘倣此. 變易爲用, 筮得之卦, 不變爲靜, 有變爻爲動也.〕" 그리고 《주자어류(朱子語類)》 권65 〈역일·강령상지상·음양(易一 綱領上之上 陰陽)〉에도 이에 대해 언급한 것이 있으므로 요약하여 세 조목을 기재한다.
"역에는 두 가지 뜻이 있으니, 한 가지는 변역이니 바로 유행하는 것이요, 한 가지는 교역이니 바로 대대(對待;상대)하는 것이다.〔易有兩義, 一是變易, 便是流行底; 一是交易, 便是對待底.〕"
"내가 생각건대 '역에는 두 가지 뜻이 있으니, 변역이 있고 교역이 있다.'고 생각한다. 〈선천도(先天圖)〉의 한쪽은 본래 모두 양(陽)이고 한쪽은 본래 모두 음(陰)이었으니, 양 가운데 음이 있고 음 가운데 양이 있는 것이다. 그리하여 곧 양이 가서 음과 교역하고 음이 와서 양과 교역하여 두 쪽이 각각 상대가 되니, 그 실제는 이것이 가고 저것이 온 것이 아니요, 다만 그 상이 이와 같은 것이다.〔某以爲易字有二義, 有變易, 有交易. 先天圖一邊本都是陽, 一邊本都是陰, 陽中有陰, 陰中有陽, 便是陽往交易陰, 陰來交易陽, 兩邊各各相對, 其實非此往彼來, 只是其象如此.〕"
"역에 교역과 변역의 뜻이 있으니, 어떻습니까?" 하고 묻자, 주자가 대답하였다. "교역은 바로 양이 음에게 사귀고 음이 양에게 사귀는 것이니, 바로 괘의 그림이 이것이다. 예컨대 '하늘과 땅이 자리를 정하고 산과 못이 기운을 통한다.'고 말한 것과 같은 것이 이것이다. 변역은 바로 양이 음으로 변하고 음이 양으로 변하며 노양이 변하여 소음이 되고 노음이 변하여 소양이 되는 것이니, 이는 바로 점치는 방법이다. 예컨대 낮과 밤, 추위와 더위, 굽힘과 폄, 가고 오는 것과 같은 것이 이것이다.〔問易有交易變易之義, 如何? 日, 交易是陽交於陰, 陰交於陽, 是卦圖上底. 如天地定位, 山澤通氣云云者是也. 變易是陽變陰, 陰變陽, 老陽變爲少陰, 老陰變爲少陽, 此是占筮之法, 如晝夜、寒

降帝而王[67]하여	오제(五帝)를 지나 삼왕(三王)에 이르니
傳夏歷商하여는	하(夏)나라에 전하고 상(商)나라를 지나기까지는
有占无文하니	점(占)만 있고 글이 없어서
民用弗章이러니	백성들의 사용함이 밝아지지 못하였는데
文王繫彖하시고	문왕(文王)이 단사(彖辭)를 달고
周公繫爻하시니라	주공(周公)이 효사(爻辭)를 다셨다
視此八卦에	이 팔괘를 봄에
二純六交라	건(乾)·곤(坤) 두 괘는 순수하고 나머지 여섯 괘는 음과 양이 서로 뒤섞였다
乃乾斯父요	건(乾)은 아버지이고
乃坤斯母며	곤(坤)은 어머니이며
震坎艮男이요	진(震)·감(坎)·간(艮)은 아들이고
巽離兌女라	손(巽)·리(離)·태(兌)는 딸이다
離南坎北이요	리(離)는 남쪽이고 감(坎)은 북쪽이며
震東兌西며	진(震)은 동쪽이고 태(兌)는 서쪽이며
乾坤艮巽이	건(乾)·곤(坤)·간(艮)·손(巽)은
位以四維라	사유(四維:사우(四隅))에 위치해 있다
建官立師하고	관원과 스승을 세우고
命曰周易이러니	《주역》이라 명명하였는데
孔聖傳之하시니	공성(孔聖)께서 전(傳)을 지으시니
是爲十翼이라	이것을 십익(十翼)이라 한다
遭秦弗燼하고	진(秦)나라를 만나도 불타 없어지지 않고
及宋而明하여	송(宋)나라에 이르러 밝혀져

暑、屈伸往來者是也.]"

67 降帝而王 : 제(帝)는 오제(五帝)로 소호(少昊)·전욱(顓頊)·제곡(帝嚳)·제요(帝堯)·제순(帝舜)이며, 왕(王)은 삼왕(三王)으로 하(夏)의 우왕(禹王), 상(商)의 탕왕(湯王), 주(周)의 문왕(文王)·무왕(武王)이다. 복희씨(伏羲氏)는 신농씨(神農氏)·황제(皇帝)와 함께 삼황(三皇)으로 일컬어지는바, 복희씨 이후 신농씨와 황제, 그리고 오제시대와 하(夏)·상(商)까지는 64괘만 있고 글이 없었으므로 말한 것이다.

··· 遭 : 만날 조 燼 : 불탈 신 演 : 부연할 연 鑿 : 뚫을 착 牖 : 창문 유, 밝을 유

邵傳羲畫하고	소강절(邵康節)은 복희의 획(畫)을 전(설명)하고
程演周經이라	정자(程子)는《주역》을 부연 설명하였다
象陳數列하여	상(象)과 수(數)를 진열하여
言盡理得하니	말이 극진하고 이치에 맞으니
彌億萬年토록	억만 년이 다하도록
永著常式이로다	영원히 떳떳한 법을 드러내었다

2. 역을 지은 뜻을 기술함[述旨]

昔在上古에	옛날 상고시대에는
世質民淳하여	세상이 질박하고 백성들이 순박하여
是非莫別하고	시비(是非)를 구별하지 않고
利害不分이러니	이해(利害)를 구분하지 않았는데
風氣旣開에	풍기(風氣)가 이미 열림에
乃生聖人하시니	마침내 성인이 나오시니
聰明睿知(智)	총명예지(聰明睿智)가
出類超羣이라	사람들보다 뛰어나고 무리들보다 뛰어나셨다
仰觀俯察하사	우러러 천문을 보고 굽어 지리를 살피시어
始畫奇偶하시고	비로소 기(奇)와 우(偶)를 그으시고
敎之卜筮하여	복서(卜筮)를 가르쳐
以斷可否라	이로써 가부(可否)를 결단하게 하였다
作爲君師하여	일어나 군사(君師)가 되어
開鑿戶牖하시니	문호를 열어주시니(주역의 이치를 발명하여 백성들의 지혜를 열어 주시니)
民用不迷하여	백성들이 이로써 미혹되지 않아
以有常守러니	떳떳하게 지킴이 있었는데
降及中古에	중고시대로 내려와서는
世變風移하여	세상이 변하고 풍속이 바뀌어서

淳澆質喪하여	순박함이 흐려지고 질박함이 상실되어
民僞日滋라	백성들의 거짓이 날로 불어났다
穆穆文王이	목목(穆穆)하신 문왕(文王)은
身蒙大難하여	몸소 큰 어려움을 만나 (유리(羑里)의 옥에 갇히시자)
安土樂天하사	처한 위치를 편안하게 여기시고 천명(天命)을 즐기시어
惟世之患이라	세상을 걱정하셨다
乃本卦義하여	이에 괘의 뜻에 근본하여
繫此彖辭하시고	이 단사(彖辭)를 다시고
爰及周公하여	주공(周公)에 이르러는
六爻是資라	육효(六爻)에 효사(爻辭)를 달아 이용하게 하셨다
因事設敎하사	일에 따라 가르침을 베풀어
丁寧詳密하시니	정녕(丁寧)하고 자세하게 설명하시니
必中必正이라야	반드시 중(中)이고 반드시 정(正)이어야
乃亨乃吉이라	비로소 형통하고 길하다
語子惟孝요	자식에게 말할 때에는 효(孝)이고
語臣則忠이니	신하에게 말할 때에는 충(忠)이니
鉤深闡微하여	깊은 이치를 탐구하고 은미한 이치를 밝혀서
如日之中이러니	해가 중천(中天)에 있는 것과 같았는데
爰曁末流하여	말류(末流)에 이르러서는
淫於術數하니	술수(術數)에 빠지니
僂句成欺하고	누구(僂句)가 속임을 이루고
黃裳亦誤[68]라	황상(黃裳) 또한 잘못되었다

······

68 僂句成欺 黃裳亦誤 : 누구(僂句)는 점을 치면 영험있게 맞는 거북껍질의 이름이며, 성기(成欺)는 속이도록 만듦을 이른다. 춘추시대 노(魯)나라의 장소백(臧昭伯)이 진(晉)나라로 사신 가자, 그의 종제(從弟)인 장회(臧會)가 이 거북껍질을 훔쳐 점을 쳐보니, '거짓말을 하는 것이 길(吉)하다.' 하였다. 이에 장회는 권모술수를 부려 장씨(臧氏)의 지위를 차지하고는 "누구(僂句)는 나를 속이지 않았다."고 말하였다. 《춘추좌씨전 소공(昭公) 29년》 이에 대하여 운봉호씨는 "장회(臧會)가 본래 윗자리를 넘보는 마음이 있었으니 '누구가 나를 속이지 않았다.'고 말한 것은 장회가 사람들을 속이기 위하여 거북점을 빌어 속인 것에 불과하다." 하였다.
황상(黃裳)은 황색의 치마로 곤괘(坤卦)의 육오 효사(六五爻辭)에 '황상원길(黃裳元吉)'이라고 보

··· 澆 : 흐릴 요 鉤 : 갈고리 구 曁 : 이를 기 僂 : 굽을 루

大哉孔子여	위대하신 공자여!
晩好是書하사	만년(晩年)에 이 책을 좋아하시어
韋編旣絶하시니	가죽 책끈이 이미 끊기시니
八索[69] 以袪라	팔색(八索)의 잘못된 것을 모두 내치셨다
乃作彖象	이에 〈단전(彖傳)〉·〈상전(象傳)〉 등
十翼之篇하시니	십익(十翼)을 지으시니
專用義理하여	오로지 의리를 가지고
發揮經言이라	경문(經文)의 말을 발휘하셨다
居省象辭하고	조용히 거처할 때에는 상(象)과 사(辭)를 살피고
動察變占이라	동할 때에는 변(變)과 점(占)을 살피니
存亡進退와	존망(存亡)과 진퇴(進退)
陟降飛潛에	척강(陟降)과 비잠(飛潛:날짐승과 물고기)에
曰毫曰釐가	털끝만큼도
匪差匪繆라	어긋나지 않고 틀리지 않으셨다
假我數年이면	나에게 몇 년의 수명을 연장해 준다면
庶无大咎리라	거의 큰 허물이 없을 것이라 하셨다
恭惟三古의	공손히 생각하건대 삼고(三古)의
四聖一心[70] 이니	네 성인(聖人)이 똑같은 마음이시니
垂象炳明하여	상(象)을 밝게 드리우사
千載是臨이라	천 년에 임하셨다
惟是學者	다만 배우는 자들이

••••••

인다. 춘추시대 남괴(南蒯)는 계손씨(季孫氏)의 가신(家臣)으로 반란을 획책하면서 점을 쳐 '황상원길'의 효가 나오자, 길할 것이라고 믿고 반란하였으나 끝내 실패하였으므로 '황상(黃裳)이 또한 잘못되었다'고 말한 것이다. 이에 대하여 운봉호씨는 "'황상이 또한 잘못되었다.'는 것은 역이 남괴를 잘못되게 한 것이 아니요, 남괴(南蒯)가 《주역》을 잘못 사용한 것이다."하였다. 이 내용은 《춘추좌씨전》 소공 20년에 자세히 보이며, 곤괘 육오효(六五爻)의 《본의(本義)》에도 보인다.

69 八索:팔색(八索)은 팔괘(八卦)를 해설한 책을 이르고, 거(袪)는 내치는 것으로, 〈서서(書序); 《서경(書經)》의 서(序)〉에 "역도(易道)를 도와 잘못된 팔색을 내쳤다.〔讚易道以黜八索〕" 하였다.

70 恭惟三古 四聖一心:삼고는 상고시대와 중고시대, 하고(下古)시대를 가리키며, 사성(四聖)은 네 분의 성인으로, 상고시대의 복희씨, 중고시대의 문왕과 주공, 하고시대의 공자를 가리킨다.

••• 袪:버릴 거 釐:털끝 리 繆:잘못될 류

不本其初하여	처음을 미루어 근원하지 아니하여
文辭象數에	문사(文辭)와 상수(象數)에
或肆或拘라	혹 멋대로 글을 말하고 혹 상수에 구애되었다
嗟予小子	아! 나 소자(小子)는
旣微且陋하니	〈나는〉 이미 미천하고 또 누추하니
鑽仰[71]沒身이나	연구하고 우러름에 일생을 마치려 하나
奚測奚究리오	어찌 측량하고 어찌 연구할 수 있겠는가
匪警滋荒이며	일깨우지 않으면 더욱 황폐해지고
匪識(지)滋漏일새	기록해두지 않으면 더욱 누락되기에(잊기에)
維用存疑하니	오직 의심나는 것을 기록하여 두니
敢曰垂後아	감히 후세에 드리운다고 말할 수 있겠는가

3. 점치는 방법을 밝힘[明筮]

倚數之元은	수(數)를 의거(倚據)한 근원(원리)은
參(참)天兩地하니	천(天)에서 삼(3)을 취하고 지(地)에서 이(2)를 취하니
衍而極之하여	이것(5)을 부연하여 지극하게 해서(10으로 곱해서)
五十乃備라	오십(50)이 이에 갖추어졌다
是曰大衍이니	이것을 대연(大衍)이라 하니
虛一无爲하여	〈태극(太極)을 상징하는〉 하나는 비워두고 쓰지 아니하여
其爲用者	사용하는 것은
四十九蓍라	사십구(49)개의 시초(蓍草)이다.
信手平分하여	〈시초 사십구(49)개를〉 손 가는대로 반(半)으로 나누어
置右於几하고	오른쪽의 시초는 궤(几)에 놓고

······

71 鑽仰 : 찬지미견(鑽之彌堅)·앙지미고(仰之彌高)의 줄임말로 진리가 너르고 심오하여 뚫을수록 더욱 단단하고 우러러볼수록 더욱 높음을 가리키는 바, 《논어》〈자한(子罕)〉에 "仰之彌高, 鑽之彌堅, 瞻之在前, 忽焉在後."라고 보인다.

··· 鑽 : 뚫을 찬 倚 : 의거할 의 几 : 책상 궤

取右一著하여	오른쪽의 시초 하나를 취하여
掛左小指라	왼손의 새끼손가락 사이에 건다〔掛〕
乃以右手로	이에 오른손으로
揲左之策하여	왼쪽의 책(策)을 넷 떼내어
四四之餘를	넷씩 세고(떼네고) 난 나머지를
歸之于扐이라	손가락 사이에 끼운다〔扐〕
初扐左手호되	처음은 왼쪽 손에 끼되
无名指間이요	무명지(無名指;넷째 손가락) 사이에 하고
右策左揲은	오른쪽의 책(策)을 왼손으로 세고 난 것은
將指是安이라	장지(將指;셋째 손가락)에 편안히 둔다
再扐之奇와	두 번 손가락에 낀 것과
通掛之算이면	손가락에 건 것을 통틀어 계산하면
不五則九니	오(5)가 아니면 구(9)이니
是謂一變이라	이것을 일변(一變)이라 한다
置此掛扐하고	이 걸고 낀 것을 놓아두고
再用存策하여	다시 남은 책(策)을 사용하여
分掛揲歸호되	반으로 나누어 걸고 세고 난 나머지를 끼는 것을
復準前式이라	다시 앞의 방식대로 한다
三亦如之하면	세 번째도 이와 같이 하면
奇皆四八이니	기(奇;남는 것)가 모두 사(4)나 팔(8)이니
三變旣備면	삼변(三變)이 이미 갖추어지면
數斯可察이라	수(數)를 살필 수 있다
數之可察은	수(數)를 살핌은
其辨伊何오	그 구분을 어떻게 하는가?
四五爲少요	사(4)와 오(5)를 소(少)라 하고
八九爲多라	팔(8)과 구(9)를 다(多)라 한다
三少爲九니	소(少)가 셋인 것은 구(9)가 되니
是曰老陽이요	이것을 노양(老陽)이라 하고
三多爲六이니	다(多)가 셋인 것은 육(6)이 되니

老陰是當이라	노음(老陰)이 이에 해당한다
一少兩多는	소(少)가 하나이고 다(多)가 둘인 것은
少陽之七이며	소양(少陽)인 칠(7)이며
孰八少陰고	무엇이 팔(8)인 소음(少陰)인가?
少兩多一이라	소(少)가 둘이고 다(多)가 하나인 것이다
旣得初爻어든	이미 초효(初爻)를 얻었거든
復合前蓍하여	다시 앞의 시초를 합해서
四十有九를	사십구(49)개를
如前之爲라	앞에서 한 것과 똑같이 한다
三變一爻하여	세 번 변하면 한 효가 되어
通十八變이면	모두 십팔(18)변(變)을 하면
六爻發揮하여	육효(六爻)가 발휘되어
卦體可見이라	괘체(卦體)를 볼 수 있다
老極而變이요	노(老)는 지극하여 변하고
少守其常하니	소(少)는 떳떳함을 지키니(변치 않으니)
六爻皆守면	육효가 변하지 않고 모두 지키면
彖辭是當이라	단사(彖辭)가 이에 해당한다
變視其爻호되	변하였으면 그 효를 보되
兩兼首尾요	두 개가 변하였으면 위와 아래 두 효를 겸하여 보고
變及三爻하면	변한 것이 세 효에 이르면
占兩卦體라	두 괘체(卦體:본괘(本卦)와 지괘(之卦)의 괘사)로 점(占)을 친다
或四或五면	혹 네 효가 변하고 혹 다섯 효가 변하였으면
視彼所存하되	저 지괘의 남아 있는 것(자리)을 보되
四二五一이니	네 효가 변했으면 남아있는(지괘의 불변효(不變爻)) 두 효를 보고 다섯 효가 변했으면 남아있는 한 효를 보니
二分一專이라	변하지 않은 효가 둘이면 나누어 보고 변하지 않은 효가 하나이면 한 효만 본다
皆變而他하면	모두 변하여 다른 괘(지괘)로 갔으면(다른 괘가 되었으면)
新成舊毁하니	새로운 괘가 이루어지고 옛 괘는 허물어지니

消息盈虛에	사라지고 불어나매 가득차고 빔에
舍此視彼라	이것(본괘)을 버리고 저것(지괘)을 본다
乾占用九하고	건괘(乾卦 ䷀)는 용구(用九)로 점(占)을 치고
坤占用六하며	곤괘(坤卦 ䷁)는 용육(用六)으로 점을 치며
泰愕匪人이요	태괘(泰卦 ䷊)는 비인(匪人)에 놀라고
姤喜來復[72]이니라	구괘(姤卦 ䷫)는 와서 회복함에 기뻐한다

※ 시초(蓍草)를 네 개씩 떼어내어 점치는 방법을 아래 〈서의(筮儀)〉와 참고해 보아야 하나, 처음 점치는 사람은 쉽게 이해되지 않으며, 〈명서(明筮)〉와 〈서의(筮儀)〉에도 미진한 부분이 있다. 이에 《대전본(大全本)》에 실려 있는 주자의 설을 다음과 같이 부기(附記)한다.

"모든 괘에 여섯 효가 변하지 않았으면 본괘(本卦)의 단사(彖辭;괘사)로 점을 치되 내괘(內卦)를 정(貞)으로 삼고 외괘(外卦)를 회(悔)로 삼으며, 한 효가 변했으면 본괘의 변한 효사로 점을 치고, 두 효가 변했으면 본괘의 두 변한 효사로 점을 치되 위에 있는 효를 위주로 한다. 세 효가 변했으면 본괘와 지괘(之卦)의 단사로 점을 치되 본괘를 정으로 삼고 지괘를 회로 삼는데 앞에 있는 열 괘는 정을 위주하고 뒤에 있는 열 괘는 회를 위주하며, 네 효가 변했으면 지괘의 두 변하지 않은 효(여기에 해당하는 효)로 점을 치되 아래에 있는 효를 위주로 한다. 다섯 효가 변했으면 지괘의 변하지 않은 효로 점을 치며, 여섯 효가 모두 변했으면 건괘(乾卦)는 용구(用九)로 점을 치고 곤괘(坤卦)는 용륙(用六)으로 점을 치고 나머지는 지괘의 괘사로 점을 친다.〔凡卦六爻皆不變, 則占本卦彖辭, 而以內卦爲貞, 外卦爲悔. 一爻變, 則以本卦變爻辭占. 二爻變, 則以本卦二變爻辭占, 仍以上爻爲主. 三爻變, 則

······

72 乾占用九……姤喜來復 : 비인(匪人)은 인도(人道)가 아닌 것으로 비괘(否卦 ䷋) 괘사(卦辭)의 '비지비인(否之匪人)'을 가리키며, 내복(來復)은 양(陽)이 와서 회복하는 것으로 복괘(復卦 ䷗) 괘사(卦辭)의 '칠일내복(七日來復)'을 가리킨다. 건괘(乾卦)의 여섯 효(爻)가 모두 노양효(老陽爻)여서 곤괘(坤卦)로 변하면 건괘의 '용구 견군룡무수길(用九見羣龍无首吉)'로 점치고, 곤괘의 여섯 효가 모두 노음효(老陰爻)여서 건괘로 변하면 곤괘의 '용육리영정(用六利永貞)'으로 점치며, 태괘(泰卦)의 여섯 효가 모두 변하면 태괘와 정반대인 비괘(否卦)의 괘사(卦辭)를 보고, 구괘(姤卦)의 여섯 효가 모두 변하면 구괘와 정반대인 복괘(復卦)의 괘사를 보기 때문에 말한 것이다.

占本卦及之卦之彖辭. 而以本卦爲貞, 之卦爲悔, 前十卦主貞, 後十卦主悔. 四爻變, 則以之卦二不變爻占, 仍以下爻爲主. 五爻變, 則以之卦不變爻占. 六爻變, 則乾坤占二用, 餘卦占之卦彖辭]"

※ '앞의 열 괘는 정(貞)을 위주한다는 것은 초효(初爻)가 변한 것을 말하고, 뒤의 열 괘는 회를 위주한다는 것은 초효가 변하지 않은 것을 말한다.'[73] 이 서법(筮法)은《역학계몽》에 자세히 보이나 다 기록하지 못하고, 연청(研靑) 오호영(吳虎泳) 선생의 설시구괘법(揲蓍求卦法:시초를 넷씩 떼내어 괘를 구하는 방법) 일부를 뽑아 번역문과 함께 맨 뒤에 붙였으니, 참고하기 바란다.

4. 단(彖)과 상(象)의 종류를 상고함[稽類]

八卦之象이	팔괘의 상이
說卦詳焉하니	〈설괘전〉에 자세히 나와 있으니
考之於經하면	경문(經文;괘사와 효사)을 살펴보면
其用弗專이라	그 쓰임이 한 가지만이 아니다
彖以情言이요	단(彖)은 실정으로 말하였고
象以象告니	상(象)은 상으로 고(告)하였으니
唯是之求하면	오직 이것을 가지고 찾으면
斯得其要라	그 요점을 알 수 있다
乾健天行이요	건(乾)의 굳셈은 하늘의 운행이요
坤順地從이며	곤(坤)의 순함은 땅의 따름이며
震動爲雷요	진(震)의 동함은 우레가 되고

73 앞의……말한다: 예컨대 본괘가 건괘(乾卦)인 경우, 3효가 변하여 만들어지는 지괘는 총 20개로, 비괘(否卦 ䷋)·점괘(漸卦 ䷴)·여괘(旅卦 ䷷)·함괘(咸卦 ䷞)·환괘(渙卦 ䷺)·미제괘(未濟卦 ䷿)·곤괘(困卦 ䷮)·고괘(蠱卦 ䷑)·정괘(井卦 ䷯)·항괘(恒卦 ䷟)·익괘(益卦 ䷩)·서합괘(噬嗑卦 ䷔)·수괘(隨卦 ䷐)·비괘(賁卦 ䷕)·기제괘(既濟卦 ䷾)·풍괘(豐卦 ䷶)·손괘(損卦 ䷨)·절괘(節卦 ䷻)·귀매괘(歸妹卦 ䷵)·태괘(泰卦 ䷊)인데, 비괘부터 항괘까지는 본괘의 괘사를 위주로 점을 치고 익괘부터 태괘까지는 지괘의 괘사를 위주로 점을 치는 것이다.

巽入木風이라	손(巽)의 들어감은 나무와 바람이 된다
坎險水泉이니	감(坎)의 험함은 수(水)·천(泉)이니
亦雲亦雨요	또한 구름이 되고 비가 되며
離麗(리리)文明이니	리(離)의 걸림은 문명(文明)이니
電日而火라	번개와 해와 불이 된다
艮止爲山이요	간(艮)의 그침은 산(山)이 되고
兌說爲澤이니	태(兌)의 기뻐함은 못이 된다
以是擧之하면	이러한 방식으로 들면
其要斯得이라	요점을 알 수 있다
凡卦六虛에	무릇 괘의 여섯 자리에
奇偶殊位하니	기(奇)·우(偶)가 자리가 다르니
奇陽偶陰이	기의 양(陽)과 우의 음(陰)이
各以其類라	각기 그 류(類)에 따른다
得位爲正이요	〈양이 초(初)와 삼(3)·오(5)에 있고 음이 이(2)와 사(4), 상(上)에 있어〉 자리를 얻으면 정(正)이라 하고
二五爲中이며	이효(二爻)와 오효(五爻)를 중(中)이라 하며
二臣五君이요	이효(二爻)는 신하이고 오효(五爻)는 군주이며
初始上終이라	초효(初爻)는 시작이고 상효(上爻)는 끝마침이다
貞悔體分이요	정(貞:내괘)과 회(悔:외괘)로 체(體)가 나누어지고
爻以位應이니	효(爻)는 자리로 응하니(내괘의 천·지·인 자리와 외괘의 천·지·인 자리가 서로 응함)
陰陽相求라야	음·양이 서로 구하여야
乃得其正이라	정응(正應)을 얻는다
凡陽斯淑이니	무릇 양은 선(善)하니
君子居之요	군자(君子)가 이에 거하고
凡陰斯慝이니	무릇 음은 악(惡)하니
小人是爲라	소인(小人)이 이것을 행한다
常可類求어니와	떳떳함은 류(類)로 찾을 수 있으나
變非例測이니	변함은 준례로 측량할 수 없으니

非常曷變고　　떳떳함이 아니면 어찌 변하겠는가
謹此爲則이어다　　이것을 삼가 법칙으로 삼을지어다

5. 배우는 자들을 경계함[警學]

讀易之法은　　역(易)을 읽는 법은
先正其心하고　　먼저 그 마음을 바루며
肅容端席하여　　용모를 엄숙하게 하고 자리를 바르게 하여
有翼其臨이라　　신명이 임하신 듯 공경하여야 한다
于卦于爻에　　괘와 효를 살펴봄에 있어
如筮斯得하여　　점을 쳐서 얻은 듯이 여겨
假彼象辭하여　　저 상사(象辭)를 빌어
爲我儀則이라　　나의 의칙(儀則)으로 삼아야 한다
字從其訓하고　　글자는 훈(訓)을 따르고
句逆其情하며　　글귀는 실정을 맞이하며(역탐하며)
事因其理하고　　일은 이치를 따르고
意適其平이라　　뜻은 화평함에 맞아야 한다
曰否(비)曰臧을　　나쁜 것과 좋은 것을
如目斯見이요　　눈으로 본 것처럼 여기며
曰止曰行을　　멈추고 감을
如足斯踐이라　　발로 밟는 것처럼 여겨야 한다
毋寬以略하고　　너무 느슨하여 소략하게 하지 말고
毋密以窮하며　　너무 치밀하여 궁하게(불통(不通)하게) 하지 말며
毋固而可하고　　고집하여 가(可)하다 하지 말고
毋必而通하라　　기필하여 억지로 통하려 하지 말라
平易從容하여　　평이하고 종용(從容)하여
自表而裏니　　겉으로부터 속에 이르러야 하니
及其貫之하면　　관통함에 이르면

萬事一理라	만 가지 일이 한 이치이다
理定既實이나	이치는 정(定)해져서 이미 실(實)하나
事來尙虛요	일의 옴은 오히려 허(虛)하며
用應始有나	용(用)은 응함에 따라 비로소 있으나
體該本無라	체(體)는 모두 포함하지만 본래 없는 것이다
稽實待虛하고	실(實)을 상고하여 허(虛)에 대비하고
存體應用하며	체(體)를 보존하여 용(用)에 응하며
執古御今하고	옛것을 가지고 지금을 다스리며
由靜制動[74]이라	정(靜)으로 말미암아 동(動)을 다스린다

••••••

74 理定既實……由靜制動 : 혹자가 '이정기실(理定既實)'이하 여덟 구(句)의 뜻을 묻자, 주자는 다음과 같이 대답하였다.
"성인(聖人)이 역(易)을 지을 적에 다만 하나의 리(理)를 말씀하였고 일찍이 허다한 일이 있지 않았으니, 어떠한 일이 와서 모이기를 어찌 기다렸겠는가. 이른바 '일의 옴은 오히려 허(虛)하다.〔事來尙虛〕'는 것은 일이 올 때에 아직도 허하여 아무 것도 없으나 만약 그 리(理)를 논한다면 먼저 본래 정해져 있어서 진실로 이미 실(實)한 것이다. '용(用)은 응함에 따라 비로소 있다.〔用應始有〕'는 것은 리(理)의 용이 진실하기 때문에 '있다'고 말한 것이요, '체(體)는 모두 포함하되 본래 없다.〔體該本无〕'는 것은 리(理)의 체가 만물을 포함하되 또 애당초 볼 수 있는 형적이 없기 때문에 없다고 말한 것이니, 하면(下面)에 '진실한 리(理)를 상고하여 사물의 옴에 대응하고 리(理)의 체를 보존하여 무궁한 용에 응한다.' 하였다. '집고(執古)'의 고(古)는 곧《주역》의 이면(裏面)에 있는 예전의 문자(文字)와 언어(言語)를 가리키며 '어금(御今)'의 금(今)은 곧 지금의 일을 이른다. '정(靜)으로써 동(動)을 제어한다.〔以靜制動〕'는 것은 리(理)는 바로 정(靜)이요 일은 바로 동(動)이다. 예컨대 준괘(屯卦)의 육삼 효사(六三爻辭)에 '卽鹿無虞, 惟入于林中, 君子幾, 不如舍, 往吝.'이라 하였는데, 이 뜻은 '장차 사슴을 사냥하려 하면서 길을 인도하는 우인(虞人)이 없으면 오직 숲속으로 빠져 들어갈 뿐이니, 군자는 기미를 알아 그만두는 것만 못하다. 만약 그만두지 않고 계속하여 간다면 부끄러움을 취하는 방법이다.'라는 것이다. 그리고 이러한 이치는 후인들이 일할 때에 만약 관작(官爵)을 구하는 자가 그치지 않고 계속하여 구한다면 곧 부끄러움을 취하는 방법이요, 만약 재리(財利)를 구하는 자가 그치지 않고 계속하여 재리를 구한다면 곧 부끄러움을 취하는 방법이다.〔聖人作易, 只是說一箇理, 都未曾有許多事, 却待他甚麽事來湊. 所謂事來尙虛, 蓋謂事之方來, 尙虛而未有, 若論其理, 則先自定, 固已實矣. 用應始有, 謂理之用實, 故有; 體該本无, 謂理之體該萬物, 又初无形迹之可見, 故无, 下面云稽考實理, 以待物事之來, 存此理之體, 以應无窮之用. 執古古, 便是易書裏面, 文字言語, 御今今, 便是今日之事. 以靜制動, 理便是靜底, 事便是動底. 且如卽鹿无虞, 唯入于林中, 君子幾, 不如舍, 往吝, 其理, 謂將卽鹿而无虞人, 必陷于林中, 若不舍而往, 是取吝之道. 這箇道理, 若後人做事, 如求官爵者, 求之不已, 便是取吝之道, 求財利者, 求之不已, 亦是取吝之道.〕"《大全本》
이 말에 의거하여 같은 것끼리 묶어 정리하면 다음과 같다.

리(理) -	실(實;정해져 있음)	- 체(體)	- 무(無;형체나 자취가 없음)	- 정(靜)
사(事) -	허(虛;무슨 일이 올지 모름)	- 용(用)	- 유(有;일에 응함이 있음)	- 동(動)

潔靜精微를	정결(靜潔)하고 정미(精微)함을
是之謂易[75]이니	역(易)이라 이르니,
體之在我하면	체행하여 나에게 있게 하면
動有常吉이라	동함에 항상 길(吉)함이 있을 것이다.
在昔程氏	옛날 정씨(程氏;이천)가
繼周紹孔하사	주(周)나라의 문왕과 주공을 잇고 공자를 이으사
奧指宏綱을	심오한 뜻과 큰 강령을
星陳極拱이러시니	별들이 나열하여 북극성(北極星)을 향하듯이 하셨는데,
唯斯未啓하여	오직 이것(배우는 자들을 위한 경계)만을 열어주지 아니하여
以俟後人일새	후인을 기다리셨기에
小子狂簡하여	소자(小子)가 광간(狂簡)하여
敢述而申하노라	감히 기술하고 거듭하노라.

75 潔靜精微 是之謂易 :《예기(禮記)》〈경해(經解)〉에, "온화하고 돈후함은《시경》의 가르침이요, 소통하여 멀리 앎은《서경》의 가르침이요, 광대하고 평이하고 선량함은《악경》의 가르침이요, 정결하고 정미함은《주역》의 가르침이요, 공검하고 장경함은《예경》의 가르침이요, 글을 잘 엮고 일을 잘 견줌은《춘추》의 가르침이다.〔溫柔敦厚, 詩教也. 疏通知遠, 書教也. 廣博易(이)良, 樂教也. 絜(潔)靜精微, 易教也. 恭儉莊敬, 禮教也. 屬(촉)辭比事, 春秋教也.〕"라고 보인다.

시초점을 치는 의식[筮儀]

擇地潔處하여 爲蓍室호되 南戶하고 置牀于室中央이니라

땅의 깨끗한 곳을 선택하여 시초를 보관해 두는 집을 만들되 문을 남쪽으로 내고 책상을 방 중앙에 둔다.

牀은 大約長五尺, 廣三尺호되 毋太近壁이니라

책상은 대략 길이가 5척(尺), 너비가 3척(尺)이 되게 하되 너무 벽에 가깝게 하지 말아야 한다.

蓍五十莖을 韜以纁(훈)帛하여 貯以皁囊(조낭)하여 納之櫝中하여 置于牀北이니라

시초 50줄기(개)를 붉은 비단으로 싸서 검은 주머니에 넣어 독(櫝) 안에 넣어서 책상의 북쪽(벽에 가까운 쪽)에 둔다.

櫝은 以竹筒、或堅木, 或布漆爲之호되 圓徑三寸하고 如蓍之長하며 半爲底하고 半爲蓋하고 下別爲臺函之하여 使不偃仆(언부)니라

독(櫝)은 대나무 통이나 혹은 단단한 나무, 또는 옻칠한 삼베로 만들되 둘레는 지름이 3촌(寸)이 되게 하고 길이는 시초의 길이와 똑같게 하며, 반은 밑이 되고 반은 뚜껑이 되게 하며, 아래에는 별도로 대(臺)를 만들어 여기서 독을 넣어서 쓰러지지 않게 한다.

設木格于櫝南호되 居牀二分之北하고

목격(木格:나무판자)을 독(櫝)의 남쪽에 설치하되 책상을 2등분하여 책상의 북쪽에 위치하게 한다.

··· 韜:쌀 도 纁:붉을 훈 皁:검을 조 囊:주머니 낭 櫝:함 독, 제독 독 函:함 함 偃:쓰러질 언

格은 以橫木板爲之호되 高一尺, 長竟牀하고 當中에 爲兩大刻호되 相距一尺하며 大刻之西[76]에 爲三小刻호되 相距各五寸許하며 下施橫足하여 側立案上이니라

격(格)은 가로로 된 나무판자로 만들되 높이는 1척(尺)이 되게 하고 길이는 책상 끝까지 가게 한다. 한 가운데에 두 대각(大刻:큰 홈)을 만들되 거리가 1척(尺)쯤 되게 하고, 대각(大刻)의 서쪽에 세 소각(小刻:작은 홈)을 만들되 거리가 각각 5촌(寸)쯤 되게 하며, 아래에는 가로로 된 발을 달아서 책상 위에 비스듬히 세워 놓는다. (독서대와 비슷한 모습)

置香爐一于格南, 香合一于爐南하여 日炷香致敬이니라 將筮則灑掃拂拭하고 滌硯一、注水及筆一、墨一、黃漆板一于爐東호되 東上[77]하며 筮者齋潔衣冠하고 北面盥(관)手하여 焚香致敬이니라

향로 하나를 목격의 남쪽에 놓고 향합 하나를 향로의 남쪽에 놓고서 날마다 향을 피우고 공경을 지극히 한다.

장차 점(占)을 치게 되면 쇄소(灑掃)하고 먼지를 털고 벼루 하나와 주수(注水:연적)와 붓 하나, 먹 하나, 황칠판 하나를 향로의 동쪽에 깨끗이 씻어놓되 동쪽을 상(上)으로 하며, 점치는 자가 재계하고 의관(衣冠)을 깨끗이 입고는 북향(北向)하여 손을 씻고서 분향(焚香)하고 공경을 지극히 한다.

筮者北面은 見儀禮[78]라 若使人筮면 則主人焚香畢하고 少退北面立하며 筮者進立於牀前少西하여 南向受命호되 主人이 直述所占之事어든 筮者許諾하며 主人은 右還(선)西向立하고 筮者는 右還北向立이니라

점치는 자가 북향함은 《의례(儀禮)》에 보인다. 만약 타인(他人)을 시켜 점을 치게 되면 주인(主人)이 분향(焚香)을 마치고 조금 뒤로 물러나 북향하고 서며,

••••••

76 大刻之西:벽이 있는 쪽을 북쪽으로 삼아 북쪽을 향해 있으므로, 왼쪽이 서쪽이 되는 것이다.

77 東上:벼루·연적·붓·먹·황칠판을 차례대로 놓을 때, 동쪽에서부터 놓는다는 말이다.

78 筮者北面 見儀禮:《의례(儀禮)》 〈사관례(士冠禮)〉에 "무릇 문에서 점칠 적에는 모두 서향(西向)을 하고, 묘역 남쪽에서 택조(宅兆)를 점칠 적에는 북향(北向)을 하니, 서쪽과 북쪽은 음방(陰方)이기 때문에 그곳을 향하여 귀신에게 구하는 것이다.〔凡卜筮于門者皆西面, 筮宅於兆南則北面, 蓋以西北陰方, 故鄕之, 以求諸鬼神也.〕"라고 보인다.

••• 距 : 거리 거 爐 : 화로 로 灑 : 물뿌릴 쇄 拂 : 털 불 拭 : 닦을 식 滌 : 씻을 척 盥 : 세수할 관

점을 치는 자가 책상 앞으로 나아가 서되 약간 서쪽으로 하고 남향하여 명령을 받는다. 주인이 점칠 일을 곧바로 말하거든 점치는 자가 점쳐줄 것을 허락하며, 주인은 오른쪽으로 돌아 서향하여 서고 점치는 자는 오른쪽으로 돌아 북향하고 선다.

兩手奉櫝蓋하여 置于格南爐北하고 出著于櫝하여 去囊解韜하여 置于櫝東하고 合五十策하여 兩手執之하여 熏於爐上이니라

두 손으로 독(櫝)의 뚜껑을 받들어 목격의 남쪽, 향로의 북쪽에 놓고, 시초를 독에서 꺼내어 주머니를 벗기고 싼 것을 풀어 독의 동쪽에 놓고는 50책(策)을 합하여 두 손으로 잡고서 향로 위에 올려 연기를 쐰다.

此後所用著策之數는 其說이 竝見啓蒙하니라

이 뒤에 사용하는 시책(蓍策)의 수(數)는 그 내용이 모두 《역학계몽(易學啓蒙)》에 보인다.

命之曰 假(가)爾泰筮有常, 假爾泰筮有常, 某官姓名, 今以某事云云, 未知可否, 爰質所疑, 于神于靈, 吉凶得失, 悔吝憂虞, 惟爾有神, 尙明告之라하고 乃以右手로 取其一策하여 反於櫝中하고 而以左右手로 中分四十九策하여 置格之左右兩大刻이니라

명령하기를 "떳떳함이 있는 태서(泰筮)〈의 지혜〉를 빌립니다. 떳떳함이 있는 태서를 빌립니다. 모관(某官) 성명(姓名) 아무개가 이제 아무 일 때문에 가부(可否)를 알지 못하여 이에 의심나는 바를 신령(神靈)님께 질정하오니, 길(吉)·흉(凶)과 득(得)·실(失), 회(悔)·린(吝)과 우(憂)·우(虞)를 그대 신(神)은 부디 밝게 고하소서." 하고는, 마침내 오른손으로 시책(蓍策) 하나를 취하여 독 가운데에 넣고 왼손과 오른손으로 49개의 시책(蓍策)을 반으로 나누어 목격의 좌(左)·우(右) 두 대각(大刻)에 놓는다.

此第一營이니 所謂分而爲二하여 以象兩者也라

이것이 제 1영(營:경영함)이니, 〈계사전〉에 이른바 '나누어 둘을 만들어서

••• 熏 : 불에쪼일 훈

양의(兩儀, 하늘과 땅)를 상징한다.'는 것이다.

次以左手로 取左大刻之策하여 執之하고 而以右手로 取右大刻之一策하여 掛于左手之小指間이니라

다음은 왼손으로 왼쪽 대각(大刻)의 시책(蓍策)을 취하여 잡고, 오른손으로 오른쪽 대각의 한 시책을 취하여 왼손의 새끼손가락 사이에 건다.

此第二營이니 所謂掛一以象三者也라

이것이 제 2영이니, 이른바 '하나를 걸어서 삼재(三才)를 상징한다.'는 것이다.

次以右手로 四揲左手之策하여

다음은 오른손으로 왼손의 시책(蓍策)을 넷씩 떼어내 세어서

此第三營之半[79]이니 所謂揲之以四하여 以象四時者也라

이것이 제 3영의 반이니, 〈계사전〉에 이른바 '넷씩 떼어내어서 사시(四時)를 상징한다.'는 것이다.

次歸其所餘之策호되 或一, 或二, 或三, 或四를 而扐之左手无名指間이니라

다음은 세고 남은 시책을 돌리되 혹 1개, 2개, 3개, 4개를 왼손의 무명지(無名指:넷째 손가락) 사이에 끼운다.

此第四營之半[80]이니 所謂歸奇於扐하여 以象閏者也라

79 此第三營之半:49개의 시책을 반으로 나누어 왼손에 잡고 있는 것만 세었기 때문에 3영의 반이라 한 것이다. 뒤에 보이는 제 3영의 반은 오른손에 잡고 있는 것만을 센 것이다.

80 此第四營之半 : 세고 남은 것을 손가락 사이에 끼우는 것〔扐〕을 4영이라 하는데, 이 역시 왼손 시책의 나머지를 끼우는 것만 말하였기 때문에 반이라 한 것이다. 4영이 끝나면 1변(變)이 이루어지는바, 4영을 정리하면 다음과 같다.

1영	시초 반으로 나눔
2영	오른쪽 시초 1개를 왼쪽 새끼손가락에 걺〔掛〕
3영	반:왼쪽 손의 시초를 4개씩 떼어내며 셈〔揲〕
	반:오른쪽 손의 시초를 4개씩 떼어내며 셈〔揲〕

이것이 제 4영의 반이니, 이른바 '기(奇:남는 수)를 늑(扐)에 돌려서 윤달을 상징한다.'는 것이다.

次以右手로 反過揲之策於左大刻하고 遂取右大刻之策하여 執之하고 而以左手四揲之하여

다음은 오른손으로 네 개씩 세어서 떼어낸 시책을 왼쪽 대각(大刻)에 되돌려 놓고, 마침내 오른쪽 대각의 시책을 취하여 잡고서 왼손으로 네 개씩 떼어내어서

此第三營之半이라

이것이 제 3영의 반이다.

次歸其所餘之策호되 如前而扐之左手中指之間이니라

다음은 남는 시책을 돌리되 앞서와 똑같이 하여 왼손의 가운데 손가락 사이에 끼운다.

此第四營之半이니 所謂再扐以象再閏者也라 一變所餘之策은 左一則右必三이요 左二則右亦二며 左三則右必一이요 左四則右亦四니 通掛一之策하면 不五則九라 五는 以一其四而爲奇요 九는 以兩其四而爲偶니 奇者三而偶者一也라

이것이 제 4영의 반이니, 이른바 '두 번 끼워 두 번 윤달을 상징한다.'는 것이다. 1변(變)에 남은 책(策)은 왼쪽이 1이면 오른쪽은 반드시 3이고, 왼쪽이 2이면 오른쪽도 2이며, 왼쪽이 3이면 오른쪽은 반드시 1이고, 왼쪽이 4이면 오른쪽도 4이니, 걸어놓은 한 시책까지 통틀어 계산하면 5개가 아니면 9개이다. 5개는 4가 한 번이기 때문에 기(奇)라 하고, 9개는 4가 두 번이기 때문에 우(偶)라 하니, 기(奇)가 나올 확률이 4분의 3이고 우(偶)가 나올 확률이 4분의 1이다.

次以右手로 反過揲之策於右大刻하고 而合左手一掛二扐之策하여 置於格上第一小刻이니

••••••

4영	반:왼쪽 손 시초의 세고 남은 것을 왼쪽 무명지(無名指)에 낌〔扐〕
	반:오른쪽 손 시초의 세고 남은 것을 왼쪽 중지에 낌〔扐〕

다음은 오른손으로 세어서 떼어낸 시책을 오른쪽 대각(大刻)에 되돌려 놓고 왼손에 한 번 걸고 두 번 끼운 시책을 합하여 격(格) 위의 첫 번째 소각(小刻)에 둔다.

以東爲上이니 後放此라

동쪽을 상(上)으로 하니, 뒤도 이와 같다.

是爲一變이라

이것이 1변(變)이다.

再以兩手로 取左右大刻之蓍合之하여

다시 두 손으로 왼쪽과 오른쪽 대각(大刻)의 시초를 취하여 합해서

或四十四策, 或四十策이라

혹 44책(策)이거나 혹 40책이다.

復四營을 如第一變之儀하여 而置其掛、扐之策於格上第二小刻이니 是爲二變이라

다시 네 번 영(營)하기를 제 1변(變)의 의식과 같이 하고서 걸고 낀 시책을 격(格) 위의 두 번째 소각(小刻)에 두니, 이것이 2변(變)이다.

二變所餘之策은 左一則右必二요 左二則右必一이며 左三則右必四요 左四則右必三이니 通掛一之策하면 不四則八이라 四는 以一其四而爲奇요 八은 以兩其四而爲偶니 奇偶各得四之二焉이니라

2변(變)에 남은 시책은 왼쪽이 1이면 오른쪽은 반드시 2이고, 왼쪽이 2이면 오른쪽은 반드시 1이며, 왼쪽이 3이면 오른쪽은 반드시 4이고, 왼쪽이 4이면 오른쪽은 반드시 3이니, 걸어놓은 한 시책까지 통틀으며 4가 아니면 8이다. 4는 4가 한 번이기 때문에 기(奇)라 하고 8은 4가 두 번이기 때문에 우(偶)라 하니, 기 · 우가 나올 확률이 각각 반반씩이다.

又再取左右大刻之蓍合之하여

또다시 왼쪽과 오른쪽 대각(大刻)의 시초를 취하여 합해서

或四十策, 或三十六策, 或三十二策이라

혹 40책(策)이거나 혹 36책, 혹 32책이다.

復四營을 如第二變之儀하여 而置其掛、扐之策於格上第三小刻이니 是爲三變이라

다시 네 번 영(營)하기를 제 2변(變)의 의식과 같이 하여 걸고 낀 시책(蓍策)을 격(格) 위의 세 번째 소각(小刻)에 두니, 이것이 3변(變)이다.

三變餘策은 與二變同이라

3변(變)에 남은 시책은 2변과 같다.

三變旣畢이어든 乃視其三變所得掛、扐、過揲之策하여 而畫其爻於版이니라

3변을 이미 마치면 3변해서 얻은 바의 걸고 낀 것과 넷씩 떼어낸 시책을 보고서 그 효를 황칠판에 긋는다.

掛、扐之數는 五四爲奇요 九八爲偶니 掛、扐三奇라 合十三策이면 則過揲三十六策而爲老陽하니 其畫爲═니 所謂重也요 掛、扐兩奇一偶라 合十七策이면 則過揲三十二策而爲少陰하니 其畫爲- -이니 所謂拆也요 掛、扐兩偶一奇라 合二十一策이면 則過揲二十八策而爲少陽하니 其畫爲—이니 所謂單也요 掛、扐三偶라 合二十五策이면 則過揲二十四策而爲老陰하니 其畫爲×니 所謂交也라

걸고 낀 수는 5와 4는 기(奇)이고 9와 8은 우(偶)이니, 걸고 낀 것이 세 번 모두 기(奇)여서 합하여 13책(策)이면 떼어낸 것이 36책이어서 노양(老陽)이 되는바, 그 획은 ═이니 이른바 중(重)이란 것이다. 걸고 낀 것이 기(奇)가 둘이고 우(偶)가 하나여서 합하여 17책이면 떼어낸 것이 32책이어서 소음(少陰)이 되는바, 그 획은 - -이 되니 이른바 탁(拆)이란 것이다. 걸고 낀 것이 우(偶)가 둘이고 기(奇)가 하나여서 합하여 21책이면 떼어낸 것이 28책이어서 소양(少陽)이 되는바, 그 획은 —이니 이른바 단(單)이란 것이다. 걸고 낀 것이 우(偶)가 셋이어서 합하여 25책이 되면 떼어낸 것이 24책이어서 노음(老陰)이 되

••• 拆 : 터질 탁

는바, 그 획이 ✕이니 이른바 교(交)란 것이다.

如是每三變而成爻하여

이와 같이 매양 세 번 변(變)하여 효(爻)를 이루어서

第一, 第四, 第七, 第十, 第十三, 第十六 凡六變이 竝同이라 但第三變以下는 不命하고 而但用四十九蓍耳라 第二, 第五, 第八, 第十一, 第十四, 第十七 凡六變도 亦同이요 第三, 第六, 第九, 第十二, 第十五, 第十八 凡六變도 亦同이니라

제1 · 제4 · 제7 · 제10 · 제13 · 제16 등 여섯 변함이 모두 같다. 다만 3변 이후는 시초에게 명령하는 말을 하지 않고 다만 49개의 시초를 쓸 뿐이다. 제2 · 제5 · 제8 · 제11 · 제14 · 제17 등 여섯 변함도 같고, 제3 · 제6 · 제9 · 제12 · 제15 · 제18 등 여섯 변함도 같다.

凡十有八變而成卦어든 乃考其卦之變하여 而占其事之吉凶이니라

무릇 열여덟 번 변하여 괘를 이루면 그 괘의 변함을 상고하고 일의 길 · 흉을 점친다.

卦變은 別有圖說하니 見啓蒙하니라

괘변(卦變)은 별도로 도설(圖說)이 있으니, 《역학계몽》에 보인다.

禮畢이어든 韜蓍하여 襲之以囊하여 入櫝加蓋하고 斂筆硯墨版하여 再焚香致敬而退니라

예(禮)가 끝나면 시초(蓍草)를 싸서 주머니에 넣어 독(櫝)에 넣고 뚜껑을 덮으며, 붓과 벼루와 먹과 황칠판을 거두어 다시 분향(焚香)하고 공경을 지극히 하고 물러간다.

如使人筮면 則主人焚香하고 揖筮者而退니라

만일 타인(他人)을 시켜 점을 쳤으면 주인이 분향하고 점친 자에게 읍하고 물러간다.

••• 襲 : 옷 덧입을 습 斂 : 거둘 렴 揖 : 읍할 읍

揲蓍求卦法

설시(揲蓍)하는 법이 주자(朱子)의 명서(明筮)와 서의(筮儀)에 갖추어졌으나 괘(卦)를 구하고 효(爻)를 찾는데 미비함이 있으므로 이에 예(例)를 들어 법식을 보인다.

서자(筮者)가 손을 씻고 분향(焚香)하고 엄숙하게 앉아 두 손으로 시초(蓍草) 50 가지〔莖〕를 모아 잡고 향로(香爐) 위에 훈(熏)하고, 다음의 명사(命辭)를 읽는다. 假爾泰筮有常 假爾泰筮有常 某官姓名今以某事(이상 여덟 글자는 서자(筮者)가 수시로 말을 만들어 쓴다.) 未知可否 爰質所疑于神于靈 吉凶得失 悔吝憂虞 惟爾有神 尙明告之

명사를 읽은 다음, 오른손으로 시초 한 가지를 시독(蓍櫝) 안에 넣어 태극(太極)을 형상하여 쓰지 않고, 다음 두 손으로 49 가지를 책상 한가운데 좌 · 우로 갈라 놓아 음(陰;땅) · 양(陽;하늘)을 형상하고, 다음 왼쪽에 갈라놓은 가지를 왼손에 쥐고 오른손으로 오른쪽에 갈라놓은 가지 속에 한 가지를 가져다가 왼손 작은 손가락 사이에 끼우니, 이것을 괘일(掛一)이라 하여 천(天) · 지(地) · 인(人) 삼재(三才)를 형상한다.

다음 오른손으로 왼손의 시초를 사시(四時)를 형상하여 네 개씩 세어 책상의 전면(前面)에서 왼쪽으로 배열하니 이것을 좌설책(左揲策)이라 하고, 나머지 혹은 하나, 혹은 둘, 혹은 셋, 혹은 넷을 왼손 무명지 사이에 끼우니 이것을 초륵(初扐)이라 하여 3년에 윤달〔閏月〕을 형상하고, 다음 오른쪽에 갈라놓은 가지를 오른손으로 쥐고 왼손으로 넷씩 세어서 책상의 전면에서 오른쪽으로 배열하니 이것을 우설책(右揲策)이라 하고, 나머지 역시 혹은 하나, 혹은 둘, 혹은 셋, 혹은 넷을 왼손 중지 사이에 끼우니 이것을 재륵(再扐)이라 하여 5년에 두 번 윤달이 드는 것을 형상한다.

초륵(初扐)이 하나면 재륵(再扐)이 셋이요 초륵이 둘이면 재륵도 둘이요 초륵이 셋이면 재륵이 하나이고 초륵이 넷이면 재륵도 넷일 것이니, 초륵과 재륵을 괘일(掛一)과 합하면 5가 아니면 9니, 5는 기(奇;홀수)로써 양(陽)이 되고 9는 우(偶;짝수)로써 음(陰)이 된다. -소수(少數)를 기(奇)라 하고 다수(多數)를 우(偶)라 한다.- 이 5나 9의 가지를 책상의 왼쪽 측면 하변(下邊)에 놓아두고 이것을 변(變)이라 하여 삼변(三變)을 기다린다.

다시 두 손으로 좌우에 배열된 과설책(過揲策;넷씩 떼어낸 책수)을 합하면 44도 되고 40도 되니 이 책수(策數)를 좌우로 나누어 괘일(掛一)하고 초륵하고 재륵하기를 전과 같이하여 초륵이 1이면 재륵이 2이고 초륵이 2이면 재륵이 1이고 초륵이 3이면 재륵이 4이고 초륵이 4이면 재륵이 3이다.

또 초륵과 재륵의 책(策)을 괘일과 합하면 4가 아니면 8이니 4는 기(奇)로서 양이 되고 8은 우(偶)로서 음이 된다. 이 4나 8의 책수를 앞서 예치한 일변(一變)의 위에 놓으니 이것이 이변(二變)이다.

또 두 손으로 좌우의 과설책(過揲策)을 합하면 40이나 36이나 32가 될 것이니, 이 책수를 좌우로 나누어 괘일(掛一)과 초륵(初扐)과 재륵(再扐)을 전과 같이 하면 괘륵(掛扐)의 수가 반드시 이변(二變)과 같아 4가 아니면 8이니 이 책수를 앞서 예치한 이변 위에 놓으면 이것이 삼변(三變)이다. 삼변이 이미 이루어졌으면 삼변의 책수로 음양효(陰陽爻)의 동정(動靜)을 볼 수 있다.

5와 4는 기(奇)로 양(陽)이 되고 9와 8은 우(偶)로 음(陰)이 되니, 4·4·5는 삼기(三奇)로 건(乾)의 상(象)이니 양이 지극하면 동(動)하여 음이 되므로 중(重)이라 하여 ▭을 그어 양효(陽爻)가 동한 것으로 보고, 8·8·5는 일기 이우(一奇二偶)로 진(震)의 상(象)이고, 8·4·9도 또한 일기 이우로 감(坎)의 상이고, 4·8·9도 또한 일기 이우로 간(艮)의 상이니, 셋이 모두 양이 적고 음이 많아 양이 안정(安靜)하면 단(單)이라 하여 ━을 그어 양효(陽爻)로 보고, 4·4·9는 일우 이기(一偶二奇)로 손(巽)의 상이고, 4·8·5도 또한 일우 이기로 리(離)의 상이고, 8·4·5도 또한 일우 이기로 태(兌)의 상이니, 셋이 모두 음이 적고 양이 많아 음이 안정하면 탁(拆)이라 하여 ╍를 그어 음효(陰爻)로 보고, 8·8·9는 삼우(三偶)로 곤(坤)의 상이니 음이 지극하면 양이 되므로 교(交)라 하여 ✕를 그어 음효가 동한 것으로 본다.

이에 얻은바 ═(重) - -(拆) —(單) ✕(交) 중에 하나를 종이 위에 그어 일괘(一掛) 육효(六爻) 중에 맨 밑의 초효(初爻)를 만들고, 다음 다시 49책(策)을 모아 전과 같이 반복 설시(揲蓍)하여 삼변(三變)에 이르러 또 ═ - - — ✕ 중에 하나를 앞서 그은 초효 위에 그어 제이효(第二爻)를 만들고, 또 다시 설시하여 삼변에 이르러 ═ - - — ✕ 중에 하나를 앞서 그은 제이효 위에 그어 제삼효(第三爻)를 만든다. 이미 삼효를 얻었으면 육획괘(六畫卦)에 내괘(內卦)를 얻어서 삼획괘(三畫卦)의 동정(動靜)을 알 수 있다. ☰은 건(乾), ☱은 태(兌), ☲은 리(離), ☳은 진(震), ☴은 손(巽), ☵은 감(坎), ☶은 간(艮), ☷은 곤(坤)이니 이상 팔괘(八卦)는 음양효(陰陽爻)가 다 안정하여 부동괘(不動卦)가 된다.

괘효(卦爻)의 동(動)함은 오로지 노양(老陽)의 ═(重)이 - -의 음(陰)으로 변하고 ✕(交)가 —의 양(陽)으로 변하는데 있으니 아래와 같다.

☰은 건(乾)이 태(兌)로 변(變)한 것이요 ☰은 건이 리(離)로 변한 것이요
☰은 건이 진(震)으로 변한 것이요 ☰은 건이 손(巽)으로 변한 것이요
☰은 건이 간(艮)으로 변한 것이요 ☰은 건이 감(坎)으로 변한 것이요
☰은 건이 곤(坤)으로 변한 것이다.

☱은 태(兌)가 건으로 변한 것이요 ☱은 태가 리로 변한 것이요
☱은 태가 진으로 변한 것이요 ☱은 태가 손으로 변한 것이요
☱은 태가 감으로 변한 것이요 ☱은 태가 간으로 변한 것이요
☱은 태가 곤으로 변한 것이다.

☲은 리(離)가 건으로 변한 것이요 ☲은 리가 태로 변한 것이요
☲은 리가 진으로 변한 것이요 ☲은 리가 손으로 변한 것이요
☲은 리가 감으로 변한 것이요 ☲은 리가 간으로 변한 것이요
☲은 리가 곤으로 변한 것이다.

☳은 진(震)이 건으로 변한 것이요 ☳은 진이 태로 변한 것이요
☳은 진이 리로 변한 것이요 ☳은 진이 손으로 변한 것이요

은 진이 감으로 변한 것이요 은 진이 간으로 변한 것이요
은 진이 곤으로 변한 것이다.

은 손(巽)이 건으로 변한 것이요 은 손이 태로 변한 것이요
은 손이 리로 변한 것이요 은 손이 진으로 변한 것이요
은 손이 감으로 변한 것이요 은 손이 간으로 변한 것이요
은 손이 곤으로 변한 것이다.

은 감(坎)이 건으로 변한 것이요 은 감이 태로 변한 것이요
은 감이 리로 변한 것이요 은 감이 진으로 변한 것이요
은 감이 손으로 변한 것이요 은 감이 간으로 변한 것이요
은 감이 곤으로 변한 것이다.

은 간(艮)이 건으로 변한 것이요 은 간이 태로 변한 것이요
은 간이 리로 변한 것이요 은 간이 진으로 변한 것이요
은 간이 손으로 변한 것이요 은 간이 감으로 변한 것이요
은 간이 곤으로 변한 것이다.

은 곤(坤)이 건로 변한 것이요 은 곤이 태로 변한 것이요
은 곤이 리로 변한 것이요 은 곤이 진으로 변한 것이요
은 곤이 손으로 변한 것이요 은 곤이 감으로 변한 것이요
은 곤이 간으로 변한 것이다.

이상 56괘(卦)는 음양효(陰陽爻)가 서로 변하여 동괘(動卦)가 되었다.

이상 동정육십사괘(動靜六十四卦) 중에 일괘(一卦)를 얻어 내괘(內卦)를 만들고 다시 49책(策)으로써 반복 설시(揲蓍)하여 다시 제사(第四), 제오(第五), 제육(第六)의 삼효(三爻)를 얻어 외괘(外卦)를 만들어 내괘 삼획(三畫) 위에 그어 전후(前後)로 18변(變)을 지나 이에 육획(六畫)의 괘를 얻는다.

이에 시책(蓍策)을 거두어 간직하고, 얻은바 육획을 가지고 본괘(本卦)와 지괘(之卦)의 동정(動靜)을 보아 괘사(卦辭) 및 효사(爻辭)를 찾아 길흉(吉凶)을 살핀다.

건(乾) 일괘(一卦)로써 예를 들어보건대, 건괘(乾卦)의 여섯 효(爻)가 모두 안정(安靜)하여 ☰乾本卦가 되었으면 본괘 괘사(卦辭)의 원(元)·형(亨)·리(利)·정(貞) 및 단사(彖辭)를 취하고, 초효(初爻)가 동(動)하여 ☰乾之姤가 되면 초구 효사(初九爻辭)의 잠룡물용(潛龍勿用)을 취하고, 이효(二爻)가 동하여 ☰乾之同人이 되면 구이 효사(九二爻辭)의 견룡재전(見龍在田)을 취하고, 삼효(三爻)가 동하여 ☰乾之履가 되면 구삼 효사(九三爻辭)를 취하고, 사효(四爻)가 동하여 ☰乾之小畜이 되면 구사 효사(九四爻辭)를 취하고, 오효(五爻)가 동하여 ☰乾之大有가 되면 구오 효사(九五爻辭)를 취하고, 육효(六爻)가 동하여 ☰乾之夬가 되면 상구 효사(上九爻辭)를 취한다.

이효가 동하여 ☰乾之遯이 되면 건괘(乾卦) 동효(動爻) 중에 상효(上爻)인 구이 효사를 취하니 ☰乾之訟은 구삼효(九三爻)로, ☰乾之巽은 구사효(九四爻)로, ☰乾之鼎은 구오효(九五爻)로, ☰乾之大過는 상구효(上九爻)로, ☰乾之无妄은 구삼효로, ☰乾之家人은 구사효로, ☰乾之離는 구오효로, ☰乾之革은 상구효로, ☰乾之中孚는 구사효로, ☰乾之睽는 구오효로, ☰乾之兌는 상구효로, ☰乾之大畜은 구오효로, ☰乾之需는 상구효로, ☰乾之大壯도 상구효로 모두 건괘 동효 중에 상효를 취한다.

삼효가 동하면 본괘(本卦)의 괘사와 단사를 취하는 것이 십괘(十卦)이니 이것을 전십괘(前十卦)라 하고, 지괘(之卦)의 괘사와 단사를 취하는 것이 십괘이니 이것을 후십괘(后十卦)라 한다.

건괘 삼효변(三爻變)의 전십괘는 ☰乾之否, ☰乾之漸, ☰乾之旅, ☰乾之咸, ☰乾之渙, ☰乾之未濟, ☰乾之困, ☰乾之蠱, ☰乾之井, ☰乾之恒이니 이상 십괘는 모두 건괘의 괘사와 단사를 취한다.

건괘 삼효변의 후십괘는 ☰乾之益, ☰乾之噬嗑, ☰乾之隨, ☰乾之賁, ☰乾之既濟, ☰乾之豐, ☰乾之損, ☰乾之節, ☰乾之歸妹, ☰乾之泰니 이상 십괘는 모두 지괘(之卦)의 괘사와 단사를 취한다.

사효(四爻)가 동하여 ☰乾之觀이 되면 관괘(觀卦) 부동효(不動爻) 중의 하효(下爻)인 구오효(九五爻)를 취하니, ☰乾之晉은 진괘(晉卦) 구사효(九四爻)로, ☰乾之

艮은 간괘(艮卦) 구삼효(九三爻)로, ䷃乾之蒙은 몽괘(蒙卦) 구이효(九二爻)로, ䷚乾之頤는 이괘(頤卦) 초구효(初九爻)로, ䷬乾之萃는 췌괘(萃卦) 구사효로, ䷦乾之蹇은 건괘(蹇卦) 구삼효로, ䷜乾之坎은 감괘(坎卦) 구이효로, ䷂乾之屯은 준괘(屯卦) 초구효로, ䷽乾之小過는 소과괘(小過卦) 구삼효로, ䷧乾之解는 해괘(解卦) 구이효로, ䷲乾之震은 진괘(震卦) 초구효로, ䷭乾之升은 승괘(升卦) 구이효로, ䷣乾之明夷는 명이괘(明夷卦) 초구효로, ䷒乾之臨도 림괘(臨卦) 초구효로 모두 지괘(之卦) 부동효(不動爻) 중에 하효(下爻)를 취한다.

오효(五爻)가 동하여 ䷖乾之剝이 되면 박괘(剝卦) 상구효로, ䷇乾之比가 되면 비괘(比卦) 구오효로, ䷏乾之豫가 되면 예괘(豫卦) 구사효로, ䷎乾之謙이 되면 렴괘(謙卦) 구삼효로, ䷆乾之師가 되면 사괘(師卦) 구이효로, ䷗乾之復이 되면 복괘(復卦) 초구효로 모두 지괘의 부동효를 취한다.

육효(六爻)가 모두 ䷁乾之坤이 되면 지괘인 곤괘(坤卦)의 괘사를 취해야 하는데 건괘의 용구사(用九辭)를 쓰고, 곤괘 육효가 모두 동하여 ䷀坤之乾이 되면 지괘인 건괘의 괘사를 취해야 하는데 곤괘의 용육사(用六辭)를 쓰니, 이는 건(乾)·곤(坤) 양괘(兩卦)만의 특례이고 기타 모든 괘들은 육효가 모두 동하면 각각 지괘의 괘사를 취한다.

이상은 건(乾) 일괘(一卦)가 변하여 64괘가 되는 예이니 기타 64괘도 이와 같은 예로 변동하여 64괘가 동하지 아니하면 다만 64괘 뿐이요, 64괘가 동하면 일괘가 각각 64괘로 변동하여 도합 4,096괘가 되어 모든 사물의 변을 응한다.

揲蓍之法이 具於朱子明筮及筮儀나 而至於求卦尋爻하여는 有所不備라 故擧其例하여 以著其式이라 筮者盥手焚香하고 肅敬靜坐하여 兩手로 執蓍策五十莖하여 熏於爐上하고 命之曰 假爾泰筮有常 假爾泰筮有常 某官姓名 今以某事 未知可否 爰質所疑 于神于靈 吉凶得失 悔吝憂虞 惟爾有神 尙明告之라하고 乃以右手로 取蓍一策하여 納於櫝中하여 以象太極而無用하고 次以左右手로 中分四十九策하여 分置左右하여 以象陰陽하고 次取左分策하여 執之左手하고 取右分策之一策하여 掛于左手小指之間이니 此謂掛一而以象三才하고 次以右手로 四揲左手之策하여 以象四時而謂之左揲策하고 以其或一或二或三或四之餘策으로 扐于左手無名指間이니 此謂初扐而象三歲一閏하고 次取右分策하여 執之右手하고

以左手로 四揲之而謂之右揲策하고 亦以其或一或二或三或四之餘策으로 扐于左手中指間이니 此謂再扐而象五歲再閏이라 初扐一則再扐三이요 初扐二則再扐二요 初扐이 三則再扐一이요 初扐四則再扐四라 以初扐再扐之策으로 合于掛一하면 不五則九니 五以奇而爲陽하고 九以偶而爲陰이니 -少數爲奇요 多數爲偶라- 別置此或五或九之策於占牀左側下邊이니 是爲一變이라 再以兩手로 取左右過揲之策而合之면 則或爲四十四하고 或爲四十이니 以此策數로 分左右而掛一初扐再扐을 如前爲之하여 初扐一則再扐二요 初扐二則再扐一이요 初扐三則再扐四요 初扐四則再扐三이라 又以初扐再扐之策으로 合于掛一하면 非四則八이니 四以奇而爲陽하고 八以偶而爲陰이라 置此或四或八之策於前一變之上이니 是爲二變이라 又以兩手로 取左右過揲之策而合之면 則或爲四十하며 或爲三十六하고 或爲三十二니 以此策數로 分左右而掛一初扐再扐을 如前爲之則掛扐之數가 必如二變而非四則八이라 置此數於前二變之上이니 是爲三變이라

三變既成則乃以三變之掛扐策數로 觀陰陽爻之動靜이니 五與四는 以奇爲陽하고 九與八은 以偶爲陰이라 四四五는 三奇而象乾이니 陽極則動而爲陰이라 故稱以重而畫하여 以爲陽爻之動하고 八八五는 一奇二偶而象震하고 八四九도 亦一奇二偶而象坎하고 四八九도 亦一奇二偶而象艮하니 三者는 皆陽少陰多而陽得安靜이라 故稱以單而畫하여 以爲陽爻之靜하고 四四九는 一偶二奇而象巽하고 四八五도 亦一偶二奇而象離하고 八四五도 亦一偶二奇而象兌하니 三者는 皆陰少陽多而陰得安靜이라 故稱以坼而畫--하여 以爲陰爻之靜하고 八八九는 三偶而象坤하니 陰極則動而爲陽이라 故稱以交而畫✕하여 以爲陰爻之動이라

於是取上所得 ▭ -- — ✕ 之一하여 畫於紙上하여 以爲六爻最下之初爻하고 次并收四十九策하여 依前反覆揲蓍하여 至三變而又取 ▭ -- — ✕ 之一하여 畫於前畫初爻之上하여 以爲第二爻하고 又更揲蓍하여 至三變而取 ▭ -- — ✕ 之一하여 畫於前書二爻之上하여 以爲第三爻라

既得三爻則成六畫卦之內卦하여 可知三畫卦之動靜이니 ☰爲乾이요 ☱爲兌요 ☲爲離요 ☳爲震이요 ☴爲巽이요 ☵爲坎이요 ☶爲艮이요 ☷爲坤이니 以上八卦는 陰陽爻皆安靜하여 以爲不動卦라

卦爻之動은 專在於老陽之▭이 變陰爲--하고 老陰之✕가 變陽爲—이니 如下是也라

은 乾變兌也요 은 乾變離也요 은 乾變震也요 은 乾變巽也요 은 乾變坎也요 은 乾變艮也요 은 乾變坤也라

은 兌變乾也요 은 兌變離也요 은 兌變震也요 은 兌變巽也요 은 兌變坎也요 은 兌變艮也요 은 兌變坤也라

은 離變乾也요 은 離變兌也요 은 離變震也요 은 離變巽也요 은 離變坎也요 은 離變艮也요 은 離變坤也라

은 震變乾也요 은 震變兌也요 은 震變離也요 은 震變巽也요 은 震變坎也요 은 震變艮也요 은 震變坤也라

은 巽變乾也요 은 巽變兌也요 은 巽變離也요 은 巽變震也요 은 巽變坎也요 은 巽變艮也요 은 巽變坤也라

은 坎變乾也요 은 坎變兌也요 은 坎變離也요 은 坎變震也요 은 坎變巽也요 은 坎變艮也요 은 坎變坤也라

은 艮變乾也요 은 艮變兌也요 은 艮變離也요 은 艮變震也요 은 艮變巽也요 은 艮變坎也요 은 艮變坤也라

은 坤變乾也요 은 坤變兌也요 은 坤變離也요 은 坤變震也요 은 坤變巽也요 은 坤變坎也요 은 坤變艮也라

以上五十六卦는 陰陽爻互相變化하여 以爲動卦라

以上動靜六十四卦中에 以一卦爲內卦하고 復以四十九策으로 反復揲蓍하여 更得第四第五第六爻之三爻하여 爲外卦하여 加畫於內卦三畫之上하여 通前後十八變而乃成六畫之卦라

乃收蓍策藏之하고 就所畫六畫上하여 觀本卦及之卦之動靜하여 尋卦辭及爻辭하여 以審其吉凶이라

例以乾卦觀하면 六爻皆安靜하여 爲乾本卦면 則當取卦辭之元亨利貞及彖辭요 初爻動而爲乾之姤면 則取初九爻辭之潛龍勿用이요 二爻動而爲乾之同人이면 則取九二爻辭之見龍在田이요 三爻動而爲乾之履면 則取九三爻辭요 四爻動而爲乾之小畜이면 則取九四爻辭요 五爻動而爲乾之大有면 則取九五爻辭요 六爻動而爲乾之夬면 則取上九爻辭라

二爻動而爲乾之遯이면 則宜取乾卦動爻中上爻之九二爻니 如乾之訟 乾之巽 乾之鼎 乾之大過 乾之无妄 乾之家人 乾之離 乾之革 乾之中孚 乾之睽 乾之兌 乾之大畜 乾之需 乾之大壯은 皆取乾動爻之上爻라

三爻動而爲乾之否면 則宜兼取乾卦卦辭及之卦之否卦卦辭라 然이나 以乾卦로 變及三爻者 有前十卦하고 有后十卦하니 否卦屬前十卦하여 當取乾卦卦辭라 -乾三爻變前后十卦는 見下라-

乾之否 乾之漸 乾之旅 乾之咸 乾之渙 乾之未濟 乾之困 乾之蠱 乾之井 乾之恒 以上前十卦는 皆取乾卦卦辭라

乾之益 乾之噬嗑 乾之隨 乾之賁 乾之既濟 乾之豐 乾之損 乾之節 乾之歸妹 乾之泰 以上后十卦는 各取之卦卦辭라

四爻動而爲乾之觀則宜取之卦觀卦不動爻中下爻之九五爻니 如乾之晉 乾之艮 乾之蒙 乾之頤 乾之萃 乾之蹇 乾之坎 乾之屯 乾之小過 乾之解 乾之震 乾之升 乾之明夷 乾之臨 皆取之封不動爻之下爻라

五爻動而爲乾之剝이면 則宜取之卦剝卦上九之不動爻니 如乾之比 乾之豫 乾之謙 乾之師 乾之復 皆取之卦之不動爻라

六爻皆動而爲乾之坤이면 則不取之卦坤卦之卦辭하고 取乾卦之用九요 至於坤卦하여 六爻皆動而爲坤之乾이면 則亦不取之卦乾卦之卦辭하고 取坤卦之用六이니 此乾坤兩卦之特例요 其他諸卦는 六爻皆動이면 則各取之卦卦辭라

以上은 乾一卦가 變爲六十四卦之例니 餘外六十三封도 皆以此例變動하여 六十四卦不動이면 則只是六十四卦而已요 六十四卦動이면 則一卦各爲六十四卦하여 以至四千九十六卦하여 以應事物之變也라

周易傳義大全 引用先儒姓氏表

姓氏	名	字	號
		漢	
孔氏	安國	子國	-
劉氏	歆	子駿	-
揚氏	雄	子雲	成都
鄭氏	玄	康成	高密
		魏	
董氏	遇	季直	華陰
王氏	弼	輔嗣	山陽
		吳	
虞氏	翻	仲翔	餘姚
		晉	
韓氏	伯	康伯	長社
		齊	
劉氏	瓛	子珪	沛郡
		北魏	
關氏	朗	子明	晉陽
		唐	
孔氏	穎達	仲達	冀州
		宋	
陳氏	摶	圖南	希夷
胡氏	旦	周父	渤海
陸氏	秉	端夫	-
孫氏	復	明復	泰山
胡氏	瑗	翼之	安定
石氏	介	守道	徂徠
歐陽氏	脩	永叔	廬陵
錢氏	藻	醇老	姑蘇
劉氏	彝	執中	長樂
陳氏	皐	希古	-
于氏	弇	-	-
邵子	雍	堯夫	康節
張子	載	子厚	橫渠
王氏	安石	介甫	臨川
王氏	逢	會之	廣陵
司馬氏	光	君實	涑水
程子	顥	伯淳	明道
程子	頤	正叔	伊川
蘇氏	軾	子瞻	東坡
呂氏	大臨	與叔	藍田
晁氏	說之	以道	嵩山
龔氏	原	深父	括蒼
房氏	審權	-	-
張氏	汝明	祖舜	廬陵
謝氏	良佐	顯道	上蔡
游氏	酢	定夫	廣平
楊氏	時	中立	龜山
尹氏	焞	彥明	和靖
張氏	繹	思叔	壽安

郭氏	忠孝	立之	兼山
張氏	汝弼	舜元	莆田
凌氏	唐佐	公弼	新安
耿氏	南仲	希道	開封
李氏	元量	–	–
李氏	春年	仲永	–
閻氏	彥升	–	–
李氏	開	去非	小舟
李氏	光	泰發	上虞
朱氏	震	子發	漢上
劉氏	翔	圖南	浦城
王氏	大寶	元龜	海陽
郭氏	雍	子和	白雲
都氏	潔	聖與	丹陽
鄭氏	剛中	漢章	北山
程氏	迥	可久	沙隨
鄭氏	東卿	少梅	合沙
鄭氏	厚	景韋	莆田
閭邱氏	昕	逢辰	麗水
洪氏	邁	景盧	容齋
劉氏	槩	仲平	東明
鄭氏	汝諧	舜舉	東谷
楊氏	萬里	廷秀	誠齋
蘭氏	廷瑞	惠卿	漁樵
馮氏	當可	時行	縉雲
王氏	宗傳	景孟	童溪
林氏	栗	黃中	福淸
袁氏	樞	機仲	梅巖
朱子	熹	元晦	考亭
張氏	栻	敬夫	南軒
呂氏	祖謙	伯恭	東萊
王氏	炎	晦叔	雙溪
項氏	安世	平父	平庵
李氏	舜臣	子思	隆山
蔡氏	元定	季通	西山
劉氏	爚	晦伯	雲莊
易氏	祓	彥章	山齋
陳氏	淳	安卿	北溪
黃氏	幹	直卿	勉齋
潘氏	柄	謙之	瓜山
董氏	銖	叔重	盤澗
陳氏	埴	器之	潛室
蔡氏	淵	伯靜	節齋
蔡氏	沈	仲默	九峯
李氏	過	季辨	西溪
馮氏	椅	儀之	厚齋
毛氏	璞	伯玉	瀘川
柴氏	中行	與之	恕齋
張氏	洽	元德	淸江
眞氏	德秀	景元	西山
魏氏	了翁	華父	鶴山

潘氏	夢旂	天錫	-
劉氏	彌劭	壽翁	習靜
錢氏	時	子是	融堂
饒氏	魯	仲元	雙峯
馮氏	去非	可遷	-
蔡氏	模	仲覺	覺軒
沈氏	貴珤	誠叔	毅齋
趙氏	汝騰	茂實	庸齋
趙氏	汝楳	-	-
方氏	逢辰	君錫	蛟峯
董氏	楷	正叔	天台
黃氏	以翼	宗台	-
楊氏	文煥	彬父	-
徐氏	幾	子輿	進齋
翁氏	泳	永叔	思齋
邱氏	富國	行可	建安
吴氏	綺	忠畝	三山
徐氏	直方	立大	古爲
陳氏	友文	-	隆山
胡氏	次焱	濟鼎	婺源
汪氏	深	所性	-
謝氏	枋得	君直	疊山
熊氏	禾	去非	勿軒
史氏	詠	自亨	水東
吴氏	應回	-	-
路氏	純中	-	-
鄭氏	正夫	-	-
王氏	湘卿	-	-
范氏	念德	伯崇	-
姚氏	小彭	-	-
冷氏	以上六人 世次未詳		
金			
單氏	渢	-	-
雷氏	思	西仲	渾源
元			
許氏	衡	仲平	魯齋
胡氏	方平	師魯	玉齋
吴氏	澄	幼淸	臨川
程氏	文海	鉅夫	-
胡氏	允	-	潛齋
齊氏	夢龍	覺翁	節初
程氏	龍	舜俞	苟軒
胡氏	一桂	庭芳	雙湖
胡氏	炳文	仲虎	雲峯
程氏	直方	道大	新安
張氏	淸子	希獻	中溪
徐氏	之祥	麒父	方塘
王氏	希朝	愈明	葵初
余氏	芑舒	德新	息齋
龍氏	仁夫	觀復	廬陵
董氏	眞卿	季眞	鄱陽

周易卦歌

八卦取象歌

☰	乾三連	☷	坤六斷(坤三絕)
☳	震仰盂(震下連)	☶	艮覆盌(艮上連)
☲	離中虛(離虛中)	☵	坎中滿(坎中連)
☱	兌上缺(兌上絕)	☴	巽下斷(巽下絕)

上下經卦名次序歌

乾坤屯蒙需訟師　比小畜兮履泰否
同人大有謙豫隨　蠱臨觀兮噬嗑賁
剝復无妄大畜頤　大過坎離三十備
咸恒遯兮及大壯　晉與明夷家人睽
蹇解損益夬姤萃　升困井革鼎震繼
艮漸歸妹豐旅巽　兌渙節兮中孚至
小過旣濟兼未濟　是爲下經三十四

上下經卦變歌

訟自遯變泰歸妹　否從漸來隨三位
首困噬嗑未濟兼　蠱三變賁井既濟
噬嗑五六本益生　賁原於損既濟會
无妄訟來大畜需　咸旅恒豐皆疑似
晉從觀更睽有三　離與中孚家人繫
蹇利西南小過來　解升二卦相爲資
鼎由巽變漸渙旅　渙自漸來終於是

分宮卦象次序

乾坎艮震爲陽四宮 巽離坤兌爲陰四宮 每宮陰陽八卦

乾爲天	天風姤	天山遯	天地否	風地觀	山地剝	火地晉	火天大有
坎爲水	水澤節	水雷屯	水火既濟	澤火革	雷火豐	地火明夷	地水師
艮爲山	山火賁	山天大畜	山澤損	火澤睽	天澤履	風澤中孚	風山漸
震爲雷	雷地豫	雷水解	雷風恒	地風升	水風井	澤風大過	澤雷隨
巽爲風	風天小畜	風火家人	風雷益	天雷无妄	火雷噬嗑	山雷頤	山風蠱
離爲火	火山旅	火風鼎	火水未濟	山水蒙	風水渙	天水訟	天火同人
坤爲地	地雷復	地澤臨	地天泰	雷天大壯	澤天夬	水天需	水地比
兌爲澤	澤水困	澤地萃	澤山咸	水山蹇	地山謙	雷山小過	雷澤歸妹

跋文 – 신역 《주역전의》를 발간하신 한송 선생님께 감사드리며

성현(聖賢)의 책을 혼자서 공부하다가 천우신조로 기해년(2019년) 가을부터 한송선생님을 모시고 가르침을 받게 되었다. 그 계기가 된 것이 《주역》, 바로 이 《주역전의》였다. 그 해 여름에 오랜만에 한진그룹의 원종승 사장님을 뵈었는데, 담소의 말미에 원사장님이 저에게 추천할 만한 책을 소개해 달라고 하시기에 제가 《주역》을 추천하였다. 사람이 반드시 책상에 두고 항상 읽어야 할 책이 《논어》와 더불어 《주역》이 아닌가 싶다고 말하며, 《주역》에는 세상의 이치와 인간이 살아가는 지혜가 경이로운 표현방법으로 실려있고, 공자님도 《주역》책을 묶은 가죽끈이 세 번 끊어질 정도로 많이 읽으신 책이라고 하면서 추천하였다. 그리고 《논어》처럼 내용이 짤막하게 끊어져 있어 원사장님처럼 바쁜 분들도 읽기가 편하다고 하였다.

원사장님께서 《주역》은 점을 보는 책이나 예언서와 같은 것이 아니냐고 하시기에, 《주역》은 사주나 관상서, 《토정비결》과는 완전히 다르며, 또 《주역》의 예언적 성격을 강조하는 상수역 학자도 있고, 사람의 도리와 세상의 이치를 강조하는 의리역 학자도 있으며, 정자(정이천)는 의리역을 강조하셨고 주자는 양쪽 모두 강조하셨다는 것을 설명해드렸다.

어렵지 않으냐고 말씀하시기에, 태극과 음양, 8괘와 64괘, 괘사와 효사 같은 새로운 용어도 많고, 외워야 할 것도 좀 있으며, 또 경문이 《논어》나 《맹자》와는 다른 형태의 문장이라서 처음에는 좀 어려운 점이 있지만, 한 두 번 읽고 나면 세상의 이치를 꿰뚫는 《주역》의 심오한 사상과 정곡을 찌르는 비유에 감탄하지 않을 수 없을 것이라고 하였다.

어떤 분의 책이 좋으냐고 하시기에, 가볍게 읽으려면 영남대 정병석교수의 주역책이나 대산 김석진 선생의 주역책이 좋고, 제대로 공부할려면 한송 성백효선생님이 번역하신 《주역전의》가 가장 좋다고 말씀드렸다. 《주역전의》는 정자의

《역전》을 기본서로 하고 주자의 《본의》를 보조로 하여 두 분의 주해서를 함께 실은 책으로 《주역》을 공부하는 사람들이 가장 많이 읽는 책이라고 첨언하였다.

그랬더니 원사장님이 기이한 듯 웃으시면서, 한송선생님을 한 번도 뵌 적은 없으나 선생님의 제자를 아신다고 하면서 제자를 소개해주어, 곧바로 한송선생님을 찾아 뵙고 직접 가르침을 받는 행운을 얻게 되었다. 선생님을 모시면서 몇 가지 느낀점이 있다.

선생님께서는 성현의 이름을 절대로 부르시지 않으셨다. 예컨대 《논어》 가운데 '子曰 賢哉 回也 其心三月不違仁'이라는 구절이 나오면, 원문대로 '자왈 현재 회(回)야 기심삼월불위인'이라고 읽지 않으시고, '자왈 현재 모(某)야 기심삼월불위인'이라고 읽으셨다. (안자의 이름인 회(回) 대신 모(某)라고 읽음) 우리나라의 선현들에 대해서도 절대로 이름을 직접 부르지 않고 퇴계(이황), 율곡(이이), 우암(송시열) 등과 같이 호(號)를 불러 반드시 휘(諱;죽은 부모나 조상, 임금, 성현의 이름을 부르지 않는 것)하셨다. 또 어느 성현께서 '말하였다'고 하지 않고, '말씀하셨다' 또는 '말씀하였다'고 표현하는 등 성현에 대하여 항상 공경심을 표시하셨다.

어느 날 저녁에 선생님을 모시고 식사를 하던 중 애기가 주자에 이르렀을 때, 선생님께서 갑자기 눈시울을 적시면서, "주자께서는 노후에 한탁주 등 간신들로부터 경원당금(慶元黨禁)이라는 정치적 박해를 당하여 제자들이 유배가거나 죽고 모두 떠나갔었다. 또 성리학은 거짓된 학문[僞學]이라는 탄압을 받아 강학도 할 수 없게 되었다. 그리고 신체적으로는 안질과 족질로 인하여 앞도 잘 못 보시고 걸을 수도 없는 등 아주 힘든 상황이셨다. 그렇지만 돌아가시기 3일 전에도 《대학집주》를 수정하셨다"고 말씀하시는 모습이 마치 방금 부모상을 당한 분처럼 슬퍼 보였었다. 그 후에 선생님께서 십여 년 전에 주자의 묘소를 참배하셨을 때에도 우셨다는 말씀을 듣고, 나는 그 때 알았다. 아, 우리 선생님은 성현을 진심으로 존경하고 그 분들의 말씀을 실천하려고 노력하시는 분이구나. 공자 증자 맹자 정자 주자 퇴계 율곡 등으로 이어지는 공맹(孔孟)의 종통(宗統)을 오롯이 이어받으신 분임을 알 수 있었다.

선생님께서는 평소 우리나라 선현들의 언행에 대하여 자주 말씀해주시고, 선생님의 책에도 중국의 성현 뿐만 아니라 우리나라 선현들의 이론이나 행적을 많이 실으셨다. 퇴계, 율곡, 우계(성혼), 사계(김장생), 우암(송시열) 같은 대현의 말씀 뿐만 아니라, 양촌(권근), 여헌(장현광), 농암(김창협), 남당(한원진), 청사(김재로), 다산(정약용), 매산(홍직필), 간재(전우), 호산(박문호) 등 수많은 해동 선현들의 주장도 함께 실려있다. 또《퇴계전서》·《율곡전서》·《우계집》·《고봉집》·《송자대전》·《약천집》·《농암집》·《여헌집》·《존재집》·《도곡집》·《매산집》 등 해동 선현들의 문집을 번역하여, 역사책 속에 박제가 되어버린 선현들의 심오한 사상과 높은 기상을 우리 후학들이 알게 해 주셨다. 이러한 가운데 선생님의 학문에는 퇴계선생의 성실(誠實)함과 율곡선생의 영민(英敏)함과 우계선생의 독실(篤實)함과 농암선생의 정치(精緻)함이 함께 녹아져 있음을 알 수 있었다.

우리 제자들 사이에 하나의 불문율이 있다. 절대로 강학을 줄이거나 없애자는 말씀을 올리지 않는 것이다. 선생님께서는 제자들을 가르치시려는 마음이 남달라서, 배우려는 학생이 있으면 때와 장소를 가리지 않고, 어떠한 손해나 고통이 따르더라도 성현의 말씀을 깨치는 데 도움을 주려고 노력하신다. 선생님은 강학 뿐만 아니라 만날 수 없는 학생들도 쉽게 공부할 수 있도록 일찍부터 경서 번역에 노력을 경주하셨고, 조선 선비들의 책 읽는 소리와 모습을 남기기 위해 사서(四書)를 강독하시는 선생님의 모습을 동영상으로 만들어 유튜브에 올리기도 하셨다. 선생님께서 사서 삼경(四書 三經)은 성현의 학문을 공부하는 데 가장 중요한 책이기 때문에 다시 한번 번역과 주석한 책(신역)을 남겨서 후학들이 제대로 공부할 수 있도록 하여야겠다고 다짐하시며, 십수 년 전부터 사서 삼경 신역(新譯) 사업을 시작하셨다. 사서(사서집주)의 신역은 기왕에 완료하셨고 삼경 신역의 첫 사업이 바로 이《주역전의》이다. 사서 때에도 힘이 많이 드셨지만, 선생님의 건강이 전과 같지 않으시고 여러 가지 어려움도 많아 이번 번역사업은 힘이 많이 드셨다. 그렇지만 성현의 학문을 사랑하시고, 계왕성 개래학(繼往聖 開來學;앞서 가신 성인의 학문을 잇고 뒤에 오는 후학의 학문의 문을 열다)이라는 막중한 책임감이 있었기 때문에《주역전의》신역을 마칠 수 있었다고 본다.

선생님의 책을 공부하는 동학들에게 부탁하오니, 선생님의 깊고도 간절한 마음을 헤아려 부디 성현의 말씀을 독실히 공부하여 여러분의 삶에 유익함이 있도록 하고 또 이 학문의 전지자(傳之者)가 되어주시길 바랍니다. 나아가 성현의 학문을 크게 밝히고 시대의 풍속을 선도할 대현(大賢)이 동학 여러분 가운데에서 나오기를 간절히 바라는 바입니다.

2023년 1월

불초 제자 朴 喜 在 씀

(해동경사연구소 부이사장)

(해동경사연구소 익선회장)

성백효成百曉

충남忠南 예산禮山 출생
가정에서 부친 월산공月山公으로부터 한문 수학
월곡月谷 황경연黃璟淵, 서암瑞巖 김희진金熙鎭 선생 사사
민족문화추진회 부설 국역연수원 연수부 수료
고려대학교 교육대학원 한문교육과 수료
한국고전번역원 교수 역임
전통문화연구회 부회장 역임
사단법인 해동경사연구소 소장(현)

번역서

사서집주四書集註, 『시경집전詩經集傳』
『서경집전書經集傳』, 『주역전의周易傳義』
『고문진보古文眞寶』, 『근사록집해近思錄集解』
『심경부주心經附註』, 『통감절요』
『당송팔대가문초唐宋八大家文鈔 소식蘇軾』
『고봉집高峰集』, 『독곡집獨谷集』, 『우계집牛溪集』
『다산시문집茶山詩文集』, 『송자대전宋子大全』
『약천집藥泉集』, 『양천세고陽川世稿』
『여헌집旅軒集』, 『율곡전서栗谷全書』
『잠암선생일고潛庵先生逸稿』
『존재집存齋集』, 『퇴계전서退溪全書』
『부안설 논어집주附按說論語集註』
『부안설 맹자집주附按說孟子集註』
『부안설 대학·중용집주附按說大學中庸集註』
『최신판 논어집주最新版論語集註』
『최신판 맹자집주最新版孟子集註』
『최신판 대학·중용집주最新版大學中庸集註』
『논어집주상설論語集註詳說』
『맹자집주상설孟子集註詳說』
『대학·중용집주상설大學中庸集註詳說』
『조선후기 한문비평1, 2』

신역 주역전의(하) – 新譯 周易傳義(下)

1판 1쇄 발행 | 2023년 1월 27일
1판 1쇄 인쇄 | 2023년 1월 10일

역주 | 성백효

발행처 | 한국인문고전연구소 발행인 | 조옥임
출판등록번호 | 2012년 2월 1일(제 406-251002012000027호)
주소 | 경기 파주시 가람로 70 (402-402) 전화 | 02-323-3635 팩스 | 02-6442-3634
이메일 | books@huclassic.com

디자인 | 씨오디
지류 | 상산페이퍼
인쇄 | 다다프린팅

ISBN | 978-89-97970-77-3 94140
978-89-97970-74-2 (set)